KB077141

테네브리스: 과거의 공포

TENEBRIS: The Fear from the Past

테네브리스: 과거의 공포

발 행 | 2024년 06월 18일
저 자 | 연서진
펴낸이 | 한건희
펴낸곳 | 주식회사 부크크
출판사등록 | 2014.07.15(제2014-16호)
주 소 | 서울특별시 금천구 가산디지털1로 119 SK트윈타워 A동 305호
전 화 | 1670-8316
이메일 | info@bookk.co.kr

ISBN | 979-11-410-8968-9

www.bookk.co.kr

다크 판타지 어드벤처 장편 소설

테네브리스: 과거의 공포

TENEBRIS: The Fear from the Past

연서진 지음

세계관 공동 창작/표지 로고 디자인 최유진

목차

작가의 말

Prologue……11

1장 어둠의 심연 속으로 Out of the Gallows, Into the Darkness……22

2장 망자의 증언 Dead Man's Tale……52

3장 과거의 공포 The Fear from the Past……80

4장 생존 본능 The Will to Live……101

5장 와신상담(臥薪嘗膽) Metamorphosis……132

6장 어둠의 심장 The Heart of Darkness……157

7장 지식의 대가 Price of Knowledge……188

8장 목석 Heart of Stone……212

9장 지옥의 문턱 Hell-bound……238

10장 덧없는 복수 Retribution……258

11장 선택의 기로에서 Astray from the Crossroad……282

12장 공포의 화신 Fear Incarnate……321

13장 깨어진 우정 The Breaking of Friendships……354

14장 추스를 수 없는 마음 Fear and Wrath……380

15장 마법사의 길 The Path of the Mage……415

16장 악연 Nemesis……445
17장 위대한 음모 Magna Coniuratio……470
부록……497
지도……503

작가의 말

저는 살아오면서 여러 번 극심한 공포를 느꼈습니다. 주된 이유는 어릴 적의 트라우마였고, 공포 속에서 헤어나오지 못한 저는 아주 오랜 시간 동안 스스로를 과거에 가두고 살았습니다. 솔직한 심정으로 저는 지금도 두려움을 느낍니다. 앞으로의 미래, 사람들이 나의 소설을 어떻게 받아들일까 하는 불안감, 공허감이나 외로움……. 수많은 불행이 닥쳐오고 저는 일어설 의지조차도 없었습니다. 그리고 지금도 스스로 일어설 자신은 없습니다.

저는 전문적으로 작법을 공부한 적도 없고, 문학에 대해서 많이 알지도 못하기에 필력도, 이야기 구성력도 좋지 못합니다. 그래서 이 소설이 본래의 제 역량으로는 절대 나올 수 없는 이야기라는 것도 잘 알고 있습니다. 하지만 다행스럽게도 친구라는 희망의 빛 한 줄기가 있었기에 소설이 탄생할 수 있었고, 저는 지금도 실낱 같은 미래에 대한 희망 하나만 안고 살아가고 있습니다.

그러나 삶의 끝에는 결국 죽음이 기다리고 있지요. 저는 죽음의 공포가 어떤 형태로든 저를 찾아오기 전에, 꼭 한 번 세상 사람들에게 제가 쓴 소설을 보여주고 싶었습니다. 세상에는 저처럼 두려움을 느끼는 이들이 많을 것이고, 그들이 만약 저의 소설을 읽고 용기를 내어 세상에 나와 삶의 빛을 느끼고 희망을 되찾는다면 좋겠다고 생각했습니다.

저를 포함해 많은 사람들을 괴롭히는 수많은 불안과 공포가 가득한 이 세상에서, 부디 누군가에게 이 소설이 희망과 용기가 되길 바랍니다.

2024년 5월 27일, 작가 연서진.

두려움이 없는 자를 만나다

Prologue

공포. 사람들을 두려움에 떨게 하는 그 감정은 모두의 마음 속에 살아 숨쉰다. 공포를 다스리는 방법이나 그에 대한 생각은 저마다 다르다. 누군가는 공포에 굴복하여 모든 것을 포기하려 하고, 다른 누군가는 공포를 무릅쓰고 용기 있게 맞서 싸운다. 또 다른 누군가는 공포란 그저 형체 없는 허상에 불과하다고 말하기도 한다.

아마도 원초적인 죽음에 대한 두려움이나 고통스러운 기억에 관한 이야기라면 옳은 말일지도 모른다. 그러나 이 이야기의 주인공인 유리에게 공포란 형체 없는 허상이 아니었다. 그녀에게 공포란 실재하는 끔찍한 악몽이었다. 그 공포는 조금만 손을 뻗으면 닿을 수 있고, 만질 수도 있고, 심지어는 자신을 바라보기도 하고 말을 할 수도 있었다. 이 공포의 존재는 사람들이 흔히 두려워하는 교활하고 사악한 요괴 같은 것이 아니었다. 그건 바로 과거, 유리가 사랑했던 연인이었다. 하지만 그 어느 누가 자신이 사랑하는 사람이 살인마라고 생각할 수 있을까?

살인마 연인을 만났을 당시 유리는 주술사였다. 그녀가 속한 종족인 밤의 인간들은 그 이름처럼 야행성인 인간들이었는데, 세상의 유일무이한 어둠의 존재였다. 그들은 세상에서 가장 추운 땅이라 불리는 창백한 대륙 전체를 지배하는 블러드크라운 제국의 주인이었다.

밤의 인간들은 자신들의 창조신인 어둠의 신을 섬겼다. 그들 중 주술사의 지위를 가진 이들은 신을 모시기 위해 지은 사당에서 늘 기도를 올리고, 죽은 영혼을 저승으로 인도하는 일을 했다. 유리도 주술사로서 신을 모시는 일을 오랫동안 해왔다. 하지만 본래 그녀의 신분은 주술사가 아니었다. 그저 하찮고 별 볼 일 없는 천민일 뿐이었다.

유리가 주술사가 될 수 있었던 것은 모두 스승인 진율 덕분이었다. 제국 중심부에 위치한 수도 반월성에는 '반월당'이라는 사당이 있었다. 이곳에서 진율은 신을 모시면서 버림받은 고아들을 데려와 보살폈다. 그 또한 어릴 적 거리를 떠돌던 고아 출신으로, 진율은 갈 곳 없는 아이들에게 먼저 다가가 따뜻한 손길을 내밀었다. 그렇게 한두 명씩 데려온 아이들은 10년 사이 어느 새 열 명으로 늘어나 모두 그의 제자가 되었다.

유리는 진율이 가장 마지막으로 데려온 아이였다. 유리가 반월당에 왔을 당시엔 열 일곱 살로, 제자로 받아주기에 나이가 조금 많은 편이었다. 게다가 먹여 살려야 할 제자가 이미 아홉이나 있었기에 진율은 다른 아이들을 더 데려올 여유가 없었다. 연민의 이유로 배고픈 입을 더 거둬들였다간 모두가 굶주릴 수도 있었다. 때문에 아이를 맡아달라는 사람들의 부탁에도 그는 정중히 거절했다.

넉넉하지 않은 형편에도 그가 유리를 데려오게 된 이유가 있었다. 귀한 약초를 구하러 서쪽으로 가던 어느 날, 진율은 매화나무가 가득한 어떤 시골 마을을 지나게 되었다. 분홍빛 꽃잎이 흩날리는 절경에 감탄하던 그는 마을 한복판에서 한 소녀가 돌팔매질을 당하는 모습을 보았다. 보통 같으면 그럴 만한 이유가 있겠거니 하며 대수롭지 않게 여길지도 몰랐다. 하지만 그가 마주한 끔찍한 광경은 너무나도 참혹했다. 사람들은 소녀의 얼굴과 배에 발길질을 하고 돌을 던져대면서 더러운 년이라고 소리치고 있었다. 소녀의 몸은 온통 피멍과 상처로 가득했다.

무자비한 발길질 속에서 오가는 사람들의 욕설과 대화, '살려달라'고 처절하게 외치는 소녀의 가녀린 목소리로 짐작컨대 소녀가 큰 죄를 저지른 것은 아닌 듯했다. 소녀의 잘못이라기 보다는 어떤 오해가 있는 듯싶었다. *잘못했어요, 살려주세요. 정말 잘못했어요…….* 소녀의 목소리는 점점 작아졌다. 더 이상 말할 기운도 없어 보였고, 연이은 발길질에 걷어차여 살갗이 다 뜯겨져 나간 터라 흙바닥이 피로 난무했다.

그 모습을 보자 진율은 그냥 지나칠 수가 없었다. 그는 마을 사람들에게 다가가 무슨 연유로 그렇게 하느냐고, 소녀가 대체 무엇을 잘못했느냐고 물었다. 하지만 사람들은 외지인이 어디서 남의 일에 참견질을 하냐며 씩씩거리기만 할 뿐이었다.

그들은 분풀이가 끝나자 다친 소녀를 그대로 버려 두고 떠났다. 얼마나 오랫동안 사람들에게 돌팔매질을 당한 것인지 소녀는 정신이 반쯤 나간 상태였다. 진율은 급한 대로 소녀를 부축해 가까운 여관으로 데려갔다. 가깝다고는 해도 외진 시골 마을이라 말을 타고도 두어 시간은 더 가야 하는 거리였다. 하지만 시간이 얼마나 걸리든, 진율은 곧 죽을 것처럼 얼굴이 새파랗게 질린 소녀를 차마 모른 척할 수가 없었다. 그는 침대에 소녀를 눕히고 상처에 약초를 발라주며 또 어디가 아프지는 않은지, 상처가 곪지는 않았을지 지켜보며 열심히 돌봐주었다.

며칠을 정성으로 보살핀 덕일까, 다행히도 소녀는 정신을 차렸다. 진율은 오래 집을 비웠으니 부모님께서 걱정하시겠다며 매화마을에 데려다 주겠다고 말했다. *안 돼요, 돌아가면 또 맞을 거예요. 죽는 한이 있더라도 집에는 가기 싫어요.* 소녀는 무릎에 얼굴을 파묻은 채 흐느껴 울었다.

굳이 많은 이야기를 듣지 않아도 소녀와 그 부모 사이에 어떤 일이 있었는지 대강 알 수 있었다. 진율은 소녀에게 마음 편히 있을 곳이 없다면 자신을 따라 사당으로 오지 않겠냐고 물었다. 소녀는 그의 손을 잡고 망설임 없이 따라 나섰다.

그렇게 진율은 유리를 자신의 열 번째이자 마지막 제자로 받아들였다. 그의 아홉 제자들은 새로 온 식구를 환영하며 따뜻하게 맞아주었다. 그러나 유리는 그들과 어울리지 못하고 혼자 겉돌기만 했다. 처음으로 경험하는 사람들의 친절이 낯설고 무서워 겁을 먹은 것이었다. 부모와 마을 사람들에게 밤낮을 가리지 않고 두들겨 맞았던 기억, 늘 자신에게 망나니의 딸이라고 손가락질하던 사람들……. 유리는 언제나 혼자였기에 그 흔한 친구조차 사귀어 본 적 없었다.

진율은 유리가 사당 생활에 익숙해질 때까지 천천히 여유를 두면서 먼저 글을 읽고 쓰는 법부터 가르쳐 주었다. 유리는 자신보다 열 살은 어린 사당의 아이들도 아는 글을 모른다는 사실에 부끄러움을 느꼈다. 글을 모르니 자신의 이름도 쓸 줄 몰랐고, 책을 읽는 것은 더더욱 꿈도 꿀 수 없었다. *괜찮아, 너무 걱정할 필요 없단다. 누구나 다 처음이 있는 법이잖니? 넌 영특한 아이니 충분히 잘해낼 수 있단다. 그럼 먼저 네*

이름을 쓰는 법부터 가르쳐주도록 하마. 진율은 축 처진 유리의 어깨를 다독였다.

불안에 갇혀 우울해하던 유리는 진율의 말에 조금씩 용기를 냈다. 유리는 그의 가르침을 따라 정신없이 글공부에 전념했고, 손과 입이 닳도록 쓰고 읽는 법을 익혔다. 그녀의 부모와 달리 진율은 절대 사소한 실수나 모자란 지식을 꾸짖는 법이 없었다. 그저 제자가 온전히 스스로의 힘으로 글을 읽고 쓸 수 있을 때까지 헌신과 사랑으로 감싸줄 뿐이었다.

처음으로 그의 도움 없이 자신의 이름을 써낸 날, 유리는 신이 나서 진율에게 달려가 종이를 펼쳤다. *스승님, 이제 무리 없이 책도 읽을 수 있어요. 보잘것없는 저를 사당으로 데려와 살게 해주시고 글을 가르쳐 주셔서 정말 감사합니다.* 편지를 읽어본 진율의 주름진 입가에 선명한 미소가 피어났다. 서투른 필체로 쓴 편지였으나 그 안에 담긴 제자의 진심만큼은 분명히 느낄 수 있었다.

글공부에 익숙해졌을 때쯤 유리는 낯선 사당 생활에도 잘 적응해가고 있었다. 사당에서 유일한 그녀의 또래인 사내아이 선우의 도움으로 다른 아이들과도 친해졌고, 더 이상 사람들의 친절과 호의에도 겁먹지 않았다. 동생들은 많아야 열 살 정도의 어린 꼬마들이어서 챙겨주어야 할 것이 많았다. 가끔 짓궂은 장난을 치고 말썽을 피우는 탓에 피곤해지기도 했지만 유리의 얼굴에서는 늘 웃음꽃이 피었다. 그녀에겐 새로운 것을 배우고 처음으로 사귄 친구들과 어울리는 것이 너무나도 즐겁기만 했다. 진율은 눈에 띄게 밝아진 유리의 모습에 안도하며 보람을 느꼈다.

진율은 유리에게 글공부 이외에도 중요한 한 가지를 더 가르쳐주고자 했다. 바로 무기를 다루는 법이었다. 유리는 그의 가르침을 따라 여러 가지를 배웠는데 예상 외로 검술에 재능을 보였다. 그녀의 재능을 알아본 진율은 주술사가 되는 시험을 치러보겠냐고 조심스레 물었다. 온갖 위험이 도사리고 있는 세상에서 스스로 헤쳐 나가는 지혜를 터득시키기 위함이었다.

사실 그의 모든 제자들이 주술사가 된 것은 아니었다. 제자들 중 셋은 주술에 별 관심이 없었고, 두 명은 수련 과정을 일주일도 버티지 못하고 포기했다. 사람들의 생각과 달리 주술사가 되는 과정은 훨씬 고되고 혹독했다. 오랜 시간 인내와 끈기 아래 행해야 하는 수련과 공부는 뛰어난 재능과 잠재력만으로는 쉽게 넘길 수 없는 일이었다. 그것은 단순히 주술을 부려 바람의 방향을 바꾼다거나, 눈 깜짝할 새에 검을 휘둘러 요괴를 해치우는 것이 아니었다. 요괴 퇴치 따위는 일의 일부였다.

주술사들의 주된 임무는 어둠의 신을 모시고 죽은 영혼을 저승으로 인도하는 것이었다. 이는 하루도 빠짐없이 성실하게 살아야 한다는 것이며 또한 썩어가는 시체의 끔찍한 모습과 악취를 자주 마주해야 한다는 의미였다. 그러니 주술사들이 아무리 신을 모시는 일을 한다고 존경을 받을지라도, 자진해서 주술사가 되고 싶어하는 이들은 그리 많지 않았다.

허나 고된 수련 과정에도 불구하고 진율의 제자들은 운 좋게도 다섯 명이나 시험을 통과했다. 그 다섯 명 중 한 명이 바로 유리였다. 정식으로 주술사가 된 이후에도 유리는 수련을 게을리하지 않았다. 그녀는 계속해서 실력을 갈고 닦은 끝에 일취월장하여, 마침내 검술에 있어서는 진율의 제자들 중 최고가 될 정도로 성장할 수 있었다.

때때로 유리는 진율과 동료들을 따라 마을이나 길가에 나타난 요괴를 퇴치하러 사냥을 나갔다. 그런 후 사당으로 돌아오면 늘 그렇듯 어둠의 신께 기도를 올리고 향을 피웠다. 가끔은 동생들과 검술 시합을 하거나 함께 부적을 만들기도 했고, 명절이면 다 같이 마루에 둘러앉아 송편을 빚기도 했다.

비슷한 나날이 반복되는 주술사로서의 생활은 그다지 특별할 것이 없었다. 하지만 유리에게는 이런 생활이 더할 나위 없이 특별하고 소중했다. 사당에 오지 않았다면 절대로 알지 못했을 평온한 삶이었다. 유리는 새로운 삶을 살 수 있도록 자신을 도와준 스승에게 늘 감사했다. 그녀에게 진율은 한 번도 가져보지 못한 진정한 아버지나 다름없었다. 유리는 평화로운 나날이 영원하기를 바라며 어둠의 신께 기도를 드렸다.

그러나 그토록 바랐던 평화로운 삶에 금이 가기 시작했다. 그 시작은 어떤 청년 때문이었다. 진율의 심부름으로 광장에 나온 유리는 '미르'라는 남자를 만났다. 미르는 진귀한 용의 눈이라 불리는 흔치 않은 황금색 눈동자에 온화한 인상을 가진 잘생긴 청년이었다.

유리가 손목에 찬 검은 염주를 보고 주술사인 것을 눈치챈 미르는, 이 근방에서 못 보던 아가씨라며 어느 사당에서 왔냐고 말을 걸었다. 유리는 낯선 이가 걸어오는 질문에 입을 꾹 다문 채 모른 척했다. 아무리 새로운 삶에 적응했다고 한들 사당 밖의 낯선 사람들은 여전히 불편하고 어색했다. 유리는 자꾸만 끈질기게 이름을 묻는 청년에게, 당신과는 할 이야기가 없다고 차갑게 대꾸하며 뒤돌아섰다.

허나 미르는 포기하지 않았다. 그의 이상한 집착은 유리가 반월당으로 돌아간 후에도 계속되었다. 미르는 며칠에 걸쳐 유리에게 선물과 편지를 보냈다. 유리는 그 선물들을 돌려보냈고, 자신을 만나달라는 편지에도 답하지 않았다.

그러자 미르는 반월당으로 직접 찾아왔다. 유리는 정중하게 말을 돌려 거절할 생각으로 그를 사당 밖으로 데려갔다. 숲을 함께 거닐며 미르와 이야기를 나누던 유리는 문득 그가 자신과 비슷한 삶을 살아왔다는 것을 깨달았다. 특별한 이유도 없이 두들겨 맞던 비참한 어린 시절, 친구 하나 없이 외롭고 고독하던 나날들, 늘 자신에게 손가락질하던 사람들. 유리는 처음으로 자신의 고통을 완벽하게 이해할 수 있는 사람을 만난 것 같았다.

뜻밖의 공통점을 발견한 두 사람은 점점 가까워졌다. 유리는 더 이상 미르의 방문이나 편지를 거절하지 않았고, 그와 사당 근처에서 자주 만나 이런저런 이야기를 나눴다.

그렇게 천천히 마음을 열고 있을 때쯤, 미르는 유리에게 고백할 것이 있다고 말했다. 그는 우아한 손짓으로 보랏빛 안개를 피워냈다. 마력 안개였다. 그제서야 유리는 미르가 평범한 청년이 아닌 '마법사'라는 것을 깨달았다. 그가 피워낸 흐릿한 형상의 보랏빛 안개는 작은 소용돌이를 일으키며 두 사람을 감쌌다. 말로만 들어왔던 난생처음 보는 아름답고 몽환적인 마법에 유리는 마음을 빼앗겼다. 미르는 그녀의 손을 잡고 자신의 연인이 되어달라고 말했다.

미르가 마법사였다니! 유리는 마법사가 자신을 좋아한다는 사실이 믿기지가 않았다. 마법사들은 모두 귀족이었다. 고대 흡혈귀 시대에는 절대다수가 강력한 마력을 지니고 있었지만, 세대가 지나며 점차 알 수 없는 이유로 마력을 잃게 된 밤의 인간들은 이제 극히 일부만이 마력을 지니고 있었다. 그렇기에 제국에서 마력을 가졌다는 것은 곧 마법사라는 뜻이며, 마법사라는 것은 곧 귀족이라는 뜻이었다.

여태껏 들리는 얘기로만 막연하게 상상했던 귀족들의 모습과 달리 미르는 예의 바르고 정중했다. 오만방자하거나 무례하기는커녕 태어날 때부터 몸에 친절이 배어 있는 사람 같았다. 다정하고 상냥한 성격, 부드러운 목소리, 진귀한 용의 눈이라고 불리는 보기 드문 황금색 눈, 또한 그런 눈동자 색과 잘 어울리는 '용'이라는 뜻의 이름과 매혹적이고 수려한 외모까지, 미르는 무엇 하나 완벽하지 않은 점이 없었다. 마치 여우에게 홀린 것처럼 그에게 빠져든 유리는 망설임 없이 고백을 받아들였다.

하지만 이 아름다운 청년에 대한 생각이 모두 같은 것은 아니었다. 진율은 미르를 좋게 보지 않았다. 주술사들은 원래 마법사들과 사이가 그리 좋지 않았다. 자연의 섭리를 따르는 주술사들은 마력으로 자연의 힘을 비틀어 자유자재로 사용하는 마법사들의 방식이 섭리에 어긋난다고 여겼고, 마법사들은 그런 주술사들을 고리타분하다고 여겼다.

진율이 미르를 좋아하지 않는 이유는 단순히 마법사라는 이유 때문만은 아니었다. 마법사와 어울리는 것도, 연인을 두는 것도 모두 주술사의 교리에 어긋나는 일이었지만 더 중요한 이유가 있었다. 그는 평생을 살면서 그렇게나 눈빛에 살기가 있는 사람은 본 적이 없었다. 유리는 미르가 한없이 다정하고 착한 사람이라고 믿었지만, 진율의 눈에 미르는 어떤 꿍꿍이를 숨기는 위선자, 먹잇감을 사냥하는 맹수에 더 가까웠다.

진율은 잘생긴 외모 뒤에 숨겨진 광기를 보지 못하는 자신의 제자를 걱정했다. 그는 유리에게 부드러운 목소리로 타일렀다. *내일부터는 더 이상 그 미르라는 청년과 어울리지 말거라. 그 사람을 곁에 두면 너만 위험해질 거야.* 그러나 이미 사랑에 빠져 미르에게 마음을 빼앗겨버린 유리는 말을 듣지 않았다. 눈빛만으로 사람의 선하고 악함을 판단하다니,

그녀에게는 스승의 이야기가 터무니없게 들렸다. 유리는 진율이 미르가 마음에 들지 않아 괜한 억지를 부리는 것 같았다.

결국 유리는 처음이자 마지막으로 자신의 스승에게 대들었다. 그리고 다음 날, 유리는 달이 뜨자마자 미르를 따라 반월당을 떠났다. 그녀는 진율이 틀렸음을 증명해 보이고 싶었다. 자신이 선택한 이 청년은 절대로 배신하지 않을 것이라고, 후회할 일은 없을 것이라고 굳게 믿었다.

얼마 가지 않아 유리는 그 생각이 틀렸음을 깨달았다. 그녀가 진율의 말이 옳았음을 깨닫게 된 것은 미르의 옷에서 핏자국을 발견한 어느 날부터였다. 미르와 함께 반월성을 떠나 제국 동부 지방을 여행하고 있던 유리는 가끔 그의 옷이나 머리카락에서 비릿한 피 냄새가 난다는 사실을 눈치챘다. 피 냄새가 나는 날은 미르가 재미 삼아 요괴나 짐승을 사냥하고 온 날이었다. 하지만 주술사로서 오랫동안 요괴를 퇴치하고, 시체를 여럿 본 경험이 있는 유리는 뭔가 이상하다는 것을 느꼈다. 직감이었다. 그의 옷깃에 묻은 핏자국은 평범해 보였지만, 어쩐지 요괴의 것이 아니라는 느낌이 들었다.

며칠 후, 미르는 잠시 볼 일이 있다며 자리를 비웠다. 유리는 서둘러 채비를 하고 여관을 나섰다. 아무래도 찜찜한 느낌을 지울 수가 없었다. 그녀는 미르가 충분히 시야에 들어올 만큼 멀어진 것을 확인하고 조용히 미행하기 시작했다. 혹여 들키는 일이 없도록 발소리를 죽인 채 한 걸음, 한 걸음 조심스럽게 뒤에서 따라갔다.

마침내 근처의 숲에 다다랐을 때 어떤 여자가 저 앞에 서 있는 것이 보였다. 두 사람은 만나기로 미리 약속했던 듯 서로를 보자마자 와락 껴안더니 숲속으로 함께 들어갔다. 나를 속이다니! 유리는 배신감에 치가 떨렸지만 소리를 지르지도, 눈물을 흘리지도 않았다. 유리는 요괴를 사냥할 때처럼 침착함을 유지하면서 그들을 따라갔다.

이윽고 미르와 여자는 작은 연못 앞에서 멈춰 섰다. 미르가 뭐라고 말하자 여자는 재미있다는 듯 깔깔 웃었다. 달빛 아래 연못가에서 다정하게 대화를 나누는 두 사람은 꼭 연인 같았다. 미르가 여자에게 다시 뭐라고 말하는 모습이 보였다. 유리는 숨을 죽이고 그들을 지켜보았다.

그런데 여자의 얼굴이 갑자기 공포로 일그러졌다. 무슨 말을 한 것인지, 그녀는 소스라치게 놀란 표정으로 손을 벌벌 떨면서 뒷걸음질쳤다. 미르는 그런 여자의 모습을 보며 씩 웃었다. 그리고 앞으로 손을 들어올려 그녀의 목을 쥐는 시늉을 했다. 보랏빛 마력 안개가 여자를 감쌌고, 가냘픈 몸이 공중으로 붕 떠올랐다. 여자는 제발 살려달라고 소리쳤다. 그러나 미르는 듣는 척도 하지 않았다. 그가 주먹을 쥔 손을 펼치자 여자의 몸이 힘없이 땅에 떨어졌다. 앞으로 고꾸라진 그녀는 미동조차 없었다.

유리는 믿을 수 없는 광경에 놀라 비명을 지를 뻔했다. 미르가 사람을 죽인 것이었다. 미르는 여자가 죽은 것을 확인하고 수풀 쪽으로 고개를 돌렸다. 그는 정확하게 유리를 향해 손을 뻗었다. 놀랄 틈도 없이 유리는 미르의 마력에 끌려갔다. 미르는 언짢은 표정으로 자신을 미행한 연인을 내려다보았다. 온화하고 자상하기만 하던 청년은 그동안 숨겨왔던 비밀을 들키자 본색을 드러냈다. 그 황금색 눈동자에는 진율이 말했던 광기가 있었다. 유리는 그제서야 사람의 눈빛을 보라는 진율의 말이 어떤 의미였는지 깨달았다. 그러나 후회해도 소용없는 일이었다.

미르는 유리를 어딘지 모를 폐허 안의 깜깜한 지하실에 가두었다. 그리고 시간이 날 때마다 그녀를 마법으로 고문했다. 가끔은 사람들을 데려와 죽이는 모습을 유리가 지켜보도록 하기도 했고, 갑자기 다정하게 웃으며 음식을 떠먹여 주기도 했다. 미르는 그런 모든 자신의 행동들을 사랑이라고 했다.

유리는 그가 증오스러웠다. 살인마에게서 벗어나기 위해 처절하게 저항했지만 빠져나올 방도가 없었다. 검이나 주술 따위로는 사언의 힘을 마음대로 비틀어 쓸 수 있는 마법을 절대로 이기지 못했다. 하지만 그렇다고 가만히 있을 수는 없었다.

도망칠 계획을 세운 유리는 반항을 멈추고 순종적으로 미르의 말을 따랐다. 미르는 이제서야 유리가 자신의 사랑을 이해했다고 생각했는지 더 이상 그녀를 감시하지 않았다. 유리는 감시가 느슨해진 틈을 타 단도를 한 자루 훔쳐 숨겨두었다. 그리고 조용히 기회가 다가오기를 기다렸다.

머지 않아 그 기회가 다가왔다. 미르는 그날도 살인을 끝내고 침대에 누워 마력을 회복하고 있었다. 마법사들은 세상을 지배하는 강력한 자들이었지만, 그들에게도 약점은 있었다. 바로 마력이 바닥나는 것이었다. 마력은 강력하나 무한하지는 않았다. 그렇기에 제아무리 막강한 힘을 가진 마법사라도, 마력이 바닥나면 힘을 재충전하는 휴식이 반드시 필요했다.

유리는 미르가 방심하는 틈을 노렸다. 그리고 기회가 다가왔을 때, 망설임 없이 칼끝을 그의 왼쪽 눈에 찔러 넣었다. 잠결에 공격을 당한 미르는 피 흐르는 왼쪽 눈을 감싸쥐고 비명을 질렀다. 그는 유리에게 당장 이리로 오지 않으면 죽여버릴 거라며 악에 받친 목소리로 외쳤다. 하지만 유리는 뒤도 돌아보지 않고 달렸다. 두 번 다시 찾아오지 않을 기회를 놓칠 수 없었다. 어떻게든 살아남기 위해, 유리는 고문당하고 굶주려 만신창이가 된 몸으로 달리고 또 달렸다.

그러나 반월당에 도착했을 땐 이미 한발 늦어 있었다. 거대한 불길에 휩싸인 사당의 사랑채와 별채들은 한 줌의 재로 변했고, 앞마당에는 잔인하게 토막이 난 동생들의 몸뚱어리가 굴러다녔다. 스승님도 마찬가지였다. 진율은 몸이 마력으로 갈기갈기 사방으로 찢겨 그나마 멀쩡한 얼굴을 제외하고서는 알아볼 수 없을 정도였다. 그의 주술사 제자들은 죽은 스승의 시체를 부여잡고 목놓아 오열했다. 그들의 얼굴도 온통 피와 상처투성이였다. 모두 미르가 한 짓이었다.

미르는 뒤를 돌아 유리를 보고선 입꼬리를 올려 씩 웃었다. 그는 태연하게 옷소매로 손에 묻은 피를 닦아냈다. 그리고 흉측해진 왼쪽 눈을 만지작거리며 가까이 다가와, 피를 닦던 손으로 유리의 머리카락을 부드럽게 쓸어 넘겼다. 유리는 그 가증스러운 손길을 쳐냈다.

그녀는 이제 연인에서 원수가 되어버린 미르의 심장을 향해 칼끝을 겨누었다. 아버지 같은 스승과 소중한 동생들을 죽인 연인을 용서할 수 없었다. 유리는 미르를 향해 검을 휘둘렀다.

불행히도 칼끝은 그의 심장에 닿지 못했다. 미르의 마력이 담긴 손짓 한 번에 천체검은 산산조각이 난 파편이 되어 시체들과 함께 땅 위에 나뒹굴었다. 가소롭다는 듯 웃던 미르는 한 손으로 유리의 목을 잡고 들어올렸다. 그는 땅을 적신 주술사들의 핏자국처럼 붉은 불꽃을 손안에서 피워내 연인의 뺨에 가져다 댔다. 살갗이 타들어가는 냄새와 하얀 연기가 사방으로 퍼졌다. 유리는 고통에 울부짖으며 살려달라고 소리쳤다. 그러나 살인마는 멈추지 않았다.

1장.

어둠의 심연 속으로

Out of the Gallows, Into the Darkness

악몽. 또 그 악몽이었다. 또다시 자신을 산 채로 갉아먹으며 엄습해오는 공포에 유리는 두 손으로 얼굴을 감싼 채 한숨을 쉬었다. 연인이었던 미르가 스승인 진율과 동료들을 죽인 후 몇 년째 반복되는 악몽이었다. 악몽에 얼마나 시달렸는지 베개는 눈물로 범벅이 된 데다 옷은 땀으로 흠뻑 젖었다.

유리는 불안으로 두근거리는 심장을 애써 부여잡고 마음을 가라앉혔다. 4년. 스승님과 동료들이 미르에게 죽은 지 벌써 4년이 지났다. 그리고 그 일로 미르가 황궁에 끌려가 참수를 당한 지도 4년이 지났다. 길다면 긴 시간이건만, 여전히 과거의 기억은 자신을 끈질기게 괴롭히고 있었다.

불안한 마음을 달래기 위해 유리는 마시다 반쯤 남은 술병을 집어 들었다. 어디를 가나 고통스러운 기억이 떠오르면 유리는 제일 먼저 술을 찾았다. 술과 그녀는 뗄 수 없는 깊은 관계가 된 지 오래였다.

입천장부터 목구멍까지 타오를 듯한 독한 술의 느낌이 그대로 전해졌다. 술을 끝까지 한 번에 들이켠 유리는 세 모금 정도 남은 술을 입안에 모두 털어 넣었다. 이제 취기가 올라와야 했다. 취해야만 고통을 잊을 수 있었다. 그러나 부랑자처럼 지낸 4년 사이 주량이 꽤 늘어난 탓에 정신은 멀쩡하기만 했다. 취기는커녕 오히려 공허함만 맴돌 뿐이었다. 그녀도 잘 알고 있었다. 부서져버린 공허한 마음에 술을 가득 채워 넣는다 한들 소용없다는 사실을. 밑 빠진 독에 물 붓기나 다름없는 일이었다.

답답한 마음에 유리는 침대에서 일어났다. 맨발바닥에 거친 나무 판자로 만들어진 바닥의 촉감이 느껴졌다. 몇십 년의 세월을 버텨온 낡은 탁상 위의 촛불이 서서히 꺼져가고 있었고, 작은 창문 틈으로 들어오는 희미한 달빛만이 비좁고 어두운 방 안을 밝혔다. 유리는 빈 술병을 내려놓고 창문을 열었다. 차가운 밤공기가 뺨을 스치며 멀리서 불어오는 시원한 바람에 얇은 커튼이 춤추듯 펄럭였다. 검푸른빛 밤하늘에 달이 환하게 떠 있는 것으로 보아 이른 저녁인 듯했다.

바깥에는 분주하게 하루를 시작하는 사람들이 보였다. 보통의 주행성 인간이나 엘프들에게 밤이란 하루의 끝이었지만, 야행성인 밤의 인간들에게 밤은 하루의 시작이었다. 유리는 처연한 표정으로 창틀에 기댄 채 사람들을 지켜보았다. 옷차림과 손에 들고 있는 물건들로 판단하건대 손님으로 보이는 몇 사람이 손가락에 담뱃대를 걸친 채 대화를 나누고 있었고, 여관의 하인들은 바쁘게 상자를 나르며 바닥을 쓸었다.

그들의 얼굴에서 활기가 느껴졌다. 하루하루 이런저런 일에 치여 살아가면서도, 사람들에게는 어떻게든 삶을 이어가고자 하는 강한 의지가 있었다. 고달픈 삶 속에서 뭐가 그리도 즐거운 걸까? 사람들의 얼굴 위로 피어나는 환한 미소를 본 유리는 떨리는 입술을 깨물며 우울한 마음을 꾹 눌러 삼켰다. 마지막으로 웃어본 것이 언제였는지 기억도 나지 않았다. 미르를 만난 이후로, 스승님과 동생들이 죽은 뒤로 몇 번이나 목숨을 내던지고 싶었는지 셀 수도 없었다.

술에 취해 제국을 떠도는 방랑자가 된 지 벌써 4년째였다. 그저 하루하루 입에 풀칠하기 위해 검을 들고 일거리를 찾아 돌아다닐 뿐이었다. 이 모습을 진율이 보았다면 주술사답지 못하다고 호통을 쳤을 것이 분명했다. 그러나 죽은 자의 영혼을 저승으로 인도한다고 해도, 신을 모시지 않는데 어떻게 주술사라고 부를 수가 있을까. 지금 내 꼴에는 차라리 칼잡이라는 말이 더 어울리겠지. 내가 죽으면 묻어줄 사람이나 있으려나. 자신의 처량한 신세에 유리는 헛웃음이 났다.

언제까지 자신을 갉아먹는 공포 속에서 지내야 할지 두려웠다. 이렇게 고통에 몸부림치며 계속 살아야 한다면, 차라리 오랫동안 갈망해왔던 죽음의 심연 속으로 몸을 내던지고 싶었다. 그 생각에 유리는 주먹을 꽉 쥐었다. 오늘이야말로 결정을 내리리라. 오늘이야말로 자신을 오랫동안 괴롭혀온 기억들로부터 해방되리라. 유리는 모든 것을 끝낼 각오를 했다. 죽음. 오직 그것만이 자신을 삶의 고통에서 해방시킬 수 있었다. 다른 방법은 없었다.

간단히 짐을 챙겨 여관을 나온 유리는 광장 남쪽의 주술사 공동묘지로 향했다. 죽기 전 꼭 보고 싶은 사람이 있었다. 너무나도 보고 싶지만 볼 수 없는 사람. 미르에게 살해당한 자신의 스승, 진율이었다.

오랜만에 방문한 묘지는 늘 그렇듯 음울했다. 사람은커녕 개미 새끼 한 마리 보이지 않았다. 오늘 누군가를 추모하러 온 사람은 자신밖에 없는 듯했다. 유리는 땅속 깊이 묻힌 수많은 망자들을 지나 아직도 익숙해지지 않은 스승님의 묘 앞에 섰다. 묘비에는 그의 이름 '진율'이 새겨져 있었고, 앞에는 이미 누군가가 왔다간 듯 검은 국화 네 송이가 놓여 있었다. 유리는 그 꽃들이 선우와 동생들이 놓고 간 것임을 알았다. 진율의 무덤에 찾아올 사람들은 그의 살아남은 제자들밖에 없었으니까.

유리는 그 옆에 자신이 가져온 검은 국화를 내려놓았다. 그리고 주저앉아 멍하니 묘비와 손목의 검은 염주를 번갈아 바라보았다. 어둠의 신이 정말 존재하기는 할지, 그가 제국을 지배하는 밤의 인간들의 창조자일지 의문이 들었다. 이미 마음에서 신앙심이 사라진 지는 오래였다. 어둠의 신이니, 신의 말씀이니 하는 것 따위 더 이상 아무런 의미도 없었다.

도대체 왜 스승님께 이런 일이 일어난 걸까? 가엾은 고아들을 불쌍히 여겨 직접 거두시고, 늘 사람들에게 은혜를 베풀던 스승님인데 어찌 신께서는 스승님이 비참하게 돌아가시도록 놔두신 걸까? 아무리 생각해도 진율이 이토록 끔찍한 죽음을 맞을 이유는 전혀 없었다. 그는 욕심 없는 선한 삶을 추구하던 주술사였고, 신을 모시는 이로서 절대 자신의 임무를 게을리한 적도 없었다.

어쩌면 진짜 탓해야 하는 것은 어둠의 신이 아니라 자신일지도 몰랐다. 아, 스승님의 말씀을 진작에 들었더라면 이런 일은 없었을 텐데! 유리는 진율이 경고했던 미르의 광기를 무시했던 것을 후회했다. 어떻게든 미르에게 복수하고 싶었다. 생각만 해도 가증스러운 그의 심장에 칼을 꽂고 싶었다. 하지만 그럴 수 없었다. 미르는 이미 오래 전에 황제의 명령으로 참수를 당해 저 세상 사람이 되었고, 설령 그가 살아있었더라도 복수하지 못할 것이 뻔했다. 유리는 자신이 얼마나 겁쟁이인지 잘 알고 있었다.

그렇게 울고 또 얼마나 울었을까, 주변에서 인기척이 들렸다. 유리는 발걸음 소리에 고개를 들었다. 다른 망자의 묘 앞에 자신처럼 검은 망토를 걸친 한 어떤 남자가 서 있었다. 그도 누군가를 추모하러 온 듯 검은 국화 한 송이를 묘비 앞에 놓았다. 유리는 두 손을 앞으로 모으고 기도하는 남자의 모습을 바라보았다. 남자의 얼굴은 깊이 눌러쓴 망토 두건 때문에 보이지 않았지만, 유리는 어쩐지 그에게서 자신과 같은 슬픔이 보이는 것만 같았다.

유리는 자리에서 일어나 묘지 뒤쪽의 절벽으로 향했다. 환하게 빛나는 아름다운 달이 회색 구름과 함께 밤하늘에 떠 있었다. 귀뚜라미와 올빼미가 우는 소리가 이따금씩 귓가를 찔렀고, 두 뺨에 말라붙은 눈물 위로 다시 뜨거운 눈물이 흘러내렸다. 절벽 끝에 다다르자 발밑으로 아찔하게 느껴지는 높이에 유리는 머뭇거렸다. 온통 나무와 풀숲으로 우거진 절벽 아래로는 아무것도 보이지 않았다.

불현듯 여기서 떨어져도 살 수 있을까라는 생각이 머리를 스쳤다. 유리는 길게 숨을 내쉬며 주먹을 꽉 쥐었다. 여기까지 와서 망설이다니! 유리는 자신을 다그쳤다. 절대 되돌아갈 수는 없었다. 이번에야말로 끝내야 했다. 이번에야말로 모든 고통을 끝내야 했다.

눈을 감고 다시 한 번 깊게 심호흡을 한 후, 유리는 허공으로 한 발을 내디뎠다. 몸이 절벽 아래로 기울어지며 떨어졌다. 이제 모든 것이 끝이었다. 자신을 고통스럽게 하는 지옥과도 같은 세상과의 이별이었다. 곧 죽음의 세계에서 스승님과 동생들을 만나게 될 터였다. 그 생각에 홀가분해진 기분 탓인지, 아래로 추락하고 있음에도 몸은 하늘을 향해 붕 떠오르는 느낌이 났다. 유리는 자신이 진정으로 죽음에 도달하고 있는 것이라고 생각했다.

그러나 죽음이라기엔 뭔가 이상한 느낌이 들었다. 번개처럼 찌릿하는 기운이 온몸의 혈관을 타고 느껴졌는데, 어딘가 익숙하면서도 전혀 낯선 강렬한 기운이었다. 유리는 눈을 떠 주변을 둘러보았다. 그녀는 눈앞에 펼쳐진 예상치 못한 광경에 당황했다. 자신은 아래로 추락하지 않았다. 대신 어떤 알 수 없는 힘이 발목을 잡고 있는 것처럼 거꾸로 몸이 공중에 매달려 있었다.

유리는 바둥거리며 주변을 두리번거리다가 두건을 깊이 눌러쓴 어떤 남자를 보았다. 그 남자는 한 손의 마력으로 추락하기 일보 직전인 유리를 붙잡고 있었다. 남자가 손을 가슴팍으로 끌어오듯 당기는 시늉을 하자, 유리는 그의 손짓대로 남자에게 끌려갔다.

빌어먹을, 마법사잖아! 자신을 괴롭히던 악몽 속의 황금색 눈동자가 떠올랐다. 순식간에 남자의 코앞까지 끌려온 유리는 마력의 손아귀에서 벗어나기 위해 발버둥쳤다. 하지만 말 그대로 발버둥치는 것일 뿐, 아무런 소용이 없었다. 그녀의 몸은 여전히 공중에 거꾸로 매달려 있었다.

"이거 내려놔!"

"시끄럽군."

남자는 깊이 눌러쓴 두건을 벗었다. 그림자 속에 숨겨져 있던 그의 얼굴이 달빛 아래 드러났다. 검은 머리카락에 붉은 눈동자, 창백한 피부. 특별할 건 없었다. 남자의 외모는 고대 흡혈귀의 후손인 제국의 수많은 밤의 인간들과 별 다를 바 없었다.

그러나 그는 어딘가 특별해 보였다. 유리는 밤바람에 휘날리는 그의 길고 검푸른 머리카락 너머로 다른 사람들보다 훨씬 밝고 선명한 붉은색 눈동자를 보았다. 부리부리하고 매서운 눈매는 모든 것을 꿰뚫어볼 듯 예리해 보였고, 자신을 경멸의 시선으로 노려보는 새빨간 눈동자는 마치 어둠의 심연 속에서도 영원히 꺼지지 않고 타오르는 불꽃처럼 빛났다. 그 차가운 눈빛 속에는 지금껏 유리가 알지 못했던 어떤 지혜와 이성, 기품, 그리고 알 수 없는 무언가가 담겨 있었다.

사람들은 깊은 지혜와 이성을 갖춘 품위 있는 사람을 보통 인자하고 덕망 있는 현자로 생각하곤 했다. 그러나 이 남자의 서늘하고 날카로운 인상은 그런 온화함과는 거리가 한참 멀었다. 오히려 인정 없고 무자비한 냉혈한에 더 가까웠다.

"내려놔!"

"시끄럽다고 했을 텐데."

"이거 당장 내려놓으라니까!"

내려놓으라는 말이 무섭게 남자는 손을 아래로 펼쳤다. 그가 손을 펼치자마자 유리는 땅으로 곤두박질치며 떨어졌다. 유리는 소원대로 그의 손에서 벗어났음에도 여전히 고통스럽고 굴욕적인 기분을 느꼈다. 남자는 더러운 물건에 손이 스치기라도 한 것처럼 옷자락에 손을 탈탈 털었다. 유리는 붉어진 눈시울로 남자를 쏘아보았다.

"미쳤어? 이게 대체 뭐 하는 짓이야?"

"그건 내가 해야 할 말 아닌가? 신성한 땅에서 대체 뭐 하는 짓거리지?"

"신성한 땅?"

"그래, 신성한 땅. 무슨 일을 저질렀는지 아직도 모르겠나, 아가씨? 여긴 우리의 창조신을 모시는 자들이 잠든 곳이야. 하지만 넌 네 하찮은 목숨을 내던져 감히 신성한 곳을 더럽히려 했지."

남자가 차가운 목소리로 말했다. 신성한 곳 운운하는 말에 유리는 화가 치밀어 올랐다. 아주 잠깐이나마 이 이름 모를 귀족 남자가 자신을 선의로 구해주었다고 생각했기 때문이었다. 그러나 그의 행동은 단순히 누군가를 도와주려는 선의가 아니었다. 유리는 자신을 경멸적인 시선으로 내려다보는 남자의 날카로운 눈빛을 읽었다. 자연의 힘을 마음대로 주무르는 마법사 따위가 자신을 가르치려고 들다니, 어이가 없었다. 그 오만한 태도에 유리는 헛웃음을 터뜨렸다.

“귀족 나리가 신을 모시는 일에 대해서 뭘 안다고 지껄여.”

유리는 다시 남자를 쏘아보았다.

“신성한 땅? 어둠의 신? 내가 죽어가고 있을 때 우리의 창조신이라는 자가 무엇을 했지? 내가 길거리에서 굶주리며 배를 움켜쥐고 있을 때, 믿었던 사람에게 배신당하고 고문당하고 있을 때, 너무 죽고 싶어서 간절하게 제발 도와달라고 기도할 때 신은 무엇을 했지? 신은 날 도와주지 않았어. 내가 죽든 말든 상관하지 않았다고. 그리고 지금 이 순간에도, 신은 나타나지 않았어. 대신 당신이 나타났지. 죽고 싶을 정도로 비참하고 끔찍한 고통에 대해서는 아무것도 모를 애송이 귀족 나리께서 나타나셨지! 절망을 느껴본 적도 없는 귀족 도련님 따위가 뭘 안다고 끼어들어. 당신이 죽고 싶은 그 심정에 대해서 뭘 안다고…… 감히.”

“기껏 살려줬더니 적반하장으로 나오는군.”

“적반하장?”

겨우 가라앉는 듯했던 유리의 울먹이는 목소리가 높아졌다. 그녀의 얼굴 위로 이제 슬픔 대신 낯선 이를 향한 분노와 적대감이 자리잡고 있었다.

“지금 내 목숨 하나 살려줬다고 생색내나 본데, 당신 같은 귀족은 절대 몰라. 한겨울에 얇은 천 조각 하나만 덮고 버텨본 적 있어? 너무 추워서 입술은 다 터지고 피가 나는데 배고파서 말라붙은 나뭇가지를 씹으면서 배를 채워본 적 있어? 없겠지. 그게 뭔지도 모르고, 얼마나 비참하고 고통스러운지도 모르겠지. 당신은 고귀하신 귀족 나리니까. 따뜻한 집에서 내가 상상도 못할 좋은 것들만 처먹으면서 편하게 살아왔을 테니까. 내가 부모란 작자한테 울면서 제발 때리지 말라고 손이 닳도록 빌면서 맞고 있을 때, 당신은 편하게 자고 있었을 테니까! 당신은 세상을 몰라. 따뜻한 저택 안에서 마력이나 가지고 놀고 있는데 뭘 알겠어? 그냥 귀족 애송이일 뿐이지. 당신은 아무것도 몰라. 아무것도 모른다고!”

유리가 악에 받친 목소리로 소리쳤다. 하지만 남자는 눈 하나 깜짝하지 않았다.

“나약한 겁쟁이인 것도 모자라서 멍청하기까지 하군. 너처럼 아무 짝에도 쓸모없는 인간의 인생사 따위 관심 없어.”

“뭐…… 뭐? 지금 말 다 했어?”

화를 내고 싶었지만 말문이 막힌 탓에 아무 말도 나오질 않았다. 유리는 아랫입술만 깨물며 그를 노려보았다. 남자의 얼굴은 여전히 무표정이었다. 그의 빛나는 붉은 눈동자 속에서 연민이나 동정심은 전혀 찾아볼 수 없었다. 마치 감정이라는 것을 모르는 인형처럼 차갑기만 했다. 남자는 유리가 손목에 찬 검은 염주를 힐끗 보더니 입을 열었다.

“정 그렇게 죽고 싶으면 어디 산속 요괴 굴 같은 곳에 혼자 처박혀서 죽지그래. 넌 여기 묻힐 자격도 없으니까.”

남자는 말을 남기고 뒤돌아섰다. 유리는 주저앉아 멀어져 가는 남자의 뒷모습을 바라보았다. 그리고 한참 동안 그의 말과 스승님의 죽음을 곱씹었다.

결국 그날 밤, 유리는 뛰어내리지 못했다. 마법사가 떠나고 난 후에도 한참을 망설이다 허름한 여관으로 돌아와 술만 잔뜩 들이켰다. 몇 병이나 마셨는지 오늘도 낡은 침대 옆에 빈 술병들이 널브러져 있었다.

목구멍 깊은 곳에서부터 올라오는 숙취와 두통에 유리는 미간을 찌푸렸다. 그녀는 창가로 다가가 커튼을 양옆으로 젖히고 작은 창문을 열었다. 어제처럼 차가운 밤공기가 뺨을 스쳤다. 밤하늘 위로 수많은 별들이 지도를 그리며 반짝였고, 그 가운데에는 환하게 빛나는 하얀 달이 있었다.

오늘도 어김없이 분주하게 움직이는 사람들의 모습을 지켜보던 유리는 묘지에서 만났던 마법사를 떠올렸다. 그가 한 말의 충격은 아직도 가시지 않은 채 마음을 짓눌렀다. 누군가에게 죽으라는 말을 들은 적이 없었기 때문일까? 오랜 시간을 생각한 끝에 죽음만이 답이라고 결정을 내렸으면서도, 막상 죽으라는 말을 듣자 뛰어내릴 용기가 나지 않았다. 어쩌면 자신은 진심으로 죽고 싶은 것이 아니었던 걸까, 아니면 단지 자신이 겁쟁이기 때문일까? 유리는 머릿속에 떠오르는 여러 생각들을 비우려 옷을 벗고 미리 물을 받아 둔 욕조에 몸을 담갔다.

몸을 씻고 난 후 유리는 머리카락을 빗기 위해 거울 앞에 섰다. 거울을 들여다보는 것이 얼마만인지 그 초췌한 얼굴은 분명히 자신의 얼굴임에도 전혀 낯선 사람처럼 느껴졌다. 여느 밤의 인간이 그렇듯 창백하지만 부드럽던 피부는 거칠어졌고, 할아버지께서 눈이 유리구슬처럼 예쁘다고 지어 주신 이름이 무색하게 검붉은 눈동자는 퀭했으며, 동생들이 입을 모아 부럽다고 칭찬하던 윤기 나는 길고 검은 머리카락은 푸석푸석하게 빛이 바랬다.

초췌해진 얼굴빛이나 거친 머릿결 따위는 문제가 아니었다. 문제는 흉터였다. 유리는 찬찬히 얼굴의 흉터를 하나씩 뜯어보았다. 왼쪽 이마부터 눈 밑까지 직선으로 가로지르는 발톱 자국 흉터, 입가의 조그만 흉터와 오른쪽 뺨의 십자 흉터까지, 그녀의 얼굴에는 크고 작은 흉터가 많았다. 어렸을 적 부모에게 얻어맞아 생긴 것도 있었지만 주술사가 된 이후 요괴와 싸우다 생긴 것들도 있었다.

많은 흉터들 중에서도 가장 신경 쓰이는 것은 오른쪽 뺨의 흉터였다. 유리는 머리카락을 빗다 괜히 뺨을 어루만졌다. 그제서야 왜 자신이 오랫동안 거울을 보려고 하지 않았는지 생각났다. 그 흉터는 미르가 남긴 것이었다. 미르는 유리가 영원히 자신의 소유라는 표식을 남기기 위해 마법으로 상처를 남겼다. 오래된 상처에서 더 이상 따끔함은 느껴지지 않았다. 하지만 이 흉터가 생긴 날, 뺨을 불로 지지면서 살갗을 뜯어내는 듯한 고통을 느꼈던 것만은 선명하게 기억이 났다.

아마 흉터와 기억 둘 모두 다 영원히 안고 가야 할지도 몰랐다. 살인마의 흔적을 지울 수 있는 방법 따윈 없었으니까. 유리는 눈물을 삼키며 머리카락을 빗어 내렸다. 나약하고 한심한 겁쟁이. 문득 묘지에서 만났던 마법사의 말이 떠올랐다. 그래, 나는 원래 이런 사람이었잖아. 늘 두려움에 짓눌려 있는데 어떻게 앞길을 헤쳐 나갈 수 있겠어? 그러니까…… 죽을 용기가 나지 않는다면 결국 살아가야만 하겠지. 유리는 마지못해 인정할 수밖에 없었다. 정 죽지 못한다면 고통스럽더라도 삶을 이어가야만 했다. 그것이 지금으로서는 최선이었다.

유리는 옷을 입고 간단한 짐을 챙겨 여관을 나섰다. 며칠 전에 비해 많이 가벼워진 주머니의 무게에 한숨이 저절로 나왔다. 빈털터리가 되기 직전이었다. 일주일이 넘도록 일은 하지 않고 술만 마셨으니 돈이 남아날 리 없었다. 당장 오늘 아침 태양빛을 피해 묵을 곳을 구하려면 일단 일부터 구해야 했다.

저녁 시간이 지나자 파란 하늘은 온전한 어둠으로 뒤덮였다. 유리는 게시판의 공고문을 살펴보려고 반월문 광장으로 향했다. 블러드크라운 제국의 중심부에 위치한 수도인 반월성의 풍경은 4년 전과 별 다를 게 없었다. 한쪽에 상인들이 가판대를 펼쳐 놓고 여러 잡다한 물건들을 팔고 있었고, 그 맞은편에는 다양한 음식을 파는 식당들이 자리했다. 그렇게 양쪽으로 쭉 늘어선 기와지붕과 천막을 지나 저 멀리 황제가 기거하는 반월궁이 위풍당당하게 서 있었고, 궁궐 뒤로 높이 솟아오른 황제의 산이 보였다.

어두운 빛깔의 저고리를 입은 사람들은 상인들과 말싸움을 하듯 물건 흥정을 하거나, 무거운 물건을 머리에 이고 바쁜 걸음을 옮기거나, 말을 타고 어딘가로 향하거나, 지게와 낫 등을 들고 추수를 하러 가거나, 혹은 식당에 앉아 술을 마시며 이야기를 나누거나 했다. 붉은 달맞이꽃 자수가 새겨진 비단옷에 화려한 노리개와 비녀, 귀걸이 등으로 치장을 하고 놀러 나온 여인네들과 멋스러운 두루마기 위에 망토를 걸친 사내들도 있었다. 몇몇 귀족들은 달빛과 별빛을 담아 만든 신비로운 흰 등불을 들고 다니기도 했다.

그에 반해 유리의 옷차림은 평범했다. 그녀는 진율에게서 선물 받았던 검붉은 철릭(*저고리와 치마가 연결된 형태의 옷. 블러드크라운 제국의 황실친위대, 수도 경비대 등도 각 계급에 따라 다른 색의 철릭을 입으며, 주술사들은 남성은 남청색, 여성은 흑적색을 입는다.)을 입고 허리에도 마찬가지로 진율에게서 받은 천체검을 한 자루 차고 있었다. 하지만 검은 망토를 두르고 있어 그 누구도 유리가 주술사인 것은 알아보지 못했다.

여전히 이곳은 똑같구나. 유리는 북적이는 광장의 모습을 보며 중얼거렸다. 그러나 변함없는 풍경이라기엔 어쩐지 분위기가 어수선했다. 몇몇 사람들의 얼굴빛도 근심을 가득 안은 듯 어두웠다. 주민들은 무언가 심각하게 이야기를 나누고 있었는데, 유리는 지나가며 본의 아니게 이야기를 살짝 엿듣게 되었다. 살인과 사람들이 죽어 나가고 있다는 말이었다.

살인이라니, 듣기만 해도 끔찍했다. 하지만 어디에서 무슨 일이 벌어지든 그녀가 상관할 일은 아니었다. 제국을 떠돌며 유리가 배운 것들 중 하나는 이름도 모르는 남의 일에 함부로 끼어드는 것은 좋지 않다는 것이었다. 선의로 한 행동이라고 해서 모두 좋은 결과를 불러오는 것은 아닌 법이니까.

유리는 끔찍한 말들을 뒤로하고 광장 중앙의 게시판으로 향했다. 오늘도 주민들의 다양한 소식을 전하는 게시판 앞에 사람들이 바글바글 모여 있었다. 그들의 표정은 유리가 지나쳐온 사람들처럼 하나같이 어두웠다. 귓가에 또다시 '살인'이라는 말이 들려왔으나 유리는 듣지 못한 척 일거리를 찾아 공고문을 쭉 훑어보았다.

게시판 중앙에 커다란 글씨로 쓰인 한 공고문이 눈길을 끌었다. 내용으로 미루어 보아 지금 사람들 사이에서 시끌시끌한 살인 사건인 것 같았다. 살해당한 사람들은 마법사 넷에 평민 두 사람으로 얼마 전 실종되었던 사람들이었는데, 모두 시신으로 발견되었다며 목격자를 찾는다고 쓰여 있었다.

"세상에, 저번에 어떤 귀족 나리께서 갑자기 사라지셨다더니. 또 살인 사건이래요?"

한 아낙네가 놀란 표정으로 말했다.

"어제 연못가에서 시체가 발견되었다고 합니다. 사라진 사람들이 모두 죽은 채로 발견된 것이 벌써 여섯 번째인데, 정말 큰일입니다."

"그러게 말이요. 요즘은 햇빛보다 살인마가 더 무서울 지경이니."

“안 그래도 다른 도시들에선 가뭄에 흉년에 아주 난리도 아니라던데. 아무래도 나라에 흉조가 들었나 봐요. 엎친 데 덮친 격으로 나쁜 일들만 자꾸 일어나네요.”

“대체 누굴까요? 범인이 마법사란 소문이 있던데.”

“그 소문은 나도 들었네. 몇 년 전에도 어떤 미친 마법사가 사당을 불태우더니, 쯧쯧.”

중년 남자가 혀를 끌끌 차며 말했다.

“반월당 말씀하시는 거죠? 그 일은 정말 안됐어요. 진율 어르신께서 고집은 세지만 고아들도 직접 거둬 돌보시고, 참 좋은 분이셨는데…….”

“혹시 마력 때문에 정신이 나간 건 아닐까요? 요괴들도 그렇잖아요. 잊을 만하면 마력이 폭발했니 어쩌니 하는 소식도 들려오고요.”

조용히 이야기를 듣던 한 여인이 대화에 끼어들었다.

“글쎄, 내가 마법에 대해 잘 알지는 못하지만 듣기로는 요괴의 마력은 좀 다른 걸로 알고 있네만…….”

“다르긴 뭐가 달라! 하여간 마법사 놈들 마력에 미쳐서, 원.”

한 노인이 버럭 신경질을 냈다. 짜증 섞인 목소리를 보아하니 어지간히 마법사들을 싫어하는 것 같았다.

“말조심해요, 말조심 좀! 누가 들을 줄 알고 그렇게 함부로 얘기를 해요?”

노인의 아내인 듯한 할머니가 지팡이를 내리치며 다그쳤다. 노인은 뭐라고 말하려다 험악한 부인의 표정을 보고선 입을 꾹 다물었다.

“아무튼 정말 큰일이요. 얼마 전부터 수도 외곽에 다시 불어난 요괴들과 짐승 무리에, 이제는 살인마까지 나타나 산길을 드나들기가 참 어렵게 됐소. 여럿이 모여 함께 길을 건너는 것 말고는 답이 없으니."

"황제 폐하께서 꼭 잡아들이라고 명하셨으니 기다려봅시다. 저번에도 그 정신 나간 마법사를 잡아들이셨으니, 이번에도 꼭 잡힐 겁니다."

사람들은 저마다 살인 사건에 대해 한마디씩 하다가, 각 마을에서 벌어지는 소소한 일들과 눈에 넣어도 안 아플 자식들 이야기로 대화 주제를 옮겼다. 몇몇은 슬슬 다시 밭일을 하러 자리를 떴다.

진율, 그리고 반월당. 누군가가 과거에 대해 언급하는 순간 유리는 무거운 바윗덩이가 심장을 짓누르는 듯하여 가슴이 답답했다. 죽은 지도 4년이 넘어가건만, 미르가 살아생전 제국에 남긴 끔찍한 흔적들은 여전히 유리의 목을 죄어오고 있었다.

애써 악연에 대한 생각을 억누르며 유리는 다른 공고문을 살폈다. 마침 왼쪽 맨 아래에 '요괴사냥꾼 모집'이라고 쓰인 것이 눈에 띄었다. 다른 공고문보다 오래된 모양인지 색이 누렇게 바래진 채 찢긴 종이 모서리가 힘없이 바람에 휘날리고 있었다.

요괴 사냥꾼 모집.

요괴 퇴치와 관련해 일을 할 사람을 찾고 있음. 상세한 계약 내용과 보상 금액에 대해서는 테네브리스 저택으로 방문하여 논의 바람.

테네브리스라고? 설마…… 마법으로 유명한 그 명문가를 말하는 건가? 유리는 낯설고도 익숙한 그 이름에 살짝 놀랐다. 주술이나 요괴와는 아무런 연관이 없는 귀족 마법사가 무슨 연유로 요괴사냥꾼을 찾는 걸까? 하지만 유리는 곧 그 생각을 접었다. 그 귀족이 왜 요괴사냥꾼을 찾는 건지, 이유 따위는 지금 중요하지 않았다. 당장 주머니에 잡히는 은화는 많아야 네 닢뿐. 이 정도로 태양을 피해 잠들 여관을 찾기엔 택도 없었다. 유리는 길을 물어볼 생각으로 여전히 자식 자랑과 마을 소식에 대해 쉴 새 없이 떠들고 있는 사람들에게 다가갔다.

"실례합니다. 테네브리스 저택으로 가려면 어느 길로 가야 하죠?"

사람들은 낯선 목소리에 뒤를 돌았다. 그들은 얼굴의 흉터를 보곤 수상쩍은 눈초리로 유리를 쳐다보았다. 어디를 가나 늘 있는 익숙한 일이었다. 망나니 칼잡이들은 대개 몰골이 좋지 못한 산적이나 도적이 많았고, 서로의 무리를 구별하기 위해 얼굴이나 몸에 해괴한 표식을 새겨놓곤 했으므로 사람들이 의심하는 것도 이상한 일은 아니었다. 하지만 그들의 얼굴에 드리운 의심은 곧 사라졌다. 유리가 내밀어 보인 손목의 검은 염주 때문이었다.

"여기 공고문에 요괴를 퇴치할 사람을 구한다고 해서요. 테네브리스 저택이 어느 방향인지 아시나요?"

"서쪽 길로 가시오."

뒷짐을 지고 있던 한 남자가 입을 열었다.

"서쪽 길이요? 반월궁 서쪽 길 말씀하시는 건가요?"

"맞소, 달빛 고개로 이어지는 그 길이오. 여기서 꽤 멀어서 금방 도착하지는 못할 거요. 말을 타고도 한참을 가야 하니 걸어서는 아마 더 걸리겠지. 어쨌든 서쪽 길만 따라서 가시오. 그러면 산 밑에 숲으로 둘러싸인 큰 집이 하나 나오는데, 거기가 테네브리스 저택이오."

"감사합니다."

유리는 서둘러 발걸음을 재촉했다.

남자가 알려준 대로 유리는 서쪽 반월길을 따라 테네브리스 저택을 향해 걷기 시작했다. 저 멀리 반월궁 뒤편의 황제의 산과 양쪽으로 연결된 검은 안개 산맥이 보였다. 남자가 말한 산이었다. 하얀 달빛 아래 산 중앙에 낀 옅은 밤안개가 으스스하고 음울한 분위기를 풍겼고, 반월성을 반쯤 감싼 산맥은 남쪽의 황혼 분지까지 쭉 뻗어 있어 마치 높은 성벽을 연상케 했다.

길은 사람들이 잘 닦아놓은 덕에 불편하지는 않았다. 늘 북적이는 광장에 비하면 이 주변엔 농부들이 사는 작은 마을과 넓은 들판뿐이어서 휑하기 그지없었다. 온 논과 밭에는 달빛을 머금고 밤에만 자라는 제국 특유의 곡식들이 추수할 때가 되었다는 것을 알리며 황금빛을 띤 얼굴로 부끄러운 듯 고개를 숙이고 있었고, 귓가에는 올빼미와 까마귀, 귀뚜라미가 우는 소리와 귀신이 곡하는 듯한 바람의 울음소리만이 들려왔다.

벌써 두 시간은 지난 듯했다. 쉬지 않고 걷느라 발바닥이 굳어버린 느낌이었다. 지금 이 길 위를 걷는 사람은 그녀 혼자뿐이었다. 보이는 사람이라고는 지나온 논밭의 농부들과 아낙네들 몇 사람밖에 없었다. 아직도 테네브리스 저택은커녕 집 비슷한 것도 보이질 않았다. 유리는 설마 자신이 길을 잘못 든 건 아닌지 걱정이 되기 시작했다.

그렇게 조금씩 불안해질 때 즈음, 드디어 저 멀리 앞에 무언가가 보였다. 검은 안개 산 밑자락에 우거진 숲이 회색의 높은 담을 반쯤 감쌌고, 그 담 위로 저택의 팔작지붕이 보였다. 저기구나. 그 아저씨 말씀대로네. 다행히도 시간 낭비를 하지는 않았다는 생각에 안도의 한숨이 나왔다. 그런데 이 테네브리스라는 마법사는 광장 귀족 지구를 놔두고 왜 굳이 이런 데서 사는 거지? 이렇게 외딴 곳에서 살면 오가기 불편하지 않으려나? 마법 지구도 광장에 있는데……. 유리는 이해되지 않는 그 귀족의 거처 선택에 의문을 품으며 발걸음을 재촉했다.

테네브리스 저택은 예상보다 꽤나 컸다. 우중충한 검은색으로 된 그 3층 저택은 달빛 아래서 위엄을 자랑하듯 우뚝 서 있었다. 저택은 전통적인 블러드크라운 제국의 건축 양식을 따라 지어졌는데, 다른 건물들이 다 그렇듯 기와지붕 중앙에 하늘을 보고 옆으로 누운 거대한 초승달 장식이 있었다. (제국의 영토가 옆으로 누운 초승달 모양을 하고 있기 때문에, 밤의 인간들은 이것을 자신들의 상징으로 삼았다.)

유리는 저택 안으로 자신을 안내하는 흰 옷차림의 집사를 따라가며 풍경을 둘러보았다. 처마 안쪽에 날카로운 송곳니 장식이 튀어나와 있었고, 현관문 양옆으로 두 개의 거대한 검은 대리석 기둥이 저택을 떠받치고 있었다. 견고해 보이는 모습이 어떤 일이 일어나도 영원히 저택의 무게를 견디며 서 있을 것 같았다.

앞뜰 왼쪽에는 누워서 자도 될 만큼 기다란 흑단나무 의자가 있었다. 또한 한겨울의 깊은 밤처럼 무겁고 짙은 향기를 내는 붉고 검은 장미들이 만발했고, 앞뜰 오른쪽에는 하녀들의 작은 별채가 있었다. 보통 집보다 조금 작기는 하지만 충분히 아늑해 보였다. 별채 옆의 허름한 마구간에는 칠흑 같은 검푸른빛의 흑마가 한 마리 있었는데, 하녀들이 녀석을 돌보고 있었다. 광장과 멀리 떨어진 외딴 곳에 있는 탓일까? 테네브리스 저택의 분위기는 그 어느 곳보다도 더욱 고즈넉하면서도 쓸쓸하고 외롭게 느껴졌다.

유리는 처음 와보는 귀족의 저택을 여기저기 훑어보다가, 문득 이상한 점을 하나 발견했다. 저택에는 1층을 제외하면 2층과 3층에는 창문이 전혀 달려있지 않았던 것이었다. 고대 흡혈귀의 후손이기에 빛에 취약한 밤의 인간들은 건물을 지을 때 태양빛을 피하려고 창문을 되도록이면 작게 만들었고, 창문을 크게 만들 때에는 커튼을 이중 삼중으로 쳐서 햇빛을 차단했다. 하지만 테네브리스 저택처럼 창문이 거의 없다시피 하는 곳은 없었다. 답답하기도 하거니와 통풍이 전혀 되지 않을 테니까.

집사의 안내를 따라 유리는 저택 안으로 들어섰다. 저택의 주인은 그림을 좋아하는 것인지, 아름다운 풍경화들과 붉은 양초들이 일정한 간격을 두고 벽에 걸려 있었다. 매끄러운 대리석 바닥과 벽은 온통 검은색이었다. 정면에는 넓은 식당으로 들어가는 거대한 붉은 문이 열려 있었는데, 흰 옷에 앞치마를 두른 하녀들 몇몇이 바구니에 가득 무언가를 들고 왔다갔다했다. 청소를 하는 중인 것 같았다.

그들 중 하나가 식당 중앙에 놓인 기다란 붉은색 식탁을 열심히 닦고 있었다. 식탁 뒤로 벽 중앙을 가득 채운 벽난로와 그 위의 풍경화가 눈길을 끌었고, 벽난로 양옆에는 초승달처럼 굽은 나선형 계단이 2층과 연결되어 있었다. 서로 이어진 현관과 식당의 천장은 3층까지 높이 뚫려 있었는데, 천장에 고대의 흑룡과 흡혈귀를 그린 벽화가 보였다. 다른 그림들은 그저 아름다움을 자랑하고 있었지만 벽화에서는 분명 비교조차 할 수 없는 압도적인 위용이 느껴졌다.

여러 가구와 그림, 커튼 등 벽화를 제외하면 무엇 하나 아주 화려하다고 할 만한 것은 없음에도 불구하고 이곳만의 무거운 분위기는 그녀가 귀족의 저택에 들어와 있다는 사실을 똑똑히 상기시켜주었다. 유리는 집사가 이끄는 대로 식당 왼쪽의 응접실 안으로 들어섰다.

“여기서 잠시만 기다려 주시겠습니까?”

집사가 정중한 투로 말했다. 유리가 고개를 끄덕이자 그는 2층 계단으로 올라갔다. 유리는 가만히 앉아 주변을 둘러보면서 테네브리스라는 이름을 곱씹었다. 테네브리스 가문은 뛰어난 마법사들을 여럿 배출한 유명 귀족 가문이었다. 그들은 제국의 발전에 기여한 바가 지대하기 때문에, 밤의 인간들은 테네브리스 가문 사람들이 누구인지는 몰라도 이름은 한 번씩 들어본 적이 있었다.

평생 만날 일이 없을 거라고 생각했던 높은 귀족 가문의 저택에 와 있다니, 얼떨떨한 기분이 들었다. 테네브리스……. 이렇게 외딴 곳에 으리으리한 저택을 지어놓고 사는 이 사람은 어떤 사람일까? 유리는 곧 만나게 될 귀족에 대해서 궁금해졌다. 내가 주술사인 걸 알고 필요 없다면서 나가라고 하지는 않겠지. 그래도 어떻게 될지 모르니 염주를 빼서 주머니에 넣어둘까, 그런 생각이 들었다.

주술사들은 분명 사람들에게 신을 모시고 영혼을 인도하는 자들로서 존경을 받았다. 그러나 그들의 지위는 강력한 힘을 가진 마법사들에 비할 바가 못되었다. 약 천 년 전에 있었던 흡혈귀들과 엘프들 사이의 전쟁 때문이었다.

빛과 어둠의 끊임없는 싸움 속에서 주술사들은 조금 무례하게 말하자면 그 중요도가 한참 낮았다. 마법사들의 손에서 피어난 보랏빛 안개로 인해 거대하고 뜨거운 불길이 타오르고, 한겨울의 추위보다도 더 차갑고 날카로운 얼음 폭풍이 주위를 감싸고, 푸른 번개가 번쩍이며 호랑이 같은 우렁찬 울음소리와 함께 대지 위로 내리치는데 그 사이에 어찌 주술사가 끼어들 수 있을까? 그들은 그저 바람이 불어올 때, 가까이에 불씨가 있을 때 등 자연이 허락하는 내에서만 힘을 쓸 수 있었다.

그렇기에 주술사들은 전쟁에서 직접 나서기보다는 뒤에서 죽은 영혼을 저승으로 인도하고, 다친 사람들을 돌보는 일에 더 힘썼다. 헌데 마법사들은 타고난 마력의 잠재력이 충분하다면 언제든 마음대로 무시무시한 위력을 수십 배로 발휘할 수 있는 데다 심지어 몇 달이 걸릴 공사조차도 일주일이면 끝낼 수 있으니, 그들의 지위가 신을 모시는 자들보다 훨씬 높은 것도 무리는 아니었다. 애당초 신을 모시는 이들의 '주술'과, 전쟁과 각종 연구에 쓰인 '마법'은 그 목적부터가 달랐다.

그래도…… 저번에 만났던 사람처럼 칼춤이나 추라는 이야기만 안 했으면 좋겠는데. 유리는 일 년 전에 만났던 한 귀부인이 자신을 종 부리듯 대하던 것을 떠올리며 불쾌함에 어깨를 움츠렸다. 사실 마법사들도 그렇지만 평범한 백성들이라고 해서 별 다를 것은 없었다. 무례한 팔랑귀들은 어딜 가나 있기 마련이었다. 요괴의 눈알이나 간이 몸에 좋다는 소문을 듣고 약을 지어서 가져다 달라는 사람들도 있었고, 뱀 요괴로 술을 담가 먹고 싶으니 머리와 몸통을 통째로 가져오라는 이들도 있었다.

유리는 그런 사람들을 상대하는 것에 지쳐서 넌덜머리가 났다. 요괴의 간이 몸에 좋네, 어떻네 하는 이야기는 모두 미신일 뿐이라고 아무리 설명해도 사람들은 들을 생각조차 하지 않았다. 정중히 부탁을 거절하면 돌아오는 것은 거친 욕설뿐이었다. 유리는 이 테네브리스라는 귀족이 요괴 사냥을 핑계로 다른 정신 나간 일을 시키지 않기만을 간절히 바랐다. 그녀가 오늘 마음 편하게 지붕 아래에서 잠을 자기 위해서는 이 돈이 반드시 필요했다.

응접실로 돌아온 집사는 유리를 2층으로 안내했다. 2층 복도에는 여우 털처럼 부드러워 보이는 붉은색의 고급스러운 융단이 깔려 있었고, 벽에도

1층과 같이 아름다운 그림들과 촛대가 걸려 있는 것이 눈에 띄었다. 2층의 그림들 또한 풍경화였는데, 사람을 그린 것은 전혀 찾아볼 수가 없었고 풍경화들도 모두 어딘가 감정이 절제된 듯한 느낌이 있었다. 이상하다…… 내가 본 귀족이나 상인들은 본인이나 가족의 초상화를 집에 걸어놓던데. 유리는 의아해하며 조용히 뒤에서 집사를 따라갔다.

"카이 님, 요괴 사냥꾼 님이 오셨습니다."

집사가 문을 두드리며 말했다. '카이'라고? 생각보다 꽤 흔한 이름이네. 그러고 보니 매화마을에서도 카이라는 남자애가 하나 있었지. 마을의 제일 마지막 집에 살았었던가. 하도 말썽을 피워대서 어른들에게 자주 혼났었는데…… 지금은 뭘 하고 있으려나. 유리는 이 귀족과 동명이인인, 이제는 얼굴도 생각나지 않는 또래 남자아이를 떠올리며 속으로 중얼거렸다.

곧 방 안에서 들여보내라는 중저음의 남자 목소리가 들렸다. 집사는 유리에게 문을 열어주었다. 누군가 문을 열어주는 것이 익숙하지 않은 탓에 유리는 그저 어색하게 웃었다.

긴장되는 마음으로 방에 들어서자 생각보다 검소한 서재의 풍경이 모습을 드러냈다. 바닥의 붉은색 융단을 중심으로 양쪽 벽에는 천장 높이의 긴 책장 여러 개가 서로를 마주보고 서 있었다. 한 칸도 빠짐없이 빼곡하게 온갖 얇고 두꺼운 서적들이 꽂혀 있었는데, 중력 마법의 원리, 마력 이론을 통한 학습의 한계 등 당최 무슨 뜻인지 알 수 없는 제목들이 대부분이었다.

유리는 그런 복잡해 보이는 서적들을 따라 시선을 안쪽으로 옮겼다. 까마귀 날개의 형상처럼 양끝이 날카롭게 대각선으로 꺾인 검은 대리석 책상이 보였다. 책상 왼쪽에는 자수정보다도 더 진한 보랏빛으로 반짝이는 마법 수정구가, 오른쪽에는 온갖 마법 서적과 두루마리들이 널브러져 있었다. 그 두루마리 중 하나는 조금 이상해 보였는데, 삼각형 안에 보름달 같은 원이 두 개 겹쳐 있고 그 위의 원 안에는 별무늬가 그려져 있었다. 또한 삼각형 중앙을 직선이 가로질렀고, 맨 밑에 제국의 상징인 하늘을 보고 누운 초승달이 있었다. 아마도 어떤 마법 문양 같았다.

남자는 유리가 들어온 것조차 눈치채지 못한 듯 이런저런 서적을 살펴보기에 바빴다. 그는 삐딱한 자세로 다리를 꼬고 앉아 오른손에 쥐고 있는 금빛 담뱃대를 입가에 물고 무언가를 거침없이 써 내려갔다.

남자의 얼굴을 살펴보던 유리는 미간을 찌푸렸다. 무언가 이상했다. 이름만 들어봤을 뿐, 분명 오늘 처음 보는 사람임에도 불구하고 그에게서 풍기는 분위기는 전혀 낯설지가 않았다.

어디선가 본 듯한 기억에 떠올려 보려 애쓰는데 남자가 고개를 들었다. 차가운 인상에 모든 것을 꿰뚫어볼 것 같은 날카로운 눈매. 유리는 자기도 모르게 놀라서 '헉' 하고 숨이 멎는 소리를 냈다. 그녀가 찾아온 '카이 테네브리스'라는 귀족은, 바로 어제 주술사 공동묘지에서 만났던 그 마법사였다. 카이 또한 유리를 알아보았는지 놀란 듯 약간 눈을 크게 떴다. 그는 흥미롭다는 표정으로 입꼬리를 올려 씩 웃으며 입가에서 담뱃대를 뗐다.

"안 죽었군."

카이는 비아냥거리며 다른 두루마리를 펼쳐 들었다.

"왜, 뛰어내리기에는 너무 무섭던가? 아니면 이제 와서 목숨이 아깝다는 생각이 들었나?"

"이제 보니 말을 원래 이 따위로 하는 분이신가 보네."

유리는 자신을 조롱하는 듯한 카이의 말을 비아냥조로 맞받아쳤다. 뜻밖의 재회에 벌써부터 머리에 찌릿한 고통이 느껴지는 것 같았다. 세상에, 말도 안 돼! 왜 하필 많고 많은 사람들 중에서 이 사람인 거야? 정말 난 운도 지지리도 없지…… 제길. 유리는 애써 놀란 마음을 가라앉히며 카이에게 다가갔다.

"용건만 말해. 난 일을 하러 왔으니까."

"내가 뭘 믿고 너에게 일을 맡길 거라는 생각을 하는 거지?"

"뭐?"

"뭘 믿고 널 고용하지? 네 검증되지 않은 실력? 아니면 어제 너의 그 나약한 모습을 보고 믿어달라고 하는 건가? 네 실력이 어떤지 몰라도 난 약해 빠진 사람에게 일을 맡기고 싶지는 않아."

"내 실력은 별개의 문제라고 생각하는데."

"지금 네 의견을 물어봤나? 누굴 고용할지는 내가 정해."

카이는 다시 입가로 담뱃대를 가져갔다. 어느 새 담배 연기가 매캐한 냄새와 함께 구름처럼 방 안을 떠다녔고, 카이는 깃펜을 들고 두루마리에 계속 글을 써 내려갔다. 그 행동은 명백히 말해서 유리에게 관심도 흥미도 없다는 것을 보여주고 있었다.

이 남자는 늘 이런 식으로 사람들을 대하는 걸까? 그의 무례한 태도에 유리는 화가 났다. 그녀가 주술사라는 것은 단순히 신을 모시는 자의 지위를 떠나서, 오랫동안 고된 수련과 시험을 견뎌낼 정도의 인내심과 실력이 있다는 뜻이었다. 제국에서 제일 가는 검객은 아닐지 몰라도 그녀의 검술은 충분히 뛰어난 축에 속했다. 스스로도 그런 사실을 잘 알고 있었다. 나를 고리타분한 주술사라고 여겨 저러는 걸까? 아니면 손에 물 한 방울 묻혀본 적 없이 고귀하게 자란 도련님이라서 저러는 걸까. 어느 쪽이든 절대로 따뜻한 사람은 아니겠구나, 유리는 그런 생각이 들었다.

하지만 카이 테네브리스가 어떤 사람이든, 유리는 그의 말을 부정할 수가 없었다. 자신은 나약했다. 그것만큼은 사실이었다. 어제까지만 해도 자신은 모든 것을 포기하고 끝내려고 했으나 지금은 이야기가 달랐다. 이 남자가 자신을 어떻게 생각하든 그런 건 상관없었다. 그저 오늘도 어김없이 떠오를 태양을 피해서 살고 싶은 마음뿐이었다. 무엇을 위해 살고자 하는지 같은 의미 따위는 중요하지 않았다. 이래서 사람은 변덕스러운 존재라고 하는 것일까? 어제만 해도 죽으려고 발버둥치던 자신이, 오늘은 살고 싶어 발버둥치고 있다니. 인생이란 정말 알 수 없는 법이다.

"그래서 뭘 하면 되는데? 요괴의 머리를 가져오면 되는 거야?"

유리의 물음에 카이는 대답 대신 책상 밑에서 무언가를 꺼냈다. 빈 호리병과 두루마리였다. 요괴를 퇴치하는 일에 호리병과 두루마리라니, 유리는 혼란스러웠다. 그녀는 카이가 내민 호리병을 집어 들어 이리저리 살펴보았다. 별 볼 일 없이 평범해 보였다. 그러나 두루마리를 펼치자, 유리는 카이가 호리병을 건넨 이유를 알 수 있었다. 그건 평범한 호리병과 두루마리가 아니었다. 마법 호리병과 계약서였다. 계약서에는 계약 목적과 불이행 시 고용인이 져야 할 책임, 계약금 등에 대한 내용이 적혀 있었다.

계약서를 읽어 내리던 유리는 '5금화'라는 액수에 놀라 두 눈을 휘둥그레 떴다. 세상에! 2주마다 한 번씩 5금화를 받는다고? 5금화라면 500은화였다. 허름한 여관에서 두 달 하고도 열흘 정도를 묵을 수 있는, 값싼 토끼탕을 160그릇 넘게 먹을 수 있는 금액이었다.

평생 살면서 만져보긴커녕 구경하지도 못할 것이라고 생각했던 그렇게나 큰돈을, 게다가 금화를 받을 수 있다니! 믿을 수 없었다. 그러나 큰 액수의 계약금보다도 더 유리의 눈길을 끄는 것이 있었다. 계약의 목적과 내용이었다.

"고용인은…… 약속한 시일 내에 의뢰인에게 요괴의 마력을 가져와야 한다?"

"그게 네가 해야 할 일이야. 네 실력을 증명하고 나와 계약하고 싶다면 말이지. 사흘 정도에 한 번씩, 넌 나한테 요괴의 마력을 가져오기만 하면 돼. 종류는 상관없어."

의외였다. 보통 사람들은 요괴를 퇴치한 증거로 발톱이나 가죽, 머리 따위를 가져오라고 했다. 그러나 이 귀족 마법사가 원하는 것은 그런 증거물이 아닌, 요괴들의 마력이었다. 살면서 한 번도 본 적이 없는 의뢰 내용에 유리는 당황했다. 마력을 가진 요괴들을 퇴치한 적은 많아도 요괴의 마력에 손을 댄 적은 한 번도 없었다.

"자신이 없나?"

카이가 턱을 괸 채 물었다. 그가 물고 있는 담뱃대 주위로 여전히 하얀 연기가 피어나 있었다. 처음 해보는 일에 선뜻 하겠다고 입이 떨어지지 않았다.

“뭐, 하기 싫으면 그냥 나가서 죽든가. 다른 사람을 알아보면 되니까.”

유리가 대답하지 못하고 우물쭈물하자 카이는 나가라는 손짓을 했다. 한결같이 버릇처럼 비아냥대는 태도에 유리는 화가 났지만 어쩔 수 없었다. 지금 이 기회를 놓칠 수는 없었다. 이 순간 그녀에게 선택지는 오직 두 가지였다. 카이와 계약을 맺든지, 아침에 떠오르는 태양빛에 재가 되어 죽든지. 그 생각에 유리는 망설임 없이 결정을 내렸다.

요괴의 마력을 가져오기 위해 유리가 발걸음을 옮긴 곳은 테네브리스 저택과 반월궁 사이에 걸쳐 있는 ‘안개숲’이었다. 이곳은 다른 숲에 비해서 꽤 작았으나 북쪽으로 검은 안개 산맥, 황제의 산 등과 연결되어 있어 요괴, 짐승들이 가끔씩 내려왔기 때문에 안심하고 다닐 만한 곳은 절대 아니었다.

유리는 밤의 인간 특유의 야간 투시 능력에 의지해 조심스럽게 주변을 살폈다. 오랜 굶주림으로 바싹 말라 야윈 듯한 소나무들 사이로 희미한 달빛이 새어 들어왔고, 이따금씩 멀리서 시끄럽게 깍깍 울어대는 까마귀 두어 마리를 제외하고는 아무것도 보이지 않았다. 어쩌면 숲의 주인들이 안개 속에 몸을 숨긴 채 지금 자신을 지켜보고 있을지도 몰랐다. 사람들도 그렇지만, 요괴나 짐승들도 자신들의 터전에 낯선 이가 침입하는 것은 원치 않을 테니까. 그것도 자신들의 발톱만큼이나 날카로운 무기를 들고서 말이다.

유리는 숨을 죽이고 계속해서 주변을 경계했다. 수도 반월성으로 돌아온 지는 며칠이 채 안되었으나 그녀는 사람들의 이야기로 최근 수도 외곽에 요괴와 짐승의 숫자가 부쩍 늘어났다는 것을 알았다. 몇몇 녀석들이 산을 타고 반월성 안쪽으로 왔을지도 모르는 일이었다.

다행스럽게도 요괴들은 보통 무리를 짓지 않고 혼자 다녔다. 그렇기에 여러 마리를 한꺼번에 상대하는 일은 거의 없었다. 유리는 불행히도 가장 원치 않는 상황과 마주쳐 돈이 아니라 당장 살아서 돌아갈 수 있을지부터 걱정하게 되는 일은 없기를 바랐다.

한참을 걷던 유리는 달빛 아래 꽤 선명하게 남은 발자국 하나를 발견했다. 그녀는 무릎을 굽히고 발자국을 살펴보았다. 주변에는 담비, 토끼, 사슴과 같은 동물들의 흔적이 남아있었는데, 녀석들보다 훨씬 큰 다른 발자국이 있었다. 흡사 여우의 것과 비슷했다. 주변에 보이는 핏자국과 털, 몸통 없이 달랑 꼬리만 남은 흔적과 커다란 여우 발자국. 눈앞에 보이는 모든 것은 녀석들이 자신보다 훨씬 더 강한 누군가의 먹잇감이 되었다는 사실을 말해주고 있었다.

녀석들을 잡아먹고 배를 채운 사냥꾼의 발자국은 북쪽으로 이어졌다. 유리는 일어나 발자국을 따라갔다. 긴장되는 순간이었다. 보이는 것이 전부는 아니기 때문이었다. 깊은 숲이나 산속에는 늘 예상하지 못한 위험이 도사리고 있었다. 지금 이 길 위의 발자국은 한 마리의 것처럼 보일지 몰라도, 그 끝에는 다른 곳에서 먹이 냄새를 맡고 모여든 녀석들이 함께 있을 가능성이 있었다.

마침내 저 앞에 거대한 동굴이 보였다. 조심스럽게 입구로 다가가자 주변에 누렇게 변색된 뼛조각이 널브러진 것이 보였다. 짐승과 사람의 뼈가 섞여 있었는데, 몇몇은 호랑이의 것 같았다. 산을 지배하는 최고의 사냥꾼인 호랑이를 사냥감으로 여길 만큼 강한 녀석이라. 이곳은 요괴의 굴임이 틀림없었다.

뼛조각들은 입구에만 있는 것이 아니었다. 마치 길을 잃지 않기 위해 남겨둔 표식처럼, 저 깊은 안쪽까지 널브러진 뼛조각들은 유리에게 안으로 어서 들어와 보라고, 무엇을 더 발견할지 궁금하지 않느냐고 말하고 있었다. 유리는 주저하지 않고 죽음의 손아귀 안으로 들어갔다. 생존을 위해 죽음의 손길이 이끄는 싸움에 스스로 몸을 내던지는 사람은 그녀처럼 하루하루 입에 풀칠하며 살아가는 방랑 검객들뿐이었다.

유리는 어둠 속에서 천천히 동굴 안을 살펴보다가 뼛조각들과 썩은 짐승

사체 사이에서 빛나는 무언가를 발견했다. 언뜻 부서진 결정처럼 보이는 조그만 보랏빛 파편이 자신의 몸체와 같은 진한 보랏빛 안개를 내뿜고 있었다. 잘 모르는 이들이 본다면 자수정이라고 착각할 법했다. 그러나 이것은 자수정이 아니었다. 마력석이었다. 마력석은 평범한 광물들과 달리 스스로 빛을 내기에 쉽게 구별할 수 있었다.

천장의 작은 틈으로 희미하게 들어오는 달빛 아래에서 유리는 칼자루를 향해 손을 뻗었다. 이윽고 칼집 속에 숨겨져 있던 강철의 검이 모습을 드러냈다. 오래 전 진율이 주술사가 되는 시험에 통과한 제자들에게 선물해주었던 '천체검'이었다.

천체검은 반듯한 직선 형태에 그 길이가 비교적 짧은 편으로 특유의 신비롭고 우아한 모습을 갖추고 있었다. 한쪽 날에 칼끝까지 정교하게 새겨진 28개의 별자리들이 달빛에 반사되어 은빛으로 반짝였고, 반대편 날에 '신의 뜻에 따라 어둠으로 악한 기운을 몰아내리라'라고 새겨진 주문 글귀가 푸른빛으로 빛났다. 칼자루 끝에는 제국의 상징 중 하나인 붉은 달맞이꽃 장식이 꽃을 피웠고, 작은 구슬들로 꽃잎과 촘촘히 이어진 초승달 장식이 청명하고 영롱한 소리와 함께 짤랑댔다.

어둠 속에서 나지막하게 으르렁거리는 소리가 울렸다. 그 울음소리가 어떤 녀석의 것인지, 유리는 굳이 보지 않아도 알 수 있었다. 그녀는 뒤를 돌아 자신의 실력을 증명해줄 적을 마주했다. 털은 불꽃처럼 붉고 꼬리는 구미호와 달리 하나지만 마력으로 몸이 약간 뒤틀려 있으며 눈만은 빛나는 황금과도 같은 요괴. 녀석은 사람들이 흔히 '불여우'라고 부르는, 여우 요괴 중 가장 약한 종류인 화호(火狐)였다.

화호는 유리가 검을 쥐기 무섭게 앞으로 돌진해 왔다. 유리는 재빨리 옆으로 굴러 공격을 피했다. 녀석이 달려오다 벽에 부딪히자 동굴 천장이 무너져 내릴 듯 굉음을 내며 크게 흔들렸다. 동시에 천장으로부터 돌 파편과 흙먼지가 떨어졌다. 유리는 녀석의 뒷다리에 무자비하게 난도질을 했다.

붉은 털 위로 장밋빛 피가 흘러나왔다. 칼끝이 주는 서늘한 고통에 녀석이 악에 받친 듯 울부짖었다. 녀석은 발톱을 날카롭게 세워 유리를 향해 휘둘렀다. 발톱 끝이 뺨에 닿을락 말락 아슬아슬하게 스쳐 지나갔다. 유리는 옆으로 재빠르게 녀석의 배 밑으로 몸을 굴렸다.

다시 검을 들고 춤을 추듯 유리는 녀석의 앞다리에 난도질을 했다. 다리를 계속 공격해서 녀석이 버티지 못하고 쓰러져 주저앉을 때 목을 찔러 숨통을 끊을 생각이었다. 녀석의 살갗 안으로 칼끝이 쉴 새 없이 파고 들자 그녀의 하얀 얼굴 위로 붉은 피가 마구 튀었다. 그러나 화호는 그 정도로 쉽게 죽지 않았다. 여우 요괴들은 요괴들 중에서도 가장 영악하고 교활해서, 그리 쉽게 자신의 약점을 내어주지 않았다. 녀석들은 자신을 죽이려 드는 밤의 사냥꾼들에 대처하는 방법을 잘 알고 있었다. 녀석을 확실하게 처치할 수 있는 방법은 목을 치는 것뿐이었다.

동굴 바깥에서 조금씩 밤바람이 불어왔다. 흥분한 화호가 다시 발톱을 세워 달려들 준비를 하자 유리는 바람이 불어오는 방향으로 손을 뻗었다. 진율의 가르침으로 유리는 검술뿐만 아니라 자연의 힘을 빌리는 법에 대해서도 잘 알고 있었다. 선선한 밤바람은 곧 강렬한 폭풍으로 변해 녀석을 덮쳤다. 화호는 갑작스레 폭풍이 불어 닥치자 주춤하더니 눈을 뜨지 못했다.

지금이 기회였다. 유리는 뒤에 있는 바위를 디딤돌 삼아 녀석의 머리를 향해 높이 뛰었다. 칼끝이 녀석의 목에 닿으려는 찰나, 안타깝게도 겨우 주어진 기회는 아주 약간의 차이로 녀석을 빗겨갔다. 녀석은 울부짖으며 폭풍을 피해 더 깊은 동굴 안으로 도망쳤다. 그대로 놓칠 수는 없었다. 유리는 서둘러 화호를 뒤따라갔다.

더 깊은 동굴 안쪽에는 아주 희미한 달빛조차도 없었다. 유리는 경계를 늦추지 않고 주변을 면밀히 살폈다. 그리고 어둠 속에 숨어 자신을 지켜보고 있을 녀석을 찾아 두리번거렸다. 하지만 아무리 둘러보아도 화호는 보이지 않았다.

대신 어딘가에서 훌쩍이는 울음소리만이 들려왔다. 유리는 자신이 어둠 속에서 미처 발견하지 못한 누군가가 있다는 사실을 깨달았다.

구석에서 무릎을 껴안은 채 울고 있는 한 소녀가 보였다. 몸집으로 판단컨대 아마 일곱 살 정도인 것 같았다. 이런 곳에서 어린 아이가 울고 있다니, 분명 화호에게 잡혀온 것이 틀림없었다. 문득 유리는 부모에게 두들겨 맞던 자신의 비참한 어린 시절을 보는 것 같았다.

"꼬마야."

유리는 아이가 놀랄까 조심스레 다가가 나지막한 목소리로 말을 걸었다.

"꼬마야, 왜 이렇게 위험한 곳에 와 있는 거야? 어쩌다가 여기까지 온 거니?"

"몰라요. 무서워……."

"어서 여기서 나가자. 여기 있으면 위험해."

"몰라, 다 싫어요. 무섭단 말이에요."

"괜찮아, 언니가 지켜줄게. 언니 손잡고 나가자, 응?"

유리는 소녀에게 손을 뻗으며 상냥하게 말했다. 울던 소녀는 천천히 고개를 들었다.

"……언니가 지켜준다고요?"

소녀가 가소롭다는 듯 입꼬리를 올렸다. 소녀가 눈을 부릅뜨자 그 눈동자가 평범한 밤의 인간의 붉은색에서 황금빛으로 변했다. 유리는 무언가 잘못되었음을 깨달았지만 이미 너무 늦어 있었다. 하얀 연기가 주위를 에워싸더니 소녀는 붉은 털을 가진 화호로 변했다. 유리는 자신을 죽이려 드는 광기 어린 황금색 눈동자에 손이 떨리기 시작했다. 수도 없이 잊으려 발버둥쳤던 살인마 연인의 끔찍한 얼굴이 그녀를 덮쳐왔다.

'유리.'

'유리…….'

'유리!'

끊임없이 자신을 부르는 미르의 목소리가 머릿속에서 울려 퍼졌다.

'진작에 내 말을 들었어야지.'

'네가 모두를 죽인 거야. 네가 사랑하는 사람들을 네 손으로 직접.'

악몽의 목소리가 비열하게 속삭였다. 유리는 살인마와 겹쳐 보이는 요괴의 모습을 보고 공포에 질려 검을 떨어뜨렸다. 방금 전 울고 있던 소녀는 화호가 만들어낸 환영에 불과했다. 유리도 그 사실을 잘 알고 있었다. 그러나 이미 온 정신을 헤집어놓은 무시무시한 공포는 어쩔 수가 없었다.

머릿속에 죽은 동생들과 처참하게 찢겨 죽은 스승님의 마지막 모습, 불타며 무너지는 반월당의 모습이 스쳐 지나갔다. 유리는 두려움에 휩싸여 화호가 자신을 향해 달려드는 것도 보지 못했다. 녀석은 유리의 팔을 거칠게 물고 늘어졌다. 날카로운 이빨이 옷소매를 파고 들자 유리는 살갗을 뚫는 고통에 비명을 질렀다.

'전부 네 잘못이고 네 탓이야. 너 때문에 죽었어. 네가 그렇게 아끼는 동생들, 스승님, 모두 다.'

미르의 목소리가 계속 울려 퍼지자 유리는 머리가 터질 것 같았다. 과거의 기억 속에서만 머물던 목소리는 마치 그가 다시 살아 돌아왔다고 해도 믿을 만큼 생생했다. 하지만 유리에게 순순히 포기할 생각은 없었다. 그렇게 쉽게 요괴의 밥이 될 순 없었다. 여기서 죽으려고 여태껏 살아온 것이 아니었으니까.

모든 게 내 탓이라니……. 아냐, 넌 죽었어. 이건 전부 환상이고 거짓일 뿐이야. 진짜가 아니란 말이야! 유리는 목소리를 부정하며 다시 정신을 차렸다. 그녀는 옆으로 재빠르게 굴러 검을 쥐고 비틀거리며 일어났고, 화호는 이미 자신의 승리를 확신한 듯 포효하며 유리에게 달려들었다.

유리는 피로 얼룩진 손을 앞으로 뻗어 검을 힘껏 던졌다. 그러자 칼날이 바람을 타고 춤추며 노래하듯 녀석에게 날아갔다. 날아간 검은 순식간에 녀석의 목을 잘랐다. 잘린 목에서 붉은 피가 흘러나왔고, 머리를 잃은 거대한 몸뚱어리는 비틀거리다 동굴 벽에 부딪혀 쓰러졌다.

이윽고 화호가 흘린 피에서 보랏빛 연기가 피어나기 시작했다. 유리는 카이에게서 받은 작은 호리병을 꺼냈다. 마력을 담으려 호리병을 보랏빛 안개로 가까이 가져가자, 신기하게도 마력 안개가 호리병 안에 저절로 스며들기 시작했다. 마치 그 안에 담긴 어떤 투명한 기운이 마력 안개를 끌어당기고 있는 것 같았다.

마력 안개가 병을 가득 채우자 유리는 호리병을 주머니에 넣었다. 그리고 옷소매를 거칠게 뜯어내 상처를 지혈하면서, 동굴을 나와 주변에서 상처를 치료하기 위한 약초를 찾았다. 동굴 옆에 조그맣게 피어난 검붉은 혈월초가 마침 눈에 들어왔다. 유리는 혈월초를 한 움큼 뜯어 상처 위에 올려놓았다. 따끔한 느낌이 상처를 타고 전해왔지만 이 정도 고통은 아무것도 아니었다.

문득 화호와 겹쳐 보였던 미르의 모습과 방금 녀석과 싸운 이유였던 마법사 카이 테네브리스가 떠올랐다. 또다시 마법사와 엮이게 된 자신의 운명에 헛웃음이 났지만 어쩔 수 없었다. 일은 일이었으니까. 유리는 이를 악문 채 상처가 난 팔에 매듭을 꽉 묶고 자리에서 일어났다.

"여기."

테네브리스 저택으로 돌아온 유리는 당당하게 호리병을 책상 위에 올려놓았다. 서적을 읽던 카이는 고개를 들어 그녀를 흘깃 쳐다보았다. 그는 의심이 담긴 눈초리로 마개를 열어보고는 마력 안개를 가지고 놀 듯 손으로 이리저리 움직였다.

"생각보다 나쁘진 않군."

카이는 만족한다는 듯 고개를 끄덕였다.

“여기에 서명해.”

그는 계약서를 앞으로 내밀었다. 계약서 맨 아래 카이 테네브리스라는 이름 옆에 유리는 자신의 이름을 적었다. 유리가 서명을 마치자 카이는 계약서를 쭉 훑어보았다.

“흠, ‘유리’라……. 좋아. 내일 달이 뜨면 다시 오도록.”

카이는 약속한 금액이 든 작은 돈주머니를 내밀었다. 유리는 당분간 돈 걱정할 일은 없겠다는 안도감에 작은 한숨을 내쉬며, 점점 밝아오는 태양을 피해 잠을 청하려 광장의 여관으로 향했다.

2장.

망자의 증언

Dead Man's Tale

카이 테네브리스에게 고용된 지 2주가 지났다. 유리는 카이와 일하는 것에 생각보다 빠르게 익숙해졌다.

불쾌했던 첫 만남 때문일까, 솔직히 유리는 그와 맺은 계약 관계에 대해 그리 긍정적이지는 않았다. 그러나 생각과 달리 그와 일하는 것은 꽤 나쁘지 않았다. 보통 사람들과 다르게 카이는 연회에서 검무를 춰보라고 하는 등의 이상한 요구는 하지 않았다. 그는 마력을 가져오는 것 이외의 다른 일은 절대로 시키지 않았다.

오늘도 마력을 가진 요괴를 찾으러 먼 곳을 다녀오는 길이었다. 유리는 얼마 전 큰마음 먹고 장만한 갈색 암말 한 마리를 타고 광장을 지나고 있었다. 원래는 사당을 떠날 때 데리고 나온 말 한 마리가 있었으나 녀석은 안타깝게도 2년 전쯤 요괴와의 싸움에 휘말려 죽어버렸고, 그 뒤로 유리는 온 곳을 일일이 발로 뛰어다녀야만 했다.

몸도 피곤하고 시간도 많이 지체되었으나 어쩔 수 없었다. 새로 말을 마련할 돈도 없거니와 하루하루 살아가기 바쁜 그녀에게 쉬어 갈 여유 따위는 없었다. 하지만 지금은 다행히도 주머니에 꽤 여유가 생겼기 때문에, 유리는 충분한 돈이 모이자마자 바로 말을 장만했다.

말을 타고 가다 문득 녀석의 거친 털이 눈에 들어왔다. 목장 주인은 품질 좋은 최상급의 다른 말을 추천했다. 하지만 유리는 괜찮다며 붉은 털을 가진 이 녀석을 골랐다. 주인은 녀석이 순하고 훈련도 꽤 잘 되어있다고 했지만, 털의 윤기나 귀 모양 등의 품질이 영 별로여서 어느 누구도 관심조차 주지 않는다고 했다.

사람들에게 버림받은 데다 어딘가 서글퍼 보이는 눈빛이 자신과 비슷해 보였던 탓일까? 다른 좋은 말을 조금 더 싸게 쳐주겠다는 제안도 마다하고 유리는 이 녀석을 데려왔다.

녀석을 길들이는 것에 유리는 그리 애를 먹지는 않았다. 사당에서 지냈을 적 진율이 길러온 말이 몇 필 있었던 덕분이었다. 그 덕에 그의 제자들은 말에게 안장과 고삐를 채우고 길들이는 일에 꽤 익숙했다.

이제 매일같이 먼 거리를 뛰어다니는 유리의 새로운 발이 되어주는 녀석은, 순하다는 목장 주인의 말마따나 난폭하게 굴지도 않았고 유리의 명령을 고분고분 잘 따랐다. 그러고 보니 며칠째 이름을 지어주지 못했는데…… 네 이름을 뭐라고 지어야 좋을까. 아무리 생각해도 좋은 이름이 마땅히 떠오르지 않았다.

말을 타고 이동하던 유리는 갈증을 달랠 생각으로 광장 남쪽에 있는 고급 여관에 들렀다. 자정이 조금 넘은 시간에도 불구하고 여관 안은 한산한 편이었다.

유리는 시끄러운 곳을 싫어하는 터라 마침 잘됐다고 생각하며 버릇처럼 구석 자리에 앉았다. 그녀는 짐을 내려놓고 주문한 술이 나오기를 기다리면서, 미처 닦지 못한 핏자국에 대고 손수건을 살살 문질렀다.

"어머, 정말이에요? 시체에 송곳니 자국이 있었다고요?"

"그렇다니까. 내 친구가 두 눈을 뜨고 똑똑히 보았는데, 독사에 물린 것처럼 아주 선명하게 자국이 있더래."

옆자리에 앉은 손님들의 대화가 들려왔다. 언뜻 들리는 말로 보아 근래의 실종 사건에 대해 얘기하고 있는 것 같았다. 2주 전 광장 게시판 앞에서 사람들이 이야기하고 있던 바로 그 사건이었다. 저번처럼 한 귀족이 실종된 후 시신으로 발견된 모양이었다.

또다시 심장이 쿵쿵 뛰며 불안감이 엄습해왔다. 주문한 술을 가지고 나온 여관의 하인은 아무것도 모르는 해맑은 표정으로 식탁에 술병을 놓고 멀어졌다.

"얘기가 나와서 말인데요, 나리. 그런 소문이 돌던데요. 그 사라진 사람들을 죽인 게 전부…… 카이 테네브리스라고요."

유리는 흠칫 놀라 옆자리로 시선을 옮겼다. 테네브리스가 사람들을 죽였다니, 이게 무슨 소리지? 유리는 술을 한 모금 마시며 그들의 대화에 귀를 기울였다.

"나도 들었어. 사실인지 아닌지는 모르지만, 몇 년 전에도 어떤 놈이 사당을 태워 먹고 주술사들을 죽인 사건이 있었으니 또 모르는 일이지. 그놈도 미친놈이라는 소문이 도니 말이야."

남자가 술잔을 내려놓으며 혀를 끌끌 찼다. 여자는 그의 빈 술잔에 술을 조금씩 따라주었다.

"안 그래도 옛날부터 그 양반 좀 이상하다던데요. 나리, 그 얘기 들으셨어요? 글쎄, 죽은 사람들이 다 테네브리스와 아는 사이였대요. 얼마 전에 죽은 사람도 꽤나 친한 친구였다는 말이 있더라고요. 돈 때문에 죽였다는 말이 있던데."

"내가 듣기로는 돈이 아니라 마력 때문이라던데? 아무튼 예전부터 성격이 좀 음침하다는 얘기도 있고, 틀림없이 뭔가 있긴 있나 보구먼. 왜, 다른 마법사들이 그 양반을 냉혈한이라 부른다 하잖아. 매일같이 저택에 처박혀서 책만 들여다본다는데, 쯧쯧. 아무래도 마력에 미쳐서 정신이 나간 게 분명해."

"뭔가 숨기고 싶은 게 있으니 그러는 거죠. 애초에 정신머리 멀쩡한 사람이라면 이런 소문도 안 나올 거예요."

여자가 목소리에 힘을 주어 확신하듯 말했다. 남자는 고개를 끄덕거리며 맞장구를 쳤다. 소문이라는 말에서 시작된 그들의 대화 속에서 카이 테네브리스는 이미 살인마나 다름없었다. 테네브리스가 살인마라니, 설마…… 아니겠지. 아닐 거야. 그럴 리가 없어. 유리는 부정하며 술을 몇 모금 더 들이켰다. 그러나 날카로운 칼날이 심장을 파고드는 것 같은 고통에 아무것도 손에 잡히지 않았다. 아무리 마셔도 입안이 바싹바싹 타들어가는 느낌이었다. 유리는 술을 마시는 둥 마는 둥 하다가 자리에서 일어났다.

"오늘은 조금 늦었군."

카이는 여느 때처럼 서재에 앉아 마법 서적을 들여다보고 있었다. 유리는 그에게 다가가 마력이 담긴 호리병을 건네고 돈을 받았다. 금화 다섯 닢. 약속한 대로 저번과 같은 액수였다.

유리는 돈을 망토 주머니에 넣으면서 카이를 흘깃 보았다. 그는 '중력 마법 연구서'라는 책을 읽고 있었는데, 옆에 이상한 마법 문양들이 새겨진 두루마리와 마법 재료들이 정돈되지 않고 어지럽게 널브러져 있었다.

불현듯 술집에서 들었던 이야기가 생각났다. 정말 카이 테네브리스가 살인마인 것일까? 소문이 사실이라면 어떻게 해야 하지. 유리는 그 끔찍한 생각을 떠올리는 것조차 싫었다.

마법사 살인마와 엮이는 것은 이미 한 번으로 족했다. 하지만 그와 계약을 맺은 이상 어쩌면 늦어버린 것일지도 몰랐다. 이미 생각하는 것 이상으로 깊이 들어와버린 것일 수도, 어쩌면 자신도 모르게 살인을 돕고 있는 것일 수도 있었다.

그제서야 유리는 카이가 왜 요괴들의 마력을 모으고 있는 것인지 한 번도 얘기한 적이 없다는 사실을 떠올렸다. 술집의 남녀는 카이가 정신이 이상한 사람인 것처럼 얘기했지만, 유리가 보기에 그의 정신은 멀쩡했다.

그러나 미르라는 살인마를 만나 본 유리는 안심할 수 없었다. 미르 또한 겉으로는 따뜻하고 온정 많은 귀족 나리였다. 하지만 그 모습은 모두 자신의 잔혹함을 감추기 위한 가면일 뿐이었다. 그에 반해 카이에겐 그런 가면 따위 존재하지 않는 것 같았다. 매사 다정하고 상냥한 척하던 미르와 달리 카이는 매우 차갑고 오만했다.

주술사 공동묘지에서의 첫 만남만 떠올려 보아도 그랬다. 잔혹함을 드러내기 전의 미르였다면 괜찮냐며 걱정스레 다가와 도움의 손길을 내밀었을 것이 분명했다. 그러나 카이는 거침없이 자신의 냉정함을 드러냈다.

미르와 카이가 다른 점은 또 있었다. 유리에 대해 자세히 알고 싶다며 쉴 새 없이 떠들어대던 미르와 다르게, 카이는 일 외에 개인적인 이야기는 절대로 꺼내지 않았다. 사람들의 말대로 그는 저택 안에 처박혀 책만 읽어댔다. 어찌나 집중하고 있는지 바로 옆에서 누군가 쓰러지거나 소리를 질러댄다 해도 절대 눈치채지 못할 것 같았다. 그가 관심 있어 하는 것은 오로지 마법뿐이었다.

그 점에서 유리는 지금껏 다행이라고 생각해왔다. 또다시 자신에게 누군가 관심을 보이는 것은 원치 않았고, 그와 사적으로 관계를 맺고 싶지도 않았다. 그녀에게 지금 가장 중요한 것은 그에게서 받는 두둑한 돈이었다.

허나 지금은 이야기가 달랐다. 카이 테네브리스가 좋은 사람인 척하는 부류의 사람이 아니라는 것만은 확실했지만, 유리는 카이라는 사람에 대해 잘 알지 못했다. 그와 계약을 맺은 지는 한 달도 되지 않았고, 이제껏 깊은 대화를 나눠본 적도 없었으며 그에 대해 아는 것은 유명한 가문의 자제라는 것뿐이었다. 그렇기에 이 남자가 어떤 식으로 요괴의 마력을 사용하고 있을지는 아무도 모르는 일이었다. 이 저택 안 어딘가 시체가 가득한 지하실이 숨겨져 있을 수도 있었고, 어쩌면 집사와 하인들 모두가 한패일 수도 있었다. 그가 범인이라는 소문이 진실일 수도, 거짓일 수도 있었다.

어떻게 이 문제를 타개할 수 있을지, 도저히 방도가 떠오르지 않았다. 만약 정말 살인마라면 어떡하지? 무릎을 꿇고 빌어야 하나? 아냐, 저 성격에 순순히 살려 보내줄 것 같지는 않은데……. 아, 빌어먹을. 유리는 속으로 욕을 읊조렸다.

살인마에게 죽고 싶지는 않았다. 두 번이나 그런 일을 당할 수는 없었다. 방법을 찾아야 했다. 지혜롭게 이 상황에서 벗어날 방법을 말이다. 그래, 일단 여길 나가자. 나가서 다시는 이곳에 얼씬도 하지 않는 거야. 돈도 충분히 받았으니까 당분간은 문제없어. 유리는 침착하게 생각을 가다듬었다.

"그럼 다음에 올게. 나중에 봐."

"잠깐."

카이가 유리를 불러 세웠다. 유리가 돌아서자 그는 고개를 까딱거렸다.

"앉아봐."

"……왜?"

"일단 앉아봐. 할 말이 있으니까."

숨이 턱 막히는 것 같았다. 왜 앉으라고 하는 거지? 설마…… 내가 도망치려는 걸 눈치챘나? 유리는 머뭇거리다 의자를 끌어당겨 앉았다. 일단은 무슨 일이 일어날지 모르니 그의 말에 따르는 것이 상책이었다.

"라일!"

카이가 문을 향해 소리쳤다. 기다리고 있었다는 듯 집사가 문을 열고 들어왔다.

"부르셨습니까, 카이 님."

"지하 창고에서 3951년산 하나만 가져와요."

그의 명령에 라일은 바로 가져오겠다며 서재를 나갔다. 갑자기 자리에 앉혀 놓고 3951년산을 가져오라니? 유리는 그게 무슨 뜻인지 알 수 없어 혼란스러웠다.

"할 말이 있다면서?"

유리가 묻자 카이는 고개만 가볍게 끄덕였다.

"3951년산이라는 게 무슨 소리야?"

"보면 알아."

왜 제대로 대답해주지 않는 걸까. 무슨 꿍꿍이를 숨기고 있는 거지? 유리는 의문이 들었다.

잠시 후 라일이 무언가를 가지고 돌아왔다. 그는 고급스러워 보이는 검붉은색 술병과 술잔을 두 사람 앞에 놓고 서재를 나갔다. 유리는 카이가 말한 '3951년산'의 의미를 눈치챘다. 이건 뭐지? 지금 같이 술을 마시자는 건가? 유리는 그가 왜 이러는지 이해가 되지 않았다.

"할 말이 있다더니, 갑자기 웬 술이야?"

"보아하니 술을 참 좋아하는 것 같더군. 싸구려 술 냄새를 매일같이 풍기고 다니던데."

유리는 당황했다. 술 냄새라고? 그렇게 심했던가? 그간 2주 동안 저택을 드나들면서 가끔씩 하녀들과 마주칠 때 그들이 인상을 찌푸렸던 것이 생각났다. 그래도 몸을 씻고 헝클어진 머리카락을 빗어서 단정하게 예의를 차렸다고 생각했건만, 술 냄새는 전혀 생각하지 못한 부분이었다. 하나하나 미처 세심하게 신경 쓰지 못했다는 사실에 유리는 예절을 모르는 망나니가 된 것 같아 몹시 부끄러웠다.

말문이 막혀 우물쭈물하고 있는데 카이가 잔에 술을 따랐다. 그녀가 주로 마시는 싸구려 월광주의 칙칙한 빛깔과 달리 곱고 아름다운 붉은 빛깔이었다.

카이는 가득 채워진 술잔을 유리 쪽으로 밀었다. 유리는 술잔을 들어 향을 맡아보았다. 어두운 빛깔과 달리 의외로 과일처럼 부드럽고 달콤한 냄새가 났다.

"마셔봐."

카이는 자신의 잔에도 술을 반쯤 따랐다. 갑자기 술을 마시자고 하는 것이 어쩐지 탐탁지 않았다. 술에 무언가 섞은 것은 아닐까 의심이 들었다.

그러나 코를 찔러오는 달콤한 향이 그녀를 유혹했다. 유리는 망설이다가 결국 잔을 입으로 가져갔다. 그리고 술을 천천히 음미했다.

먼저 독한 술의 느낌이 올라왔다. 그 다음 알싸한 느낌과 단맛이 입안으로 퍼졌다. 달콤한 향처럼 술은 목구멍 안으로 뜨겁게 타들어가지 않고 오히려 부드럽게 넘어갔다. 전에는 한 번도 마셔본 적 없는 묘한 느낌이었다.

한 모금만 맛보려고 했던 유리는 금방 잔을 비웠다. 카이가 아직 술잔에 입을 대기도 전이었다. 그 모습을 본 카이가 입을 열었다.

"어때?"

"단맛이 나는데……. 또 굉장히 부드럽고. 이거 무슨 술이야?"

"혈월주. 복분자 열매로 빚은 거야. 200년 정도 됐지."

"200년?"

유리가 놀라서 물었다.

"3951년에 만들었으니까…… 아, 정확히는 219년이군."

그가 술병 뒷면에 붙어있는 종이를 보여주며 말했다. 유리는 그 내용을 읽어보았다.

혈월주

등급: 1등급

생산 연도: 3951년

생산지: 생귀스 주(州), 코르부스, 블러드울프 양조장

세상에, 이백 년 넘게 묵은 술이라니! 믿을 수가 없었다. 그저 조금 비싼 술이겠거니 생각했던 유리는 놀라서 입을 다물지 못했다. 그러니까 이 술을 빚은 사람은 유리의 조부모가 태어나기 전보다도 까마득하게 오래 전 사람이라는 이야기였다. 지금껏 술을 마시면서 그 주인(酒人: 술을 빚는 사람)에 대해서는 전혀 생각해본 적이 없었다.

대체 금화 몇 닢이 목구멍 안으로 흘러 들어간 걸까? 유리는 얼떨떨했다. 그러나 카이는 아무렇지도 않게 술을 마셨다. 명성 높은 귀족 집안의 자제인 만큼 그는 이런 고급주를 마시는 것이 익숙한 듯했다. 유리는 카이가 목구멍 안으로 술을 넘기는 모습을 지켜보며 입맛을 다셨다.

"더 마시고 싶나?"

카이가 아직 반 정도 남은 술병을 흔들어 보였다. 유리는 더 마시겠다고 대답할 수가 없었다. 카이에게 무언가 꿍꿍이가 있다는 것을 그녀도 알고 있었다.

"솔직히 말해. 뭐 때문에 이러는 거야?"

"눈치는 생각보다 빠르군."

카이는 자신의 빈 잔에 술을 다시 따랐다.

“네가 나 대신 조사를 해 줬으면 하는 게 있어.”

“조사?”

“요즘 돌고 있는 소문은 너도 알고 있겠지?”

카이가 혈월주를 몇 모금 들이켜며 말했다. 소문이라니, 설마 아까 술집에서 들었던 이야기를 말하는 것일까? 유리는 또 숨이 턱 막혀오는 것 같았다. 그녀는 침착한 태도를 유지하며 모르는 척하려 했다. 그러나 카이는 이미 유리의 얼굴 위로 드러난 두려움과 의심을 모두 읽어냈다는 듯 태연한 표정이었다.

“모른 척할 것 없어. 어차피 알고 있었으니까.”

“난 그냥 사람들이 얘기하던 걸 들었을 뿐이야.”

“얘기를 들었든 어쨌든 상관없어. 그건 중요한 게 아니야. 중요한 건, 원치 않는 관심이 내게 집중되고 있다는 것이지. 그러니까 네가 나 대신 시체를 좀 조사해 줬으면 좋겠는데.”

“시…… 시체라니?”

“내가 들은 얘기로는 시체에 이상한 송곳니 자국이 있다고 하더군. 그게 사실이라면 요괴와 관련이 있을지도 모르고, 넌 요괴에 한해서는 나보단 잘 알 테니까. 아, 그리고 돈도 물론 챙겨줄 생각이야. 평소의 두 배로. 어때, 할 생각 있나?”

카이는 대답을 기다리면서 유리의 잔에 술을 가득 따라주었다. 망설이던 유리는 대답 대신 일단 술을 입에 털어 넣었다. 달콤하고 알싸한 향이 다시 한 번 입안을 맴돌았고, 가득 찼던 잔은 또 금세 비워졌다. 카이는 눈썹을 치켜 올리며 어서 얘기해보라는 듯 재촉했다. 유리는 머뭇거리다 겨우 입을 열었다.

“먼저 물어볼 게 있어.”

"뭔데."

"왜 요괴의 마력을 가져오라고 하는 거야?"

"그게 왜 궁금하지?"

카이는 오히려 질문을 던졌다.

"전에 조금 이상한 사람을 만난 적이 있어. 그래서……."

미르를 떠올리자 소름 끼치는 기억에 입술이 떨어지지 않았다. 유리는 떨리는 손을 꼭 쥐었다.

"그래서?"

카이는 다음 말을 기다리며 턱을 괸 채 그녀를 쳐다보았다. 유리는 우물쭈물하다가 다시 입을 열었다.

"그 사람도 너처럼 마법사였거든."

"그런데?"

"그 사람이 마력을…… 다른 사람들에게 썼어. 안 좋은 방식으로."

"안 좋은 방식이 뭔데?"

질문을 시작한 것은 유리였지만 어찌 된 일인지 카이가 질문을 하고 유리가 대답을 하고 있었다. 유리가 말끝을 흐리자 카이는 짜증난 듯 미간을 확 찌푸렸다.

"자기가 지금 무슨 말을 하는지도 모르고 있군. 난 그게 왜 궁금하냐고 물었어."

"그러니까 내 말은……."

“네가 가져온 마력으로 내가 사람들을 죽이고 있을까 걱정된다, 결국 그 얘기 아닌가? 어차피 다 알고 있는데 뭘 그리 빙빙 돌려서 말해?”

직설적인 말투에 유리는 당혹스러웠다. 하지만 카이는 별것 아니라는 듯 태연했다.

“뭐, 조사할 필요가 있으니 가져오라고 하는 거지. 요괴들의 마력을 연구해 본 적은 별로 없거든. 요괴들끼리 서로 마력에 어떻게 반응하는지, 그 마력을 어떻게 활용할 수 있는지, 뭐 그런 것들 말이야. 연구해 두면 나중에 도움이 될 수도 있으니까.”

“정말 그게 다야?”

“그럼 뭐가 더 있겠어?”

카이는 왼손으로 턱을 괸 채 유리를 빤히 쳐다보았다. 어떻게든 감추려고 해도 눈에 띄게 불안해하며 안절부절 못하는 유리와 달리 그의 태도는 너무나도 여유로웠다.

“생각해봐. 내가 널 죽이고 싶었으면 진작에 죽였지, 안 그래? 기회는 수도 없이 많았어. 널 처음 만났을 때도, 며칠 전에도, 어제도, 그리고 지금도.”

말을 마친 카이의 눈이 붉게 빛났다. 방 안에 무거운 긴장감이 감돌았다. 유리는 침만 삼키며 아무 말도 하지 못했다.

“하지만 난 누군가를 죽이는 취미는 없어. 네가 믿든 안 믿든. 그리고 내가 널 죽여서 얻을 게 하나도 없잖아. 내 마법 연구에 아주 큰 부분을 기여하고 있는 사람인데.”

카이는 팔짱을 끼고 의자 등받이에 머리를 기댔다. 유리는 자신을 붙잡았던 마력의 기억과, 죽을 거면 혼자 동굴에 처박혀서 죽어버리라던 카이의 모습을 떠올렸다. 카이의 말대로 그는 분명히 유리를 죽일 수 있었다. 기회는 처음 만났을 때 이미 있었다. 유리가 절벽 아래로 떨어지는 모습을 그저 지켜볼 수도 있었고, 아니면 마법으로 잔인하게 죽일 수도 있었다. 게다가 주변에는 아무도 없었기에 마음만 먹는다면 목격자 없는 완벽한 살인이 될 수도 있었다.

그럼에도 불구하고 카이는 그날 유리를 죽이지 않았다. 그는 오히려 마법으로 한 생명을 구했다. 선의든 선의가 아니었든 말이다. 그것만은 부정할 수 없는 사실이었다.

"그래서 할 거야, 말 거야? 정해."

카이가 남은 술을 홀짝이며 말했다. 유리는 늘 사람의 눈빛을 읽으라는 진율의 말을 기억했다. 불현듯 머릿속에 황금빛 눈동자가 떠올랐다. 맑고 아름답지만 어쩐지 죽은 사람처럼 텅 비어 있는 것 같은, 아무런 생기도 찾아볼 수 없는 광기로만 가득한 눈빛. 진율은 그런 눈을 영혼이 없는 눈동자라고 말하곤 했었다.

유리는 고개를 들어 자신의 대답을 기다리는 마법사를 마주했다. 매섭고 날카로운 눈빛과 달리 카이에게서는 미르와 같은 광기가 느껴지지 않았다. 진율의 말을 빌려 표현하자면 적어도 그의 눈동자에는 영혼이 있는 것 같았다. 유리는 한번 그 눈빛을 믿어 보기로 마음먹었다.

"할게. 어디로 가면 되지?"

"그 전에 잠깐."

카이가 앞으로 손을 뻗었다. 그의 손바닥에서 피어난 보랏빛 안개는 미처 반응할 틈도 주지 않고 유리의 몸속으로 스며들었다. 그러나 이상하게도 전혀 고통스럽지 않았다.

'들리나?'

머릿속에서 무언가 메아리 치는 듯한 소리가 들려왔다. 카이의 목소리였다. 유리의 놀란 표정에 그는 어깨를 으쓱했다.

"어떻게 된 거야?"

'놀랄 것 없어. 마법을 이용해서 머릿속으로도 네게 말을 전달할 수 있도록 한 것뿐이야.'

카이는 입술을 전혀 움직이지 않고 말하고 있었다. 유리는 머릿속으로 나지막이 울려 퍼지는 목소리에 멍하니 그를 쳐다보았다.

"뭘 그렇게 빤히 보고 있어? 얼른 가. 새벽이 다가오고 있으니까."

영안실. 망자가 된 이들이 땅에 묻히거나 불태워지기만을 기다리며 누워있는 곳. 제아무리 죽음에서 태어난 흡혈귀의 후손들이라도 영안실은 가까이하기 꺼려지는 곳이었다. 그것은 10년이 넘도록 망자들을 저승으로 인도하는 일을 해 온 유리에게도 마찬가지였다. 보통의 주행성 인간들이나 엘프들은 밤의 인간들이 음침하고 더러운 것들을 좋아한다고 생각했지만 그건 오해에 불과했다. 아무리 어둠 속을 거니는 자들이라고 해도 역겨운 냄새가 나는 시체 따위를 매일 보고 싶어하는 사람은 없었다.

푸른 달빛이 영안실 입구로 내려가는 지하 계단을 밝혔다. 아마 지하에 영안실이 있다는 사실을 모른다면 꽤 낭만적으로 보일 수도 있겠지만, 유리는 자신이 여기에 왜 왔는지 너무나도 잘 알고 있었다. 벌써부터 피와 시체 썩는 듯한 냄새가 나는 것 같아 헛구역질이 나올 듯했다. 수도 없이 요괴 사냥을 해 왔음에도 이 지긋지긋한 악취는 도저히 익숙해질 수가 없었다.

삼십 걸음 정도 계단을 내려가던 유리는 입구를 지키는 두 명의 문지기와 마주쳤다. 유리는 문지기들에게 손목에 찬 검은 염주를 보여주며 찾아온 이유를 간단히 설명했다. 흉터와 검을 소지한 모습만 보고 경계하던 문지기들은, 그녀가 주술사라는 사실에 경계를 풀고 문을 열어주었다. 유리는 문지기들의 말을 따라 계단을 몇 걸음 더 내려갔다.

구석의 촛불들이 환하게 복도를 밝혔다. 꽤 오랫동안 청소를 하지 않은 듯 벽에 거미줄이 가득했고, 군데군데 벌레와 쥐들이 지나다니는 것이 보였다. 유리는 복도 끝 왼쪽의 방으로 발걸음을 틀었다. 넓은 영안실 안에서 시체 한 구를 열심히 닦고 있는 늙은 장의사 한 명이 보였다. 장의사는 인기척에 뒤를 돌아보았다.

"누구십니까? 여긴 아무나 함부로 들어올 수 있는 곳이 아닌데."

장의사가 약간 놀란 목소리로 말했다. 그는 문지기들처럼 유리를 경계하는 눈빛으로 훑어보더니, 손목의 염주를 보고서 굳은 표정을 풀었다.

"놀라게 해 드려 죄송합니다."

유리는 고개 숙여 인사하며 사과하는 말을 건넸다.

"아, 우리들의 창조신을 모시는 분이시구려. 몰라 뵈어서 미안합니다. 여기엔 무슨 일로 오셨습니까?"

"요즘 벌어지고 있는 살인 사건 때문에 의뢰를 받고 왔습니다. 시체를 좀 보아도 괜찮을까요?"

장의사는 고개를 끄덕였다. 그가 옆으로 몇 발자국 옮기자 한 청년의 끔찍한 시체가 모습을 드러냈다. 상반신과 얼굴에는 자상과 마법으로 고문한 흔적이 있었다. 손가락은 마디 몇 개가 절단되었고, 온몸의 피는 모두 어딘가로 빨려 나간 것처럼 피부가 쪼그라들어 있었다. 피 한 방울 없는 시체의 모습은 십 년이 넘도록 온갖 시체를 보아온 유리도 적응이 되지 않을 정도였다.

"이런 광경은…… 처음 보는군요. 끔찍하네요."

"저도 수십 년 동안 시체 닦는 일을 해왔지만 이런 적은 처음입니다. 요즘 사라진 사람들이 종종 이런 몰골로 들어오는 경우가 있습니다."

"사라진 사람들이라면 살인 사건 말씀이시죠?"

"예. 얼마 전부터 실종된 사람들이 시체로 발견될 때마다 대부분 이런 모습이었습니다. 여기 윗몸을 보시면 상처가 셀 수도 없이 많습니다. 주술사님도 아시겠지만 여기 얼굴의 상처들은 검으로 인한 것이고, 너덜너덜해진 곳들은 화염 마법에 녹아내린 흔적입니다. 제가 마법사는 아니지만 마법으로 인한 상처를 가끔 본 적이 있어서 알고 있지요."

장의사는 각각의 흔적에 대해 설명했다. 물론 유리도 마법이 남기는 상처에 대해 누구보다도 더 잘 알고 있었기에, 어느 것이 자상이고 어느 것이 마법의 흔적인지 알 수 있었다.

"모두 깊은 상처는 아니네요. 이 정도로 사람이 죽지는 않아요."

"하지만 고통을 느끼기에는 충분한 깊이지요."

장의사는 절단된 손가락 마디들을 가리켰다.

"제가 보았을 땐 검과 마법으로 잔인하게 고문한 다음 손가락을 자른 것 같습니다. 아마 그때까지도 이 자는 살아있었던 듯합니다. 그 고통을 모두 느끼면서요. 하지만 제일 이상한 점은 바로 이겁니다."

장의사는 시체의 목을 가리켰다. 카이의 말처럼 정말로 뱀에게 물린 듯한 송곳니 자국이 선명하게 있었다.

'송곳니 자국이 있다는 게 사실이었군.'

카이가 유리의 머릿속을 통해 말했다.

"자국이 그렇게 크지 않네요. 짐승이나 요괴의 것이라기엔 너무 작아요."

"호랑이나 뱀에 물려 죽은 사람들을 수도 없이 보았지만 아무리 보아도 이건 호랑이도, 뱀도 아니더군요. 크기나 모양으로 보았을 때 요괴나 짐승보다는 사람에 더 가까워 보입니다. 하지만 모두 알다시피 날카로운 송곳니를 가진 밤의 인간은 존재하지 않지요."

장의사의 마지막 말이 의미심장하게 들렸다. 유리는 그가 무엇을 말하려는지 눈치챘다.

“설마 흡혈귀를 말씀하시는 겁니까? 천 년 전에 사라진 우리의 선조들을?”

“저도 말이 안 된다고 생각합니다만, 요즘 살인 사건으로 들어온 시체들을 보면 피부가 쪼그라든 것뿐만 아니라 대부분 비슷한 송곳니 자국이 있었습니다. 범인이 흡혈귀라고 본다면 송곳니 자국과 온몸의 피가 모두 빨려 나간 것이 설명이 되지요.”

“흡혈귀들이 살아있다는 건 말도 안 돼요. 선조들은…… 모두 영생의 힘을 잃었잖아요? 뾰족귀 놈들과 전쟁 후에 살아있었다고 해도 백 년이 안 될 텐데요.”

“제 추측일 뿐이니 너무 깊게 생각하지 않으셔도 됩니다. 아무튼 범인이 마법을 다룰 줄 안다는 것만은 확실해 보입니다. 그리고 이것 또한 저의 생각이지만, 범인은 살인을 즐기는 것 같습니다.”

“즐긴다고요?”

“굳이 이렇게 많은 상처를 남기면서 시간을 오래 끌 이유가 무엇이라고 생각하십니까? 제가 수십 년 동안 여러 시체를 보아 온 경험으로 말씀드리자면, 보통 누군가에게 죽임을 당했을 때 상처가 많은 경우는 대개 깊은 원한이 있는 사이였습니다. 하지만 이 자를 포함해서, 근래에 사라졌다가 죽은 채로 발견된 사람들에게는 하나같이 깊지 않은 상처들이 많았습니다. 손가락도 모두 잘려 있었고 말입니다. 죽지 않을 정도로만 도려내는 이유가 무엇이겠습니까? 고통을 주기 위해서지요.”

등을 타고 식은 땀이 흘렀다. 어딘가 익숙해 보이는 절단된 손가락 마디들과 몸의 수많은 검상, 마법으로 인한 상처들…… 그리고 이런 끔찍한 행위를 아무런 죄책감도 없이 유희거리로 여기는 사람. 미르는 사람들을 고문할 때마다 그들이 고통스러워하며 살려달라 애원하는 모습을 즐기곤 했다. 설마 범인도 미르처럼 그런 잔인무도한 짓을 즐기는 정신

나간 마법사인 걸까?

살인과 마법. 또다시 그 두 가지와 맞닥뜨리게 된 상황에 유리는 잔뜩 긴장했다. 벌써부터 머리가 아팠다. 좋지 않은 예감에 그녀는 입술을 꽉 깨물었다. 살인마 마법사와 또 엮이게 되다니 당장이라도 도망치고 싶었다. 과거와 같은 이 상황이 자신을 어디로 이끌 것인지, 또 어떤 일들이 일어나게 될지 전혀 알고 싶지 않았다.

하지만 카이와 약속을 한 이상 일단은 조사를 끝내야 했다. 유리는 아직 머릿속에 희미하게 남아있는 그의 정신을 느낄 수 있었다. 카이는 별말 않고 있었지만, 그는 유리가 영안실에 들어온 뒤부터 그녀의 눈을 통해 모든 상황을 지켜보고 있었다. 그가 모든 것을 지켜보고 있다는 사실이 유리에게는 무언의 압박처럼 불편하게 다가왔다. 새벽이 점점 다가오고 있으니 어서 일을 끝내야 했다.

“장의사님, 혹시 살인과 관련된 다른 시체들을 볼 수 있을까요?”

유리가 조심스럽게 말을 꺼냈다. 장의사는 곤란하다는 표정을 지었다.

“그건 좀 어려울 것 같습니다. 이미 가족분들의 뜻에 따라 모두 장례를 치른 지 꽤 되었으니까요. 범인을 찾는답시고 무덤을 팔 수는 없는 노릇이지 않습니까.”

장의사의 말에 유리는 어쩔 수 없다는 뜻으로 고개만 끄덕였다. 다른 방법을 찾아야만 했다. 제아무리 영혼을 저승으로 인도하는 일을 하는 주술사라고 한들 이미 안식에 든 망자들을 방해할 수는 없었다.

유리는 장의사와 함께 죽은 청년의 상처에 대해 더 이야기를 이어갔다. 하지만 이미 살펴본 상처들을 훑어보는 게 전부일 뿐, 새로운 단서는 찾을 수 없었다.

‘여기에서 더 알아낼 수 있는 건 없어. 다른 흔적을 찾아보는 게 더 빠를 것 같은데, 어때?’

유리는 슬슬 영안실을 떠날 준비를 하며 머릿속으로 카이에게 말을 걸었다. 그런데 카이에게서 대답이 들려오지 않았다. 유리는 문득 자신과 연결되어 있던 그의 정신이 더 이상 느껴지지 않는다는 것을 깨달았다.

느닷없이 바깥에서 소란이 들려왔다. 문지기들이 누군가와 말싸움을 하는 것 같았다. 소란은 얼마 가지 않아 멈추었다. 이내 누군가 계단을 저벅저벅 내려오는 발소리가 들렸다. 또각거리는 소리로 보아 그 사람은 유리처럼 가죽 장화 비슷한 것을 신고 있는 듯했다.

장의사도 갑작스러운 소란과 발소리에 뒤를 돌아보았다. 그리고 두 사람은 각자 다른 이유로 놀란 표정을 지었다. 장의사는 생전 처음 보는 낯선 이의 위압감에 놀랐지만, 유리는 낯선 이의 익숙한 얼굴에 놀랐다. 그는 카이 테네브리스였다.

"네가 어떻게 여기에……?"

당황한 유리는 말을 잇지 못했다. 카이는 그녀에게 눈길도 주지 않았다. 그는 유리가 아닌 장의사를 향해 고개를 끄덕여 가벼운 인사를 건넸다. 장의사는 혼란스러운 표정으로 갑작스레 들이닥친 낯선 남자를 쳐다보다가, 유리가 그를 아는 듯한 반응을 보이자 고개를 갸우뚱했다.

"아는 분이십니까?"

"예, 뭐……."

유리는 카이에 대해 어떻게 이야기해야 할지 몰라 말끝을 흐리며 얼버무렸다. 장의사는 카이에게 시선을 돌렸다.

"죄송하지만 이곳은 아무나 함부로 들어올 수 있는 곳이 아닙니다. 허락을 받고 들어오신 것이 아니라면 부디 나가주십시오."

"전 아무나가 아닙니다."

"그게 무슨 말입니까?"

카이는 대답 대신 손에서 보랏빛 마력 안개를 피워내 그림을 그리듯 무언가를 만들어 냈다. 유리와 장의사는 흠칫 놀랐지만 그들은 곧 카이의 행동이 적대적인 것이 아니라는 것을 눈치챘다. 그가 피워낸 마력 안개의 반짝이는 거대한 원 안에 불과 얼음, 바람, 피와 달, 밤 등을 상징하는 문양과 온갖 복잡한 마법 문양이 그려져 있었다. 그리고 그런 문양들 한 가운데에는 어둠을 상징하는 문양이 있었다.

"장의사께서는 이 문양이 무엇을 뜻하는지 아십니까?"

카이의 물음에 장의사는 잘 모른다며 공손한 태도로 고개를 숙였다. 그는 마법으로 인한 상처를 본 적이 있을지 언정 마법사가 아니기 때문에, 그 문양들이 무엇을 의미하는지 알지 못했다. 다만 어떤 중요한 것을 상징하는 것과, 이 남자가 마법사, 그러니까 귀족이라는 사실만은 분명하게 알 수 있었다. 유리도 마법에 대해서는 문외한이었지만 그것들이 평범한 문양은 절대 아니라는 것을 느낄 수 있었다.

"이건 대마법사의 문양입니다. 대마법사의 직위를 가진 자만이 가질 수 있는 문양이지요."

"소, 송구합니다, 나리. 제가 나리를 몰라 뵙고 실례를 했습니다."

"알고 있다면 됐습니다. 이 여자는 제 고용인입니다. 함께 시체를 조사할 수 있도록 잠깐 자리를 비워 주실 수 있겠습니까?"

카이가 마력 안개를 거두며 말했다. 장의사는 난처한 얼굴로 우물쭈물했다.

"저, 나리. 아직 정리가 끝나지 않았습니다."

"오래 걸리지 않을 테니 걱정 마시죠. 잠깐 밖에 나가 있도록 하세요."

카이는 팔짱을 끼고 장의사를 쳐다보았다. 차분하고 정중한 어투와 동시에 목소리에서 귀족으로서의 권위가 묻어났다. 순간 그의 이글거리는 붉은 눈동자와 마주친 장의사는 알겠다며 서둘러 영안실을 나갔다. 그 발걸음이 두려움에 떨며 도망치는 사람처럼 조급해 보였다.

"근데 너, 저택에 있던 거 아니었어? 거기서 여기까지 오려면 말을 타고도 서너 시간은 걸리는데. 어떻게 이렇게 빨리 온 거야?"

"나한텐 다 방법이 있지. 조사 좀 하게 비켜봐."

그의 목소리는 답하기 귀찮다는 듯 들렸다. 유리는 대강 그가 마법을 이용했을 것이라 생각했으나 여전히 의문은 풀리지 않았다. 카이와 같은 마법사임에도 미르는 이런 적이 전혀 없었으니까. 유리는 그에게 묻고 싶은 것이 많았다. 하지만 지금은 잡담을 나눌 때가 아니었다.

유리가 몇 걸음 옆으로 물러나자 카이는 시체로 가까이 다가가 청년의 끔찍한 몰골을 쓱 훑어보았다. 늘 이런 광경을 목격하면서도 익숙해질 수 없어 괴로워하는 유리와 달리 그는 아무렇지도 않아 보였다.

"아무리 들여다봐도 소용없어. 부검은 이미 끝났으니까. 더 이상 얻을 정보도 없는데 뭘 하려고 하는 거야?"

"주술사인 너의 지식으로는 이해할 수 없는 일이지."

유리는 그게 무슨 뜻인지 이해할 수가 없었다. 주술사인 그녀의 지식으로는 이해할 수 없는 일……. 그러나 곧 카이의 행동에 그 뜻이 무엇인지 어렴풋이 알 수 있었다.

카이의 손에서 피어난 검은 안개가 시체 안으로 빨려들 듯 스며들더니 다시 바깥으로 빠져나와 시체 주변을 에워쌌다. 고요하던 영안실 안은 더 삭막하고 을씨년스러운 분위기로 변했고, 카이는 알 수 없는 말을 중얼거리기 시작했다. 정확히 무슨 뜻인지는 불분명했다. 다만 들리는 단어 몇 가지와 그녀의 짧은 지식으로 판단하건대 선조들이 쓰던 고대의 제국어임이 분명해 보였다.

더욱 짙어진 검은 안개가 시체를 감쌌다. 카이가 말을 멈추자 가만히 누워있던 시체가 반응하기 시작했다. 주술사인 그녀의 지식으로는 이해할 수 없는 일. 그건 바로 강령술이었다. 카이는 강령술로 시체를 되살려내려 하고 있었다. 주술사와 마법사를 가리지 않고 금기된 그 행위를 지금 그가 행하고 있었다.

유리는 극도로 까다롭고 위험한 마법을 아무렇지도 않게 다루는 카이와, 처음으로 마주하는 강렬하고 무거운 마력에 경외심이 들었다. 하지만 그건 오로지 거대하고 강렬한 힘에 대한 경외심일 뿐, 그 이상은 되지 못했다.

"당장 그만둬!"

유리가 다그치듯 소리쳤다. 그러나 카이는 멈추지 않았다.

"당장 그만두라니까! 이건 자연의 섭리에 어긋나는 행동이야. 금기라고!"

"범인이 누구인지 알고 싶지 않나?"

유리는 선뜻 아니라고 대답하지 못했다. 그녀도 범인이 누구인지 알고 싶었다. 갑자기 나타나 수도를 발칵 뒤집어 놓은 이 정체불명의 살인마가 누구인지 궁금했다. 살인마는 벌써 몇주째 귀족이든 평민이든 가리지 않고 먹잇감을 사냥하듯 죽이고 있었고, 피가 모두 빨려 나간 시체가 발견될 때마다 수도의 분위기는 더 흉흉해졌다.

하지만 사람은 죽으면 반드시 저승으로 가야 하는 법. 그것이 유리와 같은 주술사들이 생각하는 자연의 섭리였다. 마법사들이 주술사들을 고지식한 자들이라 여겨도, 죽은 자와 산 자의 문제에 있어서만큼은 유일하게 뜻을 같이 했다. 세상의 그 어떤 사람에게도 있어서 죽은 자는 살아있을 수도 없고, 살아나서도 안 되었다. 예외가 되는 것은 오로지 밤의 인간들의 선조인 흡혈귀들뿐이었다. 그들은 스스로 만들어낸 '혈석'을 통해 죽음의 장막을 걷어내고 부활할 수 있는 유일한 종족이었다.

그러나 유리는 오늘 처음으로 죽음에서 다시 돌아온 망자를 마주했다. 핏기 한 방울 없는 시체가 조금씩 움직이더니 놀랍게도 천천히 몸을 일으켰다. 유리는 소름이 끼쳐 자신도 모르게 뒷걸음질을 쳤다. 한 맺힌 혼들이 뒤엉켜 만들어진 괴물들은 수도 없이 보았으나 죽은 자가 다시 일어나는 것은 한 번도 본 적이 없었다.

일어난 시체는 조금씩 힘겹게 눈을 떴다. 눈두덩이는 텅 비어 있었지만 그는 당장이라도 눈물을 흘릴 것 같았고, 끽끽대는 탁한 목소리에서는 고통과 두려움이 느껴졌다. 그러나 카이는 이 모든 광경을 마주하고도 태연하기만 했다.

“네가 죽은 날에 무슨 일이 있었지?”

“나는…… 나는 그날…….”

“무슨 일이 있었냐고 물었어. 대답해.”

카이가 협박하듯 낮은 목소리로 말하며 주먹을 쥐었다. 그의 손짓을 따라 검은 안개가 시체의 목을 휘감자 시체가 비명을 질렀다. 유리는 시체가 말을 하자 섬뜩하고 불쾌한 느낌이 들었지만, 고통스러워하는 모습을 보니 왠지 연민이 생길 것 같았다. 시체는 카이의 마력에 홀린 것처럼 입을 열었다.

“그날은…… 마법 도서관에 있었어.”

살해당하기 몇 시간 전. 그는 평소처럼 마법 도서관에서 책을 읽고 있었다. 언젠가 대마법사가 되겠다는 꿈을 가진 그는 도서관에 있는 모든 마법 지식을 섭렵할 생각이었다. 물론 아주 불가능한 이야기는 아니었다. 그는 어렸을 때부터 마법에 놀라운 재능을 보인 수재였고, 실력을 갈고 닦아 더 나은 마법사가 되기 위해 노력을 게을리하지 않는 성실한 사람이었다.

사람들은 그의 부지런한 면과 뛰어난 재능을 인정했다. 다만, 그가 대마법사인 카이 테네브리스만큼은 절대로 되지 못할 것이라고 단언했다. 모든 마법사들의 최고봉에 올라있는 대마법사의 지위에 오르려면 온갖 마법을 완전히 통달할 정도의 실력을 갖추고 있거나, 이에 버금갈 정도의 업적을 세워 제국마법학회로부터 인정을 받아야만 했다.

지금까지 블러드크라운 제국에는 단 세 명의 대마법사만이 있었다. 그중에서도 카이는 최고라고 불리는 마법사들도 감히 범접하지 못할 정도의 능력과 업적을 모두 갖추고 있는 아주 보기 드문 천재였다. 몇백 년 전의 대마법사 두 명도 이루지 못했던, 불과 열 여섯 살의 어린 나이에 그가 이룬 중력 마법 연구 업적은 단순히 노력과 재능으로만 이루어 낼 수 있는 것이 아니었다. 뛰어난 이해도는 기본이고, 온갖 마법에 대한 지식을 알고 있다 해도 고대의 마법을 연구하려면 고대에 쓰이던 언어들까지 알아야 했다. 그러니 제국마법학회의 인정을 받을 만큼 뛰어난 대마법사가 몇백 년에 한 번 나올 만큼 매우 드물다는 것은 어찌 보면 당연한 일이었다.

그는 카이를 딱히 질투하지는 않았다. 그는 오히려 자신이 존경해 마지 않는 대단한 존재와 비교된다는 것이 영광스러웠고, 카이처럼 되기 위해 틈이 날 때마다 마법 수련에 열중했다. 그에겐 자신의 한계를 뛰어넘을 수 있다는 확고한 믿음이 있었다.

하루 종일 이런저런 마법 지식을 섭렵하느라 그는 목이 뻐근한 것을 느꼈다. 수천, 수만 권의 서적들이 빽빽하게 꽂혀 있는 도서관 안에서 종이 냄새만 맡고 있으니 미칠 지경인 데다 눈도 몹시 뻑뻑했다. *시원한 공기나 쐬면서 조금 쉴까.* 그는 마법의 거리를 벗어나 잠깐 담배를 피울 겸 광장을 한참 걷다가 근처의 반월숲으로 들어갔다. 상쾌한 풀내음을 맡으니 정신이 맑아지는 것 같았다.

반월숲 안을 거닐던 그는 연못가에 앉아 담배를 피우기 시작했다. 반월숲은 도시 안쪽에 있는 데다 광장과도 가까워서 요괴나 짐승이라곤 한 마리도 찾아볼 수 없었다. 사람들은 이따금씩 평화로운 숲의 상쾌한 공기를 마시러 찾아왔다. 연못에 물을 길으러 오는 주변 마을, 광장 사람들이나 잠시 갈증을 달래려 오는 사람, 혹은 낚시를 하는 이들도 심심찮게 있었다.

하지만 그날은 숲속에 개미 새끼 한 마리 찾아볼 수 없었다. 귀족과 평민을 막론하고 퍼진 살인마에 대한 공포 때문이었다. 그는 조용히 휴식을 취할 수 있다는 것에 오히려 그 사실을 반기며 담배 연기를 길게 내쉬었다. 연못 위로 비치는 하얀 달빛이 담배 연기와 겹쳐 잿빛으로 물들었다. *하, 살인마라. 얼마든지 덤비라지. 할 짓이 없어서 사람이나 죽이고 다니는 놈들이 뭐가 무섭다고.* 그는 누군가가 감히 자신을 위협한다면 반드시 혼쭐을 내줄 것이라 다짐했다. 설마 자신 같은 뛰어난 마법사가 그런 하찮은 놈 하나쯤을 제압 못할 리 없었다.

한참 휴식을 만끽하다 슬슬 일어나려던 그때. 갑자기 고요함을 뚫고 수풀 뒤에서 바스락거리는 소리가 났다. 그는 소리가 난 방향으로 뒤를 돌아보았다. 하지만 아무것도 없었다. 작은 들짐승이겠거니 생각한 그는 다시 담뱃대를 입에 물었다.

그런데 또 바스락거리는 소리가 났다. 이번에는 귀에 거슬릴 정도로 소리가 약간 더 컸고, 계속 이어졌다. 그는 자리에서 일어나 성큼성큼 수풀 쪽으로 걸어갔다. 그런데 수풀에 다다르자 마치 기다렸다는 듯 소리가 멈추었다. 그는 무엇이 이렇게 시끄럽게 하는지 알고자 수풀을 헤집었다. 그러나 들짐승은커녕 아무것도 없었다.

갑자기 귓가에 낯선 웃음소리가 들려왔다. 뒤를 돌아보니 어떤 남자가 서 있었다. 정체불명의 남자는 두건을 아래로 바짝 당겨서 눌러쓰고 있어 얼굴이 보이지 않았고, 몸에는 검은 망토를 두르고 있었다.

"누구시죠?"

그가 정중히 물었다. 하지만 정체불명의 남자는 침묵을 지켰다.

"누구냐고 물었습니다."

물음에 낯선 이는 입꼬리만 살짝 올렸다. 그리고 보랏빛 마력을 피워내 이쪽으로 날려보냈다. 마력 안개가 눈 깜짝할 사이에 팔을 스쳐 상처를 냈다. 난데없이 공격을 당한 그는 고통에 움찔했다. 그는 낯선 이가 왜 다짜고짜 자신에게 적대감을 드러내는 것인지 혼란스러웠다.

"왜 이러는 겁니까?"

그는 무언가 수상쩍은 낌새를 눈치채고 주위를 보랏빛 마법 보호막으로 둘러쌌다. 그러나 낯선 이는 침묵을 지킨 채 이쪽으로 걸어왔다. 낯선 이의 오른손에는 이상한 검이 한 자루 들려 있었다. 칼자루 밑 부분에 황금빛 박쥐가 날개를 활짝 펼친 장식이 있었고 붉은 칼날에는 홍옥처럼 붉은빛을 띠며 피를 흘리는 듯한 모습의 보석이 촘촘히 박혀 있었다. 낯선 이는 날카로운 송곳니를 드러내며 씩 웃었다.

"그 뒤엔 그저 검에 찔렸던 것밖에 기억나지 않아. 제발 살려달라고 소리치던 기억밖에는……."

"그 남자에 대해 더 아는 게 있나?"

카이가 물었다.

"분명히…… 난 분명히 봤어! 분명히 봤다고!"

시체가 겁에 질린 목소리로 소리쳤다. 그는 죽었음에도 여전히 공포에 떨고 있었다.

"뭘 봤다는 거지? 똑바로 말해."

"송곳니…… 날카로운 송곳니. 그 남자는 흡혈귀였어! 흡혈귀…… 우리의 선조들! 천 년도 더 전에 죽은 사람들!"

시체는 마디가 잘린 손가락을 벌벌 떨며 얼굴을 감싸쥐었다.

"모두를 죽이겠다고 했어……. 모두를 죽이고 자기가 당한 만큼 복수해주겠다고 했어."

"다른 건?"

"몰라. 아무것도 기억나지 않아. 아무것도……."

시체가 흐느끼듯 말했다. 유리는 왠지 모르게 시체가 측은하게 느껴졌다. 그러나 카이는 연민 대신 짜증 가득한 한숨을 길게 내뱉었다.

"시간 낭비만 했군."

카이가 검은 안개를 향해 손짓하자 흐느끼던 시체는 힘없이 제자리에 쓰러졌다. 동시에 주위를 감싸던 검은 안개도 사라졌고, 영안실 안은 전과 같은 고요한 분위기로 돌아왔다. 카이는 더 이상 볼 일 없다는 듯 밖으로 나가버렸다. 유리는 그를 놓칠세라 재빨리 뒤따라갔다. 조사가 끝났으니 그녀도 끔찍한 시체들로 가득한 이곳에 더 있을 이유가 없었다.

바깥으로 나오자 벌써 무섭도록 밝아진 밤하늘이 보였다. 하지만 다행히도 아직 태양은 떠오르지 않았다. 문지기들과 이야기를 나누던 장의사는 카이를 보자마자 벌떡 일어났다. 그들은 연신 카이를 향해 고개 숙여 안녕히 가시라고 인사했고, 카이는 가볍게 고개만 끄덕이며 계단을 올라가버렸다. 유리는 마음 같아서는 얼른 쫓아가 돈을 받고 싶었지만 주술사로서 최소한의 일은 해야 할 것 같았다. 억울하게 죽은 이들의 영혼을 무시하지 말라는 것이 진율의 가르침이었다.

망자를 위한 기도 대신, 유리는 그들의 한을 조금이나마 달랠 수 있는 힘을 가진 주술 부적 몇 장을 장의사에게 건넸다. 장의사는 고맙다며 주술사님께 좋은 일만 있기를 바란다고 말했다. 좋은 일이라. 지금 유리에게 좋은 유일한 일은 어서 카이에게 돈을 받고 여관으로 돌아가는 것뿐이었다. 태양이 서서히 잠에서 깨어나고 있었으니까.

유리는 사라진 카이를 찾아 계단을 뛰어올라와 주위를 두리번거렸다. 하지만 짐을 실은 채 주인을 기다리는 말 빼고는 아무도 없었다. 설마 벌써 가버린 걸까? 오늘 일한 대가는 받아야 할 텐데! 유리는 다급한 마음에 말에 실었던 짐을 확인하고 고삐를 당겼다. 지체할 시간이 없었다.

유리는 말을 이끌며 구석 모퉁이를 돌았다. 그런데 구석을 돌자마자 누군가 있었다. 유리는 깜짝 놀라서 뒤로 몇 걸음 물러섰다. 그 사람은 카이였다.

"아, 깜짝이야!"

"곧 해가 뜰 거야."

카이가 눈을 감은 채 말했다. 벽에 등을 기대어 눈을 감고 있는 그의 얼굴에서 피로가 느껴졌다. 유리는 놀란 가슴을 쓸어내리며 그를 째려보았다. 또 자기 할 말만 하는 모습에 그녀는 눈알을 굴렸다. 하지만 어쩔 수 없는 것이, 그는 원래 이런 사람이었다. 유리도 이제는 그 사실을 잘 알고 있었다. 카이는 자신이 쓸데없다고 생각하는 말은 모두 무시하고 오로지 자기 할 말만 했다. 처음 유리는 그 점에 대해 몇 번 따지고 들었지만 금세 포기했다. 이 재수없는 마법사를 설득하려고 하다가 오히려 마음에 화병이 날 것 같았다.

"그럼 일도 끝났으니까 돌아가자. 오늘 일한 거, 확실히 두 배로 줄 거지?"

"그 전에 들를 곳이 있어."

카이는 저택으로 향하려는 유리의 발걸음을 막아섰다.

"들를 곳?"

"그 남자가 나타났다던 숲. 아침이 오기 전에 확인해야겠어. 따라와."

3장.

과거의 공포

The Fear from the Past

두 사람은 큰길로 나와 반월숲을 향해 걸었다. 달은 어둠이 걷히기 전 이제 얼마 남지 않은 창백한 빛을 내뿜어 환하게 길을 비추어 주었다. 대부분 사람들은 집으로 돌아간 후였다. 양옆으로 우뚝 선 높은 절벽들과 소나무들이 반겨주는 이 길 위엔 오직 두 사람뿐이었다. 유리는 해가 뜨기 전에 일을 끝낼 수 있을까 걱정이 들었다.

유리는 말을 타지 않고 고삐를 손에 움켜쥔 채 카이의 옆에서 천천히 걸었다. 일을 끝내려면 서둘러야 했으나 카이와 함께 말을 타기는 조금 껄끄럽고 불편하게 느껴졌다. 하지만 그렇다고 혼자만 말을 탈 수도 없었다.

블러드크라운 제국의 규율상 천민이 귀족 앞에서 말을 타면 안 된다는 법은 없었다. 그러나 아무리 신을 모시는 주술사라고 한들, 그녀가 감히 높은 귀족 나리를 옆에서 걷게 두고 혼자만 편히 길을 가는 일은 절대 있을 수가 없었다. 무슨 생각을 하고 있는 걸까? 유리는 어색한 침묵 속에 고개를 돌려 카이를 흘깃 보았다. 그는 망토에 달린 두건을 깊이 눌러쓴 채 벌써 몇 분 동안이나 아무 말없이 걷기만 하고 있었다.

“말은 타지도 않을 거면서 왜 데리고 다니는 거지?”

낮은 목소리가 정적을 깼다. 카이를 멍하니 쳐다보고 있던 유리는 화들짝 놀라 고개를 돌렸다.

“그건…… 나 혼자만 타고 가면 이상하잖아.”

유리의 대답에 카이는 한심하다는 눈빛으로 그녀를 흘겨보았다. 그는 다시 말없이 걷기만 했다.

“아까 전엔 어떻게 그렇게 빨리 온 거야?”

“뭐가.”

“저택에서 영안실까지 말이야. 보아하니 말을 타고 온 것 같지도 않은데, 어떻게 그 먼 거리를 이렇게 빨리 왔나 싶어서.”

“서로 다른 공간을 연결하는 마법을 이용했어.”

“공간을 연결하는 마법?”

유리가 고개를 갸우뚱하며 물었다.

“중력 마법의 일종이지. 아무나 쉽게 다룰 수 없는. 설명해줘도 넌 이해 못할 테니 신경 쓸 것 없어.”

카이가 무덤덤하게 말했다. 아무나 쉽게 다룰 수 없는 능력이라는 말과 동시에 그의 목소리에서 약간의 오만함이 묻어났다. 자신이 그런 놀라운 능력을 다루는 것은 아주 당연하다는 듯한 말투였다. 머릿속으로 말을 걸고 강령술을 다루는 데다 공간을 연결하는 마법이라니……. 몇 시간 사이 그녀가 본 카이의 마법 능력들만 해도 서너 가지였다.

제국의 최고 귀족 가문 중 하나인 테네브리스, 그리고 그런 가문에서 태어나 고귀하게 자란 귀공자. 열 여섯 살에 대마법사가 된 천재. 자신과 그 사이에 형언할 수 없는 거리감과 이질감이 느껴졌다.

몇 주 동안 매일같이 마주하던 이 남자가 누군가의 존경을 받을 정도의 능력을 갖춘 천재였다니 믿기지 않았다. 하지만 어떤 면에서는 당연한 것이기도 했다. 테네브리스 가문의 조상들 중에는 유능한 자들이 꽤 있었고, 그들의 재능은 황실에서도 호시탐탐 노릴 정도로 뛰어났으니까. 어쩌면 그도 자신의 조상을 닮은 것인지도 몰랐다.

"그런데 그 사람, 아는 사이였어?"

유리는 영안실에서의 일을 떠올리며 다시 흐르는 침묵을 깼다.

"그 사람?"

"네가 되살려냈던 사람 말이야. 잘은 모르지만 친구였던 것 같은데…… 널 진심으로 존경했던 사람한테 차갑게 대할 필요는 없었잖아."

"친구였었지."

카이는 친구*였다*는 뒷부분에 조금 더 힘을 실어 말했다. 유리는 그가 살해당한 마법사 청년과 친구였다가 사이가 소원해졌다는 건지, 죽었기에 단순히 친구였다고 이야기하는 것인지 알 수 없었다. 카이는 그 주제에 대해 별로 얘기하고 싶지 않은 듯 고개를 돌렸다.

"그렇구나……. 그럼 강령술은 어디서 배운 거야? 마법사들 사이에서도 강령술은 금지되어 있을 텐데."

유리는 어색해진 분위기에 화제를 돌렸다.

"배운 적 없어. 스스로 공부한 것 외에는."

카이가 어깨를 으쓱해 보이며 말했다. 유리는 스스로 강령술을 공부했다는 말에 놀라 카이를 쳐다보았다. 그런 걸 혼자 터득할 수가 있는 건가? 도무지 이해가 되지 않았다.

제국에는 죽음에 대한 몹쓸 호기심 등으로 강령술을 연구하는 자들이 있다는 이야기가 가끔 떠돌곤 했다. 소문의 자세한 진위는 알 수 없었다. 다만 사람들은 그런 자들에 대한 이야기가 나오면 어둠의 신과 선조들께 불경죄를 저지르는 정신 나간 놈들이라며 치를 떨었다.

창조물이 창조신이 만든 자연의 섭리를 거스르려 한다는 것은 절대 용납될 수 없는 일이었다. 테네브리스도 어쩌면 죽음 너머의 세계에 대해 어떤 환상을 가지고 있는 걸까? 영안실에서는 너무나도 놀라고 당황한 나머지 생각할 겨를이 없었으나 곱씹어 보니 아무래도 영 꺼림칙했다.

"혼자 공부했다니, 그런 걸 어떻게……. 애초에 그런 금기에 손을 댄 이유가 뭐야?"

"난 고리타분한 금기 따위 신경 안 써. 난 내가 필요하면 그 어떤 방법도 가리지 않으니까."

"고리타분하다는 건 네 생각이지, 테네브리스. 사람들이 금기로 정한 건 다 이유가 있는 법이야. 대체 강령술 같은 걸 배워서 어디에 써먹으려고?"

"방금 네 눈으로 보지 않았나? 놈의 입을 통해 범인을 알아내는 데엔 실패했지만 약간의 단서를 찾았지. 뭐, 이런 식으로 도움이 될 거라고 생각하지는 않았지만."

"도움이 아니라 그건 자연의 섭리에 어긋나는 일이야. 너, 내가 절벽에서 뛰어내리려고 할 때 나더러 신성모독을 저지른다고 했었지? 삶과 죽음이라는 자연의 섭리를 깨뜨리는 것도 신성모독이야. 그런 짓을 저지르다가는 신께 천벌을 받을 거라고. 네가 어떻게 생각하든 강령술은 절대로 좋은 방법이……."

"오늘따라 내 성질을 못 긁어서 안달이 나셨군, 아가씨. 조용히 입 좀 다물고 있을 수 없겠어?"

카이가 짜증 섞인 목소리로 쏘아붙였다. 그의 붉은 눈이 유성우처럼 번뜩였다. 유리는 위협적으로 느껴지는 눈빛에 주춤했다. *하여간 주술사 아니랄까 봐 생각하는 게 꽉 막힌 거 하고는.* 카이는 못마땅하다는 듯 중얼거렸다. 유리는 더 이상 강령술에 대해 말을 꺼냈다간 그가 화를 낼 것 같아 침만 꾹 삼켰다.

서쪽으로 기울어진 달과 빛나는 별들은 여전히 어두운 하늘을 수놓고 있었다. 아침이 오기까지는 아직 시간이 있었다. 그러나 새벽은 정말 눈 깜짝할 새에 지나가는 법이어서, 여관으로 돌아가는 시간 등을 따져보면 사실 그리 여유 부릴 상황은 못되었다. 카이는 한심한 눈빛으로 유리를 쳐다보더니 그녀가 들고 있던 고삐를 확 빼앗았다. 그리고 자기가 주인이라도 되는 양 말에 올라탔다.

"지금 뭐 하는 거야?"

"시간 없으니까 얼른 뒤에 타."

"뭐?"

"언제까지 이렇게 걸어 다녀야겠어? 얼른 타, 멍청하게 서 있지 말고."

카이가 손을 내밀며 말했다. 유리는 당황스러웠지만 마지못해 그의 손을 잡고 뒤에 올라탔다.

"꽉 잡아. 또 떨어지면 죽든 말든 내버려 두고 갈 거니까."

"어련하시겠어요, 나리."

유리는 비아냥조로 그의 말을 받아쳤다. 곧 카이가 말을 몰기 시작했다. 그녀는 제아무리 천재라도 성격은 글러먹었다고 속으로 중얼거렸다.

말을 타고 한참 달린 두 사람은 광장 남동쪽에 있는 반월숲에 도착했다. 유리는 말에서 내려 찬찬히 주위를 둘러보았다. 그녀는 몇 년 전 반월숲에 딱 한 번 스승님, 주술사 동료들과 함께 와 본 적이 있었다. 다른 숲과 별 다를 바 없는 풍경이었지만, 가을의 은은한 빛을 머금은 단풍나무들의 모습이 꽤 운치 있던 기억이 났다. 요괴가 살지 않는 숲이라고 했던가. 어쩐지 그 말이 어색하게 들렸다. 모든 요괴들은 밤의 인간들처럼 어둠 속에 숨어 산이나 숲에 살기 때문이었다.

말을 숲 입구에 두고서 유리는 카이를 따라 숲속으로 발을 내디뎠다. 여느 숲이 다 그렇듯 나무들이 꽤 빽빽하게 우거졌고, 그 사이로 다른 곳보다 조금 더 짙은 어둠이 깔려 있었다. 물론 밤의 인간인 두 사람에게 이런 어둠 속을 꿰뚫어보는 것 따위 전혀 문제가 되지 않았다.

숲으로 들어서고 얼마 지나지 않아 연못이 보였다. 죽은 청년이 말했던 연못은 생각보다 숲 입구와 가까운 곳에 위치했다. 카이는 주변을 두리번거리더니 무언가 발견한 듯 앞으로 성큼성큼 걸어갔다.

"아직 핏자국이 남아있군."

카이가 땅에 흩어진 핏자국을 유심히 살펴보며 말했다.

"넌 반대쪽을 살펴봐. 난 이쪽을 살펴볼 테니까. 뭔가 이상한 걸 발견하면 내게 즉시 보고하고."

카이는 마력이 반응하는 곳을 찾아내려는 듯, 한 손에 보랏빛 마력을 피워냈다. 유리는 카이가 가리킨 쪽으로 발걸음을 옮겼다. 특별한 다른 흔적은 없나 싶어 주변을 꼼꼼하게 살펴보았지만, 딱히 눈에 띄는 것은 아무것도 없었다. 그저 무수히 자란 풀들과 가을빛을 머금은 채 굴러다니는 나뭇잎뿐이었다.

그렇게 한참 땅을 살펴보던 유리는 새까만 어떤 흔적을 발견했다. 주변의 풀숲과 땅이 불에 그을린 자국이 있었고, 그 위로 핏자국이 있었다.

"테네브리스, 여기 뭐가 있는데? 이리로 좀 와 봐!"

유리는 뒤돌아 연못가 반대편을 향해 외쳤다. 자신을 부르는 목소리에 카이가 고개를 들었다. 유리는 빨리 와 보라고 손을 높이 흔들었다. 그런데 카이는 길을 돌아오지 않고 연못가로 다가가더니 보랏빛 안개를 앞에 흩뿌렸다. 갑자기 뭘 하는 거지? 그의 이상한 행동에 유리는 어리둥절했다.

바로 그 순간 놀라운 일이 일어났다. 카이가 물 위로 걸어오기 시작한 것이었다. 카이가 한 걸음, 한 걸음 내디딜 때마다 물이 얼어붙으며 그 위로 발자국이 생겨났다. 그 모습은 마법사가 아니라 신에 더 가까워 보였다. 유리는 어안이 벙벙한 얼굴로 입을 반쯤 벌리고 그가 연못을 건너는 모습을 지켜보기만 했다.

"멍하니 있지 말고 좀 비키시지, 아가씨."

카이는 유리에게 물러나라는 손짓을 했다. 넋 나간 표정으로 그를 쳐다보고 있던 유리는 정신을 차리고 옆으로 물러났다. 카이는 무릎을 굽히고 앉아 땅이 그을린 흔적과 핏자국을 살폈다. 한참을 살펴보던 그는 무언가 다른 것을 발견하고 일어나 앞을 향해 천천히 걷기 시작했다. 유리는 카이를 따라 함께 흔적을 살펴보았다. 이제 보니 땅이 그을린 자국들이 저 멀리까지 이어졌고, 그 위로 미처 눈치채지 못했던 여러 발자국들이 어지럽게 겹쳐 있었다.

"싸움의 흔적이군."

카이가 연못가 반대편까지 이어진 흔적을 보며 말했다. 두 사람은 발자국과 흔적들을 계속 따라갔다. 발자국은 각기 다른 형태를 하고 있었다. 하나는 카이와 유리가 서 있는 남쪽으로, 다른 하나는 북쪽 방향으로 있었다. 이 흔적들은 여기서 어떤 식으로든 강렬한 싸움이 있었다는 것을 말해주었다. 북쪽 발자국은 마치 소스라치게 놀라 필사적으로 도망치듯 불규칙하고 어지러운 반면, 남쪽 발자국은 그와 반대로 일정했다.

발자국들 사이에는 핏자국도 드문드문 있었다. 유리는 싸움의 흔적이 있었다는 카이의 말이 사실임을 실감했다. 그녀는 어지러운 청년의 발자국에서 살아남으려 발버둥치는 자신을 보는 것 같았다.

"그 사람, 피를 흘리면서도 끈질기게 저항했던 것 같아. 가만히 당하고 있지만은 않았네."

"글쎄. 내가 보기엔 일방적인데."

카이가 유리의 말에 반박했다.

"이 그을린 자국들은 마력 폭발 흔적이야. 어쩌면 마법으로 끈질기게 저항했을 수도 있겠지. 네 말대로라면 마력을 서로 주고받은 흔적이 있어야 해. 하지만 이걸 봐."

카이가 그을린 자국을 가리켰다.

"폭발 형태가 불꽃 모양으로 일정한 간격을 유지하고 있어. 발자국만 보면 죽은 남자가 분명히 북쪽을 등지고 있었다는 게 확실해. 그런데 폭발 방향도 일정하게 북쪽으로만 향하고 있지."

"그게 무슨 뜻인데?"

"반격하는 족족 그 살인마가 전부 막아냈다는 얘기야. 흔적을 보면 화염 마법을 쓴 게 분명해. 하지만 공격이 통하지 않으니 재수없으면 불꽃이 자신에게 튀었을 수도 있겠지."

유리는 카이의 설명을 들으며 발자국과 마력 흔적을 따라갔다. 발자국은 연못가 반대편에서 멈추었다. 청년은 아마도 여기서 죽음을 맞이한 듯 보였는데, 핏빛 비가 땅을 흠뻑 적신 것처럼 사방에 핏자국이 난무하고 있었다.

"단서가 될 만한 건 별로 없군."

카이는 한 손으로 머리카락을 헝클어뜨리며 작게 욕을 읊조렸다. 얼굴에 피곤한 기색이 역력했다. 유리도 다른 단서를 찾아주고 싶은 마음에 주변을 한 번 더 살폈다. 하지만 핏자국 이외에 특별히 다른 흔적은 없었다.

문득 하늘이 꽤 밝아진 듯한 느낌이었다. 고개를 드니 칠흑 같은 어둠이 걷히고 밤하늘은 살짝 푸른빛을 띠었다. 별들은 그 사이 희미해져 거의 보이지 않았고, 오로지 서쪽의 달빛만이 홀로 외롭게 새벽 하늘을 지켰다.

이만 돌아가자고 말하려는 찰나, 유리는 무언가 이상함을 느꼈다. 숲속에 누군가가 있었다. 두 사람을 제외한 다른 누군가였다. 아직 저 나무들 사이로 짙게 깔린 어둠 속에서 누군가가 자신을 지켜보는 느낌에 유리는 바로 검을 들었다. 요괴였다. 모습은 보이지 않았지만 분명했다. 십 년이 넘도록 숱하게 요괴들과 싸워온 경험을 통한 직감이 말해주고 있었다. 마침 카이도 수상한 기척을 눈치챈 듯했다.

“무언가 있군.”

“요괴야. 분명해. 우릴 지켜보고 있어.”

“아까부터 따라왔지.”

“아까부터라니? 넌 이미 알고 있었어?”

“알고 있었다기 보단, 글쎄. 그냥 느낌이 좀 이상하더군.”

“여긴 요괴가 없는 곳인데…… 게다가 여기까지 내려왔다면 이미 주변 마을에서 난리가 났을 테고. 어떻게 된 거지?”

“마력과 피 냄새가 녀석들을 이끌었을지도.”

카이의 손에서 보랏빛 마력 불꽃이 화르륵 타올랐다. 두 사람은 서로 등을 맞대고 주위를 경계했다. 요괴가 어떤 녀석인지, 어느 방향에서 공격해올지 몰라 유리는 긴장하며 침을 꾹 삼켰다. 오랫동안 해 온 일이지만 요괴와 마주칠 때면 늘 긴장할 수밖에 없었다.

삶과 죽음은 한 끗 차이였다. 수도 없이 혈투를 벌이고 저승을 다녀올 뻔한 경험을 하며 배운 것이었다. 그렇기에 자만하지 말고 늘 조심하고 또 조심해야 했다. 유리는 민첩하게 검을 휘둘러 단번에 요괴의 목을 쳐낼 준비를 했다. 사냥꾼이 사냥감이 될 수는 없었다.

안타깝게도 그 다짐은 오래 가지 못했다. 유리는 자신을 감싼 잿빛 안개를 보자마자 두려움에 휩싸였다. 강령술? 아니다. 강령술이 아니었다.

하지만 평범한 요괴도 아니었다. 녀석은 공포를 먹고 사는 요괴, 어둑시니였다. 요괴를 두려워하지 않는 유리가 상대하기 꺼려하는 요괴들 중 하나였다.

서늘한 잿빛 안개가 천천히 두 사람 주위를 감쌌다. 자욱한 안개가 사방으로 퍼지며 주위에 어스름이 깔렸다. 유리는 녀석을 공격하지 않고 대신 두 눈을 꼭 감았다. 검 따위는 이런 형체 없는 요괴 앞에서 무용지물이었다. 어둑시니를 퇴치하는 방법은 딱 한 가지였는데, 녀석이 마음에 공포를 심기 전 눈을 감는 것이었다.

그러나 이미 때는 너무 늦어 있었다. 어둑시니는 유리의 마음을 비추어 기억 속 두려움을 끄집어냈다. 첫 번째는 부모님이었다. *이 더러운 년, 아무 짝에도 쓸모 없는 년아. 너 같은 건 나가 죽어야 돼.* 기억 안의 부모님은 어린 딸의 뺨을 마구 때리며 욕을 지껄였다. 유리는 기억을 부정하며 검을 앞으로 휘둘렀다. 하지만 형체가 없는 어둑시니에게 그깟 검 따위가 통할 리 없었다.

두 번째로 어둑시니가 비춘 기억은 불타는 반월당의 모습이었다. 사당 앞에 피를 흘리며 쓰러진 동생들과 스승님의 시체가 나뒹굴었다. 비극에서 가까스로 살아남은 선우와 세 명의 동생들은 오열하며 시체를 붙잡고서 스승님을 애타게 부르짖고 있었다. 유리는 다시는 마주하고 싶지 않았던 기억에 무릎을 꿇으며 검을 떨어뜨렸다.

어둑시니는 세 번째로 유리의 마음 속 깊이 자리한 미르의 기억을 끄집어냈다. 기억 속 미르는 유리의 머리채를 거칠게 움켜잡고 그녀에게 죽은 스승의 처참한 모습을 마주하도록 했다. 갈기갈기 사지가 찢긴 채 온통 피로 얼룩진 진율의 모습이 보였다. 자신을 격려하며 따뜻하게 안아주었던 몸뚱어리는 한낱 고깃덩이로 변했고, 목이 잘린 그의 얼굴은 여전히 고통에 신음하는 듯 보였다. 그런 와중에도 주름지고 굳은살이 배긴 손은 유리가 처음으로 도움 없이 이름을 써낸 날의 편지를 꼭 쥐고 있었다.

유리는 끝내 감정을 주체하지 못하고 눈물을 터뜨리며 두 손을 벌벌 떨었다. 그녀는 과거의 기억 앞에서 아무것도 하지 못했다. 사냥꾼은 완전히 공포에 굴복한 사냥감이 되어있었다.

유리의 두려움을 먹고 거대해진 어둑시니는 이제 카이의 마음을 비추었다. 카이는 두 눈을 부릅뜬 채 그저 잿빛 안개를 빤히 쳐다보고 있었다. 어둑시니는 카이가 자신을 보고도 두려움을 느끼지 않자, 그의 마음 속을 더 깊이 들여다보았다. 카이의 마음 속 심연에는 수많은 기억들이 있었다. 그러나 그의 기억 속에 행복이나 기쁨이라곤 찾아볼 수 없었다. 오로지 분노와 슬픔, 증오만이 가득할 뿐이었다.

어둑시니는 그중 한 기억을 끄집어냈다. 분노로 물든 기억 속에 한 중년 남자가 있었다. 그는 진수성찬으로 가득한 넓은 식탁에 아내와 어린 아들을 마주보고 앉았다. 아버지와 어머니는 화려한 자수가 놓인 고급 비단옷을 입었는데, 그에 반해 아들의 옷차림은 너덜너덜해서 보기조차 흉했다. 저고리는 오래되어 여기저기 헤져 있었고, 옷에 구멍이 송송 뚫려 드러난 살결 위로 멍 자국이 보였다. 얼굴에도 온통 상처투성이였다.

남자아이는 어딘가 불편해 보였다. 그러나 부모는 아이에게 전혀 관심이 없었다. 그들은 젓가락을 들고 정신없이 반찬을 입으로 가져가기 바빴다. 바로 옆에 앉아있는 아들은 눈에 보이지도 않는 것 같았다. 아이는 부모님의 눈치를 보며 깨작깨작 밥을 먹었다. 열 가지는 족히 넘는 푸짐한 밥상을 눈앞에 두고도 소년은 하나도 기뻐 보이지 않았다.

그 모습을 본 아버지가 숟가락을 아들에게 집어 던졌다. 이마에 숟가락을 맞은 아이는 울음을 터뜨렸다. 하지만 소년을 달래주는 사람은 그 누구도 없었다. 아버지는 고함을 치며 자리에서 일어났다. 그는 고사리 같은 작은 손으로 잘못했다고 빌면서 우는 어린 아들을 식탁에서 끌어내 머리채를 잡고 위층으로 올라갔다.

계단을 쓸던 하녀들은 끌려가는 소년을 안쓰럽게 쳐다보았다. 도와주고 싶은 눈치였지만 안타깝게도 그들은 아무것도 할 수가 없었다. 어둑시니는 그 기억을 더 깊이 들여다보려 했다. 하지만 기억은 거기까지였다. 아무리 마음을 비추어도 그 이상은 볼 수 없었다.

어둑시니는 카이의 다른 기억으로 시선을 돌렸다. 요괴는 방금 본 기억과 가장 가까운 자리에 위치한 기억을 비추었다. 하지만 아무것도 없었다. 어둑시니는 다른 기억을 비추어 보았다. 이번에도 아무것도 없었다. 어둑시니가 들여다보려고 하는 카이의 마음은 아무것도 없는 빈 공간같이 공허했다. 그러나 녀석이 모르고 있는 것이 한 가지 있었다. 그에게는 두려움이 없다는 사실이었다.

녀석이 볼 일을 다 마쳤다는 것을 확인한 카이는 앞으로 손을 뻗었다. 그의 손짓에 주변이 소용돌이 모양으로 일그러지기 시작하며 땅이 흔들렸다. 돌 파편과 흙먼지, 나뭇잎이 뒤엉켜 천천히 위로 떠올랐다. 일그러진 투명한 소용돌이가 양옆으로 종잇장처럼 찢어지더니 그 사이에서 커다란 검은색 구멍이 나타났다. 구멍 너머는 아무것도 보이지 않는 완전한 암흑이었다.

모든 것을 빨아들일 듯한 무겁고 강렬한 힘이 어깨를 짓눌렀다. 어둑시니는 무언가 잘못되었음을 눈치채고 도망치려 했다. 하지만 아무리 발버둥을 친다 해도 녀석은 카이의 압도적인 마력에서 벗어날 수 없었다. 검은색 구멍은 숲을 통째로 삼키는 거대한 회오리바람처럼 공중으로 떠오른 돌 파편, 나뭇잎과 함께 어둑시니를 빨아들였다.

순식간에 잿빛 안개를 게걸스럽게 먹어 치운 검은색 구멍은 카이의 손짓에 빠르게 작아져 사라졌다. 어둑시니가 완전히 사라지자 공포에 파랗게 질린 유리의 얼굴빛이 서서히 돌아오기 시작했다. 안정을 어느 정도 되찾은 그녀는 가쁜 숨을 몰아 쉬었다.

"어떻게…… 어떻게 어둑시니를 보고도 두려워하지 않을 수가 있어? 분명히 네 가장 두려운 기억을 생각나게 했을 텐데, 대체 왜 넌 두려워하지 않는 거야?"

"공포는 나약한 자들에게나 있는 법. 난 아무것도 두렵지 않아."

카이는 여유로운 얼굴로 주머니에 손을 찔러 넣은 채 가까이 걸어왔다. 믿을 수가 없었다. 어떻게 아무것도 두렵지 않을 수가 있는 거지? 그렇다면 죽음조차도 두렵지 않다는 말인가? 적어도 유리가 아는 한, 죽음을 두려워하지 않는 사람은 없었다. 자신조차도 절벽에서 뛰어내리기 전 얼마나 많은 고민을 했는지 모른다. 게다가 그녀가 절벽에서 뛰어내린 것은 용기 있어서가 아니라, 고통에서 해방되기 위해서였다. 죽음보다 더한 삶의 고통이 그녀를 절벽 아래로 떠민 것이었다.

유리는 어둑시니가 비춘 카이의 기억이 어떤 것인지 알지 못했다. 녀석이 비추는 기억은 오로지 자신에게만 보이기 때문이었다. 그가 어째서, 어떻게 두려움을 느끼지 않는지 이해할 수가 없었다. 그러나 한 가지는 명확하게 알 수 있었다. 이 남자에게는 마법 그 이상의 무언가가 있다고.

“또 그렇게 멍하니 있을 생각인가?”

카이는 어서 일어나라는 듯 유리에게 고갯짓을 했다. 깜깜했던 밤하늘은 어느 새 짙은 푸른빛으로 밝아졌고, 하얀 달과 별들은 밤의 인간들처럼 태양을 피해 숨어들 준비를 하고 있었다.

“곧 태양이 뜰 거야. 정신 차리고 일어나.”

유리는 카이와 헤어져 말을 타고 가까운 미노리 마을로 향했다. 오늘은 원래 묵던 허름한 여관에서 보낼 생각이었다. 사실 카이에게서 받은 돈을 고급 여관에서 방값과 술값으로 흥청망청 써버린 탓에 수중에 남아있는 돈은 거의 없었다. 오늘 돈을 받지 않았더라면 꼼짝없이 무너져 가는 아무 폐허에서 잠을 자게 되었을 지도 모르는 일이었다.

처음으로 큰돈을 만져보는 터라 유리는 돈을 알뜰하게 모으는 방법도, 현명하게 쓰는 방법에 대해서도 잘 몰랐다. 말을 장만한 뒤, 남은 돈을 별 생각 없이 펑펑 쓰다 보니 주머니는 며칠 만에 도로 가벼워졌다. 일주일도 못 가서 돈이 거의 거덜나자 유리는 하는 수 없이 허름한 여관에서 지낼 수밖에 없었고, 그 탓에 돈을 받는 날만 애타게 기다리고 있었다.

그래도 다시 5금화가 손에 들어왔는데…… 굳이 미노리로 가야 하려나? 아니야, 또 돈을 함부로 쓰다간 어떻게 될지 몰라. 일단은 만약의 상황을 위해서 아껴두자. 유리는 고급 여관이 모여 있는 광장 남쪽으로 방향을 돌리려다 다시 미노리 마을로 말을 재촉했다. 포근하고 아늑한 곳에서 잠을 청하지 못한다는 사실이 못내 아쉬웠다.

북적거리던 반월문 광장은 한산했다. 가게 주인들은 가판대와 의자를 정리하고 내일을 준비하기 바빴다. 장신구와 잡화를 팔던 상인들도 벌써 집으로 떠나고 없었다. 유리를 포함해 아직까지 광장을 돌아다니는 사람들은 많아야 다섯 명쯤 되어 보였다. 태양빛이 내리쬐기 전에 어서 여관에 도착해야 했다.

광장에서 빠져나가려 말을 재촉하며 무심코 뒤를 돌아본 순간이었다. 유리는 오십 걸음 정도 떨어진 거리 한복판에 우두커니 서 있는 한 사람을 보았다. 그 사람은 검은 망토를 두르고 두건을 깊게 눌러쓴 채 유리가 있는 쪽을 응시하고 있었다. 정확히 말하자면 이것은 유리의 추측에 불과했다. 그의 얼굴은 두건의 그림자에 가려 보이지 않았으니까. 그러나 유리는 이상하게도 그 사람이 자신을 쳐다보고 있는 것 같다는 꺼림칙한 기분이 들었다.

유리는 앞을 보고 말을 재촉하려고 하다가 찜찜한 기분에 다시 뒤를 돌아보았다. 방금 전까지 길 한복판에 서 있던 그 사람은 온데간데없었다. 아무리 살펴보아도 주변에 그와 같은 사람은 한 명도 없었다. 이상하네. 뭐, 피곤해서 헛것을 본 거겠지. 유리는 대수롭지 않게 생각했다. 시체, 요괴도 모자라서 카이가 구사하는 온갖 마법에 강령술까지 목격했으니 피곤할 만도 했다.

하지만 어쩐지 그 이상한 사람의 시선이 자신을 향했다는 느낌을 지울 수가 없었다. 헛것을 본 것이라고 생각했으면서도, 길 한복판에 서 있던 사람은 헛것이 아닌 진짜 사람인 것만 같았다. 유리는 속도를 늦추고 다시 뒤를 돌아보았다. 놀랍게도 그 사람은 조금 떨어진 거리에 서서 주머니에 손을 넣은 채 얼굴과 몸은 이쪽을 보고 있었다. 그와 유리의 거리는 이번에도 오십 걸음 정도 되어 보였다.

이해할 수 없는 광경에 유리는 미간을 찌푸렸다. 제아무리 민첩한 신체를 가진 밤의 인간일지라도 말이 달리는 속도를 따라올 수는 없었다.

그런데 그 사람이 저기 서 있다는 것은, 그만큼 빠르게 이동할 수 있다는 뜻이었다. 말도 안 되는 터무니없는 이야기였다.

정체불명의 낯선 이는 아무런 미동도 없이 여전히 이쪽을 응시했다. 유리는 문득 그와 눈이 마주친 듯한 느낌에 본능적으로 말을 재촉해 달리기 시작했다. 그러면서도 혹시나 그 사람이 자신을 쫓아오고 있진 않은지 뒤를 계속 돌아보았다. 이번에도 그 자는 온데간데없이 사라져 있었다.

당황한 유리는 말을 멈춰 세우고 주변을 두리번거렸다. 주위에는 집으로 떠나는 이들과 길가에 서서 잡담을 나누는 이들만 몇 있을 뿐, 낯선 이는 보이지 않았다. 몇몇 사람들은 유리가 말을 타고 가다 계속 멈춰 뒤를 돌아보는 모습에 무엇이 있나 쓱 훑어보곤 했다. 그리고 아무것도 없는 것을 확인하곤 유리를 쳐다보며 수군거렸다.

검은 망토에 두건을 눌러쓴 사람. 잠깐, 아까 테네브리스도 똑같은 옷차림 아니었던가? 아냐, 제국에서 망토를 걸친 사람은 너무 흔해. 나도 검은 망토 차림이잖아. 그리고 언뜻 보기에도 그 사람은 테네브리스보다 키가 더 컸어. 그렇게 호리호리해 보이지도 않았고. 온갖 생각이 머릿속을 파고 들었다.

유리는 여러 가능성을 토대로 이런저런 추측을 해보다가, 번쩍 스쳐 지나가는 생각에 바짝 긴장했다. 혹시 숲에서 무언가 절대로 보거나 알면 안 되는 것을 알아버린 것일까? 그래서 카이 테네브리스가 지금 자신을 죽이기 위해 따라오고 있는 것일까? 어쩌면 조사에 그녀를 데리고 간 이유도 모두 공포를 심어 주기 위한 계획이었을 수도 있었다. 소문이 돌고 있는 데다 범인이라고 의심받고 있으니, 아닌 척 발뺌하면서 자신은 결백하다는 것을 보여주기 위한 연기일 수도 있었다.

심장이 빠르게 뛰기 시작했다. 설마…… 테네브리스가 강령술을 다룰 줄 아는 게 살인 사건과 어떤 연관이 있나? 그래, 아까도 이유를 정확하게 말해주지 않았잖아. 금기 따위 신경 안 쓴다면서 대충 얼버무리고 넘어갔었지. 지금 나한테 보여준 모습은 전부 연기일지도 몰라. 빌어먹을, 이럴 줄 알았으면 그냥 못하겠다 말하고 나왔어야 하는 건데! 그 계약서에

서명한 것부터가 실수였어. 이를 어쩌면 좋지? 유리는 어리석은 자신을 질책하며 후회했다. 어서 사람이 많은 곳으로 가야 했다. 사람이 많은 곳으로, 어서…….

길게 늘어선 저잣거리를 한참 지나 유리는 미노리 마을 골목에 들어섰다. 멀리 익숙한 모습의 허름한 여관 앞에서 담배를 피우고 있는 남자 두 명이 보였다. 사람들의 모습에 약간 안도감이 들었지만, 완전히 마음을 놓을 수는 없었다. 그 낯선 이는 아직도 자신을 따라오고 있었다.

긴장해서 좋을 것은 하나도 없었다. 침착해야 했다. 지난 십 년 넘게 요괴를 사냥하며 터득한 사실이었다. 유리는 만약 그가 자신을 조금이라도 건드리면 곧바로 검을 꺼낼 준비를 했다.

하지만…… 테네브리스는 열 여섯 살에 대마법사가 되었다고 하지 않았었나? 여태까지 본 능력도 그렇고, 다른 마법사들이 존경할 정도로 뛰어난 천재라면 손 까딱 않고 날 죽일 수 있을지 몰라. 미르도 강령술이나 정신 마법 같은 건 다루지 못했으니, 어쩌면 그보다 더한 놈을 만난 걸지도 모르지.

제길! 난 왜 이렇게 운이 없는 거야? 어째서 신께서는 내게 이런 시련만 주시는 거냐고! 뭘 해도 살인마한테서 벗어날 수 없는 끔찍한 운명이니……. 아니야, 그래도 저항은 해봐야 해. 난 여기서 죽으려고 살아온 게 아니니까. 유리는 자신에게 다짐했다. 주변을 경계하며 여관에 다다른 유리는 말에서 내려 담배를 피우고 있는 남자 두 명에게 다가갔다.

"실례합니다. 제 뒤에 따라오고 있던 사람 못 보셨습니까?"

"그게 무슨 말이오?"

남자들이 의아해하며 물었다.

"저처럼 검은 망토를 두른 사람이 있지 않았습니까? 분명히 제 뒤를 바짝 따라오고 있었는데…… 혹시라도 그런 사람이 여관으로 들어가지 않았습니까?"

유리의 말에 다른 남자가 고개를 저었다.

“저기서부터 아가씨가 오는 걸 봤는데 아가씨 혼자였소. 다른 사람이 들어가는 걸 본 적도 없고. 여관에서 나온 사람도 없었소.”

그가 유리 어깨 너머의 골목길을 가리키며 말했다. 유리는 남자가 가리키는 방향을 따라 자신이 온 길을 되돌아보았다. 골목길은 개미 새끼 한 마리도 없이 텅 비어 있었다. 계속 혼자였다니, 정말 헛것이라도 본 것일까? 대체 어떻게 된 거지. 유리는 마구간지기에게 말을 맡기고 여관으로 들어섰다.

미노리 여관은 늘 그렇듯 사람들로 붐볐다. 하루를 마치고 허기를 달래려는 사람들 때문이었다. 이곳은 유리가 카이와 계약을 맺기 전 자주 묵었던 곳이었다. 여기저기 보수가 되지 않아 낡고 헤진 곳이 많았지만, 유리에게는 최후의 보루나 다름없었다. 이곳은 반월성에서 가장 값싼 여관이었다. 버섯국, 토끼탕, 닭고기……. 다양한 요리의 고소한 냄새가 코를 찔렀다.

유리는 빈 자리를 찾아 두리번거리다가 마침 빈 구석 자리 하나를 발견했다. 입구에서 제일 멀리 떨어진 자리였다. 사람들과 어울리기를 싫어하는 그녀는 늘 구석 자리를 고집했다.

유리는 자리에 앉아 무엇을 주문할까 고민하다 결국 제일 싼 월광주 한 병을 주문했다. 지나치게 긴장하고 있었던 탓인지 입맛이 별로 없었다. 문득 테네브리스 저택에서 마셨던 혈월주가 생각이 났다. 부드럽게 넘어가는 달콤한 그 느낌을 잊을 수가 없었다. 유리는 죽기 전에 그 술을 한번만 더 맛보고 싶었다. 하지만 여기에 그런 고급주가 있을 리 만무했다. 귀족이 마시는, 그것도 이백 년이 훨씬 넘은 나이를 먹은 고급주를 이런 허름한 여관에서 팔 리가 없었다.

그 달콤한 술을 마시면 조금이나마 불안감에서 벗어날 수 있을 텐데. 월광주가 나오기를 기다리면서 유리는 여관 안을 쓱 둘러보았다. 걱정과 달리 거리에서 보았던 수상한 자와 비슷한 사람은 없었다. 하지만 불안한 마음은 어쩔 수가 없었다. 오늘도 제대로 잠들기는 글렀다는 생각에 한숨이 절로 나왔다. 언제쯤이면 악몽을 꾸지 않고 마음 편히 잠들 수 있을까?

“정말 카이 테네브리스가 그랬다고? 그 대단한 가문의 아들이?”

갈증을 채우려 물을 꿀꺽꿀꺽 삼키고 있는데, 갑자기 옆자리에 앉은 손님들의 이야기가 들려왔다. 유리는 그들의 대화에 귀를 기울였다.

“그래, 죽은 사람들 전부 그 대마법사랑 연관이 있다던데. 이번에 죽은 사람도 뭐, 친구였다나.”

“세상에, 대마법사가 미친놈이라는 소문이 진짜였구먼. 이안 테네브리스 경께서 아들이랑 절연했다는 얘기가 왜 나오나 했더니, 쯧쯧. 그런 놈들은 하나같이 정신에 문제가 있다니까. 음침하게 저택에 처박혀서 밖으로 안 나오는 이유가 다 있지.”

“그게 다가 아니야. 시체를 봤는데 글쎄, 누가 피만 골라서 쏙 빨아들인 것처럼 없어졌대. 송곳니에 물린 자국도 있었다는데, 분명히 마력으로 수를 쓴 게 틀림없어.”

“주술사들이 수도를 떠나가니 이런 일이 벌어지는 거야. 죽은 영혼을 인도할 이들이 점점 줄어드니, 원. 황궁에서도 사냥꾼들을 모아 괴물을 때려잡고 있다고는 하지만 줄어들 기미가 보이질 않고 말일세. 한 맺힌 영혼들이 계속 이승을 떠도는데 줄어들 턱이 있겠나.”

“반월성에서 이제 주술과 마법이 공존하기는 틀렸어. 자연의 섭리니 마력이 어쩌니 떠들어대는 것 보면 마법사나 주술사나 다 똑같다니까. 아무튼 어서 범인이 잡혀야 될 텐데, 거참…….”

반대편에 앉은 다른 남자가 한심하다는 듯 말했다. 마침 여관 주인이 술을 가져왔다. 유리는 조용히 그들의 대화를 들으며 잔에 술을 따랐다. 기를 쓰면서 조금이라도 잊어보려고 하고 있건만, 그놈의 살인 사건 이야기는 어디에서든 들려왔다.

불현듯 영안실에서 보았던 시체가 생각났다. 사람들의 관심은 모두 피가 빨려 나간 시체와 송곳니 자국에 쏠려 있었다. 하지만 유리의 생각은 달랐다. 유리는 마디가 잘린 마법사 청년의 손가락을 떠올렸다. 그러다 갑작스레 떠오른 미르의 기억에 자신도 모르게 눈을 질끈 감았다.

사람들을 산 채로 심장을 도려내고 손가락을 잘라내며 즐거워하던 연인의 모습은 그야말로 미치광이 살인마였다. 유리는 그의 마력에 붙들려 두 눈을 강제로 뜬 채 꼼짝없이 사람들이 죽어가는 모습을 보아야만 했다. 저항하려 들면 지쳐서 정신을 잃을 때까지 물 고문을 당했다. 유리가 제발 이러지 말아달라고 울며불며 두 손을 모아 빌면, 미르는 씩 웃으며 다가와 이 모든 건 널 위해서라고, 너를 사랑해서 하는 일이라고 같잖은 말을 지껄이곤 했다.

머리가 아파 왔다. 어쩌면 카이 테네브리스는 미르보다 연기에 훨씬 능한 사람일지 몰랐다. 내일 당장 테네브리스 저택으로 돌아가야 할지 망설여졌다. 그녀에게는 아직 시체 조사 건으로 받을 돈이 남아있었다. 오늘 받은 5금화로 당분간 지내기에는 충분하고도 남았지만, '평소의 두 배'로 돈을 준다는 말에 마음이 혹하는 것은 어쩔 수 없었다. 그리고 처음 경험해 본 고급 여관의 아늑함과 포근함에 미련이 있기도 했고 말이다. 그녀와 같은 방랑자가 어딜 가서 그런 큰돈을 만져볼 수 있을까?

하지만 유리는 지금 돈보다 자신의 목숨이 더 중요했다. 두 번 다시 그런 살인마와 엮일 수는 없었다. 결국 유리는 시체 조사에 대한 대가를 포기하고, 내일 달이 뜨자마자 반월성을 떠나기로 결정을 내렸다. 여기를 떠나면…… 어디로 가야 하지. 지난 4년 동안 아무 곳이나 마음 가는 대로 떠돌아다니는 신세였지만, 오늘처럼 돌아갈 곳이 없어 막막했던 적은 없었다.

살인마가 자신을 쫓아올지도 모른다는 불안감이 마음을 짓누르기 시작했다. 일단…… 일단은 동부로 가자. 테네브리스가 있는 곳에서 최대한 멀리 떨어지는 거야. 작은 시골에라도 들어가서 쥐 죽은 듯이 지내면 괜찮을지도 몰라. 아, 아니야. 그 생각은 접자. 조용한 시골 동네라면 날 쥐도 새도 모르게 죽일 수도 있어. 차라리 코르부스나 모르귀스처럼 사람들이 북적이는 도시에서 지내는 게 나을 거야. 보는 눈이 많으면 함부로 행동하지 못할 테니까.

하지만 정말 괜찮을까? 애초에 이 살인마는 여기 수도에서도 미친 짓거리를 벌이고 있잖아. 그럼 어떡하지? 정말 방법은 없는 걸까. 애써 자신을 다독이는 유리였지만 한번 시작된 불안은 좀처럼 멈추지를 않았다. 유리는 넘칠 듯 가득 채운 술잔을 벌컥벌컥 들이켰다. 늘 그렇듯 취기로 골치 아픈 일을 잊어버리려고 하는 것은 이제 습관이 되었다.

“천천히 마셔. 그러다 취하겠어.”

벌써 세 잔째. 싸구려 술을 목구멍 안으로 쉴 새 없이 넘기고 있는데 말을 거는 낯선 목소리가 들려왔다. 유리는 깜짝 놀라 하마터면 잔을 놓칠 뻔했다.

고개를 들자 바로 앞에 어떤 사람이 서 있었다. 놀랍게도 그는 아까 전 자신을 쫓아오던 사람이었다. 하지만 두건을 깊게 눌러쓴 탓에 얼굴은 보이지 않았다. 그는 유리의 일행인 것처럼 자연스럽게 반대편 의자에 앉았다. 유리는 반사적으로 검을 향해 손을 뻗었다.

“나라면 그냥 가만히 있을 거야. 시선을 끌지 않는 게 너에게도 더 좋을 테니까.”

남자는 두건 밑으로 희미하게 보이는 입꼬리를 올렸다.

“테네브리스, 나한테 원하는 게 뭐야? 왜 날 따라온 거지?”

“글쎄, 난 테네브리스가 아닌데. 네가 무슨 소리를 하는지도 모르겠고.”

남자의 목소리는 카이와 전혀 다르게 들렸다. 카이는 무겁지만 날카로운 느낌이 드는 중저음의 목소리를 가지고 있었지만, 이 남자의 목소리는 그보다 더 높고 부드럽게 들렸다. 아름다운 목소리에 온정신을 빼앗긴 듯 마음 속에서 뜨거운 감정이 꿈틀대려 했다. 유리는 그가 입술을 움직여 한 마디씩 말할 때마다 무언가에 홀린 듯이 자꾸만 남자를 바라보게 되었다.

유리는 정신을 차리고 바짝 경계를 늦추지 않았다. 빌어먹을 마법 때문이었다. 유리는 마법에 대해 잘 알지 못했으나, 마법에 대해 잘 모르는 그녀가 보기에도 카이 테네브리스가 마법에 천재적인 재능을 가졌다는 건 분명해 보였다. 어린 나이에 대마법사가 된 데다 물 위를 걸어 다니며 금기시된 강령술까지 스스로 터득한 자가 목소리와 모습 하나 바꾸지 못할 리 없었다.

"거짓말하지 마. 목소리를 바꿔서 다른 사람인 척 흉내내면 내가 모를 것 같아? 난 다 알고 있어, 테네브리스."

유리는 겁먹지 않은 척하려고 애쓰며 몰래 식탁 밑에서 손을 더듬거렸다. 그녀는 손에 들어온 칼자루를 조심스럽게 움켜쥐었다. 남자는 유리의 말에 오히려 재미있다는 듯 낄낄댔다.

"정말로 모르겠어? 내가 누구인지."

남자가 두건을 걷어 올려 얼굴을 드러냈다. 그림자 속에 숨겨졌던 모습이 드러나자 유리는 놀라서 겨우 손에 쥔 검을 떨어뜨리고 말았다. 갈색 머리카락에 황금색 눈동자, 사람을 현혹시킬 것 같은 부드러운 목소리와 잘생긴 외모, 왼쪽 눈의 끔찍한 흉터, 하지만 살아남은 오른쪽 눈에서 느껴지는 광기와 살의.

"오랜만이야, 유리."

그 남자는 미치광이 살인마이자 자신의 옛 연인, 미르였다.

4장.

생존 본능

The Will to Live

“여전히 아름답네. 내가 보고 싶어했던 모습 그대로.”

미르가 입꼬리를 올리며 씩 웃었다. 그의 윗입술 아래로 날카로운 송곳니가 드러났다. 이게 대체 무슨…… 내가 지금 뭘 보고 있는 거지? 헛것을 보고 있는 건가? 아니면 또 꿈을 꾸고 있는 걸까? 유리는 이 상황이 전혀 이해가 되지 않아 입술을 꼭 깨물었다. 악몽 속에서나 보던 끔찍한 얼굴의 주인은 오랜만에 만난 유리의 얼굴을 구석구석 바쁘게 훑었다. 꿈인지 생시인지 분간이 되질 않았다.

유리는 얼떨떨한 기분에 눈만 깜빡이다가 미르의 왼쪽 눈에 난 상처를 보고 고개를 떨구었다. 4년 전 자신이 그의 눈을 칼끝으로 찔렀던 흔적이 선명하게 남아있었다. 4년이나 지났지만 상처는 아직도 완전히 아물지 않은 듯 보였다. 그의 왼쪽 눈 중앙을 직선 형태의 흉터가 가로질렀고 주위에 검붉은 흉터가 있었으며, 흰자위는 충혈된 것처럼 빨간 실핏줄로 가득했다. 왼쪽 눈은 과거의 모습을 잃고 완전히 무너진 채 흉측한 모습이었으나, 상처를 입지 않은 오른쪽 눈은 ‘용의 눈’이라는 이름답게 찬란한 황금빛으로 빛나고 있었다. 보기 흉한 상처에도 불구하고 지금 미르의 얼굴은 과거 그녀가 사랑했던 아름다운 연인의 모습 그대로였던 것이다. 그러나 유리는 그 이면에 무엇이 숨겨져 있는지 잘 알고 있었다.

“날 이렇게 만들어 놓고도 잠이 잘 오나 봐? 얼굴빛이 밝은 게 아주 보기 좋아.”

미르가 비아냥대는 투로 말했다. 혹시라도 잠에서 깨어나면 사라질 악몽일까, 유리는 이 모든 상황을 부정하려 눈을 감았다 떴다. 그러나 이번 악몽은 아무리 애를 써도 절대 사라지지 않았다.

"네가 어떻게…… 대체 어떻게 여기에 있는 거야? 넌 분명히 죽었는데……!"

"내가 죽었다고 누가 그래? 여기 이렇게 살아있는데."

눈의 흉터를 제외하고 그는 아주 멀쩡해 보였다. 유리는 자신이 죽은 것은 아닐까 하고 생각했다. 말도 안 돼! 미르가…… 미르가 살아있을 리가 없는데. 내가 그때 절벽에서 떨어져서 죽은 걸까? 내가 지금 죽어서 저승에서 미르를 만난 게 아닐까? 아니다. 저승이라면 죽은 동생들과 스승님을 이미 만나고도 남았겠지. 하지만 어디에도 안 계시잖아. 대체 어떻게 된 거지? 머릿속이 혼란의 안개로 뒤덮이자 두 손이 벌벌 떨려오기 시작했다.

그가 살아있다니…… 미르가 살아있다니! 절대로 그럴 리가 없었다. 미르는 분명히 4년 전에 죽었다. 황궁에서 내려온 공고문까지 내 두 눈으로 똑똑히 봤었는데! 아냐, 살아있을 리가 없어. 유리는 카이가 머릿속으로 말을 걸면서 자신의 기억을 몰래 훔쳐본 뒤 만들어낸 환영이라고, 그렇게 스스로에게 말도 안 되는 이유를 대며 미르의 존재를 부정하려 애썼다.

그러나 연고도 없이 떠도는 방랑자 따위 단칼에 죽여버리면 그만이다. 굳이 자신을 죽이기 위해 기억까지 들여다보며 이런 수고를 들일 필요가 없다는 것을 유리도 잘 알고 있었다. 그렇다면 답은 하나였다. 눈앞의 이 남자가 정말 미르라는 것. 그가 죽지 않고 살아있다는 것. 하지만 이 사실을 어떻게 받아들여야 할까, 유리는 혼란스럽고 또 혼란스럽기만 했다.

"아니야, 넌 죽었잖아. 넌 분명히…… 4년 전에 황궁에서 죽었다고 했어."

"그래? 황궁에서 그런 얘길 했단 말이야? 그런데 이걸 어쩌나. 난 멀쩡히 살아있거든.”

“아냐, 이럴 리가 없어…… 이건…….”

유리는 말을 잇지 못했다. 앞에 앉아 있는 것만으로도, 그저 존재하는 것만으로도 미르는 유리에게 모든 기억과 고통을 끊임없이 상기시켜주었다. 마법으로 고문당했던 끔찍한 날들, 아직도 생생하게 느껴지는 피 냄새와 사람들의 비명, 그의 마력에 처참하게 찢겨버린 스승님의 모습, 자신을 원망하던 선우의 싸늘한 표정까지. 어째서일까, 그의 존재를 부정할수록 미르의 얼굴은 더 또렷하고 선명하게 보였다.

“왜 이렇게 긴장했어? 괜찮아, 전에도 말했잖아. 안 잡아먹는다고.”

미르는 불안해하는 유리를 진정시키려는 듯 손을 잡았다. 그의 손은 쌀쌀한 날씨 때문인지 차가웠다. 유리는 가면을 쓰고 자신을 위로하는 척 다가오는 가증스러운 손길을 뿌리쳤다.

“넌 죽어 있어야 하는데…… 넌 그날로 영원히 죽은 사람인데, 네가 대체 어떻게……!”

여유롭던 미르의 표정이 얼음처럼 싸늘해졌다. 그는 헛웃음을 터뜨리더니 팔짱을 끼고 다리를 꼬았다. 그러나 시선만은 계속 유리를 향했다. 자리에 앉았을 때부터, 그의 눈동자는 단 한 번도 유리가 아닌 다른 사람을 향하지 않았다.

“내가 널 지금까지 찾아 다니느라 얼마나 고생했는지 알아? 코앞에 있는 것도 모르고 온 도시를 얼마나 샅샅이 뒤지고 다녔는데. 그런데 넌 몇 년 만에 나한테 한다는 소리가 내가 죽어 있어야 한다고?”

차분하던 목소리에 서서히 분노가 드리우기 시작했다. 미르는 고개를 삐딱하게 기울인 채 유리를 응시했다. 유리는 차마 그 눈동자를 마주할 자신이 없어 고개를 돌렸다. 그러나 살갗 위로 계속 그의 따가운 시선이 느껴지는 것은 어쩔 수가 없었다.

“착각하지 마. 네 유일한 가족은 그딴 노인네가 아니라 나야.”

그딴 노인네. 아픈 기억을 일깨우는 말에 잊으려 했던 악몽이 되살아났다. 미르는 항상 진율을 그 노인네, 그 늙은이라고 부르며 조롱하곤 했다. 귓가에 진율의 시체를 붙잡고 흐느끼는 선우와 동생들의 울음소리가 들리는 것만 같았다. 모든 것이 불타버린 끔찍한 겨울날의 기억은 무슨 수를 써도 지울 수가 없었다.

긴장으로 굳은 유리의 표정이 일그러지자 미르는 재미있는 광경이라도 본 듯 히죽댔다. 유리는 당장 멀쩡한 그 오른쪽 눈동자도 찔러버리고 싶었다. 하지만 그녀에게는 그런 일을 다시 해낼 수 있을 만한 용기가 없었다. 애초에 눈만 찌르고 도망칠 거라면 무슨 소용인 걸까? 그의 눈이 아니라 심장을 찔렀더라면 이 모든 비극이 일어나지 않았을 터였다.

살인마를 세상에서 없앨 유일한 기회를 헛되이 날려버렸다는 생각에 유리는 후회하고 또 후회했다. 허나 그날의 자신은 지금과 같은 겁쟁이였다. 미르가 사람들을 고통스럽게 죽이는 모습을 보아 왔으면서도, 그래서 그를 뼛속 깊이 증오하면서도 정작 그를 죽이면 자신을 찾아올 후환이 두려웠던 것이었다. 유리는 지금껏 수많은 요괴들을 처치해왔지만 ‘사람’을 죽인 적은 없었고, 미르를 죽인다면 되려 자신이 살인자로 낙인찍혀 쫓기게 될까 무서웠다.

두려움이 마음을 옥죄이기 시작했다. 온몸에 느껴지는 찌릿한, 당장이라도 죽여달라 애원하게 만들 정도의 고통. 미르는 유리가 저항할 때마다 마력으로 옴짝달싹하지 못하게 만든 뒤 무자비한 고문을 가했다. 유리는 고문 뒤에 늘 지쳐 쓰러지듯 잠들곤 했다. 다음 날 일어나면 말할 힘조차 없었다.

하지만 육체의 고통보다도 더 견디기 힘든 것은 정신이었다. 유리는 스승님과 동생들이 죽어가는 와중에도 아무것도 할 수 없었던 자기 자신이 죽도록 미웠다. 미르를 따라가지 말라는 진율의 목소리와 선우의 원망스러운 눈빛이 머릿속을 맴돌았다. 돌이킬 수 없는 실수였다. 아니, 정말 실수였을까? 미르를 따라가기로 한 건 내 선택이었는데. 어쩌면 그냥 실수라고 변명하고 싶은 건 아닐까.

유리는 미르가 자신의 마음을 들여다보지 못한다는 걸 천만다행으로 여겼다. 이 고통스러운 기억들을 그가 마음대로 들여다볼 수 있었다면, 아마 가장 잔인하고 치욕스러운 고문이 되었으리라. 유리는 무슨 일이 있어도 스승님에 대한 기억만큼은 더럽히고 싶지 않았다. 다행히도 미르는 정신 마법에 재능이 있는 마법사는 아니었다. 그에게 수도 없이 고문당한 경험으로 알게 된 사실이었다.

긴 침묵이 두 사람 사이에 흘렀다. 어떤 말을 해야 할지 몰랐다. 아무 말도 하고 싶지가 않았다. 원수가 되어버린 과거의 연인과 나눌 말 따윈 없었다. 죽은 사람을, 다른 사람도 아닌 미르를 다시 보게 되리라고 생각한 적은 한 번도 없었다. 유리는 황금색 눈동자의 청년이 강령술로 되살려낸 망령일 뿐이라고 믿고 싶었다.

하지만 이번엔 강령술이 아니었다. 그는 정말로 살아있었다. 산 사람처럼 눈을 깜빡이고, 숨도 쉬고 있었다. 영안실에서 본 시체와는 전혀 달랐다. 결국 유리는 거짓이길 바랐던 눈앞의 형상이 진실로 살아 숨쉬는 현실이라는 것을 받아들일 수밖에 없었다.

"유리."

미르가 긴 침묵을 깼다.

"이번만 용서해 줄게."

미르는 마치 자신이 은혜를 베푸는 선인이라도 되는 양 너그러운 투로 말했다. 뻔뻔한 모습에 유리는 기가 막혔다. 용서는 유리가 아닌, 미르가 그녀에게 간절히 구해야 하는 것이었다. 물론 유리는 미르가 아무리 무릎을 꿇고 애원하며 눈물을 흘린다고 해도 용서할 생각 따위 없었다.

"웃기지 마. 우린 오래 전에 끝났어."

유리는 덜덜 떨리는 손을 식탁 밑으로 감췄다. 두려움에 떨고 있다는 것을 보이고 싶지 않았다. 하지만 그런다고 미르가 눈치채지 못할 리 없었다. 두 사람이 연인으로 지낸 시간은 기껏 해야 일 년 정도였지만, 그 짧은 시간으로도 미르가 유리의 나약함을 꿰뚫어보는 데는 충분했다. 그런 나약한 그녀를 업신여기듯 미르는 피식 웃음을 터뜨렸다.

"그 노인네를 닮아서 고집 하나는 정말 세다니까. 네가 아무리 부정해 봤자 사실은 사실이야. 넌 어차피 내가 없으면 갈 곳도 없고, 기댈 사람도 없잖아? 넌 혼자야. 혼자서 어딜 갈 건데?"

잊고 있었던 사무치는 외로움이 마음 위로 떠올랐다. 차마 대답할 수가 없었다. 자신은 쭉 혼자였다. 흔한 가족도, 친구도 한 명 없이 홀로 4년을 지내왔다. 괜찮다고 되뇌며 스스로를 다독였지만 유리도 잘 알고 있었다. 외로움을 온전히 떨쳐낼 수는 없다는 것을. 운 좋게 진율을 만나지 못했다면 계속 혼자였을지도 몰랐다. 카이와도 오로지 계약 관계일 뿐이었다. 어디를 가든, 유리는 사람들과 계약 관계 그 이상으로 가까워질 수는 없었다.

하지만 혼자여도 괜찮았다. 진정한 친구를 사귈 수 없어도, 가족이 없어도 괜찮았다. 자신이 진짜 죽고 싶었던 이유는 그게 아니었으니까. 누군가와 함께 하는 매 순간이 죽고 싶을 정도로 괴로운 것보다는 죽을 때까지 홀로 살아가더라도 외로운 편이 나았다.

유리는 고개를 들어 광기 섞인 황금색 눈동자를 바라보았다. 마디가 잘려 있던 청년의 손가락이 떠올랐다. 공포는 나약한 자들에게나 있는 것. 어둑시니가 마음에 심은 공포 속에서도 전혀 두려움이 없던 카이의 모습이 생각났다. 어쩌면 카이가 자신을 도와줄 수 있을 지도 몰랐다. 이 미칠 듯한 두려움 속에서 벗어날 수 있도록.

"요즘 살인 사건 난 거 알고 있지?"

미르가 뭔가 눈치챈 듯 입을 열었다.

"늦게까지 혼자 다니면 위험할 거야. 왜, 그런 소문도 돌고 있잖아. 대마법사 카이 테네브리스가 사람을 죽이고 다닌다고."

"너랑 상관없는 일이야. 신경 꺼."

"왜 이렇게 차가워졌어? 너무 매몰차게 얘기하지 마. 난 그냥 네가 걱정돼서 그러는 거야."

"네가…… 날 걱정한다고?"

어이가 없어서 저절로 공허한 헛웃음이 터져 나왔다. 자신을 그렇게 걱정하고 위하는 사람이, 스승과 동생들을 죽이는 것도 모자라서 고문까지 하다니. 4년 전이나 지금이나 미르는 뻔뻔하기 그지없었다. 유리가 기가 막히다는 듯 쳐다보자 미르는 태연하게 어깨를 으쓱해 보였다.

"같이 다니는 꼴을 보니 그놈이 널 어떻게 구슬리기라도 했나 본데, 아주 위험한 선택이야."

"……뭐?"

미르의 말에 유리는 놀라서 두 눈을 크게 떴다. '그놈'이라니…… 설마. 그냥 나를 따라온 게 아니었나? 내가 테네브리스와 함께 있는 걸 언제 본 거지? 대체 언제부터 미행을 당했던 거야? 테네브리스도 알고 있는 걸까? 당황한 유리는 안절부절못했다. 미르는 말을 이었다.

"그놈이랑 가까이해서 좋을 것 하나 없어. 진짜 위험한 사람은 내가 아니라 테네브리스니까. 그 새끼는 널 이용하려고 하는 거야. 생각해봐. 계약 관계? 마법사가 주술사가 왜 필요해? 무엇 때문에? 마법사들은 주술사와 아무런 상관도 없는 존재들이야. 그런데 널 가까이 두는 이유가 뭘까? 적당히 만만한 사람을 찾아서 적당히 써먹고 버릴 생각인 거지. 주변에 내로라하는 양갓집 규수들이 수두룩한데 귀족 자제가 뭐가 아쉬워서 널 만나겠어? 아마 다들 테네브리스 가문이랑 사돈을 맺고 싶어서 안달이 나 있을걸."

"너 뭔가 오해하는 것 같은데. 난 테네브리스한테 그런……."

"그 새끼는 당연히 결백하다고 할 거야. 당연히 아무것도 모르는 척하겠지. 최고 귀족 가문 출신의 대마법사 나리께서 자기 체면 구기는 말을 하겠어? 잘 생각해봐. 지금 떠도는 소문들은 이유 없이 생겨난 게 아니야. 그놈은 명문가의 자제라고는 하지만 마법대학에서도 음침하다고 말이 많았어. 마력 연구를 한답시고 늘 저택에 처박혀서 바깥엔 코빼기도 안 보이고, 혼자 잘난 척에 고귀한 척은 다 하고. 원래 고상한 척하는 놈들이 제일 더럽다는 거 몰라? 사람들은 다 똑같아, 유리. 귀족들이라고 다를 것 하나 없어. 다들 자기 체면과 품위를 지킨다고 앞에서는 너그럽고 좋은 사람인 척하지만, 뒤돌면 언제든지 네 등에 칼을 꽂을 생각만 해. 이 세상 모든 사람들이 다 그렇다니까. 테네브리스도 지금 네 앞에서 연기하는 거야. 밖에 나와서 고생 한 번 해본 적 없는 새끼가 네 마음을 알겠어? 다른 사람들이 테네브리스를 괜히 냉혈한이라고 부르는 게 아니라고."

미르의 말에 유리는 뭐라고 답해야 할지 몰라 머뭇거렸다. 그녀가 식탁만 내려다보며 우물쭈물하자 그는 한숨을 쉬며 계속 말을 이었다.

"그놈은 충분히 목적을 달성했다고 생각하면 널 가차없이 버릴 거야. 그런데도 그 새끼랑 같이 다니고 싶어? 사람들한테 함부로 네 마음을 주지 마. 기대도 하지 마. 너만 다치니까."

미르는 덜덜 떨고 있는 유리의 손을 꼭 감싸쥐었다.

"아버지란 사람한테 죽도록 두들겨 맞는 비참한 기분을, 고귀하신 테네브리스 도련님께서 어떻게 이해하겠어? 난 널 절대로 버리지 않을 거야. 그 비참한 심정이 어떤지 난 다 이해하거든. 나한텐 너밖에 없듯이, 네가 기댈 곳도 나밖에 없어. 그놈은 절대로 널 이해할 수도, 도와줄 수도 없어. 어디를 가든 이 세상은 어차피 우리 둘뿐이야. 그러니까 딱 이번 한 번만 용서해 줄게. 계약이든 뭐든 전부 그만두고 나한테 와."

유리는 대답하지 않았다. 그녀는 술잔에 비치는 자신의 모습을 내려다보았다. 또다시 두려움에 떨고 있는 겁쟁이가 보였다. 그 겁쟁이는 금방이라도 울 것 같은 표정을 하고 있었다. 미르와 다시 함께 하는 것, 유리는 그것이 어떤 의미인지 알았다. 어떤 일들이 자신에게 벌어질지도 알았다.

미르는 유리 뺨의 십자 흉터를 보고 씩 웃더니 한 손으로 그 흉터를 쓰다듬었다. *그래도 상처가 잘 아물었네, 다행이야. 너랑 잘 어울려.* 미르는 자신이 남긴 상처를 보고 흡족해했다. 죄의식이나 후회 따위는 전혀 보이지 않았다. 유리는 치가 떨렸다. 설령 미르가 범인이 아니더라도 스승님을 죽인 자에게 다시 돌아갈 수는 없었다. 그것은 자신에게도, 진율과 동생들에게도 떳떳하지 못한 일이었다. 영원히 자신에게 죄책감만을 안길 뿐이었으니까. 유리는 매몰차게 미르의 손을 뿌리쳤다.

"죽는 한이 있어도 너한테 갈 생각 없으니까 당장 꺼져."

"끝까지 이렇게 나오시겠다? 뭐, 할 수 없지."

미르는 두건을 눌러쓰며 일어났다.

"그럼 한 번 두고 봐. 테네브리스가 얼마나 위험한 놈인지 직접 경험한다면 생각이 달라질 테니까."

만개한 붉은 매화꽃 위로 눈이 내리던 어느 겨울날. 한 소녀가 숲속을 달리고 있었다. 강한 눈보라가 몰아치며 뼛속까지 시릴 듯한 한기가 몸을 파고 들었지만 소녀는 멈추지 않았다. 궂은 날씨에도 소녀가 몸에 걸친 것이라고는 헤지고 낡은 저고리와 치마뿐이었다. 혹독한 겨울은 어린 소녀라고 해서 자비를 베푸는 법이 없었다. 소녀는 불안한 얼굴로 자꾸만 뒤를 돌아보면서 매화나무 사이를 헤쳐 앞으로 나아갔다.

한참을 달리자 저 멀리 초가지붕이 보였다. 소녀는 없던 힘까지 쥐어 짜내어 마을을 향해 뛰기 시작했다. 나뭇가지에 살갗이 쓸려 피가 흐르는 것도 모른 채 그저 뛰고 또 뛰었다. 마을 문턱에 거의 다다랐을 때쯤 소녀는 그만 발을 헛디뎌 넘어지고 말았다. 하얀 눈이 붉게 물드는 것을 보고 나서야 소녀는 자신이 다쳤다는 것을 알았다. 치마를 살짝 들춰보니 무릎이 다 까져 피가 나고 있었다.

소녀는 울상이 된 얼굴로 일어났다. 하지만 눈물 한 방울 흘리지 않았다. 오히려 씩씩하게 일어나 마을을 향해 달려갔다. 어떻게든 저 마을 안으로 들어갈 수만 있다면, 도움을 청할 사람만 있다면 괜찮을 거야. 소녀는 자신을 다독였다. 그리고 자신을 쫓아오는 누군가를 피해 죽을 힘을 다해 뛰었다.

마을 문을 연 순간 소녀는 아연실색했다. 자신은 다른 마을에 도착한 것이 아니었다. 낯선 마을이라 생각한 이곳은 사실 자신의 고향인 매화마을이었다. 숲 입구에서 반대쪽으로 가고 있다 생각했으나 실은 제자리걸음을 하며 집으로 돌아온 것이었다. 갑작스러운 인기척에 마루에 앉아 술을 마시던 부모님의 시선이 이쪽으로 향했다. 딸의 얼굴을 알아본 그들의 얼굴 위로 경멸과 증오가 떠올랐다. 소녀는 다시 집을 나가려 뒤를 돌았다.

"어딜 도망을 가, 이 더러운 년!"

채 발걸음을 떼기도 전에 어머니가 머리채를 거칠게 붙잡았다. 어머니는 딸의 머리채를 잡고 연신 흔들었다.

"빨래도 안 하고 대체 어디 갔다가 이제서야 왔어? 말해, 이년아. 돌아다니면서 또 거지 새끼처럼 구걸하고 왔지?"

"그렇게 맞았는데도 정신을 못 차리는구나. 오늘도 좀 맞아야지 안되겠어."

아버지는 문 옆에 세워 둔 장작을 들고 왔다. 회초리 대용으로 쓸 생각이었다. 자신에게 무슨 일이 벌어질지 알아챈 소녀는 도망가려 발버둥쳤다. 그러나 어머니가 머리채를 잡아당기는 통에 벗어날 수가 없었다. 어머니는 바닥에 딸을 거칠게 내팽개치고 사정없이 짓밟았다. 살갗이 찢어지는 고통에 소녀는 머리를 감싸쥐고 울부짖었다.

"잘못했어요, 어머니! 제발 그만하세요!"

"잘못한 걸 알면 똑바로 행동했어야지!"

아버지가 장작으로 딸을 마구 내려치며 소리쳤다. 그들이 딸을 발로 밟고 때릴 때마다 나뭇가지에 쓸린 잔상처들 위로 더 크고 선명한 상처들이 피를 흘리며 새로 피어났다. 딸은 제발 용서해달라고 두 손이 닳도록 빌었다. 사실 자신이 무엇을 잘못했는지 소녀는 알지 못했다. 애초부터 소녀가 잘못한 것은 하나도 없었다. 그저 이 세상에 태어나 존재할 뿐이었다.

하지만 소녀의 존재 자체가 이들에게는 대죄였다. 아이가 태어나면 보통 집에서는 축복이라고들 하지만, 이 집안에서 소녀가 태어난 것은 저주나 다름없었다. 원치 않았던 아이. 그 한마디로 부모에게 이 소녀가 어떤 존재인지 설명할 수 있었다. 그들은 서로 사랑에 빠져 혼인을 했으면서도, 정작 그 사랑으로 인해 태어난 딸은 미워하기만 했다.

한번 시작된 부모님의 무자비한 매질은 멈추지 않았다. 그렇게 소녀가 피를 흘리고 바닥에 쓰러질 때까지 그들은 한참 동안 매질을 하다 그만두었다. 소녀는 더 이상 울부짖을 힘도 없어 앓는 소리만 냈다.

"벌써부터 화냥질이나 해대고, 집안 망신도 이런 망신이 없지! 차라리 부엌에 기어다니는 쥐새끼가 더 낫겠어!"

어머니는 분을 삭이지 못하고 씩씩댔다.

"어디 부잣집에 돈 받고 팔아먹지도 못하게 됐어. 요괴한테 먹히도록 뒷산에 버리고 오든지 해야지, 원."

"그냥 뒷산에 버리면 안되죠, 여보. 마을이랑 너무 가깝잖아요. 다시 돌아오면 어떡해요?"

"못 돌아와. 피떡이 되어서 걷지도 못하는데 어떻게 돌아오겠어? 일단 뒷산에 버리고 오자고. 그리고 마을 사람들이 어디 갔냐고 물어보면 그냥 없어졌다고 하면 돼. 요괴나 짐승한테 물려 가서 사라지는 사람이 뭐 한둘이야?"

"알겠어요. 그럼 그렇게 해요, 여보."

아버지와 어머니는 딸을 어깨에 둘러업고 뒷산으로 올라갔다. 그들은 혹시라도 마을 사람들이 볼까 주변을 살피고선 수풀이 우거진 바위 밑에 소녀를 내려놓고 산길을 내려갔다. *누가 지나가다 보기라도 하면 안 될텐데 걱정이에요. 정말 괜찮을까요, 여보? 저렇게 놔두면 호랑이든 구미호든 와서 잡아먹을 거야. 아니면 시름시름 앓다가 죽겠지. 그럴까요? 뒈질 거면 빨리 뒈져버렸으면 좋겠어요. 쓸모도 없이 밥만 축내는 년 같으니.* 모진 말들이 귓가에 들려왔다. 소녀는 아무나 제발 좀 도와달라고 소리치고 싶었다. 하지만 더 이상 울부짖을 힘도, 앓는 소리를 낼 힘조차도 없었다. 그저 피로 붉게 물든 눈물만이 뺨을 타고 흐를 뿐이었다.

유리는 자신과 닮은 그 소녀가 안쓰러웠다. 다가가 안아주며 저런 말들은 들을 필요가 없다고, 잊어버리라고 말해주고 싶었다. 유리는 손을 뻗어 소녀의 어깨를 두드렸다. 그리고 괜찮다고, 저들의 말은 진실이 아니라고 소녀를 위로했다. 그러나 소녀는 말없이 눈만 깜빡일 뿐이었다. 소녀에겐 유리의 위로가 들리지도, 그녀의 모습이 보이지도 않는 것 같았다.

주위로 짙은 어둠이 깔렸다. 피를 흘리며 쓰러진 소녀도, 저 멀리 산길을 내려가는 소녀의 부모도 보이지 않았다. 그저 칠흑 같은 어둠만이 있었다. 하지만 그 어둠 속에서 유리는 혼자가 아니었다.

"이제 좀 알겠어? 널 이해해 줄 사람은 나밖에 없다는걸."

부드러운 목소리가 유리에게 말을 걸어왔다. 유리는 대답하지 않았다. 그러자 황금색 눈동자가 어둠 속에서 눈을 떴다. 이윽고 아름다운 청년이 모습을 드러냈다.

"나한테 와."

그가 부드럽게 유리의 뺨을 쓸어내리며 말했다. 그러나 유리는 고개를 저으며 손길에서 벗어나려 저항했다. 너한테 가라고? 내가 미쳤어? 아무리 갈 데가 없어도 너한테는 절대로 안 가! 이윽고 평온하던 청년의 얼굴이 벌겋게 달아오르며 일그러졌다.

"너같이 천한 게 귀족 자제를 만나볼 기회나 있을 것 같아? 누가 널 받아줄 것 같아? 널 두들겨 패던 네 가족? 네가 그렇게 아끼던 그 노인네? 아니면 주술사 놈들? 대체 누가 널 받아줄 것 같은데? 너에게 이렇게나 잘해주는 사람이 또 있을까? 없겠지. 아니, 죽었다가 깨어나도 이 세상에는 없어. 넌 결국 내가 없으면 아무것도 아니야!"

그는 마력으로 유리의 목을 조르기 시작했다. 숨이 쉬어지지 않는 답답한 느낌에 유리는 얼굴을 찡그렸다.

"봐, 네 검술이 그렇게 뛰어나다고 해도 아무런 소용이 없잖아. 이렇게 약해 빠졌는데 정말 도망갈 수 있겠어?"

옛 연인은 가소롭다는 듯 입꼬리를 올려 씩 웃었다.

머리가 깨질 듯이 아파 왔다. 온몸이 땀으로 젖어 끈적거렸다. 유리는 누군가 머리를 망치로 내려치는 듯한 고통과 미칠 듯이 두근거리는 심장의 고통 때문에 잠에서 깨어났다. 악몽을 꾸면서 또 얼마나 울었는지 베개가 흠뻑 젖어 있었다. 어제 미르와 마주친 후 제대로 잠을 잘 수가 없었다. 겨우 벽에 기대어 잠이 들면 문 앞 복도를 지나다니는 사람들의 발소리와 대화 소리에 깜짝 놀라 깨곤 했다. 언제 어디서라도 미르가 나타날 것만 같았다.

불안한 마음에 유리는 손톱을 물어뜯으며 침대 주위에서 발만 동동 굴렀다. 미르가 살아있다니, 아직도 그의 얼굴을 본 것이 꿈만 같았다. 어떻게 할까. 황궁에 가서 물어보기라도 할까. 아냐, 날 미친 사람 취급할 게 분명해. 4년 전에 죽은 사람을 봤다고 하면 누가 믿어주겠어? 게다가 황궁은 귀족이라도 아무나 함부로 드나들 수 없으니…… 어떡하면 좋지. 도무지 좋은 방법이 떠오르지 않았다.

오랜만에 생생하게 느껴지는 과거의 공포에 그녀는 입술을 꽉 깨물었다. 공포. 그 말에 불현듯 머릿속에 떠오르는 한 사람이 있었다. 유리는 나갈 채비를 하려 서둘러 옷을 주워 입었다.

평소보다 빠른 속도로 말을 달려 그녀가 향한 곳은 테네브리스 저택이었다. 유리는 집사 라일에게 말을 맡긴 뒤 청소 중인 하녀들을 지나쳐 2층의 서재로 올라갔다. 카이는 늘 그렇듯 온갖 마법 서적에 둘러싸여 바빠 보였다. 그는 유리를 보고 의아한 표정을 짓다가 다시 책으로 고개를 돌렸다.

"오늘은 마력을 가져오는 날이 아닌데. 웬일이지?"

"할 얘기가 있어."

할 얘기가 있다는 데도 카이는 유리에게 눈길조차 주지 않았다. 그의 시선이 향하고 있는 건 오로지 마법 서적이었다.

"한가하게 잡담할 시간 없는데."

"내가 범인이 누구인지 알고 있다면 들어줄 거야?"

그제서야 카이가 고개를 들어 시선을 마주했다. 그의 눈빛에 호기심과 의문이 일었다. 카이는 말해보라는 듯 고갯짓을 했다. 유리는 옆에 있던 의자를 끌어당겨 그와 마주앉았다.

"몇 년 전에 반월당에서 있었던 일, 들어본 적 있어?"

"반월당?"

"근처에 있었던 사당 말이야. 동쪽 반월길 끝에 있었던 사당. 마법사가 주술사들을 죽이고 사당에 불을 질렀었잖아. 혹시 몰라?"

유리가 자세하게 설명하자 카이는 기억난다며 고개를 끄덕였다.

"아, 물론 나도 들어본 적 있지. 근데 그게 범인과 무슨 상관이지?"

"난 사실…… 그 반월당에 있었던 주술사였어. 그리고 주술사들을 죽인 마법사가 내 연인이었고."

유리는 마음의 상처를 억누른 채 힘겹게 말했다. 더 이야기해보라는 듯 카이가 그녀를 응시했다. 유리는 다시 입을 열었다.

"넌 어떤 삶을 살아왔는지 모르겠지만…… 난 정말 비참했었어. 매일같이 부모님에게 두들겨 맞았지. 밥도 제대로 먹지 못해서 구걸을 하러 다녔지만 도와주는 사람들은 거의 없었어. 더러운 망나니 집안의 자식이라면서 전부 내쫓았으니까. 마을 남자들한테 겁탈당한 적도 있었어. 부모님께 말씀드렸지만 소용이 없었지. 오히려 집안 망신을 시켰다고 살갗이 찢어질 때까지 두들겨 맞았어. 어느 날은 어머니께서 그런 말씀을 하시더라. 나더러 개만도 못한 년이라고, 그냥 요괴한테 잡아먹히게 버리고 왔어야 한다고."

유리는 무덤덤하게 자신의 과거를 털어놓았다. 그러나 가냘픈 목소리는 분명 떨리고 있었다. 비참한 어린 시절을 생각하니 목이 메어왔지만 유리는 애써 눈물을 삼켰다.

"차라리 땅에 머리를 박고 죽어버리고 싶었어. 정말 어딘가에 지옥이 있다면, 사람들을 괴롭히는 악귀가 있다면 그건 우리집과 부모님이 아닐까 싶을 정도로 말이야. 마침 운 좋게도 스승님께서 날 도와주셨어. 스승님께서 날 사당으로 데려오셨지. 그날은 정말 어둠의 신께서 도와주셨다고 생각했어. 스승님 덕분에 제대로 된 삶을 살 수 있었으니까. 하지만 오래 가지 못했어. 내가 사랑했던 그 사람 때문에. 그때 난 착각에 빠져 있었어. 갑자기 반반하게 생긴 귀족 나리가 나타나서 날 좋아한다고 하니 세상이 내 중심으로 돌아가는 것 같았지. 하지만 스승님께서는 절대로 안 된다고, 눈빛이 익한 사람을 가까이 두어서는 안 된다고 날 말리셨어. 어떻게든 내가 그 사람을 못 따라가게 하려고 막으셨어. 난 그때 스승님을 이해할 수가 없었어. 평소처럼 이상한 고집을 부리시는 거라고 생각했으니까. 그래서 홧김에 절대로 하면 안 될 말을 해버렸지. 사당에만 처박혀서 신의 말씀만 죽어라 외우고 앉아있으니 마법사들이 주술사들을 무시하는 거라고. 하지만 스승님 말씀이 옳았다는 걸 나중에 알게 됐어. 그 사람은…… 살인마였거든."

"그래서?"

"그래서…… 나중에 숨겨둔 단도로 눈을 찌르고 도망쳤어. 이러다가 언젠가 나도 꼼짝없이 죽을 것 같았으니까. 어떻게든 아득바득 살려고 뒤도 안 돌아보고 몇날 며칠을 달렸지. 지금 생각하면 내가 살인자가 되는 한이 있어도 그 사람을 죽였어야 하는 건데……. 어쨌든, 사당에 도착했는데 그 사람이 먼저 와 있었어. 그 사람이 이미 스승님과 동생들을 죽인 뒤였어. 그때 수도 경비대가 오지 않았다면 아마 모두 다 죽었을 거야. 내가 지금 여기에 이렇게 앉아있을 수도 없을 테고. 그 뒤에 어명으로 전부 황궁으로 끌려가서 조사를 받았어. 나도, 그 사람도, 살아남은 동생들이랑 선우까지 모두 다. 황궁에서 이것저것 물어보기에 사실대로 말했지. 그리고 며칠 후에 황제 폐하께서 참수형을 내리셨다는 얘기가 들려왔어. 그렇게 4년 동안 죽은 줄로만 알고 있었는데, 어제 여관에서 만났어. 분명히 죽었다고 했는데 멀쩡하게 살아있었어. 그런데 나한테 네 얘기를 하더라고."

"나를?"

카이가 흥미롭다는 듯한 투로 물으며 눈을 살짝 크게 떴다.

"널 잘 아는 것처럼 얘기했어. 듣기로는 너랑 마법대학을 같이 다닌 것 같았는데……. 흔치 않은 황금색 눈동자에 갈색 머리카락을 가진 사람이야. 키는 너보다 조금 더 크고."

"글쎄…… 네가 말한 조건에 모두 부합하는 사람은 내가 알기로 딱 한 명뿐인데. '미르 블러드시커'를 말하는 거로군."

미르 블러드시커. 아주 오랜만에 귓가에 울리는 이름이었다. 사실 처음부터 그가 '블러드시커' 가문의 자제라는 것을 안 것은 아니었다. 미르와 연인이었을 적 유리는 딱 한 번, 귀족에 대한 호기심과 그의 과거에 대한 궁금증으로 미르에게 집안에 관해 물어본 적이 있었다. 평소 가족 이야기를 거의 하지 않던 미르는 별로 내키지 않는 듯 눈에 띄게 언짢은 표정이었다. *우리 집안? 글쎄, 별로 말할 건 없는데. 다들 똑같거든. 마법사들에 대해서 너무 환상을 갖지는 마, 다 잔인한 사람들이니까. 중요한 건 너랑 나 우리 둘이야. 그러니까 다른 건 생각하지 말고 우리 미래만 생각하자.* 미르는 유리의 눈을 똑바로 보며 신신당부하듯 말했다.

그래, 미르가 어떤 가문의 사람이든 그건 중요하지 않아. 그 사람들도 내 부모님처럼 자식을 벌레 보듯 하는 자들이었을 뿐이야. 다른 건 생각하지 말자. 진짜 중요한 건, 우리가 함께 한다는 거니까. 그 뒤로 더 이상 가족 문제나 과거에 관해 대화하는 일은 없었다. 가족사나 과거사를 꺼내면 그가 상처받을까 염려하는 마음도 있었다. 때문에 미르가 블러드시커 가문의 자제라는 것을 알게 된 것도 황궁에서 내려온 공고문을 보고 나서였다.

“이거 아주 기막힌 우연이군. 설마 겁쟁이 같은 그놈이 너와 연인이었을 줄은 몰랐는데.”

“아는…… 사람이야? 친구?”

“서로 안면만 있었지. 말을 섞어본 적도 거의 없으니까.”

별 감흥 없다는 듯한 말투였다. 어떤 놈인지 두고 보라며 눈빛에 살기를 띄던 미르와 달리, 지금 카이의 반응은 그저 의외의 인연에 조금 놀라워할 뿐 그 이상으로 깊게 의미를 두고 생각하지는 않는 것 같았다.

“그런데 넌 어떻게 블러드시커가 범인이라는 걸 알았지? 증거라도 찾았나?”

“어제 손가락 잘려 있던 거랑 송곳니 자국, 기억 나?”

유리의 물음에 카이가 고개를 끄덕였다.

“미르는 사람을 죽일 때…… 손톱을 뽑고 손가락을 자르곤 했었어. 그 정도로는 사람이 쉽게 죽질 않으니까 재미있다면서. 처음에 시체를 보는 순간 바로 생각이 났지. 하지만 죽은 사람이 어떻게 산 사람을 죽일 수가 있어? 말도 안 되는 일이잖아. 그래서 비슷한 짓을 하는 사람이 있다고만 생각했는데…… 어제 미르한테 뾰족한 송곳니가 있는 걸 봤어. 선조들 것과 같은.”

또다시 떠오르는 두려운 기억에 유리는 말을 멈추고 한숨만 푹 내쉬었다. 영원히 두려움에 떨면서 언제 죽을까 전전긍긍하고 싶지는 않았다. 그녀는 살고 싶었다. 미치도록 살고 싶었다. 하지만 미르와 같은 마법사를 상대로 살아남으려면 검과 주술만으로는 부족했다. 제아무리 검술에 능하다 한들, 검 따위는 마력이 담긴 손짓 한 번에 산산조각 나는 파편에 불과했다.

다른 힘이 필요했다. 쉽게 부러지지 않으며 재련할 필요도 없는, 굳이 자연의 힘을 빌리지 않고도 자유자재로 부릴 수 있는 강력한 힘……. 문득 카이가 읽고 있던 마법 서적에 눈길이 갔다. 그녀가 찾던 답은 바로 거기에 있었다. 마법이라. 어쩌면 자신이 가장 두려워하고 증오하던 힘이 구원이 될지 몰랐다. 처절한 생존 본능이 마음 속에 꿈틀대고 있었다. 유리는 결심에 찬 눈빛을 하고 고개를 들었다.

“도와줘.”

갑작스러운 부탁에 턱을 괸 채 생각에 잠겨 있던 카이가 시선을 유리에게로 옮겼다.

“뭘?”

“마법을 가르쳐줘.”

유리가 겨우 용기를 내어 말했다. 하지만 카이는 말도 안 된다는 듯 헛웃음을 지으며 고개를 저었다.

“마법은 배우고 싶다고 해서 배울 수 있는 게 아니야.”

“뭐든지 할게. 부탁이야.”

그 말에 카이는 대답 대신 읽고 있던 마법 서적을 유리 앞으로 내밀었다. 마법 서적에는 보기만 해도 어지럽고 난해한 온갖 마법 문양들과 단어들로 가득했다.

"내가 그저 운이 좋아서 대마법사가 된 것 같나? 내가 저택에 처박혀서 매일 책만 읽고 있는 것 같으니까 만만해 보이나 본데, 천만에. 이런 건 단지 이론일 뿐이야. 중요한 건 실전이지. 제아무리 뛰어난 마력을 타고나도 절대로 다루기 쉽지 않은 게 마법이야. 마법사가 되려면 뼈를 깎는 노력, 아니, 그 이상이 필요해."

반박할 수가 없었다. 유리는 마법 서적에 적힌 온갖 난해한 단어들에 솔직히 말하자면 압도당하는 느낌이었다. 두려웠다. 만약 마법을 배운다고 하더라도 그런 복잡하고 어려운 것들을 완전히 이해할 수 있을지 자신이 없었다.

그러나 포기하고 싶지는 않았다. 다시 예전으로 돌아갈지 모른다는 두려움이 온 마음을 감쌌다. 죽지 못해 살아갈 거라면, 결코 피할 수 없는 두려움이라면 맞서 싸우고 싶었다. 설령 그러다가 죽게 된다 해도. 차라리 그렇게 죽는 것이 살인마에게 붙잡히는 것보단 훨씬 나았다.

"열심히 할게. 피를 흘리고 뼈가 부러지는 한이 있어도 열심히 할 자신 있어. 제발 가르쳐줘."

"안 돼."

카이는 단호한 목소리로 그녀의 부탁을 거절했다. 그는 다시 마법 서적을 자신 앞으로 가져와 읽기 시작했다. 다급한 마음에 유리는 그를 설득할 수 있는 말을 떠올리려 애썼다.

"뭐든지 다 할게. 네가 시키는 일은 전부 다 할게. 제발…… 제발 부탁이야. 나 살고 싶어."

"언제는 죽고 싶다며?"

"그때는 그랬었지. 하지만 지금은 아냐. 미르가 나한테 그랬어. 넌 내 눈을 찔러 놓고도 이렇게 멀쩡하냐고……. 언젠가 날 죽이러 올지도 몰라. 아니, 차라리 죽는 게 나을 정도로 날 괴롭히겠지. 제발, 제발 이렇게 부탁할게. 마법을 가르쳐줘."

"그 대가로 넌 내게 무얼 해줄 수 있지?"

"뭐든지 다 할게. 네가 시키는 일은 뭐든지……."

"난 하녀를 더 고용할 생각은 없어. 이미 이 저택엔 내가 명령만 내리면 따를 사람이 넘쳐나니까. 그러니까 말해봐. 널 가르쳐 주는 대신에, 난 무엇을 얻게 되는 거지? 시간 낭비? 돈 낭비? 뭔가 잃기만 할 뿐 난 얻는 게 아무것도 없잖아. 결국 아무런 대가 없이 멍청이에게 지식을 전수하는 꼴이지."

카이의 날카로운 눈빛과 차가운 목소리가 뜨겁게 달궈진 칼날처럼 유리의 심장을 파고 들었다. 무슨 대답을 해야 할지 생각나지 않았다. 할 줄 아는 것이라곤 검을 휘두르는 것이 전부인 한낱 주술사가 어찌 대마법사를 도울 수 있을까. 애써 부정하려 했으나 유리는 인정할 수밖에 없었다.

자신은 카이에게 마력을 가져다주는 것 이외에는 아무것도 해줄 수 없었다. 이 남자는 이미 명예와 부, 높은 직위와 신분 등 대부분 사람들이 원하는 것을 거의 다 가지고 있었다. 당장 계약 관계를 그만둔다고 해도 그가 아쉬울 것은 하나도 없었다. 오히려 미련이 남는 것은 유리 쪽이었다. 유리는 그에게 도움이 될 만한 것을 곰곰이 생각해보다가 입을 열었다.

"내가 도와줄 수 있는 게 한 가지 있어. 네가 살인자라는 누명을 벗을 수 있게 도와줄게."

"아니, 난 그런 도움 필요 없어. 내가 저지른 죄가 아니니 굳이 해명할 필요가 없거든. 결론적으로 말해서 넌 나한테 해줄 수 있는 게 아무것도 없잖아. 그런데 평생 동안 내 뼈를 깎는 노력을 해서 얻어낸 고급 지식을 그냥 달라고? 그렇게는 절대로 안 되지. 이게 내 대답이야. 나가."

카이는 다시 마법 서적으로 눈을 돌렸다. 그의 차가운 태도에 유리는 결국 참고 참았던 울음을 터뜨렸다.

"제발 부탁이야, 테네브리스. 난 죽고 싶지 않아. 나…… 나 정말 살고 싶단 말이야. 그러니까 이렇게 부탁할게. 언제 미르가 날 죽이려고 할지 몰라."

"그럼 가서 미안하다고 사과해."

"뭐…… 뭐라고?"

"네가 눈을 찔렀다면서. 눈을 찔렸다면 장님이 됐을 테니 당연히 화가 나겠지. 가서 사과해. 그리고 무릎 꿇고 용서해달라고 빌어. 혹시 알아? 널 살려줄지."

카이는 아무렇지도 않게 페이지를 넘기며 차를 몇 모금 마셨다. 전혀 예상치 못한 말이었다. 사과하라고? 내가? 기가 찼다. 믿을 수가 없었다. 유리는 자신의 간절한 부탁을 별것 아닌 농담으로 치부하는 듯한 카이의 태도에 분노가 치밀어 올랐다.

"넌 지금 내 말이 장난으로 들려?"

유리는 검을 꺼내 들어 카이를 향해 겨누었다. 조금만 더 닿으면 그의 목을 베어버릴 수도 있는 아주 가까운 거리였다. 하지만 카이는 눈 하나 꿈쩍하지 않았다. 그는 유리의 도발에 오히려 재미있다는 듯 씩 웃었다.

"대마법사에게 칼을 겨누다니, 별로 현명하지 못한 행동이군."

"상관없어."

"네가 날 죽일 수 있을 것 같나?"

"아니, 이미 알고 있어. 내가 무슨 짓을 해도 안 된다는 걸. 하지만 미르한테 또 고문당하면서 죽지도 못하고 비참하게 살 운명이라면 여기서 널 죽이고 나도 죽어버리겠어."

"그럼 어디 한번 해보시든지, 아가씨."

카이가 비아냥대는 투로 말했다. 어서 목을 베어보라는 듯, 그는 눈썹을 치켜 올리며 자신만만하게 그녀를 도발했다. 유리는 망설였다. 평소라면 요괴의 목을 단칼에 자르듯 베었을 테지만 지금은 그럴 수가 없었다.

유리는 내심 칼을 빼 든 것을 후회했다. 그녀도 잘 알고 있었다. 자신이 너무 감정적으로 행동했다는 것을. 어쩌지, 여길 나가서 다른 곳으로 도망친다 해도 붙잡힐지도 몰라. 미르는 끝까지 날 쫓아올 테니까. 하지만 그렇다고 정말 여기서 테네브리스를 죽일 거야? 난…… 난 정말 죽고 싶지 않은데. 왜 이리도 나는 겁쟁이 같은지. 유리는 한참을 망설였다.

떨리는 칼끝을 겨눈 채 머뭇거리고 있는데, 불현듯 검이 무거워지는 느낌이 들었다. 한 손으로 들어도 문제없이 멀쩡하던 검은 점점 옆으로 기울어지기 시작했다. 유리는 비틀거리면서 두 손으로 검을 잡고 중심을 잡아보려 애썼다. 하지만 버티려 하면 할수록 검은 점점 더 무거워지기만 했다. 검이 아닌 바윗덩어리를 들고 있는 것 같은 느낌이었다.

결국 버틸 수 없을 정도로 무거워진 검의 무게에 유리는 검을 놓치고 말았다. 그녀의 손을 벗어난 천체검은 '쿵' 하는 둔탁한 소리와 함께 바닥에 떨어졌다. 유리는 다시 검을 주워 보려 했지만 소용없었다. 아무리 잡고 끌어당겨도 검은 제자리에 박혀 꿈쩍하지 않았다.

"뭐 하고 있어? 어디 한번 해보라니까?"

카이가 만족스러운 듯한 미소와 함께 씩 웃으며 말했다. 유리는 카이가 마법으로 한 짓임을 깨달았다.

"내 검에다 무슨 짓을 한 거야, 테네브리스?"

"자신의 검조차도 들어올리지 못하는 검객이라. 그런 나약한 사람을 내가 왜 도와줘야 하지?"

카이는 유리에게 이만 나가보라며 손짓했다. 유리는 당장 원래대로 돌려놓으라고 화를 냈지만, 카이는 듣는 척도 하지 않았다. 하지만 검을 두고 빈 손으로 갈 수는 없었다.

유리는 칼자루를 붙잡고 검을 들어올리려고 애썼다. 그러나 어찌된 일인지 여전히 검은 꿈쩍하지 않았다. 마치 그 자리에 누군가 못으로 단단히 고정시켜 놓은 것처럼 움직일 생각을 않았다.

"나가라는 말 못 들었나? 몇 번을 말해야 알아듣는 거지?"

책상 앞에서 낑낑대며 애쓰는 유리에게 카이가 날카롭게 소리쳤다. 결국 하는 수 없이 유리는 떨어지지 않는 발걸음을 옮겼다.

대문 밖으로 나온 그녀는 뒤를 돌아 테네브리스 저택을 올려다보았다. 창문이 없어 카이의 서재는 보이지 않았지만, 유리는 2층 어딘가에 있을 자신의 검 생각에 차마 발걸음이 떨어지지 않았다. 검이 없으면 자신은 무엇을 한단 말인가? 인생의 반 이상을 검과 함께 해온 유리는 검이 없으면 할 수 있는 것이 아무것도 없었다. 주술을 다룰 줄 안다고 해도, 주술은 유리에게 있어 검과 함께 하지 않으면 있으나 마나 한 능력이었다. 검 없이 요괴를 처치할 수 없었고, 검 없이 맨손으로 일을 구하러 다닐 수 없었다.

하지만 유리에게 있어 제일 중요한 것은 그 검은 유일하게 남은 스승님의 기억이라는 것이었다. 유리는 처음으로 천체검을 선물 받았던 날을 떠올렸다. *자, 이 검이 바로 이제부터 너와 함께 할 '천체검'이란다. 검은 날카로운 무기지만 강한 힘에는 쉽게 부러질 수 있으니 소중히 다루도록 하거라. 하지만 명심하렴. 살면서 가장 소중히 다루어야 하는 것은 자신의 몸과 마음이야. 반드시 기억해야 한다. 알겠니, 유리?* 다정한 진율의 목소리가 귓가에 울리는 듯했다.

어쩌다 이렇게 되었을까? 어쩌다가 자신은 스승님께서 주신 검도 잃어버린 채 주술사도, 그 무엇도 아니게 되어버린 걸까? 어쩌다 자신은 살인마에게 결국 죽지도 못하고 고문당할 운명이 되어버린 걸까? 유리는 저택 대문 앞에 주저 앉아 무릎을 감싸고 어린 아이처럼 펑펑 울었다.

어디로 가야 할지 생각이 나지 않았다. 그날의 악몽 같은 비극 속에서 살아남은 선우와 동생들을 찾아갈 수도, 여관으로 돌아갈 수도 없었다. 자신은 대체 어디로 가야 하는 걸까? 카이를 만났던 묘지 뒤편의 절벽이 생각났다. 이렇게 된 이상 차라리 죽고 싶었다. 어떻게 해도 결국 미르 때문에 죽는 것만 못한 삶을 살다가 죽을 거라면 차라리 지금 죽는 것이 나았다. 하지만 지금은 다시 뛰어내릴 용기조차 없었다. 유리는 겁쟁이였다. 자신도 잘 알고 있었다. 죽을 수 없다면 어디로 가야 하는 걸까? 이 세상에 내가 마음 놓고 쉴 수 있는 곳은 있기나 한 걸까? 대체 어디로 가야…….

"유리 님?"

등 뒤로 누군가의 목소리가 들렸다. 유리는 인기척에 놀라 자리에서 일어났다. 돌아보니 저택의 집사인 라일이 서 있었다. 유리는 순간 누구에게도 보이고 싶지 않았던 자신의 추한 모습을 들킨 것 같아 부끄러웠다. 옷소매로 뺨을 닦았지만 이미 눈물범벅이 된 얼굴은 감출 수 없었다.

라일은 태연한 척하는 유리를 아무 말없이 바라보았다. 그는 겉치레뿐인 위로는 하고 싶지 않았다.

"카이 님께서 유리 님이 검을 깜빡 잊고 가셨다고 하시더군요."

라일은 검을 건네며 미소를 지었다. 유리는 밤하늘을 향해 높이 천체검을 들어올렸다. 바위처럼 무거웠던 전과 달리 지금은 너무나도 가벼웠다. 무슨 짓을 해도 절대 돌려받지 못할 거라고 생각했건만, 안도감에 한숨이 저절로 나왔다. 유리는 천체검을 칼집에 집어넣었다.

"감사합니다, 집사님. 검을 돌려주셔서 정말 감사합니다."

"아닙니다. 카이 님이 아니라면 저도 그 검을 들지 못했을 겁니다. 저, 그런데…… 카이 님께서 참 신기하다고 하시더군요."

"네? 신기하다니요?"

"유리 님은 제게 늘 존댓말을 쓰시지 않습니까."

"그거야…… 집사님이시니 당연한 것 아닌가요?"

유리는 라일이 무슨 말을 하려고 하는지 이해하지 못했다. 라일은 말을 이었다.

"하지만 카이 님께는 늘 반말을 쓰시잖아요. 지난번에 카이 님께서 누구도 그런 적은 없었다면서 신기하다고 하시더군요. 누가 보면 카이 님이 집사고 제가 주인인 줄 알겠다고요. 언제 한번 손을 좀 봐줘야겠다고 하시던데요."

당혹스러웠다. 그러고 보니 자신은 여태까지 귀족 집안 도련님인 카이를 늘 '너'라고 부르고 있었다. 유리는 그동안 자신이 얼마나 카이를 막 대했는지 떠올라 당황했다. 오랫동안 마음에 쌓아두고 있었을까라는 생각에 불안해졌다. 테네브리스가 별말이 없어 잊고 있었는데! 귀족에게 함부로 반말을 한 죄로 끌려가기라도 하는 걸까? 참수당하기라도 하는 걸까? 유리가 식은 땀까지 흘리며 우물쭈물하자 라일이 갑자기 웃음을 터뜨렸다.

"농담입니다, 농담. 사실 그 얘기를 하면서 카이 님과 많이 웃었어요. 재미있다고 하시더군요."

농담이라고 말하는 라일에게 유리는 얼떨떨한 표정으로 어색하게 입꼬리를 올렸다. 함부로 대하면 안 된다는 것을 알면서도, 칼을 들이밀면 안 된다는 것을 알았으면서도 어째서 존댓말은 생각하지 못한 걸까? 유리는 자신이 너무나도 바보 같았다. 그리고 두려웠다. 카이가 다음번에 자신의 목을 치는 것은 아닐까, 그런 생각이 들었다.

"어쨌든 검을 돌려주셔서 감사합니다. 그럼 다음에 뵙겠습니다."

"잠깐만요."

라일이 돌아서는 유리를 멈춰 세웠다.

"이것도 가지고 가세요."

그는 팔에 끼고 있던 얇은 책 한 권과 보랏빛 가루가 든 작은 병을 유리에게 건넸다. '마력흡수법'이라는 책과 마력 가루였다. 마법에 관련된 물건들이라니, 유리는 라일이 왜 자신에게 이런 것들을 주는지 이해할 수 없었다.

"이건…… 마법 서적 아닌가요? 이걸 왜 저한테 주시는 거죠?"

유리가 의아한 표정으로 물었다. 미소 짓던 라일의 얼굴이 어두워졌다. 그는 망설이다 입을 열었다.

"일부러 들으려고 했던 건 아닙니다만, 카이 님께 하시는 말씀을 들었습니다. 유리 님이 어떻게 지금까지 살아오셨는지에 관한 이야기를요. 그 얘기를 들으니 카이 님의 어린 시절이 생각나더군요. 다들 오해하지만, 카이 님은 원래 저렇게 차가우신 분이 아닙니다. 원래는 누구에게나 친절을 베풀 정도로 정 많고 따뜻한 분이셨어요. 하지만 살아오면서 그 타고난 재능 때문에 고생을 많이 하셨죠. 재능을 이용하려는 이기적인 사람들 때문에 이리 치이고 저리 치이고…… 가끔은 이상한 소문에 시달리기도 하셨어요. 물론 원체 현명하시니 당하고만 계시지 않았지만요."

라일은 저택 담장에 기대어 한숨을 길게 내쉬었다.

"하지만 그런 일들을 지긋지긋할 정도로 겪으시다 보니 성격이 많이 변하셨어요. 남들에게 쉽게 마음을 여시지도 않고, 사람들과 더 이상 자주 어울리지도 않으세요. 이제는 사람들을 능력만으로 평가하려고 하시죠. 카이 님께서 변하시고 나서 사람들이 그러더군요. 카이 님은 냉혈한이라고, 심장이 피가 아니라 얼음으로 되어있을 거라고. 웃기는 일이죠. 친절을 베풀 때는 그 누구보다도 먼저 앞장서서 카이 님을 이용하려고 했던 사람들이 그런 말을 하니."

라일은 고개를 떨구었다. 두 눈에서 금방이라도 눈물이 흘러내릴 듯 눈시울이 붉어졌다. 하지만 대마법사의 저택을 관리하는 집사인 만큼, 그는 유리처럼 자신의 감정을 추스르지 못하는 나약한 사람이 아니었다.

"카이 님께 말씀드린 적은 없지만, 더 이상 스스로 상처받지 않으려고 저렇게 변하신 것 같아요. 아무렇지 않은 척 농담도 가끔 하시지만 사실 훨씬 더 심하게 마음고생을 하고 계실지도 몰라요. 어쩌면 제게도 말씀해주지 않으신 것들이 많을지 모르죠. 제게 고민을 마지막으로 털어놓으신 것이 벌써 십 년이 넘었으니까요."

"……그렇군요."

갑작스레 듣게 된 과거 이야기에 유리는 할 말이 없어 맞장구만 쳤다. 라일은 고개를 들고 말을 이어갔다.

"사실 전에도 몇 번 다른 분들께서 오신 적이 있었습니다. 다들 게시판에 붙여 놓은 공고문을 보고 오셨죠. 하지만 그분들 모두 일주일도 못 가서 그만두셨어요. 일을 못한다고 카이 님께서 면박을 주셨거든요. 아까도 말했듯이, 이제는 사람을 능력으로만 평가하시니까요. 하지만 유리 님이 유일하게 그 일주일을 넘기셨어요. 게다가 카이 님께서 대놓고 면박을 하신 적도 없고요. 카이 님이 말씀은 안 하셔도 유리 님을 인정하셨다는 뜻이죠."

자신의 실력을 인정했다는 말에 유리는 놀라서 고개를 들었다. 하지만 그녀가 기쁨을 느끼기도 전, 라일은 다시 말을 이었다.

"허나 유리 님, 마법은 다릅니다. 유리 님의 검술이 얼마나 뛰어나든 마법은 별개의 문제예요. 평생 마법을 다뤄본 적 없는 사람에게 마력은 굉장히 위험합니다. 잘못하면 죽을 수 있을 정도로 끔찍하죠. 불순물을 거르고 걸러서 깨끗하게 정세된 마력 가루라고 해도 위험할 수 있습니다. 하지만 어떻게든 마법을 배워 신분 상승을 해 보려는 자들이 많은 데다, 암시장에서도 그런 사람들을 노리고 이상한 것들을 마력 가루라고 속여 비싸게 팔기도 하죠. 카이 님께도 사람들이 종종 찾아와서 다짜고짜 마법을 가르쳐달라고 하기도 했고요. 천한 신분으로 사느니 목숨 걸고 뭐라도 해보겠다면서요. 몇 달을 그렇게 시달린 적도 있으세요. 카이 님께서 괜히 그러시는 건 아니니 오해 없으셨으면 합니다."

무언가 깨달음을 얻은 듯한 기분이었다. 라일의 말처럼 평민과 천민들 중에는 어떻게든 마법사가 되고 싶어 마력석을 찾겠다고 온 산과 숲을 들쑤시고 다니는 이들이 있었다. 물론 대부분 목적을 달성하지 못하고 요괴나 짐승의 한 끼 식사거리가 되어버리는 일이 잦았다. 설령 아주 운 좋게 마력석을 찾아냈더라도 그 힘을 감당하지 못해 미쳐버리거나 죽는 일이 부지기수였다.

이런 일들이 계속 이어지자 사람들은 마법이란 힘을 신비롭게 여기면서 동시에 두려워했다. 그러나 신분 상승에 목숨을 건 몇몇 이들의 생각은 달랐다. 마법이 위험하다면 대신 주술을 배우자는 것이었다.

유리는 가끔씩 반월당에 찾아와 대뜸 주술사가 되고 싶다며 고집을 부리던 사람들을 기억했다. 진율은 그런 이들의 본심을 한눈에 꿰뚫어보고 좋게 타일러 돌려보내곤 했다. 신분 상승에 눈이 돌아간 자들에게 신앙심이 있을 리 만무했으니까. 신을 모시고 영혼을 저승으로 인도하는 일 따위 이런 부류의 사람들에겐 관심 밖이었다.

부드럽게 거절의 말을 전하는 진율에게 몇몇 이들은 언성을 높이고 행패를 부리기도 했다. *왜 이 애들은 받아주고 나는 안 된다고 하는 거야? 나도 길을 떠돌며 배를 곪는 불쌍한 사람이라고! 아니, 신을 모시는 주술사가 사람을 가려서 받는 게 말이나 돼? 나도 불쌍하기로는 둘째 가라면 서러운 사람이야. 저 산에 요괴들이 얼마나 득실거리는지 알아? 날 여기서 내치는 건 나더러 밖에서 죽으라는 뜻이야! 당신, 이 주변에서 마음씨가 좋다느니 어쩌느니 하면서 소문이 났던데, 지금 당장 날 안 받아주면 동네방네 다 소문 낼 거야! 사당에 개미 한 마리도 얼씬 못 하게 해 줄게. 그렇게 되고 싶어?* 그들은 진율을 협박하면서 입에 담기도 낯부끄러운 상스러운 욕을 했다.

진율은 나쁜 뜻이 아니라며 설득을 하려 진땀을 뺐다. 그러나 좋게 말한다고 들을 사람들이 아니었다. 그럴 때에는 진율 대신 선우가 나섰다. 그들은 보통 사람을 압도하는 큰 키와 장대한 기골에 강인한 인상을 지닌 청년이 다가오자 슬금슬금 뒷걸음질을 치며 돌아갔다. 그리고 두 번 다시는 사당 근처에도 오지 않았다.

어쩌면 살아남고 싶어 처절하게 애원한 자신의 모습이 카이에게는 그들과 별반 다르지 않게 보였을 수도 있었다. 어떻게 하면 신분 상승이 아닌, 그저 살아남고 싶다는 진심이 그에게 전달될 수 있을까. 유리는 속으로 중얼거리며 라일이 건넨 마법 책과 마법 가루가 든 병을 만지작거렸다. 그 모습을 본 라일이 미소를 지었다.

“유리 님께서는 마력을 접해본 적이 없으실 테니, 그 점을 생각해서 정제된 마력 가루를 조금 넣어드렸습니다. 아주 적은 양부터 조금씩 마력에 몸이 익숙해지도록 훈련하신다면 괜찮으실 겁니다.”

“정말 이런 것들을 받아도 되는 건가요? 테네브리스가 알게 되면 어떻게 하시려고요? 분명히 그 성격에 집사님을 가만히 놔두지 않을 텐데요.”

“괜찮습니다. 카이 님께서 유리 님을 돕지 말라는 말은 하신 적이 없으니까요. 걱정하지 마세요. 아, 그리고 제가 깜빡한 게 하나 더 있네요.”

라일은 무언가 생각난 듯 황급히 저택 안으로 들어갔다. 잠시 후 대문 밖으로 다시 나온 그는 어디서 본 듯한 술병 하나와 돈주머니를 유리에게 건넸다. 돈주머니는 저번에 시체를 조사해주는 대가로 받기로 했던 것이었고, 술병은 카이가 마셔보라고 권했던 혈월주였다. 유리는 돈은 고사하고 생각지도 못한 혈월주에 어안이 벙벙했다.

“카이 님께서 유리 님이 혈월주를 무척 좋아하신다고 하셨습니다.”

“네? 테네브리스가요?”

“예. 카이 님보다는 유리 님께 더 필요할 것 같다고 하시더군요. 카이 님은 술을 그렇게 좋아하지는 않으시거든요.”

유리는 예상치 못한 선물을 어떻게 받아들여야 할지 몰랐다. 그때 자신에게 고급주를 권한 것은 분명히 어떤 꿍꿍이가 있어서라고 생각했건만. 카이에겐 의외로 사소한 것을 기억하고 챙겨주는 섬세한 면이 있는지도 모른다고, 유리는 어쩐지 그런 생각이 들었다.

“정말 감사합니다.”

"아닙니다. 부디 제 도움을 부담스럽게 생각하지는 않으셨으면 합니다."

"저…… 제가 마력을 조금이라도 다룰 수 있게 되면 테네브리스가 마법을 가르쳐줄까요?"

유리가 머뭇거리며 물었다. 그녀의 기대와 달리 라일은 선뜻 대답하지 못했다.

"솔직히 저도 잘 모르겠습니다. 카이 님께서 워낙 까다로우셔서요. 하지만 부디 그 책이 유리 님께 큰 도움이 되었으면 좋겠군요."

라일은 작별인사를 건넨 뒤 저택 안으로 들어갔다.

마법이라……. 유리는 막상 원하던 마법에 대한 지식을 손에 넣게 되자 당황스러웠다. 무엇부터 해야 할지 감이 오지 않았다. 검술과 주술은 진율이 가르쳐주었지만 이번에는 자신을 가르쳐줄 스승도, 같이 수련을 할 친구나 동료도 없었다. 혼자서 모든 것을 해내야 했다.

혼자서 잘해낼 수 있을까. 미지의 세계에 스스로 발을 들이려니 눈앞이 깜깜했다. 그러나 미치광이 살인마에게 집어삼켜지는 것만큼 두려운 일이 또 있을까? 게다가 마법을 가르쳐 달라 한 것은 그 누구도 아닌 유리 자신이었다. 대마법사에게 배우든, 스스로 터득하든 어차피 거쳐가야만 하는 길이리라. 유리는 테네브리스 저택 담에 기대어 앉아 라일이 준 책을 넘겨보았다. 그 책은 마력 흡수에 필요한 재료들과 흡수 방법에 대한 내용을 담고 있었는데, 첫 장에 이렇게 적혀 있었다.

제국의 역사에서 마법은 절대로 빼놓을 수 없다. 밤의 인간들은 마법과 함께 살아왔고, 마법과 역사를 함께 했다. 그러나 대대로 내려오는 마법사 가문 중에서 드물게 마력을 타고 나지 않는 사람들이 있다. 그들은 마력이 없는 평범한 사람들과 똑같다. 마법사 가문의 후손이 어째서 마력 없이 태어나게 되는지에 대한 원인은 오랫동안 계속된 연구에도 불구하고 아직 알려진 바가 없다.

허나, 다행히도 고대에 처음으로 마법을 몸에 받아들이려 했던 선조들의 연구를 바탕으로 쓰여진 이 책에 마력을 흡수할 수 있는 방법이 있다. 그 방법은 간단하다. 바로 정제된 마력 가루와 상처와 고통을 덜어줄 재료를 적당히 섞어 천천히 흡수하는 것이다. 단, 마력 흡수가 제대로 진행되지 않을 경우 후유증에 시달릴 수 있다.

선천적으로 마력을 타고나지 않은 자들에게는 대체로 그 정도가 심한 마력 거부 반응이 있다. 증상은 대체로 속이 뒤틀리고 바늘로 온몸을 찌르는 듯 고통스러우며 손과 발은 제대로 움직이지 않고, 한겨울에 감기라도 걸린 것처럼 춥다. 허나 모두가 같은 반응을 보이지는 않는다. 어떤 자는 심하게는 손톱과 눈알을 다 뽑아버리고 싶을 만큼 괴롭다 말하고, 어떤 자는 많이 아프지만 견딜 만하다고 말한다. 또 어떤 자는 중병에 걸린 것 마냥 앓다가 갑자기 죽어버린다.

안타깝게도 후유증 없이 대량의 마력을 흡수하는 방법은 아직까지도 발견되지 않았다. 대량의 마력을 한꺼번에 흡수하게 되면 마력 반응 때문에 몸속에 상처가 나거나 폭발이 일어날 수도 있기 때문이다. 모든 일이 그렇듯 오로지 인내를 갖고 조금씩, 꾸준히 흡수하여야 한다. 물론 그렇다고 해도 완벽히 마력 흡수가 된다는 보장은 없다. 하지만 마법사가 되고자 하는 이들에게는 유일한 방법이다.

마력 흡수라. 유리는 자리에서 일어나 저택 담장 위를 올려다보았다. 반쯤 어둠에 가려진 하얀 달 아래 우뚝 선 검은 안개 산맥이 보였다. 수도를 감싸고 남쪽의 혈월강과 황혼 분지까지 이어진 아주 길고 거대한 산맥. 흉포한 요괴들이 지나다니지만 동시에 온갖 꽃과 풀, 작은 짐승들도 가득한 곳이다. 그래, 일찍부터 나왔으니 시간도 이르고…… 딱히 다른 일도 없으니 가보자. 결정을 내린 유리는 라일이 준 마법 책과 가루를 들고서 말에 올라탔다. 그리고 마력 흡수에 필요한 재료를 구하기 위해 산으로 향했다.

5장.

와신상담(臥薪嘗膽)

Metamorphosis

반쯤 어둠에 가려진 하얀 달이 회색 구름들 사이로 부끄러운 듯 숨어들었다. 잔잔한 밤바람이 불어왔고, 귓가엔 이따금씩 까마귀와 올빼미 우는 소리가 들려왔다. 유리는 검은 안개 산을 오르며 마력 흡수에 필요한 재료들을 찾았다. 나무 사이로 비추는 달빛 아래서 수풀을 뒤지던 유리는 새하얀 꽃과 검붉은색 꽃을 발견했다. 하얀 꽃은 만월초였고, 검붉은색 꽃은 저번에 유리가 화호를 상대하고 입은 상처를 치료할 때 썼던 혈월초였다. 특유의 싱그럽고도 짙은 향기가 코를 찔렀다. 그녀는 꽃잎을 필요한 만큼 챙긴 뒤 자리에서 일어났다. 물론 매일같이 자신을 태우고 다니느라 녹초가 되었을 말이 좋아할 만한 열매를 챙기는 것도 잊지 않았다.

이제 마지막 재료인 검은늑대꽃 뿌리를 찾으러 갈 시간이었다. 검은늑대꽃은 만월초나 혈월초보다 찾기가 조금 까다로웠다. 그 꽃은 햇빛이 잘 들지 않는 그늘진 곳에서만 자랐고, 가을에만 피어났다. 때문에 몇 달만 조금 이르거나 늦었다면 재료를 구하지 못할 수도 있었다. 그러나 다행히도 지금은 9월 중순이었다. 한창 검은늑대꽃이 피어나는 시기였다.

습한 바위 밑과 나무가 우거진 곳들을 한참 뒤져보던 유리는, 마침내 커다란 바위 밑에 새까만 바탕에 끝은 자줏빛을 띄는 검은늑대꽃을 발견했다. 꽃을 캐려 다가가던 유리는 꽃잎 위에 앉아있는 파란 나비를 보았다. 나비는 아주 약간의 인기척에도 소스라치게 놀란 듯 금세 날아가버렸다. 음, 말의 이름을 '나비'라고 지어줄까? 나쁘지 않은 것 같은데. 내가 좋아하는 것이기도 하고 말이야. 날아가는 나비를 보고 순간 유리는 그런 생각이 들었다.

유리는 자리에 앉아 꽃이 다치지 않도록 천천히 손으로 흙을 파내기 시작했다. 손끝 위로 차갑고 축축한 흙의 느낌이 전해졌다. 그러나 비 오는 날의 옷이 젖는 불쾌함은 아니었다. 오히려 주변 나무와 꽃잎들의 향 때문인지 상쾌하게 느껴졌다. 꽃을 중심으로 원을 그리며 유리는 조금씩 흙을 파내려갔다.

드디어 땅속 깊이 묻혀 있던 뿌리가 드러났다. 한쪽은 인삼과 비슷한 누런 색이었지만, 다른 한쪽은 갈색이었다. 재료는 구했는데…… 이것들을 어디서 손질한담. 유리를 뿌리에 묻은 흙을 털어내며 생각에 잠겼다. 재료부터 얼른 구해야겠다는 급한 마음에 미처 그 다음은 생각하지 못한 것을 깨달았다. 아무런 도구도 없이 산속에서 재료를 손질할 수는 없었다. 그래, 거기엔 아직 모든 게 남아있을 테니까. 그리로 가야겠어. 유리는 검은늑대꽃을 챙기고 서둘러 산을 내려왔다.

검은 안개 산을 내려와 말 '나비'를 타고 유리는 머릿속에 떠오른 장소로 향했다. 서쪽 반월길과 반월문 광장 거리를 한참 지나 다섯 시간 정도 쉬지 않고 달린 그녀는 동쪽 반월길 끝의 인적이 드문 수풀 길로 들어섰다. 주위에는 사람의 흔적은커녕 흔한 초가집도 전혀 보이지 않았다. 하지만 위험한 곳은 아니었다. 유리는 이 익숙한 길을 잘 알고 있었다.

길을 따라 계속 이동하자 저 앞에 파괴되어 무너진 돌담이 보였다. 파괴된 돌담 사이에 나무로 된 대문이 기분 나쁜 소리를 내며 바람에 흔들렸다. 입구 양쪽에 있는 험상궂게 생긴 장승들은 여전히 까맣게 불에 그을린 모습으로 이곳을 지키고 있었다.

말에서 내려 안으로 들어서자 을씨년스러운 폐허 같은 사당의 모습이 드러났다. 유리는 4년 만에 돌아와 보는 처참한 반월당의 모습을 쭉 둘러보았다. 들어와 제일 먼저 보이는 사랑채 팔작지붕은 형체만 겨우 남아있었고, 하늘을 향해 당당하게 솟아 있던 지붕 끝은 불에 타 재가 되어 위용을 잃은 지 오래였다. 지붕 가운데에 별을 보며 누워있던 커다란 초승달도, 제국을 상징하는 붉은 달맞이꽃을 입힌 아름다운 단청도 모두 원래의 모습을 거의 알아볼 수 없을 만큼 변했다.

오른쪽에 위치한 진율의 안방 별채와 동생들의 별채, 그리고 어둠의 신께 기도를 드리곤 했던 사랑채 옆의 본당도 처참한 꼴이 되어 있었다. 오랫동안 사람의 손길이 닿지 않은 것을 알리듯 여기저기 무성한 거미줄과, 비극적인 기억을 떠오르게 하는 잔해 파편들. 핏자국과 마력 불꽃에 그을린 자국은 이미 수십 번은 내린 빗방울에 씻겨 내려간 지 한참 되었으나, 여전히 눈앞엔 그날의 흔적이 선명하게 보이는 것 같았다.

유리는 선우가 죽은 동생들을 위해 세워 둔 입구 왼쪽의 비석 앞에 앉았다. 다섯 개의 비석에는 각각 4년 전 죽은 동생들의 이름이 새겨져 있었다. 녀석들은 주술사가 아니었기에 주술사 공동묘지에 무덤을 만들어줄 수가 없어 이곳에 묻어주었다. 차라리 어쩌면 잘 된 일일 수도 있었다. 유리가 이곳을 그리워하듯, 동생들도 사당에 영원히 묻혀 있기를 원할지도 몰랐다.

사랑채 앞마당에서 동생들과 검술 내기를 하거나 함께 뛰어 놀곤 했던 기억들이 떠올랐다. 불현듯 귓가에 동생들의 웃음소리가 들려오는 것만 같았다. 별채 안에서 장난기 가득한 얼굴을 하고 자신을 부르며 뛰어나올 듯했다. 허나 이제 그 기억들은 모두 슬픈 추억일 뿐이었다. 되돌아갈 길은 없었다. 또 울고 싶어졌지만 유리는 애써 눈물을 닦아냈다. 자신은 추억 속에 잠겨 울기나 하려고 여기에 온 것이 아니었다.

유리는 자리에서 일어나 사랑채 왼쪽에 있는 부엌으로 향했다. 거의 파괴된 본당과 사랑채, 별채 등에 비해 부엌은 멀쩡했다. 4년 전 그날, 부엌은 유일하게 미르의 불길에서 살아남은 곳이었다. 유리는 깜깜한 부엌 안을 둘러보았다. 솥뚜껑과 선반 위에는 얼마나 되었는지도 모를 먼지가 잔뜩 쌓여 있었고, 아궁이를 데워줄 불은 오래 전에 꺼진 채 차갑게 식어 있었다.

문득 선우와 함께 부엌에서 밥을 짓고 요리를 하며 약을 달이던 기억이 떠올랐다. *내가 만든 것 한번 먹어봐, 선우야. 어때? 괜찮지? 음, 나쁘지 않은데. 하지만 내 솜씨를 따라오려면 아직 멀었어.* 둘은 식사를 준비하며 종종 서로가 만든 것을 먹어보라고 권하며 아궁이 앞에서 떠들곤 했다.

지금도 눈앞에 자신에게 활짝 웃어 보이는 선우가 아른거렸다. 그러나 이제는 인정해야만 했다. 반월당에서의 추억은 모두 지나간 일이라는 것을. 그 추억을 함께 곱씹어 볼 사람은 더 이상 곁에 없다는 것을.

씁쓸한 기분을 뒤로하고 유리는 솥뚜껑을 열어 보았다. 다행히 아직 쓸 만할 것 같았다. 유리는 절구통을 꺼내 먼지를 털어내고 씻은 뒤, 산에서 따온 꽃잎들을 넣고 곱게 빻았다. 그 다음 사당 뒤편 연못가로 가서 물을 가득 길어 왔다. 그리고 솥을 깨끗이 닦은 후 길어온 물을 붓고, 씻어 둔 검은늑대꽃 뿌리를 넣었다. 마지막으로 주변에서 작은 나뭇가지들을 모아와 아궁이에 불을 지폈다.

작은 불꽃이 타닥타닥 타들어가는 소리를 내며 천천히 커지기 시작했다. 유리는 아궁이 앞에 앉아 연기를 부채로 부쳤다. 뿌리의 독이 충분히 없어질 때까지 물을 끓여야 했다.

두 시간 정도가 지나고 유리는 솥뚜껑을 열었다. 갈색 뿌리가 다른 쪽처럼 온전히 노란색이 되어 있었다. 독이 충분히 없어졌다는 뜻이었다. 유리는 그릇에 곱게 빻은 꽃잎가루들과 뿌리, 마력 가루를 섞은 뒤 물을 넣고 저었다. 마력 가루 때문에 보랏빛을 띠던 물이 점점 짙은 자줏빛으로 변해갔다. 이 정도면 된 걸까? 유리는 그릇 안에서 작은 소용돌이를 일으키는 자줏빛 물을 보며 생각에 잠겼다. 그녀는 다시 라일이 준 책을 꺼내 읽어 보았다.

만월초와 혈월초는 주로 상처를 치유하는 데에 쓰이는 약초들이다. 이것들은 마력을 흡수할 때도 비슷한 역할을 한다. 만월초와 혈월초는 갑작스럽게 몸에 들어온 마력으로 인한 고통을 덜어줄 수 있다. 반면 강한 독성으로 인해 사약으로 쓰이는 검은늑대꽃 뿌리는 독성만 잘 제거한다면 마력이 몸에 잘 흡수되도록 돕는 역할을 한다. ……재료가 모두 준비되면 재료들을 한데 섞은 뒤 물을 붓고 저어 마신다.

책이 말하고 있는 것이 사실이라면 이 물을 모두 삼켜도 괜찮을 것이다. 하지만 마력 가루가 담긴 물을 마시려니 꺼름칙한 기분이 들었다. 정말 괜찮을까? 유리는 페이지를 넘겨 다른 내용은 없는지 살펴보았다. 그러나 책에는 마력 가루를 재료들과 섞어 흡수한다는 말만 있었다. 특별히 다른 방법은 없었다.

어쩔 수 없지. 어차피 미르에게 죽을 거라면…… 차라리 이걸 마시고 죽는 게 더 나으니까. 유리는 두 눈을 꼭 감고 자줏빛 물을 삼켰다. 뿌리 때문인지 지독하게 쓴 맛과 향이 입안을 맴돌았다. 쓴 음식을 꽤 잘 먹는 유리조차도 견디기 힘들 정도였다. 그녀는 당장이라도 뱉어버리고 싶은 욕구를 억누른 채 자줏빛 물을 꿀꺽꿀꺽 삼켰다.

유리는 헛구역질을 나오려는 것을 참고 벽에 기대어 주저앉았다. 그리고 가만히 숨죽여 자신의 상태를 살폈다. '마력'이 깃든 물을 마셨으니 분명 어떤 반응이 나타나야 했다. 그러나 아무런 느낌도 들지 않았다. 방법이 잘못되었나 싶어 다시 책을 들여다보았지만, 역시 특별한 내용은 없었다.

움직여야 반응이 나타나는 걸까? 유리는 마력을 실험해 보기 위해 자리에서 일어났다. 그녀는 카이가 그랬던 것처럼 앞으로 손을 뻗어 마력 안개를 피워내는 시늉을 했다. 하지만 아무런 일도 일어나지 않았다. 그저 허공에서 손만 움직이고 있을 뿐이었다. 유리는 다시 앞으로 손짓을 해보았다. 여전히 마력은 묵묵부답이었다.

유리는 침착하게 눈을 감았다. 그리고 주술 수련을 했을 때처럼 천천히 정신을 집중하며 앞으로 손을 뻗었다. 서서히 무언가 몸속에서 일렁이는 느낌이 들기 시작했다. 그 느낌은 마치 구름 위에 떠 있는 것처럼 몽환적이고 어지러웠다. 어딘가로 빨려 들어갈 것만 같았다.

곧 손에 차가운 이슬을 쥔 듯한 느낌이 났다. 눈을 떠 보니 아주 작고 희미한 보랏빛 안개가 손바닥 위로 피어나 있었다. 멍하니 유리는 손안의 보랏빛 안개를 쳐다보았다. 난생처음으로 자신이 만들어낸 마력 안개라니, 믿을 수 없었다.

유리는 마력이 굉장히 위험할 수 있다는 라일의 말을 떠올리며 피식 웃었다. 마력은 생각보다 다루기가 너무나도 쉬웠다. 뭐야, 별것도 아니잖아? 설마…… 내가 마법에 재능이 있는 걸까. 기대감이 마음 속에 차올랐다. 유리는 카이와 라일이 괜히 주술사인 자신을 두고 유난을 떤 것이라 생각했다.

자신만만하게 다시 연습을 해보려던 그 순간, 유리는 갑자기 속이 뒤틀리는 느낌이 들었다. 미칠 것 같은 어지러움과 메스꺼움이 몰려왔다. 유리는 헛구역질을 하며 이마를 짚고 비틀거렸다. 왜 이러지? 왜 이렇게 토할 것 같은 거지? 쓴 맛 때문인가? 아니다. 쓴 맛 때문은 아니었다. 선우와 함께 수도 없이 약을 달이고 먹어본 경험으로 알 수 있었다.

지금 이 고통은 단순히 아픈 것과는 전혀 달랐다. 속이 뒤틀리고 뼈가 으스러질 것만 같았다. 손톱 밑으로 조금씩 흘러나온 핏방울이 하얀 손끝을 붉게 적셨다. 유리는 책에 쓰인 '온몸을 도려내고 손톱을 뽑아버리고 싶을 만큼 고통스럽다'는 의미를 깨달았다. 고통을 덜어내는 데에 효과적인 약초들임에도 불구하고 이렇게 고통스럽다니, 그녀는 차라리 이 자줏빛 물을 마시고 죽는다는 것이 낫다고 생각한 것을 후회했다. 차라리 두드려 맞는 게 더 나을 정도로, 차라리 요괴에게 잡아먹히는 것이 나을 정도로 끔찍했다. 속이 뒤틀리고 뒤집어질 것만 같은 이 느낌은 그야말로 육체가 느낄 수 있는 모든 고통 중 최악이었다.

온몸에서 빠져나가려고 발버둥치듯 타오르는 뜨거운 열기가 혈관을 타고 느껴졌다. 추운 계절 그녀를 앓아눕게 만들었던 감기 중에서도 가장 독한 감기 같았다. 설마, 마력석을 찾아다녔던 사람들도 이러다가 죽은 걸까? 안 돼, 안 돼. 이렇게 고통스럽게는 죽고 싶지 않아. 아무니라도 좋으니까 이 고통에서 나를 꺼내줘, 제발. 유리는 한참을 발작하듯 비틀거리며 몸부림쳤다.

얼마나 오랫동안 울부짖었을까, 그녀를 미치기 직전까지 만들었던 마력의 고통은 시간이 지나자 서서히 사라지기 시작했다. 속이 뒤틀리고 뼈가 부러질 것 같던 고통은 잠잠해졌지만 아직 어지러움과 열은 남아있었다. 몸부림치느라 기진맥진해진 유리는 비틀거리며 일어났다. 미르 때문에 내내 바짝 긴장해 있던 데다, 잠도 거의 못 잤던 탓에 당장이라도 바닥에 쓰러져 누워 잠들고 싶었다.

유리는 일단 근처 여관에서 휴식을 취할 생각으로 부엌에서 걸어 나왔다. 그러다 문득 진율의 별채 앞에 있는 무언가를 보았다. 뭔가 심상치 않은 기운이 느껴졌다. 부서진 장독대 뒤로 수상한 보랏빛 눈이 번뜩였다. 단단하고 하얀 비늘을 가진 뒤틀린 괴물 하나가 꿈틀거리며 모습을 드러냈다. 끝이 갈라진 기다란 혓바닥과 하얗고 매끄러운 비늘. 흰 구렁이 요괴인 백사귀(白蛇鬼)였다.

백사귀는 곧장 유리를 향해 다가왔다. 요괴를 보자 유리는 정신이 번쩍 들었다. 그녀는 바로 천체검을 빼 들고 자신의 머리를 집어삼키려 다가오는 녀석의 주둥아리를 찔렀다. 백사귀의 찢어진 입천장에서 피가 흘러나왔다. 허나 그런 상처 따위는 전혀 위협이 되지 않았다. 녀석은 자신을 공격한 밤의 사냥꾼을 오히려 조롱하듯 거대하고 날카로운 송곳니를 드러내 보였다.

유리는 당황하지 않았다. 백사귀가 독사가 아니라는 것을 알고 있었기 때문이었다. 녀석들의 날카로운 송곳니는 먹잇감의 숨통을 끊는 역할을 하는 것에 불과했다. 그녀는 주저하지 않고 녀석의 몸뚱어리를 밟고 뛰어올랐다. 그리고 검과 염주에 달린 초승달 장식처럼 반월을 그리며 백사귀의 머리를 향해 검을 휘둘렀다.

칼끝이 비늘을 뚫고 초승달 모양의 상처를 남기며 하얀 비늘 위로 붉은 피가 흘러내렸다. 그러나 싸움의 승자는 유리가 아니었다. 그녀는 뭔가 잘못되었다는 것을 깨달았다. 백사귀는 자신의 거대하고 긴 몸통으로 주위를 감쌌다. 도망갈 곳은 없었다. 똬리를 틀기 시작한 녀석은 순식간에 유리의 몸을 조여왔다. 숨이 막혔다. 더 늦기 전에 녀석의 머리를 쳐내야 했다. 그것만이 살아남을 수 있는 방법이었다. 그러나 녀석의 머리는 너무 멀리 있었다.

백사귀는 긴 꼬리로 유리를 감싸안은 채 혀를 날름거리며 천천히 다가왔다. 또다시 뼈가 으스러질 것 같은 고통이 느껴졌다. 숨을 쉬지 못할 정도로 온몸을 강렬하게 조여오는 고통에 말 한마디조차 내뱉을 수가 없었다. 시야가 안개처럼 뿌옇게 변하기 시작했다. 아직 남아있는 마력 흡수의 후유증과 함께 머릿속에 서서히 몽롱한 느낌이 퍼졌다.

'유리…….'

부드러운 속삭임이 귓가를 간지럽혔다. 정신을 잃어가던 유리는 소름 끼치는 익숙한 목소리에 두 눈을 번쩍 떴다.

'유리, 어딜 보고 있는 거야? *나를 봐.*'

매혹적인 목소리가 자꾸만 귓가에 속삭였다. 유리는 미르를 찾아 연신 고개를 두리번거리다, 백사귀가 자신을 주시하고 있다는 것을 깨달았다. 무시무시한 뱀의 눈동자가 굶주린 눈빛으로 자신을 빤히 보고 있었다. 마치 그녀에게서 시선을 절대로 떼지 않던 미르 같았다.

'그래, 여기 있잖아. 다른 곳은 보지 마. 절대로.'

매끄럽고 부드러운 목소리가 메아리치며 백사귀의 형상이 물결처럼 요동쳤다. 정신을 잃고 있기 때문인지, 아니면 마력 때문인지 알 수 없었다.

'괜찮아, 너무 걱정하지 마. 날 믿어. 네 모든 고통을 내가 거두어 줄게.'

'그런다고 정말 내게서 벗어날 수 있다고 생각하는 거야? 착각하지 마. 넌 *나약한* 존재야.'

녀석이 더 팽팽하게 숨통을 조여왔다. 그럴수록 귓가에 울리는 환청도 더 심해졌다. 녀석은 먹잇감을 집어삼키려 주둥아리를 크게 벌리고 다가왔다. 유리는 입술을 꽉 깨물었다. 여기서 포기할 수는 없었다. 유리는 환청을 애써 무시하면서 녀석이 자신을 집어삼키길 기다렸다. 그리고 거리가 충분히 가까워지자, 망설임 없이 칼끝으로 입천장을 깊게 찔렀다.

녀석이 주춤거리며 고개를 흔들었다. 기회는 이때였다. 유리는 자신을 붙잡았던 힘이 느슨해진 틈을 타 위로 다시 한 번 뛰어올랐다. 그리고 요괴의 머리를 향해 무자비한 난도질을 했다. 녀석의 몸에 붙어있던 하얀 비늘은 날카로운 파편 조각이 되어 사방으로 튀었다. 네 번의 칼질 만에 주인을 잃어버린 몸통은 미꾸라지처럼 꿈틀거렸고, 곧 잘린 몸뚱어리에서 피와 함께 마력 안개가 흘러나오기 시작했다.

유리는 바닥에 주저앉아 숨을 고르며 주머니를 뒤졌다. 흘러나오는 마력을 호리병에 담아 카이에게 가져다줄 생각이었다. 옆에서 녀석의 몸통이 꿈틀댔지만 유리는 아랑곳하지 않았다. 그녀는 이런 광경보다 더 역겹고 끔찍한 것들을 여러 번 마주한 경험이 있었다. 썩은 악취를 풍기며 구더기가 들끓는 시체들이었다. 물론 그중 몇 번은 주술사의 일이 아닌 미르 때문이었다.

유리는 마력 안개가 호리병 안으로 스며드는 것을 지켜보며 얼굴에 묻은 피를 닦아냈다. 그러나 아직 마음 놓고 휴식을 취하기엔 일렀다. 곧 어둠 속에서 또 다른 사냥꾼이 모습을 드러냈다. 이번에 나타난 것은 요괴가 아닌 백호였다.

녀석은 날카로운 발톱을 세우고 유리에게 달려왔다. 호리병을 챙겨 슬슬 떠날 준비를 하려던 유리는 갑작스레 나타난 또 다른 불청객에 깜짝 놀랐다. 그녀는 특유의 재빠른 움직임으로 발톱을 피하는 데 성공했으나, 폐허의 잔해에 발이 걸려 넘어지고 말았다. 넘어지며 호리병을 놓친 탓에 가득 채워져 있던 마력이 흘러나오기 시작했다. 잽싸게 마개를 닫았지만 호리병 안의 마력은 이제 반밖에 남아있지 않았다.

하지만 마력보다 중요한 문제는 따로 있었다. 유리는 익숙하지 않은 마력 기운 때문에 어지러웠다. 게다가 백사귀가 세게 몸통을 조인 탓에 어딘가 문제가 생긴 것 같았다. 그러나 굶주린 짐승이 유리의 사정을 봐줄 리 없었다. 사냥꾼이 먹잇감을 사냥하며 먹잇감이 느낄 고통에 신경 쓰지는 않았다. 유리가 무자비하게 칼날을 휘둘러 요괴들을 사냥하듯, 녀석들도 똑같았다.

유리는 비틀거리며 검을 쥐고 일어났다. 아름다운 별자리가 새겨진 천체검은 그녀의 옷과 얼굴에 튄 피처럼 피투성이가 되어있었다. 녀석이 다시 거칠게 돌진해 왔다. 유리는 늘 그랬듯 옆으로 굴러 공격을 피하면서 녀석의 다리를 베었고, 백호는 오히려 유리의 옷깃을 물고 늘어졌다. 유리는 사냥감이 되지 않으려 안간힘을 쓰며 녀석의 눈을 찔렀다.

계속해서 몽롱한 기운이 주위를 감쌌다. 그녀는 당장이라도 정신을 잃을 것 같은 느낌에 비틀거렸다. 푸른빛 눈의 야수는 그 기회를 놓치지 않았다. 녀석은 잽싸게 유리를 물어서 집어 던졌다. 순식간에 반대편으로 날아간 유리는 담에 머리를 찧으며 기절했다. 마지막으로 그녀가 본 것은 자신을 집어삼키려 달려오는 야수의 허기진 눈빛과, 그 뒤로 검을 들고 다가오는 한 남자였다.

망치로 머리를 얻어맞은 듯한 두통이 몰려왔다. 온몸에 찌릿한 번개가 흐르는 이상한 느낌이 혈관을 타고 흘렀다. 잠에서 깨어나자마자 느껴지는 고통에 유리는 새끼 강아지처럼 낑낑대며 눈을 떴다. 고개를 들어보니 낡은 이불이 몸을 덮고 있었다. 자신이 누워있는 곳은 어떤 낯선 방 안의 침대였다.

대강 보아 판단하건대 여관 방은 아닌 것 같았다. 여관 방보다는 누군가의 집 안방, 아니, 사당의 안방에 더 가까웠다. 벽에 걸린 오래된 그림 한 점이 그렇게 말해주고 있었다. 옛날 옛적부터 밤의 인간들이 제국을 지켜준다고 믿으며 고귀하게 여겨왔던 흑룡을 그린, 어딘지 익숙해 보이는 그림이었다.

유리는 애써 몸을 일으켜 일어나보려 했다. 그러나 몸을 지탱해야 할 두 팔에 전혀 힘이 없었다. 감기 몸살이라도 걸린 듯 온몸이 쑤시고, 배를 칼날로 도려내는 듯한 아픔이 느껴졌다. 결국 유리는 벽에 기대어 간신히 일어나 낡은 이불을 걷어냈다. 온통 붕대로 칭칭 감긴 자신의 몸이 드러났다. 붕대 곳곳에는 핏자국이 있었는데, 아마 누군가 약초를 발라 상처를 치료를 해준 듯했다. 유리는 백사귀와 싸웠던 기억을 떠올렸다. 하지만 그 다음 호랑이에게 물린 것을 빼고는 아무것도 기억나지가 않았다.

벽에 등을 기댄 채 유리는 천천히 방 안을 둘러보았다. 그런데 방에는 미처 그녀가 알아채지 못했던 다른 누군가가 있었다. 침대 옆 탁상에 기대어 쪽잠을 자고 있는 어떤 남자였다. 유리는 남자가 깨어나지 않도록 조심스럽게 가까이 다가가 그를 살펴보았다. 남자는 척 보아도 다부진

체격에 큰 키, 짙은 눈썹에 굵고 각진 턱선을 지녔고, 긴 머리는 붉은 천으로 질끈 묶고 있었다. 그녀와 비슷하게 얼굴에 난 수많은 흉터들은 그가 험난한 삶을 살아왔다는 것을 말해주었다.

한참을 살펴보던 유리는 남자가 누군지 알아보고 놀라 눈을 휘둥그레 떴다. 어쩐지 남자의 얼굴이 낯이 익다고만 생각했으나, 그가 입고 있는 남청색 주술복과 손목의 검은 염주, 그리고 자신이 오래전에 선물했던 붉은 천으로 의문의 답은 확실해졌다. 그는 자신과 같은 진율의 제자이자 오랜 친구인 선우였다. 탁상 위에 놓인 약초 바구니와 붕대를 보아하니, 잠도 자지 않고 자신을 간호한 모양이었다.

마음 속으로 옛 기억의 향수가 밀물처럼 몰려 들어왔다. 꿈을 꾸는 것만 같았다. 설마 지금까지 모든 것이 악몽에 불과했던 걸까? 그리웠던 과거를 마주한 유리는 오랜만에 설렘을 느꼈다. 그것은 작은 희망이었다. 잔인한 현실이 전부 착각이자 꿈에 지나지 않는다는 희망.

“선우 오빠!”

그때, 누군가 우악스럽게 문을 드르륵 열고 들어왔다.

“선우 오빠, 시간 다 됐으니까 이제 내가 할…… 어, 유리 언니! 깨어났구나!”

여자의 목소리에서 반가움과 기쁨이 묻어났다. 그녀 또한 유리처럼 흑적색의 주술복을 입고, 손목에는 염주를 끼고 있었다. 유리는 인상을 쓰고 여자를 빤히 쳐다보았다. 그녀 또한 어딘가 낯익은 얼굴이었다.

“……소유?”

“언니! 깨어나서 다행이다. 얼마나 보고 싶었는데!”

소유는 유리에게 달려가 그녀를 와락 안았다. 이제 어린 티를 벗고 제법 성숙해진 막냇동생은 오랜만에 만난 언니를 붙잡고 웃는 얼굴로 호들갑을 떨었다. 유리는 얼떨떨했다. 너무나도 갑작스러워서, 그리고 너무나도 기뻐서, 이 모든 것이 꿈인지 현실인지 분간이 되질 않았다.

“안 깨어나서 언니가 죽은 줄 알았어. 아픈 건 좀 어때? 좀 괜찮아? 상처가 심하던데.”

“괜찮아. 회복이 덜 된 것 같긴 하지만 문제없어.”

“그래? 언니, 배고프지? 일단 밥부터 먹자. 내가 부엌에 죽 끓여 놨으니까…….”

“뭐야, 시끄럽게. 내가 허락 없이 들어오지 말라고 했잖아.”

말소리에 잠이 깬 선우가 졸린 눈을 비비며 일어났다. 여전히 피곤한 듯 그는 하품을 하며 기지개를 켜다가 유리와 눈이 마주치자 약간 당황한 표정을 지었다.

“잠깐만 기다려, 내가 오빠들 불러올게. 혜성 오빠!”

소유가 서둘러 바깥으로 나가자 방 안에는 둘만 남았다. 유리는 어색함에 어떻게 인사를 건네야 할지 몰라 조용히 있었다. 대하기 편한 동생들과 달리 선우는 그렇지 못했다. 그의 눈빛은 확실히 예전과 달라져 있었다. 유리는 그 차가운 눈빛을 기억했다. 미르가 진율을 죽인 이후 달라진 싸늘한 태도는 전과 똑같았다. 유리는 그제서야 어느 쪽이 꿈이고 현실인지 알 수 있었다. 사실 애초부터 기대하지 않는 게 좋았다. 그녀가 원하는 것은 늘 꿈에 불과했고, 멀리하고자 하는 것은 늘 현실로 다가왔으니까.

“이제 겨우 정신이 들었나 보네. 몸은 괜찮아?”

먼저 말을 꺼낸 건 선우였다. 유리는 말없이 고개만 끄덕였다.

어색한 침묵이 두 사람 사이에 흘렀다. 하지만 문 밖에서 다시 들리기 시작한 말소리 덕분에 다행히도 길게 이어지지는 않았다.

또다시 문이 드르륵 열렸다. 이번에는 소유 말고도 두 명이 더 있었다. 한 명은 날카로운 짧은 머리카락에 귀여운 인상을 한 사내인 준이었고, 다른 한 명은 곱상한 얼굴을 한 단발머리 사내 혜성이었다. 유리는 한눈에 동생들을 알아보고 미소를 지었다.

"유리 누나!"

준이 다가와 유리를 와락 안았다.

"드디어 깨어났구나! 나 진짜 누나 죽는 줄 알았어."

준이 울먹이는 목소리로 말하며 유리의 어깨에 얼굴을 파묻었다.

"진짜 얼마나 보고 싶었는지 알아? 이렇게 만나게 되리라곤 생각도 못했는데……."

"나도 보고 싶었어. 진짜 보고 싶었어."

유리는 준을 위로하듯 안아주었다. 그러자 준이 훌쩍거리며 참았던 울음을 터뜨렸다. 예전처럼 감정을 절제하지 못하고 눈물을 터뜨리는 모습에 유리는 옷소매 끝자락으로 동생의 눈물을 닦아주었다.

"그만 좀 울어, 인마. 나도 인사 좀 하자."

둘을 지켜보고 있던 혜성이 다가와 말했다.

"우리끼리 번갈아 가면서 누나 지켜봤어. 숨은 쉬는데 죽은 듯이 계속 자길래 설마 진짜로 죽었나 하고 걱정했지. 그래도 깨어나서 다행이다. 누나, 혹시 우리 얼굴이랑 이름 잊은 것 아니지?"

"얘는 참……. 너희들이랑 거의 십 년을 같이 살았는데 어떻게 이름이랑 얼굴을 까먹겠니? 다 기억하니까 걱정 마."

"이제 누나도 아줌마잖아. 그래서 기억 못할 줄 알았지."

“어쭈, 이 자식 봐라. 죽을래? 너 그동안 많이 컸다?”

유리는 혜성의 이마에 가볍게 꿀밤을 놓았다. 혜성은 이것 좀 보라며 아픈 건 다 꾀병이었냐고 장난스레 되받아쳤다. 그 모습에 모두 웃음을 터뜨렸다. 그러나 선우만은 웃지 않았다. 반가움과 장난기 어린 동생들의 얼굴과 달리, 그의 얼굴에는 웃음기 하나 없었다.

“인사 다 했으면 너희는 이만 나가봐. 난 잠깐 유리랑 할 말이 있으니까.”

“언니랑 조금만 더 있고 싶은데…… 아, 그럼 내가 약초를 좀 더 달여 올게!”

“됐어, 소유 넌 가서 눈이나 좀 붙여. 잠도 제대로 못 잤으니 피곤할 텐데.”

“아냐! 나 멀쩡해, 오빠.”

소유는 괜찮은 척 활짝 웃어 보였다. 그러나 선우는 믿지 않는 눈치였다.

“멀쩡하다고 하기엔 눈이 너무 퀭하지 않니? 누가 봐도 피곤해 보이는데. 가서 눈 좀 붙여. 너네 둘도.”

“괜찮아, 형. 그럼 소유랑 혜성이 형이 자는 동안 내가 약초를…….”

“또 말 안 들을 거야? 얼른 가서 자.”

동생들의 애원에도 선우는 단호했다. 세 명은 아쉬운 표정으로 방을 나갔다.

시끌시끌하던 방 안에 침묵이 다시 감돌았다. 선우는 팔짱을 끼고 침대 끝에 걸터앉았다. 유리는 고개만 숙인 채 아무 말도 하지 않았다. 자신을 반가워하는 동생들과 달리 선우는 그렇지 않다는 걸 알고 있었다. 미르가 스승님을 죽이고 사당을 불태웠던 그날부터, 선우는 유리에게 있어서 가장 대하기 껄끄러운 사람이 되었다. 그는 미르를 따라가기로 선택한 유리를 가장 원망하는 사람이었으니까. 그래서일까, 오랜만의 재회에도 불구하고 유리는 이 순간이 불편했다. 가시방석에 앉아 있는 기분이었다.

"그 흉터는 어떻게 된 거야?"

선우가 먼저 어색한 침묵을 깼다.

"……어? 흉터라니?"

"눈가에 난 거 말야. 전에는 없었잖아."

"그냥…… 요괴랑 싸우다가 생겼지, 뭐. 선우 너도 여기에 흉터 새로 생겼던데?"

유리가 자신의 콧대를 톡톡 두드려 보이며 말했다.

"별것 아냐, 늑대한테 좀 긁혔어. 성가신 놈이어서 고생 좀 했지."

"늑대? 웬 늑대?"

"저번에 마을 농장에 내려왔었거든. 도와주러 갔었어."

"세상에, 그 힘센 너한테 상처를 남길 정도면 꽤 덩치가 큰 녀석이었나 본데? 괜찮아? 안 다쳤어?"

"늑대 정도야 식은 죽 먹기지. 날 보자마자 달려들길래 주먹으로 한 방 먹여줬어. 아무튼 유리 너, 몸은 좀 어때? 정말 괜찮아?"

"난 괜찮아. 걱정하지 마."

"잘못하면 너 정말 죽을 뻔했어. 피를 얼마나 많이 흘렸는지, 널 말에 태우고 여기까지 오는 동안 나까지 피 범벅이 됐다니까. 그나마 깨어나서 다행이지, 닷새 동안 잠도 못 자고 네가 살아있는지 맥을 짚어보느라 얼마나 진땀을 뺐는데."

선우는 생각만 해도 끔찍하다는 듯 고개를 흔들었다.

"나 때문에 고생시켰네. 미안, 치료해줘서 고마워."

"고마울 게 뭐가 있어. 다쳤는데 치료는 당연히 해야지."

"그래도 고마워."

유리의 말에 선우는 희미한 미소만 지었다.

"그런데 말이야, 몇 년이 지났는데도 동생들은 하나도 변한 게 없네."

"무슨 말이야?"

"다들 아직도 어린 아이 같아서. 이제 스무 살 정도 되지 않았나? 오랜만에 만나서 반갑다고 서럽게 우는 걸 보는데 어찌나 옛날이랑 똑같던지. 아직도 열 다섯 살 어린 애 같은 느낌이 들어."

"호되게 혼난 적이 없어서 그래. 잘못을 해도 늘 살살 달래기만 하셨으니."

유리는 선우가 누굴 말하는지 알았다. 그의 말이 틀린 것은 아니었다. 진율은 동생들의 실수, 말썽에도 크게 야단을 친 적이 별로 없었다. 항상 헌신과 인내, 따뜻한 사랑으로 제자들을 감싸는 것. 그것이 진율이 추구했던 훈육 방법이었다. 이미 한 번 부모를 잃거나 버림받은 제자들이 또 상처를 받을까 염려하는 마음도 컸다.

맏형으로서 동생들을 돌보던 선우는 잘못에 대해 부드럽게 타이르는 그 방식을 별로 좋아하지 않았다. 때문에 그는 종종 진율에게 자신의 의견을 말하곤 했었다. *스승님, 가끔은 강하게 나가셔야 해요. 너무 감싸기만 하시면 버릇이 나빠진다고요.* 그러나 진율의 답은 늘 이러했다. *나는 너희들이 또 상처받는 일은 없었으면 한단다. 내가 언제까지 늘 사랑으로*

감싸줄 수는 없겠지만, 그래도 힘이 닿는 데까지는 해보고 싶구나. 나중에 내가 없더라도 꼭 가르침을 잊지 말고 사람들에게 베풀도록 하여라. 그 말에 선우는 그저 '네'라고 답할 수밖에 없었다. 자신들을 위하고 각별히 아끼는 깊은 마음에서 우러나오는 행동에 아니라는 말을 할 수는 없었다.

"그 얘긴 됐고. 그동안 어떻게 지냈어?"

선우는 진율에 관해서 별로 말하고 싶지 않은 듯 화제를 돌렸다. 유리는 머뭇거리다가 지난 4년 동안 제국 곳곳을 떠돌며 살아온 이야기를 해주었다. 여러 도시를 떠돌며 요괴를 퇴치한 일, 피 튀기는 싸움에 휘말려 죽어버린 말, 방랑하며 넉넉치 않은 형편에 궁핍하게 보냈던 수많은 나날들. 선우는 그런 유리의 이야기를 말없이 듣기만 했다.

"그런데 저기…… 여긴 어디야? 반월당은 아닌 것 같은데."

"자화당. 기억 나? 여우골 앞에 있는 사당."

유리는 4년 간 잊고 있었던 기억을 떠올리려 애썼다. 자화당이라면 동쪽의 만월성으로 떠난 주술사들이 예전에 살던 곳이었다. 유리는 그들과 친하지는 않았지만, 자화당은 반월당에서 제일 가까운 사당이었기 때문에 진율을 따라 가끔 교류를 하곤 했었다. 하지만 미르가 일을 벌였을 적에도 이미 자화당은 사람의 온기를 잃어버린 지 일 년이나 지난 후였다. 유리가 옛 기억을 떠올리고 고개를 끄덕이자 선우가 말을 이었다.

"그때 그 자식 때문에 반월당이 파괴되고 나서 여기로 왔어. 뭐, 버려진 곳을 조금 보수한 거라 반월당보다 훨씬 좁긴 하지만 지낼만 해. 우리도 이제 네 명밖에 없으니까 그렇게 큰 사당이 필요하지도 않고."

진율이 죽었던 끔찍한 날의 이야기가 나오자 선우는 긴 한숨을 내쉬었다.

"그런데 너, 반월당엔 왜 간 거야?"

갑작스러운 물음에 유리는 고개를 숙였다. 솔직히 말해 대답하고 싶지 않았다. 아니, 어쩌면 대답하지 못하는 것에 더 가깝다고 해야 할까. 차마 마법을 수련하려는 목적으로 재료를 손질하려 갔다가 이렇게 되었다고 털어놓을 수가 없었다. 마법이라는 말에 그가 어떤 반응을 보일지 유리는 잘 알고 있었다.

마법사들과 주술사들은 사이가 좋은 적이 별로 없었다. 게다가 요즘은 사이가 좋아지긴커녕 더 나빠져서, 몇 년 전부터 많은 주술사들이 반월성을 떠나 동쪽의 만월성으로 이주하고 있었다. 그 이유에는 미르가 4년 전 벌인 일도 영향이 있었다. 물론 모든 마법사와 주술사들이 항상 싸우기만 하는 것은 아니었다. 그들 중에서도 갈등을 중재해보려 하는 사람들이 존재했다. 하지만 미르가 벌인 짓은 불난 집에 부채질을 하는 것이나 다름없었고, 마법사들과 주술사들의 관계는 복잡하게 얽히고설킨 덩굴처럼 오해만 더 쌓여갔다.

마법이라면 치를 떠는 선우를 누군가는 앞뒤가 꽉 막힌 사람이라고 부를지 모른다. 하지만 유리는 그의 마음을 누구보다도 잘 이해했다. 미치광이 살인마의 마력에 아버지 같은 스승이 갈기갈기 찢겨 죽는 것을 바로 눈앞에서 보게 된다면, 스승이 죽는 것을 보고도 자신은 마력에 묶여 아무것도 할 수 없게 된다면, 그 누구라도 선우처럼 행동하리라. 그 누구도 그를 탓하거나 함부로 말할 수 없으리라. 유리는 그렇게 생각했다.

무거운 죄책감이 어깨를 짓눌렀다. 자신만큼이나 힘들었을 선우의 고통을 마주하기 싫어 홀로 수도를 떠나버렸다는 죄책감이었다. 하지만 그보다도 더 문제인 것은 반월당 주술사들의 평판이었다. 진율은 중년의 나이에도 고아들을 데려와 홀로 키워냈고, 주술사로서 손꼽히는 강한 능력과 인자한 성격으로 덕망이 높았다. 다른 주술사들은 그의 가르침을 따라 훌륭한 주술사로 거듭난 다섯 제자들을 보며 영특한 아이들이라고 예뻐하곤 했다. 그런데 제자들 중 하나가 주술사의 교리와 어긋나는 마법사와 어울리고, 급기야 그 마법사가 사당을 불태우고 주술사들을 죽이기까지 했으니 반월당의 평판이 추락하는 것도 이상한 일은 아니었다.

스승의 은혜를 죽음으로 되갚은 배은망덕한 년. 다른 주술사들은 유리를 그렇게 불렀다. 그나마 위안이 되는 것은 그녀를 아는 주술사들이 이미 대부분 만월성으로 떠났다는 사실이었다.

"유리?"

선우가 생각에 잠긴 유리를 깨웠다. 그는 계속 팔짱을 끼고 삐딱하게 앉은 채, 시선은 유리를 향하고 있었다. 유리는 선우와 얼떨결에 눈을 마주치자 시선을 피했다. 그의 눈빛에서 여전히 자신을 향한 원망이 느껴지는 것 같았다.

"내 말 못 들었어? 반월당에 왜 갔냐고 물었잖아. 거긴 아무것도 없는데 왜 간 거야?"

"그, 그냥……."

말해보려고 해도 도저히 입이 떨어지지가 않아 유리는 옷소매만 꽉 움켜쥐었다. 유리가 고개만 푹 숙이고 있자 선우는 고개를 절레절레 흔들더니 무언가 알았다는 표정을 지었다.

"혹시라도 옛날 생각이 나서 간 거라면 잊어버려. 괜히 네 마음만 더 괴로워질 거야."

선우는 유리가 옛날이 그리워 찾아간 것이라고 결론을 내린 듯했다. 유리는 그의 잘못된 결론을 부정하지 못했다. 지금이 아니더라도 나중에 말할 때가 올지 몰라. 유리는 적당한 때가 되면 꼭 말하리라 마음먹었다.

"그러면 너희는 반월당에 왜 갔어? 너희가 날 이리로 데려왔다면서."

"폐허가 되긴 했어도 반월당은 엄연히 우리들 고향이야. 소중한 고향이 요괴들 소굴이 되게 내버려둘 수는 없지. 그래서 가끔씩 동생들도 보러 갈 겸, 청소도 할 겸 살펴보고 있어. 입구에 처음 보는 갈색 말이 있길래 누군가 했는데, 안으로 들어가보니까 아주 개판이더라. 넌 정말 운이 좋았던 거야, 유리. 우리가 조금만 늦게 갔어도 넌 완전히 호랑이 밥이 되는 거라고. 게다가 어디 호랑이뿐인가? 그냥 요괴도 아니고 마력을 가진 요괴들이 얼마나 득실대는데."

선우는 진절머리가 난다는 듯이 말했다. 잠깐, 마력? 그러고 보니 아까

닷새가 지났다고 했던 것 같은데……. 마력을 가져다주기로 약속한 날이 지났잖아? 유리는 호랑이와의 사투 중 놓쳐버린 호리병을 떠올렸다. 그녀는 자신을 목 빠지게 기다리고 있을 카이 생각에 심장이 멎는 것 같았다.

아무런 말도 없이 감히 대마법사를 기다리게 만들다니, 카이를 잘 아는 사람들이 이 사실을 듣는다면 놀라 자빠졌을지도 몰랐다. 그들은 아마도 이렇게 말하며 유감을 표했을 것이다. 그 냉혈한을 기다리게 하다니 참으로 겁대가리도 없는 년이라고, 목숨이 아홉 개는 되는가 보다고.

하지만 유리는 고양이가 아니었다. 인간으로서의 삶을 내려놓고 죽음으로 다시 태어날 수 있는 흡혈귀도 아니었다. 그녀의 목숨은 이 세상 모든 사람들과 똑같이 하나였다. 어서 서두르지 않으면 죽게 될지도 모른다는 불안감에 유리는 급하게 자리에서 일어났다. 아직 온몸에 남아있는 찌릿한 고통이 느껴졌으나 생각보단 견딜 만했다.

“움직이지 마. 상처가 깊어서 나으려면 며칠은 더 있어야 돼.”

선우가 일어나려는 유리를 다시 자리에 앉혔다.

“괜찮아. 나 일이 있어서 가봐야 해. 많이 늦었거든.”

유리는 선우의 손길을 밀어내며 일어났다. 그리고 자신의 짐을 찾아 고개를 두리번거렸다. 마침 탁상 옆에 찌그러진 보따리 마냥 구겨진 갈색 가방과 검은색 망토가 보였다.

“쉬는 게 좋을 텐데. 그냥 누워있어, 죽 가져다줄 테니까.”

“아냐, 걸을 수 있으니까 괜찮아. 진짜 급한 일이라서 가봐야 해. 내 검 어디에 뒀어?”

유리가 망토를 걸치며 물었다. 선우는 침대 아래로 손을 뻗어 주섬주섬 뒤적이더니 칼집에 꽂힌 천체검을 꺼냈다. 혹시라도 흠집이 났을까, 유리는 검을 꺼내 확인해 보았다. 날카로운 소리와 함께 모습을 드러낸 천체검은 핏방울 하나 없이 깨끗했다. 선우나 동생들이 닦아 놓은 것 같았다.

"그런데 지금 바로 떠나면 동생들이 섭섭해할 텐데. 이렇게 인사도 없이 가려고?"

떠나려는 채비를 하던 유리는 선우의 말에 잠시 고개를 떨궜다. 오랜만에 만났는데 금방 다시 헤어지다니, 분명 서운해하겠지. 여덟 명이나 되던 동생들은 이제 세 명밖에 남지 않았다. 솔직한 마음 같으면 유리는 여기에 조금 더 있고 싶었다. 그러나 자신은 더 이상 하고 싶은 것만 하려 떼를 쓰는 어린 아이가 아니었다. 그녀에게는 할 일이 있었다. 이미 늦은 카이와의 약속을 더 어길 수는 없었다. 유리는 선우에게 어색하게 웃어 보였다.

"미안해, 내가 지금 계약을 맺은 사람이 있어서. 약속 시간에 늦으면 안 되거든. 시간 날 때 놀러 올게."

"계약이라니? 무슨 계약?"

"요괴 사냥 말이야. 요즘 돈 받고 일하고 있거든."

유리는 마력에 관한 내용을 쏙 빼놓고 이야기했다.

"그래, 그럼. 시간 나면 와. 동생들한테 내가 말해둘 테니까."

선우는 할 수 없다는 듯 자리에서 일어났다. 유리는 고개를 쭉 뒤로 젖히고 올려다보았다. 자리에서 일어선 선우는 홀로 우뚝 선 산봉우리 같았다. 특유의 강인한 인상과 보통 사람들보다 압도적으로 큰 체구 때문에 사람들은 그를 무뢰배라고 오해하곤 했다. 하지만 유리는 알고 있었다. 무뚝뚝하지만 그 누구보다도 정 많은 사람이 선우라는 것을.

"맞다, 사당 앞에 서 있던 녀석 말인데."

문을 열고 나가려던 선우가 뒤를 돌아보았다.

"갈색 말, 네가 타고 다니는 거 맞지?"

"말? 아, 혹시 나비 말하는 거야?"

유리가 녀석의 이름을 말하자 선우가 의아하게 쳐다보았다. 그는 무언가 깨달았다는 듯 눈알을 굴렸다.

"난 또 뭐라고. 고양이 말하는 줄 알았네. 아무튼 얼른 나와."

방 안에 혼자 남겨진 유리는 선우의 반응에 당황스러웠다. 나비라는 이름이 그렇게 이상한가? 내가 보기엔 괜찮기만 한데. 그녀는 속으로 중얼거렸다.

준비를 모두 마친 유리는 선우를 따라 밖으로 나왔다. 유리는 그들의 새로운 보금자리인 자화당을 쭉 둘러보았다. 버려진 곳을 보수했다는 선우의 말처럼 이곳은 꽤 초라했다. 좁고 낡은 건물이 세 채 정도 서로 간격을 두고 서 있었는데, 첫 번째는 부엌, 두 번째는 어둠의 신께 기도를 드리는 본당이었고 마지막은 방금 유리가 깨어났던 안방이었다. 동생들은 바로 옆방으로 자러 들어간 모양이었다. 마당 반대편에는 작은 마구간이 하나 있었는데, 진율이 있을 때부터 길러왔던 말 두 필이 있었다. 유리는 한눈에 그 녀석들을 알아보았다. 다행히도 녀석들은 여전히 아주 건강하고 팔팔해 보였다.

안방 마루 앞에 유리의 말 나비가 서 있었다. 선우는 자연스럽게 나비에게 다가갔다. 그는 오랫동안 나비와 알고 지낸 것처럼 녀석을 쓰다듬었다. 나비도 선우의 손길이 싫지 않은 듯 가만히 있었다.

문득 옛날이 생각났다. 검술 실력은 유리를 따라올 사람이 없었으나, 검술 이외의 다른 모든 면에서는 선우가 더 뛰어난 모습을 보이곤 했다. 선우는 말 위에서 멀리 날아가는 새를 맞추는 것은 물론, 화살이 빗나가는 법이 거의 없을 정도로 뛰어난 명사수였다. 검술 실력도 어디까지나 유리에 비해서 뒤쳐지는 것일 뿐 절대로 실력이 떨어진다고 말할 수는 없었다. 요리도 제법 잘했고, 온갖 약초들에 대해서도 달달 외울 정도로 잘 알고 있었다. 게다가 늘 성실하고 꼼꼼함을 중시하는 성격 덕에 달이 뜨면 제일 먼저 일어나는 사람이 선우였다. 말을 잘 다루는 것도 그런 선우의 장점 중 하나였다.

모두 그대로구나…… 나만 변한 것 같네. 유리는 속으로 중얼거리며 떠나기 전 마지막으로 빠진 것이 없는지 가방을 열어보았다. 마력이 반쯤 채워진 호리병이 있는 것으로 보아, 다행히도 선우나 동생들이 가방을 열어보지는 않은 것 같았다. 유리는 호리병을 만지작거리며 한숨을 쉬었다. 늦은 것도, 기다리게 만든 것도 모자라서 마력도 반밖에 없다니. 뭐, 그래도 아예 빈손으로 가는 것보단 낫겠지. 유리는 애써 좋은 쪽으로 생각하려 했다.

자신을 위로하는 것도 잠시, 가방 안을 뒤져보다 무언가 없어진 것을 확인한 유리는 몹시 당황했다. 라일이 주었던 마법 서적이 없어진 것이었다. 유리는 가방을 탈탈 털고 망토 주머니를 뒤졌다. 하지만 아무리 찾아도 마법 서적은 보이지 않았다.

“뭔데 그래?”

유리가 다급하게 가방을 뒤지는 모습에 선우가 물었다.

“책! 책이 없어졌어. 혹시 못 봤어? 얇은 책인데…….”

“아, 그 책. 잠깐만 기다려.”

다시 안방으로 들어간 선우는 일 분도 되지 않아 밖으로 나왔다. 그의 손엔 유리가 그토록 찾던 책이 들려 있었다.

“이거 말하는 거 맞지?”

“응, 맞아. 난 또 잃어버린 줄 알고 깜짝 놀랐어.”

요괴들과 싸우다가 잃어버린 줄 알았건만! 정말 다행이었다. 하지만 정말 이걸 다행이라고 해야 할까? 유리는 책을 받으려고 손을 내밀다가 문득 떠오른 의문에 불안해졌다. 왜 이 책만 가방 밖으로 나와 있었을까?

왜 이 책을 선우가 따로 들고 나온 것일까? 선우가 책을 읽어봤나? 아니, 책을 읽어 보지 않았어도 이 '마력 흡수' 책이 무슨 내용을 담고 있을지는 뻔했다. 잠깐, 그럼 호리병도 본 건가? 내가 마법사와 또 어울린다는 사실을 선우가 알면 안 되는데.

"그냥 좀 궁금해서 읽어봤어."

마치 유리의 생각을 읽은 것 같았다. 선우는 차분한 말투로 말했지만 '마법'이라는 것을 달가워하는 반응은 아니었다. 그는 유리가 이 책을 가지고 있는 이유에 대해 설명하길 기다리듯 조용히 있었다.

"아…… 그래? 그럼 다른 물건도 다 본 거야?"

"오해하지 마, 일부러 본 건 아니야. 쓰러진 네 옆에 물건들이 쏟아져 있길래 우연히 봤어. 그런데 네가 이걸 왜 가지고 있는 거야?"

제길. 어떡하지? 뭐라고 둘러대야 믿을까? 아냐, 이미 다 봤는데 잡아떼면서 모른다고 할 수는 없어. 적당히 사실대로 얘기하자. 유리는 목청을 가다듬고 애써 태연한 척했다.

"그게 사실은…… 계, 계약이랑 관련 있는 거야. 별것 아니니까 신경 안 써도 돼."

유리는 대충 얼버무리며 넘어가려 했다. 그러나 선우의 눈빛에서 의심은 거두어지지 않았다.

"계약? 계약이랑 마법이랑 무슨 상관인데?"

"그 사람이 마력이 있는 요괴를 좀 잡아달라고 했거든. 연구를 한다나 봐."

"무슨 연구?"

"자세한 것까지는 나도 몰라. 난 그냥 해달라는 일만 할 뿐이야. 그건 그렇고, 책 좀 줄래?”

유리는 어색한 미소를 지으며 손을 앞으로 뻗었다. 순간 선우의 의구심 가득한 눈빛이 차가워졌고, 예전으로 돌아오는 듯 잠시 밝아졌던 얼굴빛이 어두워졌다. 그는 떨떠름한 표정으로 유리에게 책을 건넸다. 유리는 무섭도록 얼어붙은 분위기에 서둘러 말에 올라탔다.

“누구야?”

선우가 불쑥 질문을 꺼냈다.

“응? 뭐가?”

“그 마법사 말이야. 누군데?”

왜일까. 왜 이렇게 호기심이 생겨서는 이것저것 물어보는 걸까? 물론 서로 오랫동안 소식이 끊겨 있었으니 궁금해하는 것도 이상한 일은 아니었다. 하지만 왜 그토록 증오하는 마법사에 관해 이리도 궁금해하는 걸까. 테네브리스라고 하면 선우도 누군지 알겠지. 그래서 더욱 이야기할 수가 없었다. 지금 카이에 관해 돌고 있는 소문을 선우도 알고 있을지 몰랐으니까. 자신의 뜻이 어떠하든 오해를 살 수밖에 없었다.

“그게…… 미안해, 내가 지금 바빠서. 자세한 이야기는 나중에 말해줄게. 그럼 다음에 보자.”

유리는 도망치듯 자화당을 빠져나와 말을 달렸다. 친구의 싸늘해진 시선에 뒤돌아보며 손을 흔들 여유는 차마 없었다.

6장.

어둠의 심장

The Heart of Darkness

"안녕하세요, 집사님."

유리는 테네브리스 저택 안으로 들어서 라일에게 인사를 건넸다. 하녀들은 분주하게 바닥을 쓸고 닦으며 움직였고, 저택 안은 늘 그렇듯 고요하고 평화로웠다. 선우 때문에 불안해졌던 마음이 조금이나마 고요함 덕에 가라앉는 것 같았다. 항상 자신을 친절하게 맞아주는 라일의 미소 또한 불안을 약간 잠재워 주었다.

"오셨습니까, 유리 님. 오늘은 조금 늦으셨군요."

"죄송해요. 일이 좀 있어서……."

"사과하실 필요는 없습니다. 저, 그런데 안색이 안 좋으시네요. 상처도 있으신 듯하고…… 어디 다치신 겁니까?"

라일이 유리의 핼쑥해진 얼굴과 몸 상태를 훑어보며 말했다. 그의 시선은 옷소매 바깥으로 살짝 보이는 붕대를 향했다. 유리는 어색하게 웃어 보였다.

"별것 아니니 신경 쓰지 않으셔도 돼요. 주술사인 이상 매일같이 달고 다니는 게 상처인 걸요."

"평범한 상처라기엔 큰 부상을 입으신 것 같은데요. 안정이 필요하실 때는 무리해서까지 오실 필요는 없습니다. 자신의 몸을 혹사시키면서까지 일하는 건 카이 님께서도 원치 않으실 겁니다."

"아, 아니에요. 저 멀쩡해요. 정말 괜찮아요."

유리는 라일을 안심시키려 했다. 그러나 라일은 그 말을 곧이곧대로 믿지 않는 듯했다. 그래, 나라도 안 믿을 거야. 산송장 같다는 소리를 달고 사는데 크게 다치기까지 했으니 퍽이나 멀쩡해 보이겠어. 유리는 속으로 중얼거렸다. 걱정스럽게 그녀를 쳐다보던 라일은 무언가 생각난 듯 입을 열었다.

"혹시 제가 드린 마력 가루 때문에 이렇게 되신 겁니까? 후유증 때문에?"

"아니에요! 이 상처는 마력 가루랑 전혀 상관없어요."

"정말입니까? 적은 양으로는 그나마 후유증이 거의 없기 때문에 드린 건데……. 후유증 때문에 생긴 부상이라면 말씀해주세요. 제가 도와드릴 테니."

"괜찮아요, 이건 요괴랑 싸우다가 좀 크게 다친 거예요. 마력 가루는 조금 어지럽고 구역질이 날 것 같긴 했지만 아무 이상 없었어요. 걱정하지 마세요."

유리는 라일에게 미소 지어 보였다. '그나마' 후유증이 거의 없는 게 이 정도라니, 사실은 온몸에 찌릿한 고통이 계속 남아있었다. 유리는 연신 괜찮다며 라일을 안심시키는 말을 건넸다. 그러나 라일의 얼굴에서 근심은 사라지지 않았다.

"일단은 알겠습니다. 하지만 도움이 필요하다면 망설이지 말고 얘기해주세요. 마력 가루도 더 필요하면 말씀해주시고요. 조금씩 흡수하면서 몸이 마력에 익숙해지면 괜찮아질 테니까요."

"감사합니다."

집사님은 누구에게나 이렇게 친절한 걸까? 유리는 늘 상냥한 태도로 자신을 반겨주는 라일에 대해서 궁금해졌다. 어쩌다가 카이와 연을 맺게 된 건지, 어째서 이 저택의 집사가 된 것인지 많은 질문들이 머릿속을 오고 갔다. 아마도 그가 진율과 비슷하기 때문이리라, 유리는 생각했다. 희끗희끗한 머리카락, 늘 흰옷을 걸친 모습, 정중한 말투와 인자하고 다정한 태도는 늘 진율을 생각나게 했다.

유리는 어느 새 익숙해진 나선형 계단을 올라 2층에 있는 카이의 서재 앞에 섰다. 그녀는 문을 두드리려고 하다가 불현듯 떠오른 기억에 손을 멈추었다.

'하지만 카이 님께는 늘 반말을 쓰시잖아요. 카이 님께서 그 모습이 신기하다고 하시더군요. 누가 보면 카이 님이 집사고 제가 주인인 줄 알겠다고요. 한번 손을 봐줘야겠다고 하시던데요.'

라일이 웃으며 농담이라고 했던 것이 기억났다. 농담이라니, 여태껏 살면서 그렇게 살벌한 농담은 한 번도 들어본 적이 없었다. 참으로 카이다운 서늘하고도 차가운 농담이었다.

몇 달 전, 한 여관에서 대놓고 귀족에 대한 험담을 늘어놓다가 관아에 끌려갔던 남자가 생각났다. 아마 등의 살갗이 찢어지도록 맞았을 것이 분명했다. 아니, 그냥 맞기만 한다면 차라리 다행이었다. 문제는 많은 마법사들이 존경해 마지 않는 테네브리스 가문 정도의 귀족이라면 맞는 걸로 절대 끝나지 않을 것이라는 사실이었다.

유리는 카이가 웃음기 싹 가신 차가운 얼굴로 누군가의 사지를 찢어버리는 상상을 했다. 여태까지 보았던 그의 성격을 생각하면 불가능한 일은 아니었다. 자신에게도 충분히 일어날 법한 일이었다. 혹시나 오늘 그 사지가 찢기는 사람이 내가 되는 건 아니겠지. 유리는 깊게 심호흡하며 차분한 표정을 지어보려 했다. 하지만 마음을 불안하게 만드는 다른 기억이 떠올랐다.

'넌 지금 내 말이 장난으로 들려?'

'대마법사에게 칼을 겨눈다…… 별로 현명하지 못한 행동이군. 네가 날 죽일 수 있을 것 같나?'

'아니, 이미 알고 있어. 내가 무슨 짓을 해도 안 된다는 걸. 하지만 미르한테 또 고문당하면서 죽지도 못하고 비참하게 살 운명이라면 여기서 널 죽이고 나도 죽어버리겠어.'

'그럼 어디 한번 해보시든지, 아가씨.'

대체 어쩌자고 그런 짓을 했을까? 귀족 도련님한테 감히 검을 겨누다니, 그것도 모든 마법사들 중 가장 강력한 힘을 가진 대마법사에게! 심지어 칼을 겨누는 것도 모자라 죽여버리겠다는 말까지 했었다. 정말 어쩌자고 그런 짓을 했을까? 어쩌자고……. 밀물처럼 몰려드는 후회에 유리는 두 손으로 얼굴을 감싸쥐었다. 카이의 말처럼 자신은 정말 현명하지 못했다. 그가 별다른 말이 없다고 해서 무례한 행동이 용납된다는 뜻은 아니었다.

아니야, 너무 걱정할 필요 없어. 괜찮을 거야. 집사님도 별말 없으셨잖아? 아무 일도 없을 거야. 저번엔 내 능력을 인정한다고도 했고. 그러니까 괜찮아. 괜찮을 거야. 유리는 자신을 위로하며 문을 두드렸다. 안에서 들어오라는 카이의 목소리가 들렸다. 유리는 떨리는 손으로 소맷자락을 붙잡고 서재 안으로 들어섰다.

늘 그렇듯 책상에 앉아 마법 연구에 여념이 없는 카이가 보였다. 저택 안의 다른 곳처럼 서재에도 평소와 같은 고요함이 흐르고 있었다. 귓가에는 그가 페이지를 넘기며 깃펜으로 사각사각 글을 써 내려가는 소리만 들렸다. 괜찮을 거라 자신을 다독이던 유리는 막상 카이를 보자 잔뜩 긴장했다. 차마 입이 떨어지지 않았다. 괜찮긴, 개뿔. 이 남잔 카이 테네브리스잖아. 괜찮을 리가 없지.

유리는 속으로 욕을 읊조리며 조심스럽게 책상으로 다가갔다. 카이는 인기척에도 고개를 들지도, 입을 열지도 않았다. 마법 문양들이 그려진 페이지들을 살펴보며 막힘없이 글을 써 내려가던 그는, 무언가 제대로 풀리지 않아 고민인지 필기를 멈추었다. 그리고 턱을 괸 채 사색에 잠겼다.

"테, 테네브리스 님. 부, 부탁하신 마력…… 가져왔습니다."

유리는 떨리는 손으로 호리병을 주머니에서 꺼내 책상 위에 올려놓았다. 그 말에 카이가 드디어 고개를 들었다. 이해할 수 없다는 표정이었다.

"뭐?"

"마력을 가져왔…… 그, 그러니까 마력을 가져왔다고요, 테네브리스…… 님."

유리는 차마 떨어지지 않는 입을 열어 그를 테네브리스 '님'이라고 불렀다. 그녀는 부끄러움에 눈을 질끈 감았다. 항상 '너'라고 부르던 카이에게 공손하게 존댓말을 하려니 이리도 낯간지럽고 어색할 수가 없었다. 본래라면 이것이 지극히 당연한 일인데도 말이다. 유리가 자신을 높여 부르자 카이는 황당한 얼굴로 헛웃음을 터뜨렸다.

"오늘 뭐 잘못 먹었나? 갑자기 왜 이래?"

어이없어 하는 그의 반응에 유리는 아무 말도 하지 못했다. 뭐라고 말해야 좋을지 몰라 열심히 머리를 굴려보고 있는데 카이가 호리병을 집어 들었다. 그는 평소와 달리 가득 채워지지 않은 마력에 불만족스러운 얼굴로 유리를 쳐다보았다.

"내가 항상 꼭 가득 채워서 가져오라고 했잖아. 왜 이것밖에 안 가져왔지?"

"그게…… 요괴와 싸우다가 다쳐서……. 죄, 죄송합니다, 나리. 다음부터는 이런 일이 없도록 하겠습니다."

유리가 또 존댓말을 하자 카이는 그녀를 한심한 눈빛으로 쳐다보며 말없이 고개를 절레절레 흔들었다. 그는 서랍에서 돈주머니를 꺼내어 유리에게 건넸다. 갑자기 웬 돈이지? 아직 2주가 지나지 않았는데. 유리가 눈만 깜빡이고 있자 카이는 어서 받으라는 듯 고갯짓을 했다.

“평소의 두 배로 준다고 한 거 기억 안 나나? 저번에 라일이 빠뜨린 게 있어서 챙겨주는 거야. 어서 가져가.”

그제서야 유리는 미르 때문에 전전긍긍했던 며칠 전 밤을 기억했다. 그러고 보니 근래에 정신이 없는 탓에 라일이 준 돈주머니를 제대로 확인해보지도 않고 있었다. 다행이야, 주머니에 더 여유가 생겼어. 아껴서 써야지. 유리는 공손하게 두 손으로 돈주머니를 받아 들었다.

“감사합니다, 나리. 그럼 저는…… 아, 아니, 소인은 이만 물러가 보겠습니다.”

유리는 카이의 눈치를 살피며 뒤돌아섰다. 다행히도 머리끝까지 화가 나지는 않은 것 같았다. 잘못에 대해 따지고 들려면 이미 화를 내고도 남았을 사람이었다. 하지만 그는 화는커녕 별 관심이 없는 듯 보였다. 이 정도면 문제없이 넘어간 건가? 유리는 사지가 찢기는 일은 없어 다행이라고 속으로 중얼거렸다.

“잠깐만.”

안도하며 자리를 뜨려 발걸음을 내디디는 순간, 카이가 그녀를 불러 세웠다. 유리는 침을 꾹 삼키며 천천히 뒤를 돌아보았다.

“이건…… 마력 기운?”

카이는 의심쩍은 눈빛으로 유리를 위아래로 쓱 훑어보았다.

“난 너한테 마력을 준 적이 없는데. 어떻게 된 거지? 내 물건에 손을 댄 건가?”

“아, 아니에요! 절대로 훔친 적 없어요! 지, 집사님이 주신 거예요.”

카이의 추궁에 유리는 다급하게 손사래를 쳤다.

“라일이?”

카이가 미간을 찌푸리며 물었다. 유리는 그렇다고 대답하면서 고개를 끄덕였다. 그러나 카이의 차가운 눈빛은 여전히 그녀를 의심하고 있었다. 늘 그렇듯 얼굴 위엔 아무런 감정이 없었다. 사실 얼굴과 목소리로만 보아서는 지금 그가 화난 것인지, 단순히 자신을 추궁하고 있는 것인지 전혀 짐작이 되지 않았다. 화를 내지 않고 오히려 조곤조곤 따져 묻는 듯한 그의 나지막한 목소리가 유리에게는 섬뜩하게 느껴졌다.

"그러니까 네 말대로라면, 집사가 감히 주인의 허락도 없이 함부로 물건에 손을 댔다는 말이지?"

"그, 그게 아니라 난……!"

"라일!"

카이가 문 밖을 향해 소리쳤다. 유리는 당황한 얼굴로 손사래를 치며 그런 게 아니라고 말했지만 카이는 듣는 척도 하지 않았다. 유리는 자신 때문에 라일이 혼날까 두려웠다. 아니, 차라리 혼나기만 하면 다행이었다. 카이의 냉혈한 같은 성격상 무슨 짓을 할지 몰랐다. 혹시 때리는 건 아닐까? 아니면 마법으로 무자비하게 고문하는 걸까? 머릿속에 생각하기만 해도 역겹고 끔찍한 형벌들이 스쳐 지나갔다.

"부르셨습니까, 카이 님."

서재로 들어온 라일은 공손하게 두 손을 모아 카이에게 고개를 숙였다. 유리는 불안한 얼굴로 집사와 그 주인을 번갈아 쳐다보았다. 그녀는 카이가 라일에게 벌을 내린다면 자신이 나설 각오로 단단히 마음의 준비를 했다. 또다시 자신 때문에 다른 사람들이 피해를 보는 일은 없어야 했다.

"라일, 부탁할 게 있는데."

"네, 카이 님."

"바깥에 다과상 좀 차려 주세요. 마실 건 어제랑 똑같이 수정과로 해주시고요."

"알겠습니다. 바로 준비하겠습니다."

라일은 바로 다과상을 차리러 나갔다. 다시 둘만 남은 서재 안에는 어색한 정적과 긴장감이 흘렀다. 라일에게 벌을 내릴 것이라 생각했던 유리는 난데없는 말에 어안이 벙벙했다. 그녀는 얼어붙은 듯 제자리에 서서 카이를 멍하니 쳐다보았다.

"뭘 쳐다봐?"

"아, 아니…… 다, 다과상이요?"

당황한 탓에 라일에 대한 말이 아니라 엉뚱한 말이 튀어나왔다.

"배가 고파서 간식 좀 먹으려고. 왜?"

"그게 아니라 마력 가루…… 집사님이 훔치신 거 아닌데……."

유리가 기어들어가는 목소리로 말했다.

"당연히 아니지. 세상에 자신의 물건을 훔치는 사람도 있나?"

"자신의…… 물건이요?"

"이 저택의 모든 게 전부 내 것이라고 생각한다면 오산이야. 내 방이 있으면 라일이 쓰는 방도 있고, 내 그릇이 있으면 라일의 그릇도 있지. 왜, 전부 내 것이라고 생각했나?"

이상했다. 분명히 자신이 아는 바로는 귀족이 소유한 모든 재산과 물건은 귀족의 것이었다. 헌데 이 저택의 모든 것이 테네브리스의 소유가 아니라니, 유리는 믿을 수가 없었다.

"아니, 그게…… 지, 집사님이 혼나실 것 같아서……."

유리는 말을 더듬으며 우물쭈물했다. 꼭 혼나는 어린 아이처럼 금방이라도 울 것 같은 얼굴이었다. 그 모습을 빤히 쳐다보던 카이가 웃음을 터뜨렸다.

"난 그냥 재미있어서 그런 건데?"

"네?"

"존댓말 쓰면서 어쩔 줄 몰라 하는 게 너무 웃겨서 말이야. 재미있잖아, 안 그래?"

카이가 얄밉게 입꼬리를 올리며 말했다. 조금 전 당혹스러워하는 유리의 얼굴을 상상하는 듯, 그는 책상에 엎드려 어깨까지 들썩이며 웃었다. 그럼 여태까지 날 놀렸다는 말인가? 단순히 재미로? 어이가 없었다. 참수라도 당할까, 집사님이 혼날까 전전긍긍하고 있었는데! 이제 보니 카이는 누군가를 가지고 노는 데에도 도가 튼 사람이었다. 유리는 화가 났다. 하지만 어쩐지 웃음이 나왔다. 안절부절못하는 자신의 모습이 얼마나 한심했을지 생각하니 나오는 헛웃음이었다. 내가 봐도 웃겼겠지. 그래, 그랬을 거야. 얼굴까지 새빨개져서는 우물쭈물하는 모습이 웃겼겠지. 자신이 얼마나 바보 같아 보였을지 생각하니 한숨이 저절로 나왔다.

"유리."

갑자기 카이가 웃음기 싹 가신 얼굴로 이름을 불렀다.

"내 앞에서 감히 웃어? 내가 웃으니까 장난으로 보이나?"

평소대로 돌아온 그의 차가운 얼굴과 말투에 유리는 바짝 긴장했다. 그녀는 고개를 저었다.

"아, 아닙니다. 테네브리스 님."

"다시 말해봐."

"네? 무슨…… 말씀이세요?"

"다시 불러보라고. 테네브리스 '님'이라고 공손하게."

카이가 턱을 괴고 유리를 쳐다보며 명령했다. 유리는 목청을 가다듬으면서 두 손을 앞으로 모았다.

"테, 테네브리스 님."

"다시."

"테네브리스…… 님."

"처음부터 이렇게 불렀어야지. 네 생명의 은인에게 버릇없게 반말을 하면 되겠나?"

카이는 만족스러운 미소를 지으며 자리에서 일어났다. 유리는 카이가 아직도 자신을 놀리고 있다는 것을 깨달았다. 내가 대체 어쩌자고 이딴 재수없는 사람을 만나서……! 유리는 주먹을 꽉 쥐며 카이를 노려보았다. 얄밉게 씩 웃는 저 얼굴에 꿀밤 한 대를 먹이고 싶었다.

"나 지금 놀리는 거지, 너?"

"감히 또 반말을 해? 망나니라도 데려와서 목을 치라고 할까?"

카이가 또 웃음기 싹 가신 얼굴로 말했다. 하지만 그 목소리에는 여전히 장난기가 가득했다. 어째 살짝 떨리는 것이 웃음이 터지기 일보 직전 같았다.

"마음대로 하세요, 나리."

유리는 비아냥대며 팔짱을 끼고 책장에 몸을 기대었다. 카이는 여전히 이 상황이 재미있는 건지 또 피식 웃음을 터뜨렸다. 그는 마력으로 책들을 끌어당겨 책장에 꽂아 넣었다. 그리고 무표정을 하고 유리 쪽으로 성큼성큼 걸어왔다.

마음을 놓고 있던 유리는 팔짱을 풀고 뒷걸음질을 쳤다. 설마 지금까지 간을 보고 있던 거였나? 나를 시험한 건가? 제길, 무슨 일이 있어도 잘못했다고 무릎을 꿇고 빌었어야 하는 건데! 마침내 올 것이 왔구나. 이제 벌을 받는 건가. 유리는 잔뜩 겁에 질려 눈을 질끈 감았다.

이상하게도 아무런 고통이 느껴지지 않았다. 눈을 뜨고 두리번거리자 등 뒤에 문고리를 잡고 서 있는 카이가 보였다. 그는 겁에 질린 유리를 무표정으로 빤히 보고 있었다.

"바보처럼 서서 뭐 하고 있어? 안 따라올 건가?"

"어디…… 가는데?"

"잠깐 너랑 다과회 시간을 가져볼까 했거든. 뭐, 먹기 싫으면 넌 그냥 거기 서 있든가."

카이는 문을 열어 둔 채 그대로 나가버렸다. 다과회…… 다과회라. 그러고 보니 급하게 오느라 아무것도 못 먹었네. 음식 생각에 뒤늦게 허기가 느껴졌다. 유리는 고민하다가 그를 뒤따라 서재를 나섰다.

처음 와 보는 테네브리스 저택의 뒤뜰은 생각보다 넓었다. 어두운 초록빛 잔디 위로 앞마당처럼 여기저기 붉고 검은 장미꽃들이 만발했다. 뒤뜰 왼편에는 세월의 흔적이 깃든 고급스러운 정자와, 저 멀리 중앙에는 달빛 아래 검은 안개 산과 이어진 커다란 동굴, 그리고 오른편에는 저택을 감싼 회색 담과 연결된 거대한 폭포가 있었다. 담 위로 자라난 이끼 밑에서 거대한 물줄기가 콸콸 쏟아졌다. 그 아래에 생겨난 작은 연못에는 검붉은빛 꽃잎들이 둥둥 떠다녔는데, 아마도 마법을 이용해 만든 듯했다.

쉽게 볼 수 없는 신기한 광경에 유리는 넋을 놓고 구경했다. 폭포 소리를 들으며 정자에 앉아 다과를 즐기려는 걸까? 하지만 유리의 생각과 달리 카이는 멈춰 서지 않았다. 아름답고 독특한 풍경의 정원을 뒤로하고 카이가 향하고 있는 곳은 그 커다란 동굴이었다.

유리는 도대체 왜 귀족의 저택 뒤뜰에 음침한 동굴이 있는 것인지 이해가 되지 않았다. 산이나 숲과 함께 동굴은 유리가 제일 싫어하는 장소였다. 무엇이 있는지 알 수 없는 곳들엔 늘 위험이 도사리기 마련이고, 그런 위험에는 항상 죽음의 망령이 뒤따라오곤 했으니까.

카이는 아랑곳하지 않고 동굴 안으로 들어갔다. 수도 없이 드나든 듯 익숙한 발걸음이었다. 혹시 요괴라도 키우고 있는 걸까. 꺼림칙한 기분이 들면서도 카이가 또 무슨 꿍꿍이를 숨기고 있는 건지 내심 궁금했다. 유리는 멀리 어둠 속으로 사라지는 카이를 놓칠세라 재빨리 뒤따라갔다.

동굴 안의 광경은 아주 의외였다. 유리가 마주한 것은 마력에 미쳐 날뛰는 요괴도, 굴러다니는 시체나 뼛조각도 아니었다. 그것은 천장에 박힌 수백 개의 하얀 금강석 별빛이었다. 청명하게 빛나는 보석 같은 은하수가 달빛 한 줄기조차 들어오지 않는 동굴 안의 어둠을 가득 채웠다. 눈이 부실 듯 찬란하고 매혹적인 광경에 유리는 넋을 잃고 멍하니 바라보았다.

"이게…… 다 뭐야?"

"별자리 지도. 내가 하나하나 직접 만들었지."

"네가 직접 만들었다고? 왜?"

유리가 놀라서 물었다.

"세상에는 블러드크라운 제국만 있는 게 아냐. 너도 알다시피 엘프들이 사는 남쪽의 솔렌드리엘도 있고, 서쪽의 긴키바르 기사도 왕국도 있고, 솔렌드리엘보다 더 남쪽으로 내려가면 일곱 인간 부족들이 사는 곳도 있지. 하지만 이나실이 세상의 전부는 아니야. 우리가 사는 이나실을 벗어나면 더 많은, 전혀 다른 곳들이 존재해. 그래서 오래 전부터 다른 세상으로 넘어갈 수 있는 방법을 연구하고 있지."

카이가 어깨를 으쓱해 보이며 말했다. 유리는 그의 말을 이해할 수가 없어 눈만 깜빡였다. 다른 세상이라니, 난 아직 반월성에서 가보지 못한 곳도 많은데…….

"카이 님, 다과상 가져왔습니다."

갑자기 뒤에서 인기척이 났다. 돌아보니 라일이 작은 다과상을 들고 안으로 들어오고 있었다. 그는 조심스럽게 다과상과 붉은 장미 자수가 놓인 방석을 양쪽에 깔아 두고 나갔다. 카이는 유리에게 앉으라고 손짓하며 자리에 앉았다. 정말 앉아도 되는 걸까? 유리는 이런 상황이 처음이라 머뭇거리기만 했다.

"뭐 하고 있어? 멀뚱멀뚱 서 있지 말고 앉아."

"정말…… 겸상해도 되는 거야?"

"안 될 이유라도 있나?"

카이는 아무렇지도 않다는 듯 빈 찻잔에 차를 따랐다. 유리는 물끄러미 가을빛을 머금은 주황빛 수정과가 천천히 찻잔을 채우는 것을 지켜보았다. 귀족과 겸상을 해 본적은 한 번도 없었다. 애초부터 그녀와 같은 방랑자가 귀족과 말을 섞을 일이 뭐가 있을까? 유리는 반말도 모자라 그의 목에 칼을 들이대 놓고 겸상 따위에 망설이고 있는 자신의 꼴이 우스웠다.

카이는 어서 앉으라는 듯 눈짓을 해 보였다. 유리는 마지못해 자리에 앉았다. 얇아 보이는 두께와 달리 방석은 의외로 푹신했고, 손끝에 닿는 촉감도 깃털처럼 부드러웠다. 신발에 묻은 때가 탈까, 유리는 두 다리를 한쪽으로 모으고 다소곳이 앉아 푸짐한 다과상을 쭉 훑어보았다.

꽃무늬가 새겨진 수많은 접시 위의 다과가 눈길을 끌었다. 몇 가지는 명절 때마다 사당에서 함께 만들어 먹던 것들과 비슷했지만 그 화려함은 비교도 할 수 없었다. 알록달록한 구슬처럼 동그랗게 빚어진 경단, 기름을 듬뿍 바른 국화꽃 모양의 약과, 찹쌀을 튀겨서 꿀을 발라 깨를 뿌린 길쭉한 유과, 제국의 상징처럼 반달 모양으로 빚은 송편, 그리고 독특한 계피 향을 내는 수정과 위에 띄워진 잣과 가을 색의 곶감까지 보기만 해도 무척 먹음직스러웠다.

유리는 일단 하나씩 맛을 볼 생각으로 먼저 경단에 손을 가져갔다.

그런데 카이가 갑자기 음식을 집으려는 유리의 손을 마력으로 붙잡았다. 그의 표정은 마치 어린 아이의 나쁜 버릇을 목격한 것 같았다.

"그렇게 손으로 음식을 아무렇게나 헤집으면서 먹을 생각이야? 식사 예절은 어디 갔어?"

"식사 예절?"

유리가 고개를 갸우뚱하며 물었다.

"그래, 식사 예절. 사당에서 배운 적 없나?"

"그냥 먹으면 되는 것 아니야? 갑자기 무슨 식사 예절 타령이야?"

유리는 다시 경단을 집으려 했다. 하지만 그녀의 손은 카이의 마력에 붙잡혀 움직일 수가 없었다.

"넌 요괴를 상대할 때 어떻게 하지?"

"그게 먹는 거랑 무슨 상관이야?"

"말해봐. 넌 모든 요괴를 똑같이 상대하나? 그저 단순히 검으로 베고 찔러서?"

카이의 물음에 유리는 고개를 저었다.

"음…… 매번 달라. 물론 비슷한 요괴는 비슷한 방법으로 상대를 하지만, 단순히 찌르고 베기만 해서는 쉽게 죽일 수 없는 녀석들이 종종 있으니까. 어둑시니처럼 아예 검이 통하지 않는 놈도 있고."

"그래, 요괴를 사냥하는 데도 늘 같은 방식으로 상대하지는 않잖아. 식사 예절도 똑같아. 그냥 아무렇게나 먹는 음식이 있는 반면, 먹는 방식이 따로 있는 음식들도 있지."

의아한 말이었다. 그녀에게 음식은 고급스러운 밥상이든, 조촐한 밥상이든 똑같았다. 음식은 그저 음식이었다. 물론 손으로 간단하게 집어먹을 수 없는 국물 요리나 면 요리라면 얘기가 달랐지만, 떡이나 과자, 과일 같은 것들은 늘 손으로 집어먹곤 했다. 그렇게 해도 사당에서 뭐라고 하는 사람은 아무도 없었는데……. 유리는 도무지 이해가 되지 않았다. 카이는 그녀의 멍한 표정을 보고 한숨을 쉬더니 붙잡은 손을 놓아주었다.

민망한 기분에 유리는 다과상만 내려다보았다. 그러다 화려한 음식에 눈이 팔려 미처 보지 못했던 무언가를 발견했다. 접시 옆에 놓인 그 물건은 은빛을 띠었는데, 몸통은 얇고 긴 데다 머리가 숟가락처럼 길둥그런 모양이었으나 그 끝은 뾰족한 갈퀴를 닮은 모습이었다.

유리는 그 요상한 물건이 동쪽의 도시 모르귀스에서 보았던 '포크'라는 것을 깨달았다. 엘프들이 식사를 할 때 쓰는, 제국의 것으로 치자면 젓가락 비슷한 물건이었다. 모르귀스는 코르부스와 함께 제국에서 유일하게 엘프들과의 교류가 활발한 곳이었다. 때문에 두 도시에서는 반월성보다도 더 자주 이국적인 물건을 볼 수 있었다. '포크'도 그중 하나였다. 엘프들의 물건을 카이의 저택에서 보게 되다니, 얼떨떨한 기분이 들었다.

"이 포크, 모르귀스에서 봤었는데. 오랜만이다."

"맞아, 저번에 모르귀스에서 들여온 거야. 이런 것에 대해선 잘 모를 줄 알았는데, 흠…… 생각보다 그리 멍청하진 않은 모양이군."

카이가 피식 웃으며 말했다. 비웃는 건지, 뭔지. 유리는 눈알을 굴리며 포크를 집어 들고 경단이 담긴 접시로 손을 뻗었다. 그러다 눈을 부릅뜨고 쳐다보는 카이 때문에 흠칫 놀라 손짓을 멈췄다.

"내 말 아직 안 끝났어, 아가씨."

"왜, 또 뭐 때문에 그러는데?"

"포크가 뭔지는 알아도 식사 예절에 대해선 전혀 모르고 있잖아."

"꼭 알아야 해?"

"내 앞에서 거지처럼 아무렇게나 먹는 건 용납 못해. 난 그런 거 절대로 눈 뜨고 못 봐주니까. 어쨌든 귀족의 식사 예절에 대해 좀 가르쳐줄 테니 따라해 봐. 자, 이게 무슨 물건이지?"

카이가 하얀 손수건 두 장을 유리에게 흔들어 보였다. 유리는 자신을 약올리는 듯한 행동에 살짝 짜증이 나서 그를 노려보았다.

"너 지금 누굴 바보로 아는 거야? 손수건이잖아."

"그래, 손수건이지. 그런데 이게 무슨 물건일까? 말해봐."

카이가 다시 손수건을 흔들며 물었다. 가르쳐 주려고 저러는 건지, 놀리는 건지. 아니면 둘 다인가? 유리는 속으로 중얼거렸다.

"뭐, 그거야 당연히 닦으라고 있는 것 아냐?"

"맞아. 하지만 식사를 하면서 음식이 옷에 묻지 않도록 하기 위한 목적도 있지."

카이는 손수건 한 장을 유리에게 건넨 뒤, 자신이 들고 있는 손수건을 넓게 펼쳐 무릎 위에 올려놓았다. 유리는 떨떠름한 표정으로 어색하게 카이가 하는 대로 따라했다. 그 다음, 카이는 작은 접시와 포크를 집었다. 그는 포크로 경단 하나를 찍어서 접시로 가져가더니 유리를 쳐다보았다. 유리도 카이가 했던 대로 포크를 쥐고, 제일 맛있어 보이는 노란색 경단 하나를 가져와 접시 위에 놓았다.

"이렇게 접시에 따로 담는 건 흘리지 말고 먹으라는 뜻이야. 다른 사람들 것과 섞이지 않도록 자기가 먹을 만큼만 가져오는 거지. 알겠어?"

유리는 떨떠름한 표정으로 알겠다고 답했다. 카이는 그런 유리의 얼굴을 보고선 짧은 한숨을 쉬었다. 그리고선 경단을 한입에 집어넣더니 말없이 먹기만 했다. 유리도 그를 따라 경단을 입에 넣고 우물우물했다.

처음 배우는 식사 예절 때문일까, 아니면 자신을 한심하게 쳐다보는 저 날카로운 시선 때문일까? 왠지 모르게 이 작은 다과회 시간이 불편하게 느껴졌다. 그러면서도 유리는 경단이 참 달고 맛있다는 생각을 했다. 사르르 입안에서 녹는 말랑말랑하고 부드러운 느낌과 달콤한 맛에 손이 자꾸만 그쪽으로 갔다.

경단과 송편으로 조금 허기를 채운 후, 카이는 찻잔을 들었다. 그는 왼손으로 찻잔을 살짝 감싸쥐고 조심스럽게 오른손 손등에 걸쳤다. 그리고 찻잔을 입가로 가져가 수정과를 한 모금 마셨다. 그 모습이 아름다운 백조처럼 품위 있고 우아해 보였다. 역시 귀족은 귀족이네. 그냥 차를 마시는 것도 저렇게 보일 수가 있다니. 유리는 그 고상하고 우아한 모습이 신기해서 카이를 물끄러미 쳐다보았다. 카이는 찻잔을 내려놓고 유리에게 고갯짓을 했다.

"해봐."

유리는 우물쭈물하며 찻잔을 들었다. 그녀는 카이가 했던 대로 왼손으로 찻잔을 쥐고, 오른손의 손등에 살짝 걸치듯 올려놓았다. 그리고 조심스럽게 들어 올려 수정과를 몇 모금 마셨다. 단맛이 날 것 같은 가을색과 달리, 수정과는 꽤 매운맛이 났다. 매운 계피 향과 함께 시원한 느낌이 입안에 감돌자 상쾌한 기분이 들었다.

"찻잔은 꼭 왼손으로 잡고, 손등에 올린 채로 조용히 소리내지 않고 마실 것. 먹을 때는 절대로 말하지 말 것. 멀리 있는 음식을 먹고 싶을 때는 그냥 집어오는 게 아니라 가져다달라고 부탁할 것. 잘 기억해 둬. 이것들만 알아도 어디 가서 예의 없다는 소리는 듣지 않을 테니까."

예의 없다는 소리라. 나 같은 사람이 귀족과 차를 마실 일이 또 뭐가 있을까? 언젠가 이 계약 관계가 끝나면 평생 모르던 사이로 다시 돌아갈 텐데. 그럼 난 또 제국을 떠도는 방랑자 신세가 되겠지. 유리는 속으로 중얼거렸다.

한참 동안 두 사람은 말없이 다과상을 즐겼다. 어느 정도 배가 부르자 나른한 느낌이 들었다. 유리는 남은 수정과를 마시면서 천장에 박힌 금강석 별빛을 올려다보았다. 그러고 보니…… 이나실 밖에는 전혀 다른 세상이 있다고 했었지. 그 말에 약간 호기심이 일었다. 우리가 사는 세상을 벗어나면 어떤 곳들이 있는 걸까? 난 제국을 떠돌아다닌 게 전부인데. 하지만 그녀도 제국의 모든 곳을 가 본 것은 아니었다. 먼 곳을 가려면 말을 타고서도 몇 달이 걸리는데, 발로 뛰어다니는 것으로는 어림도 없었다.

"그런데 아까 말한 다른 세상이라는 거 말야. 어떻게 가는 거야?"

"중력문을 통해서."

"중력문? 그게 뭐야?"

"중력 마법을 이용하는 거야. 공간을 왜곡시켜서 다른 차원의 문을 여는 거지."

이해되지 않는 말에 유리는 눈알을 굴렸다.

"왜곡이라면…… 뭐, 너희 마법사들이 비가 내릴 때 구름을 걷히게 하는 것 같은 거야?"

"내가 저번에 말했었지. 공간을 연결하는 마법이 따로 있다고."

잠시 고개를 갸웃거리던 유리는 영안실에서의 일을 떠올리고 두 눈을 크게 떴다. 설마 저택에서 영안실까지 빨리 올 수 있던 게 지금 말하는 중력문이라는 것 때문인가? 그런 게 세상에 존재할 수가 있다니……. 유리는 믿기지가 않아 카이가 혹시 농담을 하는 것은 아닌지 의문이 들었다.

"그럼…… 귀족들은 다 그 중력문인가 하는 걸로 다니는 거야? 나도 할 수 있어? 어떻게 하는 건데?"

호기심 가득한 유리의 물음에 카이는 고개를 저었다.

“아니, 중력문을 연다는 건 절대 간단하지 않아. 아무나 할 수 있는 일이 아니야. 물론 날씨를 바꾸는 것도 극도로 까다로운 일이지만, 중력문을 여는 건 전혀 다른 의미지. 예를 들어서 광장을 가고 싶다면 마음 속으로 광장을 떠올려. 광장 말고도 어디든지 상관없어. 그냥 네가 가고 싶은 곳이기만 하면 돼. 그런 다음 온 정신과 마력을 집중해서 중력문을 여는 거야. 그게 바로 중력을 통한 공간 왜곡 마법이라는 거지. 그러면 네가 지금 있는 곳과 네가 가고 싶은 곳이 연결되는 문이 열려. 하지만 그 두 공간을 잇는 연결점은 전혀 다른 차원이야. 세상 그 어느 곳에도 속하지 않는.”

“세상 어느 곳에도 속하지 않는다니, 그게 무슨 뜻이야? 연결점은 또 뭐고?”

“중력문의 출발점과 도착점을 잇는 그 중간의 길을 뜻해. 하지만 연결점은 아예 다른 차원이야. 미숙련자가 함부로 중력문을 열면 그 안에 영원히 갇혀서 돌아오지 못해. 과거에 중력문을 열려다 실패한 사람들이 갇혔다는 말도 있고. 그래서 중력문을 연다는 건 강령술 이상으로 까다롭고 복잡하지. 과거에 내 선조들 중 누군가가 중력 마법을 연구했었다고는 하는데, 글쎄. 남겨진 기록도 별로 없고, 알려진 정보도 많지 않아서 나도 잘은 몰라. 아무튼 중력 마법을 다룰 줄 아는 건 나뿐이야. 다루기 워낙 까다로워서 최고의 마법사들도 번번이 실패하는 마법이거든. 내가 그걸 유일하게 성공한 거고.”

카이의 목소리에서 자신감이 묻어났다. 그만이 유일하게 할 수 있는 일이라……. 얼떨떨했지만 납득할 수는 있었다. 애초에 열 여섯 살에 대마법사가 된 천재라고 했으니까. 하지만 영영 돌아오지 못할 수 있는 곳이 있다니, 그 말에 유리는 섬뜩한 기분이 들었다. 동시에 호기심이 생겼다. 이해하기 어렵고도 신비롭게 느껴지는 ‘중력문’에 대해 더 알고 싶었다. 마법사들은 여태껏 자연을 왜곡하며 섭리를 어기는 자들이라고 생각했건만, 유리는 오히려 카이의 말을 들으며 마법에 더 흥미가 생기기 시작했다.

“그렇구나…… 그런데 말이야, 혹시 연결점에서 문을 열 수는 없는 거야? 어떻게든 문을 열어서 다시 나오기만 하면 되잖아?”

“중력문은 출발점에서 도착점으로 넘어갈 수는 있지만, 그 반대는 불가능해. 마음대로 안방을 드나들듯 왔다갔다하지는 못하지. 그들이 갇힌 공간은 ‘연결점’ 안이야. 출발점과 도착점을 잇는 공간.”

“나올 수 있는 방법이 아예 없는 거야? 갇힌 사람들은 어떻게 됐는데?”

“그건 나도 몰라. 오랫동안 중력 마법을 연구해 왔지만, 연결점 안의 공간은 나한테도 미지의 세계야. 고대 서적을 뒤져봐도 연결점에 대해서는 정보가 거의 없어. 그 안에서 빠져나올 수 없다는 것과, 아무것도 없는 공허한 공간이라는 것을 빼고는.”

“절대 빠져나올 수가 없는 곳이라니 무섭네. 아무리 복잡한 요괴 굴도 어떻게든 나갈 길은 있는데.”

“사실 예전에 연결점 공간 안으로 가보려고 시도한 적이 있었어. 하지만 아무리 해도 안 되더군.”

유리는 경악하여 그를 놀란 눈으로 바라보았다. 카이는 뭘 그렇게 놀라느냐며 어깨를 으쓱했다.

“그런 미친 짓을 왜 하는 거야? 절대 돌아올 수가 없다면서?”

“나라면 가능할지도 모른다고 생각했거든. 그리고 정보가 없으니 제대로 된 연구를 할 수도 없고.”

“그래도 그렇지, 무슨 일이 생길지도 모르는데……. 그럼, 뭐 알아낸 거라도 있어?”

“아니, 매번 시도할 때마다 실패해서 아무것도 알아내지 못했어. 그저 내가 원래 있었던 곳으로 돌아올 뿐이었지. 실수가 아닌 이상 연결점 안에 일부러 갇힐 수는 없는 모양이야. 아니면 연결점 안의 공간으로 가는 다른 방법이 있다든가.”

카이는 태연하게 차를 몇 모금 마셨다. 유리는 그 대담함이 이해되지 않으면서도, 한편으로는 그가 무척 대단해 보였다. 죽을지도 모르는데 겁도 없이 미지의 세계에 발을 들이고, 아무것도 두렵지 않다고 말하는 이 남자는 대체 어떤 사람일까? 자신과는 너무나도 다른 모습에 유리는 조금씩 그에 대해, 그리고 그가 다루는 '마법'이라는 것에 대해 자세히 알고 싶어졌다.

"그러면 중력문을 통해서 다른 세상에 가본 적 있어? 네가 아까 말했던 다른 세상 말이야."

"아쉽지만 한 번도 가본 적은 없어. 꼭 가보고 싶은 곳이 하나 있긴 하지만."

카이는 빛나는 금강석 별들 중 한 곳을 가리켰다. 뾰족한 송곳니 같은 모양을 한 '송곳니자리'라고 불리우는 별자리였다.

"저기가 어딘데?"

"고대에 우리 선조들이 전쟁을 피해서 넘어간 세계."

"선조들이 넘어간 세계라고?"

유리는 예전에 읽었던 역사 서적의 내용을 떠올리려고 애쓰며 물었다. 하지만 읽은 지가 하도 오래 되어서 잘 기억이 나지 않았다.

"고대 마지막 전쟁 때 흡혈귀들 절반이 중력문을 타고 다른 곳으로 넘어갔다는 얘기, 들어본 적 없나?"

그제서야 사당에서 읽었던 책 내용이 어렴풋이 기억났다. 빛의 신으로부터 태어난 엘프들과 어둠의 신으로부터 태어난 인간들, 서로를 이해하지 못하고 영겁의 시간 동안 계속된 두 종족의 갈등, 결국 전쟁에서 패배하여 현재 블러드크라운 제국이 있는 북쪽 땅으로 올라와 혈석을 만들어내 흡혈귀로 다시 태어난 선조들의 이야기. 유리는 몇 년 전 그 역사 서적에 푹 빠져 있던 자신이 기억났다.

하지만 의구심이 들었다. 선조들이 넘어간 세계가 진짜 존재할 수 있단 말인가? 흡혈귀들이 엘프들과 끊임없는 전쟁을 했다는 것 자체는 사실이었다. 흡혈귀들이 혈석의 힘을 잃고 세대를 거쳐 밤의 인간이 되어버린 지금도 두 종족은 사이가 좋지 않았다.

허나 그런 것과는 별개로 지금 이 시대를 살고 있는 밤의 인간들에게 전쟁을 비롯한 역사 서적 내용의 대부분은 전설처럼 받아들여졌다. 그렇기에 흡혈귀들이 '이나실'이라 불리는 이 세상 너머의 다른 곳으로 떠났다는 얘기 또한, 지금은 자신들과 아무런 상관없는 먼 옛날 얘기일 뿐이었다.

"책에서 본 적은 있지만, 그건 그냥 꾸며낸 얘기 아니야? 선조들이 정말 이나실 밖으로 떠났단 말이야?"

"나도 정확히는 몰라. 내 연구로 추측해본 거야. 어쨌든, 언젠가 기회가 되면 실패하지 않도록 확실히 해둔 다음에 넘어가 볼 생각이야."

다른 세상……. 이나실 밖의 세상은 어떤 곳일까? 유리는 카이의 설명을 머릿속으로 곱씹어 보며 다시 금강석 은하수를 훑어보았다. 해가 질 때 일어나 달이 뜰 때 잠이 드는 밤의 인간들의 특성상, 별자리는 그들에게 아주 중요한 것이었는데 길을 잃었을 때 방향을 찾는 지도가 되어 주기 때문이었다. 유리도 지난 4년간 제국을 떠돌며 가끔 헤맬 때마다 별자리를 보고 길을 찾곤 했다.

별자리들을 훑어보던 유리는 아주 익숙한 별자리 몇 개를 발견했다. 그녀는 칼집에서 검을 빼 들어 천장의 별자리에 대고 맞춰보았다. 그러자 검에 새겨진 것과 똑같은 금강석 별빛들이 눈에 들어왔다. 블러드크라운 제국에서 가장 중요하게 여겨지는 28개의 별자리였다. 그 별자리들이 동굴의 천장에도, 유리의 천체검에도 똑같이 새겨져 있었다.

"이리 줘봐."

카이가 손을 내밀었다. 유리가 검을 건네자 그는 유리가 했던 것처럼 천장을 향해 검을 대보았다. 새겨진 모양새는 조금 다르지만 정확히 똑같은 별자리들이었다. 카이는 몇 번을 더 살펴보고 난 후 유리에게 검을 돌려주었다.

"신기하군. 네 검에도 새겨져 있을 줄이야."

"그러게. 어쩐지 익숙하다고 생각했어. 그런데 말이야, 혹시 이런 건 어렸을 때부터 배워?"

유리가 약과를 베어 물며 말했다.

"뭘?"

"식사 예절 말이야. 귀족들은 그런 것도 어렸을 때부터 배우나 싶어서."

"보통은 그렇지. 난 아니었지만."

"무슨 소리야? 부모님께서 어렸을 때부터 가르쳐 주시는 거 아니야?"

"나한텐 부모라는 게 없어. 이런 건 전부 할머니께 배웠지."

예상치 못한 이야기에 유리는 놀라서 포크를 조용히 내려놓았다. 설마 테네브리스도 고아였던 걸까? 아니면 부모님이 일찍 돌아가셔서 쭉 혼자였던 걸까? 괜한 질문일지 모른다고 생각하면서도 유리는 그가 어떤 삶을 살아왔는지 알고 싶어졌다.

"하나만 물어봐도 될까?"

유리가 조심스럽게 묻자 카이가 말해보라는 듯 고갯짓을 했다. 유리는 찻잔을 만지작거리며 우물쭈물하다가 힘겹게 입을 열었다.

"혹시…… 부모님 돌아가셨어?"

"아니, 살아있어."

"살아 계신다고? 그럼 부모님이 없다는 말은 뭐야?"

"너 같으면 널 죽어라 두들겨 패던 사람들을 부모로 여길 수 있겠어? 그래도 가족이라고 감싸 안을 수 있나?"

순간 과거의 기억이 가슴을 때리는 듯한 충격에 유리는 말없이 고개를 저었다. 카이는 다시 말을 이었다.

"나도 똑같아. 그 사람들이 살아있든 어쨌든 내겐 죽은 사람만도 못하지. 어렸을 때 반찬 투정을 조금 했다고 방 안에 갇혀 묶여 있었던 적이 있어. 먹은 거라곤 겨우 물 몇 모금뿐인데, 굶주린 몸으로 죽어라 두들겨 맞아야 했지. 여섯 살 때 마법 수련을 하다 실수를 했다는 이유로 고문에 가까운 벌을 받은 적도 있고. 가문의 체면이 바닥으로 떨어졌다고 말이야. 그런데 내게 그런 짓을 해놓고 내 부모라는 작자들은 아무렇지도 않게 살아있어. 아무런 죄책감도, 미안하다는 말도 없이. 난 그 사람들을 부모라고 생각한 적 없어. 내가 진짜 가족이라고 생각하는 사람은 돌아가신 할머니와 라일뿐이지."

카이는 아무 일도 아닌 것처럼 덤덤하게 말했다. 유리가 이야기를 털어놓았을 때와 달리 그의 목소리에서는 아무런 슬픔도 느껴지지 않았다. 둘 사이에 어색한 분위기가 감돌았다. 사실 그렇게 느끼는 사람은 유리뿐이었다. 카이는 턱을 괸 채 금강석 은하수만 쳐다보고 있었다. 그냥 주둥아리를 다물고 있었어야 하는 건데! 궁금하다는 이유로 괜히 입을 놀렸다는 생각에 유리는 자신을 자책했다. 뜻하지 않게 남의 상처를 후벼 판 느낌에 미안한 마음이 들었다.

"미안해. 그런 일이 있는 줄도 모르고 난……."

"사과할 필요는 없고. 영혼을 인도하는 일을 한다고 했었나?"

"영혼을 인도하는 일?"

"네가 원래 주술사로서 사당에서 하던 일 말이야. 나랑 계약해서 하는 일 말고."

"뭐, 그렇지. 원래는 사당에서 어둠의 신을 모시면서 죽은 자의 영혼을 저승으로 보내주는 게 일이었으니까."

"그 영혼을 저승으로 인도하는 일, 내게도 해줄 수 있나?"

"그게 무슨 말이야?"

"사실 돌아가신 할머니께 제대로 된 장례식을 치러드리지 못해서 말이야. 조금이라도 편하게 안식에 드실 수 있도록 네가 인도해드렸으면 하는데."

의외의 부탁에 유리는 조금 놀라웠다. 할머니라. 유리는 곰곰이 어린 시절을 곱씹어보았다. 안타깝게도 할머니에 대한 기억은 전혀 없었다. 손녀가 태어나기도 전에 돌아가신 탓이었다. 대신 유리는 할아버지와 시간을 보내곤 했다.

모두가 자신을 쓸모없는 짐짝처럼 여기는 집안에서 할아버지는 유리가 유일하게 믿고 따를 수 있는 사람이었다. 그는 매일같이 유리를 때리고 욕하는 못난 아들과 며느리를 혼냈다. 그리고 세상이 떠나가라 엉엉 우는 손녀를 안방으로 데려와 달랬다. 그럴 때마다 유리는 할아버지 품에 안겨 울다 지쳐 잠이 들곤 했다. 힘들었지만 그래도 할아버지가 있어 견딜 수 있었다. 아무리 괴롭더라도 영원히 할아버지가 곁에 있어준다면 괜찮을 것 같았다.

그러나 할아버지는 유리가 열 살 때 돌아가시고 말았다. 그후부터 유리는 그야말로 동네 개만도 못한 취급을 받으며 자랐다. 부모님은 할아버지께서 돌아가신 것은 네년 때문이라며 딸을 사정없이 두들겨 팼다. 이유도 모른 채 피를 흘려야 할 때마다 유리는 유일한 버팀목이었던 할아버지가 너무나도 보고 싶었다. 어쩌면 자신이 할아버지에게 느끼는 감정을, 카이도 할머니에게 똑같이 느끼고 있는지도 몰랐다.

"할 수는 있지만 시체가 없으면 불가능해. 게다가 여긴 묘지도 아니고."

"하지만 유골이라면 가능하겠지."

카이는 동굴 안쪽으로 손을 뻗었다. 깊은 어둠 속에서 작은 무언가가 그의 손에 이끌리듯 들어왔다. 카이는 손을 내밀어 물건을 보여주었다. 하얀 가루가 든 작은 유리병이었는데, 마개에 '미나 모르티스'라는 이름이 적힌 것으로 보아 아마도 할머니의 성함인 것 같았다. 살아생전 그녀의 몸을 지탱했을 뼈는 곱게 빻은 가루가 되어있었다.

유리는 고민하다가 유골이 든 병을 받아들었다. 그리고 주머니에서 노란 부적을 꺼내 병에 붙였다. 부적에는 붉은 글씨로 망자의 안식을 비는 글귀가 쓰여 있었다. 유리는 눈을 감고 두 손을 모아 망자를 위한 기도를 읊었다.

"어둠의 신이시여, 이 자의 영혼을 이승에서 해방시켜 주소서. 부디 어둠의 품에 안겨 영원한 안식에 들 수 있도록 하시고……."

카이는 기도하는 유리의 모습을 팔짱을 낀 채 지켜보다가, 떨떠름한 얼굴로 고개를 돌렸다. 하지만 유리는 기도에 집중하고 있느라 알지 못했다. 그녀는 한참 더 기도를 읊은 후에야 눈을 떴다.

"이제 됐어. 좋은 곳에서 평안하시라고 기도를 올렸으니, 안식에 드셨을 거야."

유리는 할머니의 유골을 카이에게 돌려주었다. 카이는 아무 말도 하지 않았다. 착잡해 보이는 표정이었다. 그는 망토 안주머니에 손을 넣더니 은화를 몇 닢 꺼냈다.

"자, 이건 계약금이랑 별개로 내 감사의 표시."

"내가 하고 싶어서 했을 뿐인걸. 돈 받으려고 한 건 아니야, 괜찮아."

"잔말 말고 그냥 받아."

카이는 한사코 받지 않겠다고 손사래를 치는 유리의 손에 은화를 꼭 들려주었다. 하는 수 없이 유리는 돈을 받았다.

"그래서 수련은 잘 되어가나?"

"수련?"

"라일이 네게 마력 가루와 책을 줬다고 하던데."

유리는 차마 수련이 잘 되어가고 있다고 말하지 못했다. 마력을 흡수하자마자 요괴에게 당해 쓰러진 데다, 마력을 가지고 제대로 무언가를 해본 적도 없었다.

"아직 부족해. 네가 하던 대로 아무리 손을 움직여봐도 되지 않았거든."

"당연하지, 내가 하는 건 아무나 할 수 없는 거니까. 근데 마력을 어떻게 흡수했길래 이렇게 불안정하지? 제대로 한 거 맞긴 해?"

"불안정하다고?"

"나한텐 보이거든. 마력이 가만히 있지 못하고 겉도는 듯한 모습이. 굳이 비유를 들자면 번개가 나뭇가지처럼 여러 갈래로 뻗친 모양이라고 해야겠군. 보통 마력이 극도로 불안정할 때 그런 형태를 띠곤 하는데, 지금 네가 바로 그런 경우라고 할 수 있지."

불안정한 마력……. 그제서야 왜 온몸이 쑤시고 피곤한 느낌이 사라지지 않는지 이해할 수 있을 것 같았다. 갑자기 카이가 그녀를 향해 손을 뻗었다. 손끝에서 흘러나온 보랏빛 마력 안개는 유리를 감싸더니 그녀의 몸안으로 스며들었다. 유리는 또 카이가 자신에게 정신이 연결되는 마법을 건 것인지 혼란스러웠다.

하지만 그게 아니었다. 카이의 마력이 스며들자 신기하게도 온몸을 파고들던 찌릿한 고통이 점점 희미해졌다. 이윽고 유리는 고통이 완전히 사라진 것을 느꼈다. 그녀는 놀라서 자신의 손과 카이를 번갈아 쳐다보았다.

"어떻게 한 거야? 계속 찌릿한 고통이 느껴졌었는데…… 이제 하나도 느껴지지 않아."

"네 불안정한 마력을 안정시키는 마법을 걸었으니 당연하지."

"대체 네가 못하는 게 있긴 한 거야?"

카이는 대답 대신 오만한 표정으로 입꼬리를 올렸다. 유리는 카이에게 고마운 감정이 들면서도, 한편으로는 저 자신만만한 표정을 다시 마주하자 얄밉게 느껴졌다.

"못하는 게 없으면 그냥 마법을 가르쳐 줘도 되지 않아? 넌 뭐든지 잘하니까 가르치는 일도 식은 죽 먹기일 텐데."

"스승이 아무리 뛰어나도 제자의 실력이 형편없으면 아무런 쓸모가 없지."

"뭐라고?"

"마법은 별개의 문제라고 분명히 말했잖아. 잊었나?"

"가르쳐 준 적도 없는데 실력이 형편없는지 어떻게 알아? 해보지 않고서는 모르는 일이잖아?"

"시험해볼 필요도 없어. 보나마나 불 보듯 뻔하지."

딱 잘라 거절하는 말에 유리는 입을 뾰로통하게 내밀었다. 다과회 시간으로 그와 조금 친해졌다고 생각했건만, 다시 차가워진 모습에 유리는 그를 처음 만난 때로 돌아간 것 같았다. 유리는 고개를 푹 숙인 채 한숨만 쉬었다.

그 모습을 쳐다보던 카이는 또다시 옷 안주머니를 주섬주섬 뒤지더니 무언가를 건넸다. 이번에는 돈주머니가 아니라 출입패였다. 흔히 사람들이 지니고 다니는 나무패와 달리 고급스러운 상아로 만들어져 흠집 하나 없이 반짝반짝 윤이 나는 데다 무척 단단해 보였다. 출입패에는 '마법과 역사

기록 보관소 출입패'라는 말과 함께 카이의 이름과 그의 서명, 대마법사로서의 직위 등이 적혀 있었다.

"이게 뭐야?"

"마법 도서관에 들어가려면 신분을 확인할 수 있는 출입패가 필요해. 마법사들만 들어갈 수 있으니까. 그렇게 마법을 배우고 싶으면 이걸 들고 도서관에 가봐."

마법 도서관이라고? 세상에! 뜻밖의 도움에 유리는 놀라서 입을 다물지 못했다.

"고마워. 잘 쓰고 꼭 돌려 줄게."

"이 이상으로 널 도와주지는 않을 거야. 그러니 정 나한테 배우고 싶으면 수련을 더 해서 실력을 증명해 와. 하지만 그 전에는 어림도 없어. 알겠나?"

"명심할게."

"그리고 잃어버리지 마. 네가 평생을 뼈 빠지도록 일해도, 절대 갚을 수도 없고 구할 수도 없는 거니까."

신신당부하는 그의 목소리가 약간 위협적으로 느껴졌다. 유리는 몇 번이고 고맙다고, 그리고 조심하겠다고 대답했다. 마법 도서관이라…… 유리는 출입패에 새겨진 카이의 이름을 만지작거렸다. 상아 특유의 단단하고 차가운 느낌이 손끝으로 느껴졌다.

카이 테네브리스가 얼마나 위험한 놈인지 지켜보라던 미르의 말이 떠올랐다. 그의 말이 아주 틀린 것은 아니었다. 강령술을 다루고, 다른 곳으로 이동하는 중력문을 열 줄 알고, 다른 세계로 넘어가기 위해 별자리까지 연구하고 있는 이 남자는 분명히 비범한 재능을 가지고 있었다. 그가 다루는 능력들은 하나같이 강력하고 위험했다.

하지만 유리는 카이가 어딘가 미르와 다르다는 생각이 있었다. 그녀는 옛 연인이 어린 시절에 대해 얘기할 때마다 오직 증오와 분노에만 집중했던 것을 떠올렸다. 어떤 슬픔이나 다른 감정은 없었다. 오로지 자신을 이렇게 만든 세상을 향한, 아버지를 향한 분노뿐이었다. 카이는 그렇지 않았다. 물론 그에게도 분노와 증오는 존재했다. 하지만 카이의 눈빛에는 섬뜩한 광기도, 살기도 없었다. 유리는 사람의 눈빛을 읽으라던 진율의 말을 어느 정도 이해할 수 있을 것 같았다.

작은 다과회 시간이 거의 끝나고 남은 수정과만 홀짝이고 있는데 동굴 안에 발소리가 울렸다. 집사 라일이었다. 그는 유리에게 불편한 것은 없었는지, 다과는 입맛에 잘 맞았는지 물어보며 둘의 찻잔에 새로 가져온 수정과를 따라주었다.

"그런데 말이에요, 라일. 대체 어떻게 한 거예요?"

카이가 찻잔을 내려놓고 물었다.

"네? 무슨 말씀이십니까?"

"나한테는 죽어도 안 하던 존댓말을 하던데, 대체 어떻게 이 아가씨가 존댓말을 하게 만들었는지 궁금해서요."

카이는 씩 웃으며 유리를 힐끔 쳐다보았다. 유리는 그가 서재에서의 일을 말하려는 것을 눈치채고 그를 노려보았다.

"나도 못한 일을 해내다니 정말 대단한데요. 혹시 나보다 훨씬 천재인 거 아니에요? 대마법사는 내가 아니라 라일인 것 같은데?"

"아닙니다, 카이 님. 과찬이십니다."

"정말이에요, 라일. 아까 얘가 나한테 뭐라고 했는 줄 알아요?"

카이는 라일에게 서재에서 있었던 일을 이야기하기 시작했다. 대놓고 웃지는 않았지만 입꼬리가 올라가 있는 것이 얄미워 유리는 그를 째려보았다. 라일도 이 상황을 재미있다고 생각하는 건지 자꾸만 입꼬리가 씰룩대고 있었다. 애써 웃음을 꾹 참고 있는 듯 보였다. 아, 그 주인에 그 집사로군. 유리는 두 사람을 번갈아 보며 수정과만 벌컥벌컥 들이켰다.

7장.

지식의 대가

Price of Knowledge

일주일이 지났다. 유리는 그동안 상처를 회복하면서 라일에게 마력 가루를 받아 조금씩 마력을 흡수하는 연습을 하고 있었다. 이따금씩 여전히 약간의 통증이 온몸을 타고 올라왔지만, 카이의 도움 덕분인지 적어도 더 이상 찌릿한 고통이나 속이 뒤집어질 것 같은 느낌은 없었다.

유리는 침대에 앉아 배를 감싸고 있던 붕대를 풀었다. 창백한 피부 위에 새겨진 깊은 흉터들이 드러났다. 그중 한 흉터는 정확히 갈비뼈 부근을 지나 초승달 모양으로 휘어 있었다. 유리는 백사귀가 똬리를 틀고 몸을 조여오던 것과, 호랑이에게 순식간에 잡혀 정신을 잃던 순간을 떠올렸다. 그녀에게 새로운 흉터를 남긴 범인은 두 녀석 중 하나임이 틀림없었다.

다행히도 상처는 빠르게 회복되고 있었다. 선우가 치료를 잘한 덕분이기도 했지만, 그녀가 특유의 민첩함과 강인한 신체를 가진 밤의 인간이라는 이유도 컸다. 보통의 인간이라면 빨라야 한 달 내지에서 몇 달은 거쳐야 하는 회복 기간이었지만 흡혈귀의 후손들에게는 그리 긴 시간이 필요하지 않았다. 이것은 창백한 피부, 붉은 눈과 함께 그들이 선조들로부터 물려받은 선물 중 하나였다. 적어도 밤의 인간들은 그렇게 여겼다.

유리는 거울 앞에 서서 온몸을 살펴보았다. 등에서 목 뒤, 허리, 배, 옆구리까지 딱히 어디라고 할 것도 없이 흉터가 가득했다. 또 영광스러운 상처가 하나 생겼네. 유리는 중얼거리며 라일에게서 받은 혈월주를 들이켰다. 이제 술병은 거의 바닥을 보이고 있었다. 그리도 아끼고 아껴서 마셨건만, 혈월주는 이제 많아야 한두 모금 정도밖에 없었다. 유리는 주섬주섬 옷을 주워 입고 짐을 챙겨 1층으로 내려갔다. 식사를 할 시간이었다.

태양이 막 지기 시작한 시간이어서 그런지 여관은 아직 잠잠했다. 일찍 일어난 사람들 세 명 정도가 이야기를 나누며 식사를 하고 있었다. 빈 자리가 많았지만 유리는 늘 그렇듯 구석 자리에 앉았다. 바닥을 쓸던 여관 주인이 다가와 무엇을 주문할 것인지 물었다. 유리는 비교적 값싼 소고기국을 한 그릇 주문했다. 그녀는 사치스러운 생활에 익숙해지지 않도록 조심하고 있었다. 스스로 신경 쓰며 조심하지 않으면 주머니는 금세 빈털터리가 되었다. 카이와 계약을 맺은 이후 흥청망청 돈을 쓰면서 깨달은 사실이었다.

조금 기다리자 여관의 하인이 요리를 가지고 나왔다. 코를 찌르는 매콤한 향에 잊고 있던 허기가 몰려왔다. 유리는 젓가락을 들고 며칠 굶은 사람처럼 정신없이 면을 입안으로 밀어 넣었다. 소고기와 고사리, 다양한 나물을 넣고 끓인 매콤한 이 요리는 밤의 인간들이 가장 좋아하는 음식 중 하나였다.

유리는 금세 그릇을 비우고 자리에서 일어났다. 밥값을 지불하기 위해 유리는 여관 주인에게 다가갔다. 선반을 정리하던 여관 주인은 인기척을 느끼고 뒤를 돌아보았다. 아주머니는 다른 사람들이 그렇듯 얼굴의 흉터를 힐끔 쳐다보았다. 늘 있는 익숙한 일이기에 유리는 상관하지 않았다.

돈주머니를 찾으려고 가방을 뒤지는데 문득 손에 차갑고 단단한 것이 잡혔다. 혈월주를 담았던 술병이었다. 누군가는 빈 술병을 쓸데없이 왜 가지고 다니냐고 말할지 모르지만, 고급주를 담았던 것이라 그런지 술병을 버리기가 아까웠다.

"여기요."

유리는 아주머니에게 돈을 건넸다. 아주머니는 제값을 받았는지 은화를 한 닢씩 세어본 뒤 앞치마 주머니에 돈을 넣었다.

"감사합니다. 그럼 또 오세요."

"잠깐만요, 아주머니. 이 술 여기서 파나요?"

손에서 미끄러질까, 유리는 조심조심 여관 주인에게 술병을 건네 보이며 물었다. 아주머니는 의아한 표정으로 술병을 받아들고서 이리저리 살펴보더니 무언가 놀라운 것을 발견한 듯 눈을 크게 떴다.

"세상에, 3951년산이라니! 이건 더 이상 구할 수도 없는 건데!"

"네? 더 이상…… 구할 수 없다고요? 무슨 말이죠?"

"이건 30년 전에 블러드울프 양조장 마지막 주인께서 돌아가셔서 더 이상 만들지 못하는 술이에요. 부르는 게 값이라고요! 코르부스랑 모르귀스에서도 최고급으로 치는 술이에요. 이 귀하디 귀한 걸 직접 보게 되다니……. 아가씨, 말해봐요. 어디서 구했어요?"

여관 주인이 호들갑을 떨며 물었다. 유리는 그제서야 혈월주가 평범한 고급주가 아님을 깨달았다. 부르는 게 값이라. 술을 모두 마셔버린 것이 후회가 되기 시작했다. 그렇게 비싼 술이었다고? 더 이상 구할 수도 없을 만큼? 테네브리스는 대체 지하 창고에 이런 걸 몇 병이나 가지고 있는 거지? 자꾸만 캐묻는 아주머니의 말을 뒤로한 채 유리는 술병을 들고 재빨리 여관을 나왔다. 무슨 일인지 궁금해하는 손님들의 시선이 등 뒤로 느껴졌고, 계속 혈월주에 대해서 묻는 아주머니의 목소리가 들려왔다. 유리는 자신을 향한 모든 관심을 무시하고 말에 올라타 두건을 뒤집어썼다. 그리고 한 가지 결심을 했다. 반드시 필요한 상황이 아니라면 테네브리스에 관련된 그 어떤 것도 남들에게 보이지도, 말하지도 않겠다고. 원치 않는 관심이 쏠리는 것은 딱 질색이었다.

유리는 말을 타고 마법의 거리로 향했다. 카이가 준 출입패를 들고 그곳에 위치한 마법 도서관에 가볼 생각이었다. 너그럽게도 대마법사가 회복할 시간을 넉넉하게 준 덕에 그녀는 당분간 요괴의 마력을 모으러 가지 않아도 되었다.

저잣거리에서 서쪽으로 한참을 달리자 드디어 마법의 거리 입구가 보였다. 테네브리스 저택보다 훨씬 높은 담벼락이 거리를 감쌌고, 그 담벼락을 보랏빛 나무들이 다시 이중으로 감싸안았다. 이 나무들은 마법사들이 직접 만든 마법의 숲이었는데, 저 멀리 안쪽 절벽 폭포에서 반짝이는 보랏빛 물이 콸콸 쏟아지고 있었다.

모두를 환영하듯 활짝 열린 거리 입구의 문 뒤로 양쪽으로 늘어선 웅장한 건물들이 서로를 마주보았다. 기와지붕과 붉은 달맞이꽃 단청은 어디를 가나 똑같았지만, 어쩐지 이곳에선 조금 달라 보였다. 하나같이 하늘을 찌를 듯 높게 지어진 건물들과 흰 대리석 바닥은 은빛 달처럼 찬란한 광채를 자랑했고, 거리의 사람들 대부분은 척 보아도 귀족임을 알 수 있을 만큼 화려한 비단옷을 걸쳤다. 그들은 각각 마법 수정구나 마력석 조각을 손에 쥐거나 띄워놓고 어디론가 향하고 있었다.

그들 중 유리보다 열 다섯 살은 어려 보이는 몇몇 아이들은 자기들끼리 무슨 재미있는 이야기를 하는지 깔깔대며 왼쪽의 마법 학교로 들어갔다. 정문 현판에 '어둠이 곧 진리'라고 쓰여 있는 것이 인상적이었다. 마법 학교의 건너편에는 마법학회가 자리했다. 몇 사람이 밖에 나와 담배를 피우며 마법 이론에 대해 논쟁을 벌이고 있었다. 마력이 원소에 어떻게 반응하는지 같은, 카이가 읽던 서적과 비슷한 알 수 없는 말들뿐이었다.

이런 곳이 반월당과 이렇게나 가까이 있었다니, 믿을 수가 없었다. 마법의 거리는 완전히 다른 세상처럼 느껴졌다. 유리는 거리의 풍경을 구경하면서 사람들에게 길을 물어 마법 도서관으로 향했다.

마법 도서관은 다른 건물들보다 훨씬 눈에 띄었다. 팔작지붕 중앙에 하늘을 보고 누운 초승달, 뾰족한 검은색 송곳니 장식은 제국의 다른 건물들과 비슷했다. 사람 두 세 명은 들어갈 수 있을 것 같은 거대한 백색의 기둥 네 개가 일정한 간격을 두고 입구를 떠 받쳤고, 뒷목이 빠져라 올려다봐야 할 만큼 그 높이 또한 엄청났다. 계단 역시 하얀 대리석으로 되어 있었으며 두 개의 기둥 사이로 도서관 출입문이 있었다.

정문 현판에 '마법의 역사와 지식 보관소'라고 날카로운 필체로 쓰인 것이 보였다. 문지기 두 명이 도서관을 드나드는 사람들을 살펴보고 있었다. 마법사들은 문지기에게 출입패를 대충 보인 뒤 안으로 들어갔다. 여유로운 발걸음으로 보아 다들 수십 번은 와본 듯했다.

유리는 근처 마구간에 나비를 맡기고 도서관 안으로 들어가려다 도서관 앞의 분수대를 발견했다. 투명하고 깨끗한 물로 가득 찬 마법 분수대는 작은 연못 정도의 크기로, 가운데에 은빛 달 조각상이 있었는데 마치 달빛이 하얀 안개를 뿜어대듯 여러 갈래의 얇은 물줄기가 원을 그리며 아래로 흘렀다. 분수대 안에는 꽤 많은 수의 잿빛, 주황빛 잉어가 헤엄을 치고 있었다. 녀석들이 이리저리 움직일 때마다 작은 물결이 넘실거렸다.

잉어들은 유리가 분수대에 걸터앉자 그녀를 향해 다가왔다. 먹이를 바라고 앞에 모인 것 같았다. 잉어들에게 먹이를 챙겨주는 이가 따로 있다는 뜻이었다. 혹은 지나가는 사람들이 녀석들을 귀여워하며 때때로 챙겨준 것일 수도 있었다. 유리는 던져줄 먹이가 없는 탓에 그저 잉어들을 빤히 바라볼 수밖에 없었다. 잉어들은 한참 동안 먹이가 떨어지질 않자 하나 둘씩 자리를 떴다.

유리는 반대쪽으로 헤엄쳐 가는 녀석들을 구경하다 유독 눈에 띄는 아름다운 무늬를 가진 잉어 한 마리를 보았다. 녀석은 다른 잉어들보다 유달리 몸집이 더 컸고 반짝이는 비늘 무늬는 신기하게도 진한 파란색, 보라색, 붉은색의 세 가지로 이루어져 있었다. 선명한 파란색과 보라색을 지닌 물고기는 전혀 들어본 적도, 직접 목격한 적도 없었다.

삼색잉어는 다른 녀석들과 함께 반대쪽으로 움직였다. 그런데 녀석에게서 언뜻 사람의 형체 비슷한 것이 보였다. 유리는 깜짝 놀라서 자리에서 일어났다. 하지만 사람의 형체는 그 어디에도 없었다. 아름다운 삼색잉어도 온데간데없이 사라졌고, 투명하고 깨끗한 물이 핏빛으로 물들어 있었으며 헤엄을 치던 잿빛 잉어 한 마리가 죽어 있었다.

삼색잉어가 어디로 사라졌는지 알아내려 유리는 분수대를 한 바퀴 돌아보며 세심하게 살폈다. 하지만 이상하게도 삼색잉어는 다른 녀석들보다 훨씬 큰 몸집에 화려한 무늬를 가지고 있음에도 불구하고 보이지 않았다. 마치 그곳에 처음부터 없었던 것처럼 느껴졌다. 게다가 한 바퀴를 돌고 오니 핏물도 어느 새 감쪽같이 사라졌고, 죽은 잿빛 잉어도 그 자리에 없었다.

유리는 자신과 같은 광경을 목격한 사람이 있나 주위를 둘러보았다. 그러나 분수대를 구경하고 있던 사람은 그녀 혼자였고, 따라서 다른 목격자도 없었다. 이상하다. 헛것을 봤나? 회복 중이긴 하지만 요즘 들어 부쩍 몸이 안 좋아진 듯한 느낌이 들기도 하고……. 참, 내가 지금 뭘 하고 있는 거지? 이럴 시간 없는데. 정신 차리자. 마법의 거리에 온 본래의 목적을 떠올린 유리는 분수대를 등지고 도서관으로 향했다.

그녀는 바짝 긴장한 채 출입구로 향하는 계단을 올랐다. 도서관 문 양옆에 냉담한 표정으로 서 있는 문지기들 때문이었다. 마치 저승의 문턱을 지키는 수문장들 같았다. 어쩌면 그들은 늘 이런 얼굴일 수도 있었고, 그저 일에 지쳐 집으로 돌아가고 싶다는 생각에 그런 것일지도 몰랐다. 어느 쪽이든 유리에게는 위압적으로 느껴졌다.

“멈추시오. 마법사가 아니라면 들어갈 수 없소.”

뭐라고 얘기를 꺼내기도 전에 문지기 하나가 앞을 막아섰다. 그들은 옷소매 밑으로 보이는 그녀의 검은 염주와 얼굴의 흉터를 쓱 훑어보았다. 자신을 경계하는 눈빛에 유리는 침을 꾹 삼켰다. 표정을 보아 구경할 겸 혼자 왔다고 말하면 거절당할 것이 분명해 보였다. 이렇게 된 이상 어쩔 수 없지. 거짓말을 하는 수밖에.

“부탁을 받고 왔으니 들여보내 주시지요.”

유리는 카이가 준 출입패를 내밀었다. 왼쪽의 문지기는 미심쩍은 표정으로 출입패를 확 낚아챘다. 그는 단단하고 차가운 상아 위에 새겨진 이름을 보곤 두 눈을 휘둥그레 떴다.

“테네브리스? 카이 테네브리스 님 심부름으로 온 거요?”

왼쪽의 문지기가 놀라서 물었다. 오른쪽의 문지기는 ‘테네브리스’라는 말에 화들짝 놀라더니, 왼쪽 문지기의 손에서 출입패를 낚아채고는 몇 번이고 이름을 다시 확인했다. 그들은 혼란스러운 얼굴로 출입패와 유리를 번갈아 보았다. 이해할 수 없다는 표정이었다.

테네브리스라는 이름을 마주하는 것이 그렇게 놀라운 일인 걸까? 이들은 마법사라면 질리도록 옆에 지나다니는 것을 보았을 텐데. 도시와 꽤 멀리 떨어진 시골에서 태어나 자란 그녀조차도 들어본 이름을 가지고 그들이 왜 이렇게 유난을 떠는지, 유리는 도저히 이해할 수가 없었다.

"대마법사님의 심부름으로 왔어요. 오래 있지는 않을 테니 들여 보내주세요."

"정말 테네브리스 님의 것인지 일단 확인부터 해야겠소."

오른쪽의 문지기가 손에서 마력 안개를 피워냈다. 그가 마력 안개를 출입패 위로 흩뿌리듯 손짓하자, 카이의 이름이 순간 번쩍하고 빛났다. 그 광경에 마지못해 인정하듯 문지기들은 고개를 끄덕이며 출입패를 돌려주었다.

"들어가시오."

왼쪽의 문지기는 말을 내뱉곤 다시 시선을 거리로 향했다. 들어가라는 말과 달리 그 목소리는 약간 쌀쌀맞게 들렸다. 왜 저렇게 내가 마음에 안 든다는 것처럼 말하는 거지? 내가 주술사라서 그런 건가? 유리는 속으로 중얼거리며 도서관 안으로 발걸음을 옮겼다. 뒤에서 문지기들이 수군대는 말소리가 들려왔다.

"참 이상한 일이야. 갑자기 그 집사가 아닌 웬 주술사에게 심부름을 시키다니."

"그러게 말입니다. 게다가 저 여자 얼굴에 흉터 보셨습니까? 아주 망나니가 따로 없던데."

"주술사들이야 요괴를 사냥하는 일을 하니 다 그렇지. 늘 괴물들과 싸우는데 상처가 없는 것이 더 이상하지 않은가."

"솔직히 저는 주술사들을 몇 번 본 적이 없어서 잘 모르겠습니다. 처음엔 흉터를 보고 웬 미친 사람이 온 줄 알았지 뭡니까. 참, 그러고 보니 테네브리스 님이 도서관에 안 오신 지도 꽤 되었습니다. 정말 그 소문과 어떤 관계가 있는 걸까요?"

"나라고 그걸 어찌 알겠나? 뭐, 확실한 증거가 있다면 황제 폐하께서 처벌을 내리거나 하시겠지. 어쨌든 듣던 대로 정말 별난 사람이라니까, 쯧쯧."

문지기들은 못마땅하다는 듯 혀를 끌끌 찼다. 그들은 뒤를 돌아 안으로 걸어가는 유리를 힐끔 쳐다보았다. 망나니라. 유리는 그 정도 욕이라면 꽤 나쁘지 않다고 생각했다. 지금껏 그녀가 들어왔던 욕 중 가장 칭찬에 가까웠다. 수도 없이 부모님과 마을 사람들에게 아무것도 할 줄 모르는 병신이라는 말을 들었으니 어쩌면 당연했다.

사실 지금 가장 신경 쓰이는 것은 소문에 대한 사람들의 태도였다. 끝없이 이어지는 거짓말과 오해 속에서 사람들이 제대로 된 진실을 찾을 길은 별로 없었다. 유리는 그런 사람들과 자신이 별반 다르지 않다고 생각했다. 자신조차도 카이를 범인일지 모른다고 생각하지 않았던가? 그러나 이렇게 남을 잡아먹지 못해 안달이 난 소문들은 정신을 피곤하게 만들었다. 가끔은 밥상 위에 차려져서 언제 입안으로 들어가 씹힐지 모르는 음식이 된 기분이었다. 온 정신과 마음을 갉아먹는 것 같았다.

이런저런 생각을 뒤로하고 도서관 안으로 들어선 유리는 앞에 펼쳐진 풍경에 넋을 잃었다. 눈에 제일 먼저 띈 것은 거대한 박쥐 동상이었다. 어둠의 신과 선조들을 기리기 위해 세워진 그 동상은 굉장히 정교하게 조각되어 있었는데, 금방이라도 날아오를 듯 날개를 활짝 펼친 모습이었다. 동상 앞에는 사서가 마법사들과 이야기를 나누고 있었고, 그 뒤편의 넓은 공간에는 앉아서 책을 읽을 수 있도록 책상과 의자들이 원형으로 놓여 있었다. 그리고 그 책상들을 중심으로 거대한 책장이 다시 원형으로 둘러쌌다. 책장에는 카이의 서재처럼 서적이 빈 틈 없이 빽빽하게 꽂혀 있었다.

벽에 걸린 보석 장식부터 화분, 거대하고 높은 원형 책장까지 무엇 하나

고급스러워 보이지 않는 것이 없었다. 마법사들은 앉아서 책을 읽거나 자기들끼리 작은 목소리로 대화를 나누었다. 혹은 책장에 꽂힌 책을 마력으로 끌어와 살펴보거나 도로 자리에 넣어두는 이들도 있었다. 카이가 마력으로 책을 움직이는 것을 몇 번 보았음에도, 서적들이 공중을 떠다니는 지금 이 광경은 유리에게 너무나 이질적이면서도 신비롭게 느껴졌다.

제국에 이런 곳이 존재할 수가 있다니! 그야말로 지식의 전당에 온 듯한 느낌에 압도당하는 기분이었다. 유리는 저 거대한 책장에 꽂혀 있는 책들을 수도 없이 읽고 또 읽었을 이 마법사들에게, 그런 마법사들을 제치고 대마법사 자리에 오른 카이에게 왠지 모를 경외심이 들었다. 또한 저 수많은 책들이 몇 만 권이나 될까 궁금해졌다.

천장 높이까지 빼곡히 꽂힌 책들을 둘러보던 유리는 어느 것부터 읽어야 할지 혼란스러웠다. 마법에 대해 잘 모르기도 하거니와 이 많은 책들을 하나씩 살펴보려면 평생이라는 시간을 써도 모자랄 것 같았다.

그녀는 한참을 망설이다 사서에게 다가갔다. 유리가 다가오자 사서와 이야기를 나누던 사람들은 다음에 보자며 자리를 떴다. 책상에는 카이의 서재처럼 종류별로 온갖 서적이 가득 쌓여 있었다. 물론 대부분 마법에 관한 책이었으나 몇몇 책은 정치와 전쟁, 역사 등에 관한 것도 있었다.

"어서 오세요! 찾으시는 책이라도 있으세요?"

사서가 활짝 웃으며 말했다. 손님들을 맞이하기 위한 억지스러운 미소가 아닌 자연스러운 미소였다.

"저기…… 호, 혹시 기초 마법 책 같은 것 있나요?"

유리는 자기도 모르게 말을 더듬었다. 제국을 떠돌며 어디를 가든 낯선 사람들과 원치 않게 잡담을 하게 되었을 때도 이런 떨떠름하고 어색한 기분은 아니었다. 처음 와 보는 도서관의 웅장한 광경이 주는 압박감, 그리고 난생처음으로 많은 마법사들 사이에 둘러싸였다는 사실에 그녀는 바짝 긴장하고 있었다.

"물론이죠. 정확히 어떤 책을 찾으시는 거죠? 원소 기초? 아니면 이론?"

"어, 그러니까……."

당황스러웠다. 어떤 책을 찾고 있냐니, 그냥 마법의 기본에 대한 책이 있는 게 아니었나? 원소는 또 뭐고 이론은 대체 무슨 소리인지, 처음 들어보는 말에 유리는 말문이 막혔다. 애초에 그런 것들을 알고 있었다면 여기까지 올 이유도 없었다. 눈에 띄게 당황한 유리의 얼굴을 본 사서는 무언가 생각난 듯 미소를 지었다.

"아, 어떤 책이 필요한지 알 것 같네요."

"네?"

사서는 책장으로 손을 뻗었다. 그러자 책장 맨 위쪽에서 두꺼운 책 한 권이 마력에 이끌려 빠져나왔다. 책은 순식간에 허공을 날아와 사서의 손에 잡혔다. 사서는 유리에게 그 책을 건넸다.

"처음 배우시는 거라면 이 책이 도움이 될 거예요."

"가, 감사합니다."

유리는 얼떨떨해하며 책을 받았다. 문득 진율의 별채 안에 있던 작은 서재가 생각났다. 지금 보자면 그곳은 서재라고 하기에도 꽤 민망했다. 서재라기보단 단순히 책 더미를 쌓아 놓은 방에 더 가까웠다. 아주 낡고 작은 책장에 오십 권도 되지 않는 책들이 전부였다. 카이의 서재나 이 마법 도서관에 비하면 정말로 보잘것없었다.

유리는 빈 구석 자리에 앉아 책을 펼쳤다. 그리고 종이를 손끝으로 쓱 훑었다. 믿을 수 없을 정도로 부드러운 종이의 감촉이 살갗을 타고 느껴졌다. 비싸고 좋은 것을 쓰는 모양인지 종이가 아니라 마치 비단옷 같았다. 유리는 생소하고도 기분 좋은 느낌에 책을 코에 가까이 대고 냄새를 맡아보았다. 사당의 낡고 퀴퀴한 책 냄새와 달리, 이곳의 종이 냄새는 새벽에 숲을 거닐 때처럼 상쾌하게 느껴져 저절로 미소가 지어질 정도였다.

하지만 페이지를 뒤로 넘겨 목차를 보는 순간 유리는 웃을 수가 없었다. 꽤 그럴싸한 고급 지식을 담은 서적 같은 표지와 다르게 목차에 쓰여진 단어들은 유치해 보였다. '마법과 함께 하는 재미있는 시간'이라는 제목 밑으로 쭉 목차가 나열되어 있었다. '재미있는 마법', '마력을 내 마음대로', '심화 학습', '응용해보기'……. 사서가 건넨 책은 어린 수습생들을 위해 쓰인, 말 그대로 기초적인 의미의 마법 책이었다.

제아무리 마법에 문외한이라고 하더라도 이 책이 일곱 살 정도의 아이들을 위한 책이라는 것은 쉽게 눈치챌 수 있었다. 자존심이 상하는 기분이었다. 하지만 불평할 수는 없었다. 어쨌든 사서는 좋은 의미에서 도와주려고 했을 테니까.

유리는 페이지를 넘겨 책을 읽어 내려가기 시작했다. 그 내용은 카이가 읽는 복잡한 것들과 달리 아주 단순하고 간결한 그림들과 글자들로 가득했다. 하지만 어린 아이들을 위한 책이라 해도 분명히 이해하기에 어려운 부분이 있었는데, 기초 이론에 관한 부분들이 특히 그러했다.

일단 복잡한 이론들을 건너뛰고, 유리는 마력을 피워내는 연습부터 해보기로 했다. 원하는 것을 마음 속으로 깊이 떠올려보라는 설명을 따라 그녀는 눈을 감고 자신이 늘 지니고 다니는 천체검을 떠올렸다. 강철로 만들어진, 양날에 각각 별자리와 주문 글귀가 새겨진 날카로운 검……. 이윽고 손바닥 위로 새벽의 차가운 이슬 같은 느낌이 전해졌다. 유리는 기대감에 눈을 떴다. 그러나 기대감은 실망으로 바뀌었다. 옅은 보랏빛의 작은 마력 안개가 손안에서 뒹굴고 있었는데, 그 모양은 이리저리 뜯어보아도 검의 모양이 전혀 아니었다. 그저 마력 안개가 빙글빙글 돌아가고 있을 뿐이었다.

몇몇 사람들이 지나가며 그녀의 실력을 비웃듯 키득거렸다. 집중을 하기에 별로 좋은 장소는 아니군. 유리는 괜히 부끄러워졌다. 그녀는 다른 책들을 읽어볼 생각으로 자리에서 일어나 손에 닿을 만한 높이에 있는 책들을 훑었다.

한참 책장 앞에서 서성거리던 유리는 눈에 띄는 한 책을 발견했다. 중력 마법 연구서. 카이가 읽던 책이었다. 유리는 대충 페이지를 넘겨 책을 읽어보았다. 다루기 매우 까다롭고 복잡하다는 카이의 말답게, 중력 마법 연구서는 온통 이해하기 어려운 고어들과 마법 문자들, 용어들로 빼곡히 채워져 있었다. 그나마 이해할 수 있는 거라곤 마법, 시간 같은 단어뿐이었다.

시간의 연속성, 상대성, 중력 마법이 작용하는 법칙과 원소 변화? 이게 무슨 뜻이지? 내가 아는 제국어가 맞긴 한건가? 유리는 몇 페이지 넘기지도 못하고 책을 덮었다. 단어와 문장 몇 개를 보는 것만으로도 어지러움이 몰려왔다. 테네브리스는 대체 이런 책을 어떻게 하루도 빠짐없이 읽고 있는 걸까? 도대체 무슨 생각을 하길래……. 유리는 그를 이상하다고 말하는 사람들의 말이 아주 틀리지는 않은 것 같았다.

유리는 혀를 내두르며 보기만 해도 잠이 올 것 같은 그 책을 원래 자리에 꽂아 넣었다. 그러다 문득 책등에 새겨진 익숙한 이름을 보고 주춤했다. 카이 테네브리스? 이 이름이 왜 여기에 있는 거지? 설마, 책을 읽기만 하는 게 아니라 쓰기까지 했단 말인가? 아무리 눈을 씻고 다시 봐도 그 이름은 카이 테네브리스였다.

연구서를 이리저리 살펴보니 표지에도 그의 이름이 적혀 있었다. 그러나 그게 끝이 아니었다. 그녀가 지금 살펴보고 있는 이 칸에는 중력 마법에 관한 책이 몇 권 더 있었다. 그리고 그 책들 모두에 카이의 이름이 새겨져 있었다. 유리는 '중력 마법의 역사와 이론'이라는 책을 꺼내 펼쳤다. 책의 맨 첫 장 내용은 이러했다.

이 책 한 권으로 우리들의 험난하고 기나긴 중력 마법 연구 역사에

큰 기여를 해 주신 대마법사 카이 테네브리스 님께 존경을 표합니다.

제국마법학회장, 렌 크루델리스.

존경을 표한다…… 그것도 제국마법학회장이 직접! 그 문장을 보자 유리는 카이가 가진 '대마법사'라는 지위의 높은 위상을 실감했다. 제국마법학회는 선조들이 마법에 대한 연구와 발전을 위하여 만든 것으로, 그들은 학회를 황실과 철저히 분리하여 본래의 목적인 순수한 마력 연구의 의미가 퇴색되지 않도록 했다. 때문에 제국마법학회에 소속된 마법사들은 마법 연구에 대한 절대적인 권한을 가지고 있어서, 그들의 연구에 관해서는 황실에서도 쉽게 간섭할 수 없었는데 대마법사 임명에 관한 일도 마찬가지였다. 허나 마법학회도 황실의 정치적인 결정에 대해 왈가왈부할 수 없는 것은 똑같았고, 그렇기에 정치에 뜻이 있는 마법사들은 황궁으로 들어가 일을 했다. (그런 이들 중 황제로부터 유능함을 인정받아 재상이 되는 자들도 있었다.)

말로만 들어왔던 제국마법학회를 눈앞에서 보게 되다니! 그리고 그런 제국마법학회를 이끄는 자가 테네브리스를 존경한다니, 유리는 믿을 수가 없었다. 한참 동안 그녀는 멍하니 책에서 눈을 떼지 못했다. 사실 여태껏 열 여섯 살에 대마법사가 된 천재라는 것이 얼마나 대단한 업적인지 도무지 감을 잡을 수가 없었다. 대단하다고는 해도 어차피 자신과 인연이 없는 이들의 이야기인 데다, 미르를 만난 이후에도 유리는 마법사들의 위대한 업적이나 연구에 대해 별로 관심이 없었다. 그렇기에 카이를 남들보다 조금 더 유능한 마법사겠거니 하고 단순하게 생각해온 것이었다. 그러나 지금 그녀가 목격한 대마법사의 지위란 상상 이상으로 거대하고 높았다.

잠깐, 그러고 보니 대마법사로 임명될 만큼 뛰어난 사람은 굉장히 드물다고 했었지. 테네브리스 이전에 대마법사는 단 두 명뿐이었다고 했었고. 대체 자신은 어떤 사람 밑에서 일을 하고 있는 걸까? 유리는 카이가 날카롭고 섬세한 필체로 직접 써 내려간 책을 다시 살펴보며 그 글씨들을 손끝으로 쓱 만져보았다. 문득 안식에 든 할머니의 유골을 어두운 표정으로 바라보던 카이의 얼굴이 떠올랐다. 이렇게나 대단하고 가질 것은 모두 다 가진 사람인 데도 그는 전혀 행복해 보이지 않았다.

어쩌면 나처럼 어릴 때의 상처가 아직도 깊게 남아있는 걸까? 넌 모든 걸 다 가져서 아무런 걱정이 없을 것만 같은데…… 그래도 보이는 것으로 전부를 판단할 수는 없겠지. 자세한 속사정은 알 수 없는 법이니까.
유리는 책을 원래 자리로 돌려놓으며 중얼거렸다.

'유리.'

귓가에 부드러운 속삭임이 들려왔다. 유리는 깜짝 놀라 뒤를 돌아보았다. 그러나 등 뒤에는 아무도 없었다. 그저 책을 팔에 끼고 지나다니는 이들과 책상에 앉아 독서에 열중하는 사람들뿐이었다. 뭐지? 또 환청이 들리는 건가? 유리는 가슴을 쓸어내리며 다시 읽을 만한 책을 찾아 책장을 두리번거렸다.

'유리, 어디를 보고 있는 거야? 여기 있잖아.'

그 이상한 환청은 계속 들려왔다. 자꾸만 자신을 부르는 소리에 유리는 다시 뒤를 돌아보았다. 하지만 자신에게 말을 거는 사람은 아무도 없었다. 마법사들로 가득한 이 도서관 안에서 그녀를 개인적으로 알 만한 사람은 한 명도 없었다. 유리는 도서관 안의 풍경을 다시 한 번 쭉 둘러보았다. 그러다 박쥐 동상에 기대어 있는 누군가와 시선을 마주쳤다. 미르였다. 그는 특유의 황금색 눈동자를 빛내며 팔짱을 낀 채 유리를 향해 씩 웃고 있었다.

유리는 소스라치게 놀라 뒷걸음질을 쳤다. 하지만 도망갈 수가 없었다. 이상하리만치 발걸음이 너무나도 무겁게 느껴졌다. 당장이라도 소리치고 싶었다. 사람들에게 살인마 미르 블러드시커가 바로 저기에 있다고 말하고 싶었다. 그러나 어찌 된 일인지 입술이 움직이질 않았다. 마치 온몸이 돌처럼 딱딱하게 굳어버린 느낌이었다.

미르는 유리를 주시했다. 그는 피 흘리는 검붉은 보석이 촘촘히 박힌 거대한 검 한 자루를 어깨에 걸치고 이쪽으로 천천히 다가왔는데, 이상하게도 지나치는 사람들을 비켜서지 않고 그대로 통과해 걸어왔다. 사람들은 미르의 존재 자체도 눈치채지 못한 것 같았다. 모두 자기 할 일에만 집중하고 있었다. 미르는 유리를 보며 계속 다가왔다. 하지만 다음 순간, 그는 온데간데없이 사라졌다. 동시에 뻣뻣하게 굳었던 몸도 원래대로 돌아왔다.

"살려주세요!"

어디선가 다급하게 외치는 목소리가 들려왔다. 어떤 여자의 비명 소리였다.

밖에서 들려오는 소란에 조용한 도서관의 분위기가 어수선해지기 시작했다. 책을 읽던 마법사들은 입구를 바라보며 웅성거렸다. 마침 누군가 도서관 안으로 헐레벌떡 뛰어 들어왔다. 꽤 앳된 얼굴의 한 마법사 여자였다. 그녀의 얼굴은 귀신이라도 본 것 마냥 공포로 일그러져 있었다.

"큰일났어요! 분수대에 이상한 괴물이 있습니다!"

여자가 손을 벌벌 떨며 소리쳤다. 마법사들은 자리에서 일어나 여전히 웅성댔다. 한 마법사가 무슨 일이냐고 묻자 여자가 말한 내용은 이러했다. 동료와 함께 휴식을 취할 겸 분수대에 앉아 잉어들에게 먹이를 주고 있는데, 갑자기 팔이 여러 개 달린 괴물이 그를 잡아 끌어 덮쳤다는 것이었다. 분수대에 괴물이 있다고? 설마……. 불현듯 머릿속을 스치는 생각에 유리는 책을 덮고 일어났다. 아무래도 자신이 본 것이 헛것이 아니라는 확신이 들었다.

상황을 확인하기 위해 유리는 마법사들과 밖으로 나왔다. 분수대 옆에 널브러진 시체 몇 구가 보였고, 몇몇 사람들이 그 주위를 둘러싸고 있었다. 대부분 이들은 무언가를 보고 화들짝 놀라서 멀리 도망가거나 비명을 질렀다. 그때 한 마법사가 보랏빛 안개를 쏘았다. 안개는 아주 빠르고 정확하게 날아가 분수대에서 기어나온 무언가를 맞혔다. 안개가 가슴을 스치자 괴물은 가래 끓는 듯한 울음소리를 냈다.

과연 여자의 말대로 괴물은 팔이 여러 개 달린 기괴한 모습이었다. 상반신은 나체의 여자이며 피부 위에 검정색과 파란색, 보라색의 커다란 반점이 있었고 하반신은 아까 보았던 삼색잉어의 모습을 닮아 있었다. 상반신과 하반신에는 팔과 다리가 각각 다섯 개씩 달렸는데 그 모습이 마치 지네를 연상시켰다. 볏짚처럼 뻣뻣한 긴 머리카락 사이로 희번덕거리는 눈알이 보였다. 하지만 얼굴은 사람의 것이 아니라 물고기에 더 가까웠다.

유리는 이것이 물귀신의 한 종류인 '지네 잉어'임을 알았다. 제국에는 익사한 사람의 원혼이 저승으로 가지 못하고 오랜 시간 물속을 떠돌게 되면, 원래의 모습을 잃고 점차 물고기와 비슷하게 변해가며 괴물이 된다는 말이 있었다. 이를 두려워한 사람들은 누군가 물에 빠져 죽었다는 소문이 도는 연못, 강가에 거대한 박쥐의 머리를 며칠씩 담그곤 했다. 물귀신보다 훨씬 크고 강력하며 선조들의 형상과 비슷한 모습을 한 박쥐의 기운으로 원혼을 압박하여 근처에 얼씬도 못하게 하려는 요량이었다.

그런 방법이 정말 통하는지는 확실하지 않았다. 그리고 지금 중요한 것은 어떤 방법 따위가 아니었다. 중요한 것은 어째서 지네 잉어가 연못이나 호수, 강이 아닌 분수대에서 나타났냐는 것이었다. 유리는 물귀신들을 자주 상대해 본 적은 없었으나, 녀석들이 얕은 물가에 나타나지 않는다는 것은 알고 있었다. 어쩌면 구미호가 사람으로 둔갑을 하듯 녀석들도 평범한 물고기의 모습으로 둔갑할 수 있을지 몰랐다.

지네 잉어의 입가에서 피가 뚝뚝 흘렀다. 녀석은 자신을 공격한 마법사를 순식간에 덮쳤다. 여러 개의 팔과 다리가 그를 꽉 움켜쥐었고, 뾰족한 가시 같은 이빨이 남자의 얼굴을 게걸스럽게 물어뜯었다. 다른 마법사들은 다급한 손짓으로 그를 구하려 마력 안개를 날렸다. 마력 안개에 정통으로 맞은 녀석은 비명을 지르며 물러났다. 허나 안타깝게도 남자는 이미 죽은 뒤였다. 코와 입술은 잘려 나갔고 눈두덩이는 깊게 파였으며, 찢긴 살갗과 피가 마구 뒤섞여 당최 사람인지 고깃덩인지 알 수가 없었다.

마법사들은 요괴를 어떻게 상대해야 하는지 모르는 눈치였다. 그들은 의미 없는 보랏빛 마력만 날려보냈다. 허나 녀석은 크고 작은 상처에도 꿈쩍하지 않았다. 어느 누구 하나 요괴를 단번에 처리할 생각을 하지 못하는 것 같았다.

유리는 바로 천체검을 꺼내 들고 달려갔다. 갑자기 검을 들고 나타난 주술사에게 마법사들의 시선이 쏠렸다. 그들은 얼굴의 흉터와 손목의 검은색 염주를 쳐다보더니 의아한 표정을 지었다. 하지만 지금은 사람들의 시선들을 신경 쓸 때가 아니었다.

유리는 마법사들을 지나쳐 지네 잉어를 마주했다. 새로운 먹잇감을 발견한 녀석의 관심은 금세 유리에게로 쏠렸다. 녀석은 유리를 감싸 안듯 네 팔을 벌리고 다가왔다. 유리는 허리를 숙여 괴물의 손아귀에서 벗어난 다음 옆으로 재빨리 굴렀다. 그리고 녀석의 하반신을 향해 칼끝을 찔러 넣었다. 지느러미와 다리 여러 개가 꿈틀거리며 고통에 부들부들 떨었다. 붉은 피가 비늘 위로 흘러내렸으나 녀석은 멀쩡해 보였다. 유리는 녀석의 팔을 자르려 크게 보름달을 그리며 칼춤을 추었다.

그러나 길게 자라난 꼬리지느러미가 그녀의 등을 힘껏 내리쳤다. 등을 세게 강타하는 무거운 충격에 유리는 중심을 잃고 비틀거렸다. 하지만 유리는 주어진 기회를 놓치지 않고 천체검을 휘둘렀다. 그녀를 껴안으려던 오른팔 두 개가 서늘한 칼날에 싹둑 잘려 나갔다. 절단된 팔에서 분수처럼 피가 뿜어져 나오며 함께 흘러나오는 마력 안개가 보였다.

복수라도 할 마음을 먹은 듯 지네 잉어는 그녀의 망토에 달린 두건을 거칠게 붙잡았다. 얼굴을 가리고 있던 두건이 벗겨지며 유리의 얼굴이 달빛 아래 드러났다. 먹잇감을 손에 쥔 녀석은 입에서 검푸른 물 찌꺼기를 토해냈다. 말도 못할 악취와 함께 얼굴과 옷에 끈적하고 이상한 것이 달라붙었다. 유리는 냄새는 고사하고 앞이 보이지를 않아 당황스러웠다. 시야에 물안개가 잔뜩 낀 것처럼 모든 것이 흐릿하게 보였다. 유리는 허겁지겁 얼굴에서 그 악취가 나는 점액을 떼어내려 안간힘을 썼다.

넋을 놓고 싸움을 지켜보던 몇몇 마법사들이 마력으로 요괴를 붙잡았다. 다른 이들은 계속해서 요괴에게 마력 안개를 날려보냈다. 짙고 옅은 수많은 보랏빛 안개가 상처 위에 상처를 냈고, 마침내 그들 중 누군가의 공격이 녀석의 다리와 팔을 하나씩 잘라내는 데에 성공했다.

녀석은 꼬리지느러미를 세차게 흔들며 기괴한 울음소리를 냈다. 찌꺼기를 걷어내자 유리는 다시 앞을 볼 수 있었다. 그녀는 재빨리 일어나 녀석을 향해 달려가 칼을 휘둘렀다. 고통에 울부짖는 사이 괴물은 또다시 팔과 다리를 한 짝씩 잃어버리고 말았다. 지네 잉어는 중심을 잡지 못하고 휘청거렸고, 바닥은 핏빛으로 흥건하게 젖었다.

무언가 이상했다. 이 정도의 상처라면 지쳐 쓰러져야 마땅했다. 하지만 녀석은 온몸이 만신창이가 되고도 여전히 멀쩡했다. 마법사 한 명이 유리가 녀석의 하반신에 낸 상처를 향해 마력을 쏘았다. 또 녀석이 울부짖으며 비틀거렸지만 딱 그것뿐이었다. 그가 쏜 마력 안개는 상처와 몸안으로 천천히 스며들었다. 그 광경을 본 유리는 왜 요괴가 공격을 당하고도 멀쩡하게 살아있는지 알 수 있었다. 상처에서 피와 마력이 함께 흘러나오는 것이 아니라, 녀석이 마력을 흡수하고 있던 것이었다.

"그만!"

유리가 마법사들을 향해 외쳤다. 마법사들은 어리둥절한 표정으로 유리를 쳐다보았다.

"요괴가 마력을 흡수하고 있어요. 더 이상 흡수하게 두면 안 돼요!"

유리가 다급하게 외쳤다. 그러자 다른 마법사 몇 명이 그만하라고 외쳤다.

쉴 새 없이 허공에 날아다니던 마력 안개가 일제히 멈추었다. 그들은 당황한 얼굴로 하나 둘씩 뒷걸음질을 쳤다. 유리는 두건을 벗고 녀석과 정면으로 마주했다. 녀석이 마법사들의 마력을 흡수해서 죽일 수 없다면, 자신이 검으로 해치울 수밖에 없었다.

지네 잉어는 반쪽이 된 다리와 팔로 땅을 애처롭게 기어다니면서도 먹잇감에 대한 집념만은 절대 놓치지 않았다. 녀석은 그나마 남아있는 다리로 무게를 지탱해 일어나더니 순식간에 앞으로 돌진해 왔다. 지금이 기회였다. 유리는 오른손에 검을 꽉 쥔 채 옆으로 살짝 비켜섰다. 그리고 동시에 정확하고 민첩하게 칼날을 위에서 아래로 밀어내는 듯한 동작과 함께 녀석의 목을 잘라냈다. 굴러떨어진 머리가 경련을 일으켰고, 여전히 낮게 끽끽대는 울음소리가 거리에 시끄럽게 울려 퍼졌다.

그러나 완전히 끝난 것이 아니었다. 잘린 목에서 피를 흘리며 덜덜 떨던

지네 잉어의 몸뚱어리는 아직 살아있었다. 녀석의 다리와 팔들이 유리를 향해 움직였다. 싸움이 끝났다고 생각하던 유리는 순간 녀석에게 머리채를 붙잡혀 뒤로 넘어지고 말았다. 잘리지 않고 살아남은 팔은 생명에 대해 원한이라도 있는 것인지 어떻게든 목숨을 앗아가려 그녀의 목을 졸랐다. 다른 마법사들은 목이 잘린 요괴가 여전히 살아있는 모습에 깜짝 놀랐다. 그러나 아무도 요괴를 향해 다시 공격하는 사람은 없었다.

유리는 녀석의 팔을 밀어내며 정신을 잃지 않으려 애썼다. 저 마력 흡수를 어떻게 할 방법은 없는 걸까? 그 생각을 하자 마침 떠오르는 것이 하나 있었다. 라일이 준 책에서 본 내용이었다. 대량의 마력을 흡수하면 폭발이 일어날 수도 있다. 어쩌면 지금 이 상황에서는 유일한 방법일지도 몰랐다.

없는 힘까지 쥐어짜내어 유리는 자신의 목을 조르는 손을 힘껏 밀쳐냈다. 그녀는 연습할 때처럼 마력 안개를 피워내려 했다. 그러나 자신의 마력은 너무나도 약해 손안에서만 머무는 것이 다였다. 다른 이들의 것처럼 앞으로 빠르고 강하게 날아갈 수가 없었다. 그렇다면 방법은 하나였다. 유리는 다시 요괴에게 마력 안개를 쏘라고 마법사들에게 외쳤다. 마법사들은 유리의 말에 황당하다는 듯 쳐다보았다.

“아까는 마력을 흡수하니 멈추라고 하지 않았소?”

“지금 이런 상황에서 장난하자는 겁니까?”

“저 여자, 테네브리스 님 밑에서 일하는 주술사입니다.”

마법사들이 유리에게 따지고 드는데 한 사람이 불쑥 끼어들었다. 그는 유리를 의심스러운 눈초리로 쳐다보던 문지기 중 하나였다.

“테네브리스라니? 설마 카이 테네브리스 님 말이오?”

“대마법사님의 출입패를 갖고 있는 것을 제 두 눈으로 보았습니다. 다른 사람도 아니고 대마법사님을 위해 일하는 자의 말이라면 그래도 믿어볼 만하지 않겠습니까?”

유리는 이해할 수가 없었다. 언제는 이상하다며 수군거리고 이제 와서 믿어볼 만하다니……. 하지만 여기에는 이유가 있었다. 평가를 내리는 데에 있어서 늘 냉정하고 깐깐하기로 유명한 대마법사의 심부름을 하는 사람이라면 무언가 이유가 있을 것이라는 생각이었다. 마법사들은 문지기의 말에 잠시 망설였다. 하지만 고민할 시간이 없었다. 녀석은 이미 마법의 거리를 아수라장으로 만들어 놓았고, 여전히 살아서 움직이는 저 몸뚱어리를 한시라도 빨리 해치우지 않는다면 상황은 더 악화될 것이 분명했다.

마법사들은 곧 결정을 내렸다. 그들은 짙은 보랏빛 마력 안개를 피워내어 하나로 모아 요괴에게 쏘았다. 주변의 다른 먹잇감에게 달려들 준비를 하던 지네 잉어의 몸속으로 보랏빛 마력이 스며들었다. 마력에 중독된 것 마냥 녀석의 몸은 게걸스럽게 마력 안개를 모두 먹어 치웠다. 이윽고 녀석의 검푸른 비늘이 서서히 보랏빛으로 변하며 돌처럼 딱딱하게 굳어가기 시작했다. 그러자 녀석이 고통스럽게 울부짖었다.

발작하듯 온몸을 흔들며 난리를 치던 녀석의 몸이 '펑' 소리와 함께 폭발했다. 완전히 박살이 난 사체 조각과 피, 몸안에 스며들었던 마력 안개가 사방으로 흩어졌다. 이제 도서관 앞은 어디를 둘러보아도 모두 핏자국뿐이었다. 여기저기 흩어진 사체 조각들과 비늘은 녀석의 피가 가득 고인 웅덩이 안을 빙글빙글 돌다 가라앉았다.

유리는 숨을 가쁘게 몰아쉬며 주저앉았다가 다시 일어났다. 끝났다고 안도하고 있을 때가 아니었다. 어떻게 요괴가 마법의 거리까지 오게 된 것인지 알아야만 했다. 유리는 검을 칼집에 넣고 주위를 살폈다. 마법사들은 자기들끼리 수군대면서 유리를 위아래로 훑어보았다.

그들의 입에서 대마법사의 이름과 주술사 어쩌고 하는 얘기가 들려왔다. 유리는 뒷담화를 무시하며 죽은 사람들을 살펴보았다. 다들 잉어를 귀여워하며 먹이를 주거나, 혹은 느긋하게 쉬고 있었던 터라 미처 도망가거나 방어할 틈도 없던 듯 보였다.

등 뒤에서 마법사들이 '요괴가 어떻게 여기에 왔느냐', '요괴가 어떻게 스스로 마력을 흡수할 수 있느냐'며 목소리를 높여 언쟁하는 소리가 들렸다. 그들이 서로 열띤 논쟁을 펼치는 동안 유리는 거리 반대편을 살폈다. 북적거리던 거리는 한산해졌고, 남은 사람 중에는 죽은 시체를 부여잡고 우는 이들이 여럿 있었다. 유리는 피와 살점 찌꺼기로 얼룩진 분수대 안을 살펴보았다. 잉어들은 소란을 아는 건지 모르는 건지 요괴의 살점을 정신없이 뜯어먹고 있었다. 다른 특별한 것은 보이지 않았다.

만약 자신이 본 환영이 사실이고, 그것이 요괴가 둔갑한 것이었다면…… 누군가 어떤 수를 쓴 것일까? 유리는 길거리를 따라 걷기 시작했다. 멀리 마법학회에서 달려오는 몇몇 사람들이 보였다. 소란을 듣고 상황을 뒤늦게 파악하러 온 것 같았다. 그들 중 몇 사람은 시체를 보고선 어떻게 된 일이냐고 울먹이며 뛰어왔다. 아마 서로 안면이 있는 사이거나 친분이 있던 것 같았다.

대체 무슨 상황인지 이해가 되지 않았다. 유리는 골똘히 생각에 잠겼다. 마법사들의 마력을 흡수하던 지네 잉어의 모습이 생각났다. 요괴들은 마력에 이끌렸다. 그러나 대부분의 요괴들은 그저 더 거대한 짐승과도 같아서, 원하는 대로 마력을 사용하지도 못할뿐더러 흡수하지도 못했다. 헌데 이 녀석은 어떻게 된 일인지 '스스로' 마력을 흡수했다.

유리는 자신이 보았던 사람의 형체 비슷한 환영을 생각했다. 여우 요괴들에겐 환영을 만들어 낼 수 있는 능력이 있었다. 하지만 사람으로 둔갑하거나 스스로 마력을 흡수해 이용할 생각까지 할 정도로 영리한 녀석들은, 구미호와 같은 고대의 요괴들뿐이었다. 허나 물귀신 중에 고대의 요괴와 같이 교활한 녀석이 있다고는 들어본 적이 없었다. 이 지네 잉어 또한 환영으로 자신을 속이려고 하기 보다는 그저 굶주림에 미쳐 날뛰는 것에 더 가까운 모습이었다.

어떻게 된 일일까? 거리를 살피며 무심코 뒤를 돌아본 순간 무언가가 유리의 눈에 띄었다. 자신의 그림자였다. 달빛 아래의 그림자가 물결처럼 일렁이고 있었다. 유리는 눈을 비비고 다시 그림자를 보았다. 하지만 그림자는 멀쩡하기만 했다. 피곤한 탓에 또 헛것을 본 모양이었다. 아까도 환청이 들리더니…… 몸이 아직 회복을 못한 건가. 유리는 속으로 중얼거렸다.

순간 그림자의 눈동자에서 황금빛이 번뜩였다. 유리는 소스라치게 놀랐다. 그러나 아무리 다시 눈을 비비고 봐도 그 '헛것'은 아직도 눈앞에 보였다. 아무리 뒷걸음질쳐도, 아무리 눈을 감았다 떠도 그림자는 자신의 발밑에서 떨어질 줄을 몰랐다. 뒷걸음질치던 유리는 불현듯 커다란 다른 그림자가 자신의 것과 겹쳐지는 것을 보았다. 유리보다 머리 하나는 더 큰 사람의 그림자였다.

"내가 위험하다고 했잖아. 왜 내 말을 안 들어?"

익숙한 목소리가 귓가에 울렸다. 유리는 두려움에 떨며 뒤를 돌았다. 두건 밑으로 언뜻 갈색 머리카락과 빛나는 황금색 눈동자가 보였다. 그는 옛 연인을 보고 여유롭게 씩 웃고 있었다.

"너…… 설마 네가 한 짓이야?"

"그거 아주 나쁜 버릇이라고 내가 말했을 텐데. 왜 자꾸 나라고 생각하는 거야?"

"네가 여기 있다는 게 증거일 수도 있겠지. 사람들이 죽는 걸 지켜보면서 즐거워하는 사람은 너밖에 없어."

유리는 미르에게 검을 겨누었다. 그러나 미르는 어깨만 으쓱했다. 마치 이 모든 일은 자신과 전혀 상관이 없다는 것처럼.

"그 노인네가 안 가르쳐줬어? 남을 함부로 의심하면 안 된다고."

"너 정말……."

"그러니까 주술사들이 앞뒤가 꽉 막혔다고 욕을 먹는 거야. 신의 말씀이니 어쩌니 지껄이느라 다른 건 전혀 모르고 있잖아? 하긴 뭐, 우매한 늙은이가 뭘 알겠어. 그러니 감히 귀족 무서운 줄 모르고 나한테 오만방자하게 굴었겠지."

살인마의 입에서 스승님 얘기가 나오자 화가 치밀어 올랐다. 유리는 떨리는 손에 주먹을 꽉 쥐었다. 그러나 애석하게도 아무것도 할 수가 없었다. 그녀의 용기는 두려움에 집어삼켜진 지 오래였다.

"모르는 척하지 마. 너라면 충분히 어떤 짓이든 벌이고도 남아. 네가 요괴를 조종해서 한 짓일 수도 있잖아."

"내가 요괴를 조종했다고? 음, 꽤 재미있는 생각이네. 그 예쁜 머리를 굴려서 기껏 내린 결론이 겨우 그거야?"

미르가 피식 웃음을 터뜨렸다.

"그게 말이나 되는 소리라고 생각해? 너도 알다시피 난 그 정도로 마법에 재능이 있지가 않아. 난 네 정신도 꿰뚫어보지 못했는걸. 그런데 어떻게 요괴를 어떻게 조종하겠어?"

미르는 느린 발걸음으로 유리의 주위를 천천히 돌았다. 그가 입을 열 때마다 이따금씩 날카로운 송곳니가 보였다.

"하지만 카이 테네브리스라면 이야기가 달라지지."

그는 걸음을 멈추고 유리를 내려다보았다.

"그놈은 마법으로 원하면 뭐든지 다 할 수 있어. 날고 긴다 하는 웬만한 마법사들도 어려워하는 중력 마법을 아무렇지도 않게 다루는 게 테네브리스야. 그러니 그깟 요괴를 조종하는 것쯤은 식은 죽 먹기겠지."

"웃기지 마! 테네브리스는 날 구해줬어. 너 같은 살인마랑은 달라."

"그래? 하지만 사람들이 과연 너처럼 생각할까?"

미르의 물음에 유리는 침만 삼켰다. 눈앞이 새하얀 안개로 뒤덮인 느낌이었다. 뭐라고 대답해야 할지 전혀 떠오르지 않았다.

"같은 실수를 반복하지 마. 또 그런 일이 일어나는 걸 원하진 않겠지?"

"뭐?"

"조심하라고 하는 말이야. 위험한 놈이니까."

미르는 알 수 없는 말을 남기고 멀어졌다. 같은 실수라니……. 유리는 머리를 감싸고 제자리에 주저앉았다. 마법 도서관 앞에 죽어 있던 사람들과 스승님의 모습이 겹쳐 보였다.

4년 전과 지금, 그리고 같은 실수. 어쩌면 제국을 떠돌다 다시 반월성으로 돌아온 것도, 내가 지금 다시 미르와 마주치게 된 것도 그런 실수인 걸까. 미치도록 과거에서 벗어나고 싶었지만 발버둥칠 때마다 오히려 더 수렁으로 빠지는 것만 같았다.

대체 어떻게 해야 좋을까. 다시 이 악몽 같은 현실을 마주해야 하는 건가? 아냐, 절대로 인정 못해. 미르가 존재하는 현실에 순응하는 건 미친 짓이야. 이렇게나 애써 열심히 살아보려 하고 있는데, 어째서 어둠의 신께서는 내게 시련만 내리시는 거지? 정말 내가 죽어야 이 모든 게 끝나려나. 죽는 건 싫은데. 난 그냥 평범하게 살고 싶은 것뿐이라고. 그냥 평범하게 예전처럼……. 그 생각에 참았던 울음이 터져 나왔다. 그렇게 유리는 한참을 서서 눈물만 흘렸다.

8장.

목석

Heart of Stone

며칠 후. 반월성은 마법 도서관에서의 요괴 사건 때문에 떠들썩해져 있었다. 누군가가 요괴를 미리 심어두고 조종하여 사람들을 죽이려 했다는 소문이 파다하게 퍼졌다. 그 소문은 카이 테네브리스가 살인마라는 얘기와 엮여 다른 소문들을 만들어냈다. 그가 마력 연구에만 몰두하다가 드디어 미쳐버렸다는 얘기, 가문으로부터 절연당해 정신이 나갔다는 얘기 등, 사람들은 근거 없는 소문을 만들어냈다. 모두들 대마법사의 명성을 깎아내리기 위해 혈안이 된 것 같았다.

무수히 많은 소문 중에서도 유리는 카이가 사람을 죽일 목적으로 자신을 고용했다는 이야기가 가장 싫었다. 유리는 요괴를 함께 해치웠던 마법사들이 소문을 퍼뜨린 것이라고 생각했다. 소문이 퍼진 이후로 유리는 바깥에서 절대로 얼굴을 드러내지 않았다. 귀족들이 자신의 얼굴을 아는 이상 마음 놓고 다닐 수가 없었다.

어차피 사람들은 이야기만 떠들어댈 뿐 그녀에게 직접 손을 대지는 않았다. 허나 경멸 섞인 따가운 시선은 참을래야 참을 수가 없었다. 죄인이 된 것만 같은 기분이었다. 내가 소문에 휘말려 살인자가 되다니…… 이렇게 되리라고는 생각도 하지 못했는데. 유리는 사람들에게 외치고 싶었다. 범인은 자신도, 카이도 아닌 미르 블러드시커라고 얘기하고 싶었다. 하지만 범인이 미르라는 증거는 어디에도 없었다.

유리는 오늘도 카이에게 마력을 가져다주기 위해 테네브리스 저택으로 향했다. 벌써 그와 계약을 맺은 지도 한 달이 훌쩍 넘었다. 자신을 늘 반갑게 맞이하는 집사 라일과도 조금 가까워졌고, 하녀들도 이따금씩 유리와 눈이 마주치면 인사를 했다. 마찬가지로 라일에게 받은 마력 가루를 흡수하는 것도 이제는 일상이 되어 있었다.

그럼에도 불구하고 여전히 마력을 자유자재로 다루는 건 불가능했다. 마력 안개를 피워내는 것도 겨우 해내는 마당에 마력 안개로 자신이 원하는 형태의 무언가를 만들어내는 것은 어림도 없었다. 부정해 왔지만, 유리는 자신보다 한참 어린 아이들의 실력조차 따라가지 못한다는 것을 인정할 수밖에 없었다. 대체 이래서야 언제 대마법사에게 인정을 받을 수 있을지 걱정이 되기 시작했다. 불안감과 공포심이 그녀를 짓눌렀다. 조급하게 생각하지 않으려 했지만, 미르를 생각하면 조급해지지 않을 수 없었다.

여느 때처럼 유리는 테네브리스 저택 안으로 들어섰다. 라일을 따라 안으로 들어가려는데, 앞뜰 정원에서 누군가와 말싸움을 하고 있는 카이가 보였다. 그와 말싸움을 하고 있는 남자는 흑적색, 남청색, 백색, 흑색, 그리고 보랏빛으로 된 오색의 철릭을 두른 화려한 모습이었는데, 남자의 뒤로 검과 방패, 창을 든 병사들이 대여섯 명 서 있었다.

유리는 남자가 관아에서 나온 관찰사라는 것을 알아챘다. 4년 전에 본 적이 있었다. 미르가 사당에 불을 질렀을 적, 멀리서 피어나는 연기를 보고 가장 먼저 반월당으로 달려온 것은 수도 경비대였다. 그들은 대강 상황을 파악하고 바로 관찰사에게 이 사실을 알렸고, 관찰사는 사건을 조사한 뒤 황궁에 자세한 보고를 올렸다. 유리와 선우, 동생들이 조사를 받은 것은 그 이후였다.

관찰사와 그의 병사들은 인기척을 느끼고 이쪽을 돌아보았다. 유리는 두건을 더 아래로 당겨 얼굴이 보이지 않도록 했다. 죄를 지은 것도 아니건만, 어째서 이리도 심장이 떨리는지. 누구인지 남자가 궁금해하는 듯한 모습에 라일은 친구 분께서 오셨다고 둘러대면서 유리를 현관 안쪽으로 안내했다. 유리는 커튼 뒤에 몸을 숨기고 1층 복도의 창문으로 바깥 상황을 지켜보았다.

"어쨌든 대마법사께서는 지금 당장 저와 함께 관아로 가셔야겠습니다."

“제가 범인이라는 증거가 있습니까?”

“증거가 있든 없든, 지금 떠도는 소문들 때문에 백성들이 불안에 떨고 있습니다. 그리고 소문들은 모두 한 사람을 가리키고 있지요.”

“의심이 간다는 이유만으로 무고한 이들을 모두 잡아들여 심문하실 겁니까? 누군가가 저를 모함하려 거짓으로 꾸며낸 이야기일 수도 있지 않습니까?”

“저는 마땅히 해야 할 일을 할 뿐입니다.”

관찰사는 꿈쩍도 하지 않았다. 카이는 두 눈을 날카롭게 부릅떴다. 그의 눈빛에서 소리 없는 분노가 타올랐다.

“황제 폐하의 명이 아니라면 전 가지 않겠습니다. 그래도 끌고 가겠다면 어디 한 번 해보시지요.”

카이는 양손에서 보랏빛 안개를 피워냈다. 그의 행동에 병사들은 동요하며 뒷걸음질쳤다. 고집을 부리던 관찰사도 결국 할 수 없다는 듯 뒤돌아섰다. 카이는 그들이 말에 올라타 모두 저택을 완전히 떠나는 것을 보고 나서야 마력 안개를 거두었다.

현관으로 들어온 그는 식당 의자에 앉아 담뱃대를 입에 물었다. 보랏빛 안개가 화르륵 타오르는 작은 불꽃으로 변하자 연기가 피어올랐다.

“무슨 일이야? 혹시 소문 때문에 그런 거야?”

유리는 눈치를 살피며 조심스럽게 입을 열었다. 카이는 담배 연기를 길게 내쉬었다.

“증거도 없이 날 무작정 끌고 가야겠다고 하더군. 백성들을 위한 일이라고는 하는데, 글쎄. 날 죄인 취급하는 게 썩 기분 좋지는 않아서 말이야.”

카이는 눈을 감고 담배를 피우는 일에만 집중했다. 유리는 뭐라고 할 말이 없어 옷자락만 만지작거렸다. 어색한 침묵이 흐르는 동안 담배 연기가 몇 번을 피어나고 사라지길 반복했다.

라일은 유리와 카이에게 국화차를 내왔다. 산뜻한 노란빛으로 물든 국화꽃이 조그만 찻잔 안에 담겨 있었다. 유리는 국화차를 한 모금 맛보며 생각에 잠겼다. 관찰사까지 저택에 찾아오다니 어쩐지 불안한 예감이 들었다. 그저 소문일 뿐이니 무시하면 된다고 생각했으나, 아무래도 일이 크게 번지고 있는 것만 같았다.

"카이 님, 손님 한 분께서 찾아오셨습니다."

현관 밖으로 나갔던 라일이 식당 안으로 들어왔다. 카이는 집사에게 눈짓으로 누가 찾아왔느냐고 물었다. 하지만 라일은 쉽게 답하지 못했다. 말하기 곤란한 표정이었다.

"그게, 저……. 카야 님께서 오셨습니다."

'카야'라는 이름을 듣자 갑자기 카이의 눈빛이 무섭도록 싸늘해졌다.

"무슨 일이죠?"

그는 썩 내키지 않는다는 표정으로 찻잔을 내려놓았다. 태도로 보아, 자신을 찾아온 이 손님을 별로 반기지 않는 듯했다. 카야? 그게 누구지. 또 관찰사 비슷한 사람이 온 건가? 유리는 또다시 소문 때문에 누군가가 카이를 찾아온 것일까 걱정했다.

"며칠 전 일 때문에 오신 듯합니다. 지금 바쁘시다고 전해드릴까요?"

"됐어요. 서재로 올라오라고 해요."

카이는 유리에게 잠시 기다리라며 2층으로 올라갔다. 하녀들은 다과를 준비하려 분주히 움직였고, 라일은 다시 현관으로 갔다. 곧 1층 복도에 낯선 발소리가 울렸다. 집사와 이야기를 나누는 어떤 여자의 목소리가 들렸다. 대화 소리는 발소리와 함께 응접실이 있는 복도로 이어졌다. 라일은 1층 복도의 다른 계단을 통해 카야를 2층으로 데려가려는 듯했다.

며칠 전 일이라, 대체 뭘까? 내가 모르는 심각한 일이 있는 걸까. 유리가 고민에 빠져 있는 동안에도 하녀들은 부엌 주변을 바쁘게 왔다갔다했다. 어쩐지 하녀들의 표정이 좋지 않았다. 이 '카야'라는 사람은 카이뿐만 아니라 집사도, 하녀들도 별로 반기지 않는 손님인 듯했다.

뭐, 별일 아니겠지. 내가 상관할 일도 아니고. 찻잔을 비우고 딱히 할 일이 없어진 유리는 자리에서 일어나 저택 안의 그림들을 구경하며 돌아다녔다. 소나무 위로 눈꽃이 피어난 그림, 어두운 동굴 안에서 외로이 타오르는 모닥불, 장미꽃이 만개한 꽃밭까지 정말 다양한 그림들이 있었다.

1층의 그림들을 대강 모두 구경한 유리는 계단을 올랐다. 그동안 자세히 살펴보지 못한 그림들이 2층에도 많았다. 여기 걸린 그림들도 저마다의 아름다움을 자랑하고 있었다. 나뭇잎 하나, 물결 하나에도 정성이 들어간 섬세한 표현에 절로 감탄이 나왔다. 그러나 어딘가 부족해 보이는 느낌이 들었다. 있어야 할 무언가가 없는 듯한 느낌이었다. 특히 빈 거리를 홀로 비추고 있는 달빛 그림이 그러했다. 사람들로 북적여야 할 거리에는 그 누구도 없어 공허하고 외로워 보였다.

"오빠가 어떻게 이럴 수 있어? 도대체 왜 이렇게 성격이 변한 거냐고!"

서재 문 뒤로 여자의 날카로운 목소리가 들렸다. 분명히 그 '카야'라는 여자인 듯했다. 고성이 오고 가는 소리에 유리는 자기도 모르게 그쪽으로 발걸음을 옮기고 안에서 들리는 말소리에 귀를 기울였다.

"내가 변했다고? 나를 이렇게 만든 게 누구인지는 생각 안 해봤나? 내가 이렇게 된 건 전부 그 인간들 때문이야."

"그래도 아버지는 아버지야! 그래도 가족이라고. 가족이라면 어떤 일이든지 끌어안고 살아야 하는 거야. 그게 가족의 도리야. 도리를 저버리고 사람답지 못하게 살 거야? 오빠가 싫어하는 게 사람답지 못하게 구는 것 아니었어?"

"그 인간이 사람답지 못하게 행동을 하는데 내가 대우해 줄 필요가 있나? 그리고 언제부터 가족이라는 정의가 자식을 묶어두고 두들겨 패는 사람들로 변했지? 그딴 게 네가 말하는 '가족'이라면 난 필요 없어."

"내 말은 그게 아니잖아! 오빠는 집안의 장손이야. 장례식에 아들이 코빼기 하나 안 비추면 사람들이 뭐라고 생각하겠어?"

"뭐라고 생각하든 내 알 바 아냐."

"그렇게 말하지 마, 제발. 안 그래도 오빠가 살인마니 하는 이상한 소문이 도는데 꼭 그래야겠어? 테네브리스 가문의 아들로서 체면은 지켜야겠다는 생각 해 본 적 없어?"

"가문의 체면을 그렇게 생각하는 분께서 하나뿐인 아들을 그렇게 때리셨나? 피멍이 들고 뼈가 으스러질 때까지? 우리 가문의 체면은 오히려 그 인간이 깎아 먹었지. 오죽하면 할머니께서 살아계실 때 망나니라고 부르셨을까?"

"비꼬지 마."

"그 늙은이가 죽든 말든 상관없어. 더 이상 할 얘기 없으니까 나가."

"왜 이래, 정말? 사람들이 냉혈한이라고 해서 진짜 냉혈한이 되기라도 한 거야? 집안의 장손이면 나서서 뭐라도 해야지! 우리 집안 명성에 걸맞지 않게 저택에 처박혀서 은둔이나 하고, 이게 뭐 하는 짓거리야? 부모님은 오빠랑 화해하려고 노력하시는데 정작 오빠는 한 게 뭐가 있어? 우릴 키워 주신 노고도 몰라주고 왜 이렇게 자기 생각만 해?"

"노고? 아, 날 재상 자리에 앉혀서 편하게 이용해 먹으려고 한 거? 참 많이도 애썼지. 난 이제 그 인간들이 원하는 대로 끌려다니지 않을 거야. 그건 대마법사 자리에 앉은 것 하나로도 족해."

"세상에, 말하는 것 좀 봐. 부모님이 언제 오빠를 이용했다고 그래? 부모님은 다 뜻이 있으셔서 그러신 거야. 오빠가 몇백 년에 한 번 나오는 천재라고들 했으니까, 오빠가 위대한 사람이 되어서 편하게 살 수 있도록 하기 위해서 그러신 거라고. 그런데 오빠는 그런 뜻도 모르고 편지 답장도 한 번을 안 해, 명절에 오지도 않아. 이제는 장례식에도 안 오겠다고? 정말 테네브리스 가문의 체면을 깎아 먹는 사람이 누군지 모르겠어? 정말 이용하려고 했으면 아버지께서 돌아가시기 전에 미안하다고, 얼굴 보고 사과하고 싶다고 하지도 않으셨을 거야!"

"뒈지기 전에 마음 편해지려고 죄책감에 하는 그딴 사과 난 필요 없어."

"뭐? 뒈져? 대체…… 대체 아버지한테 어떻게 그런 말을 할 수가 있어? 오빠, 진짜 너무한다. 이러니까 그러신 거야. 아버지께서 오빠를 괜히 때리셨겠어? 다 합당한 이유가 있어서 때리신 거겠지."

"카야 테네브리스!"

카이가 격앙된 목소리로 날카롭게 소리쳤다. 그와 동시에 지진이 난 것처럼 벽에 걸린 풍경화와 촛대가 심하게 흔들렸고, 유리는 하마터면 앞으로 고꾸라져 코가 깨질 뻔했다. 그녀는 주저앉아 간신히 중심을 잡고 벽에 기대어 일어났다.

곧 서재 안에서 무언가 와장창 깨지는 소리가 났다. 유리는 소리에 놀라 움찔했다. 그러나 문 뒤에서는 한참 동안 아무런 소리도 들리지 않았다. 긴 침묵이 이어진 후 다시 카이의 목소리가 들렸다.

"개소리 한 번만 더 지껄여 봐. 동생이고 뭐고 봐줄 생각 없으니까."

"제발 이러지 마! 오빠 원래 이런 사람 아니었잖아."

"나가."

"이러지 마. 어머니를 봐서라도 제발 한 번은……."

“나가라고 했어.”

험악한 분위기에 심장이 떨렸다. 괜히 이야기를 들었다는 생각이 들었다. 알아서는 안 되는 남의 집 속사정을 엿들은 기분에 죄책감이 몰려왔다. 그래, 이런 건 알아도 모른 척해야겠지. 유리는 다시 식당으로 내려가려 뒤를 돌았다.

그런데 갑자기 서재 문이 화들짝 열렸다. 문 뒤에서 카이와 언쟁을 벌이던 ‘카야’라는 여자의 모습이 드러났다. 날카로운 눈매는 카이와 꼭 닮았으나, 그녀의 얼굴은 차가운 느낌보다는 온화한 쪽에 더 가까웠다. 몸에 걸친 화려한 노리개, 금반지, 꽃무늬 비단옷 등은 누가 보아도 귀족 여인이라는 것이 분명해 보였다.

하지만 이 ‘카야 테네브리스’라는 여자에게서는 카이와 달리 어떤 지혜나 이성, 기품은 전혀 느껴지지 않았다. 그녀는 꽤 아름다운 외모의 소유자였으나 눈빛에는 거만한 태도를 담고 있었다. 막 떠나려던 카야는 유리를 보고선 깜짝 놀라 주춤했다. 그녀는 눈살을 찌푸리고 유리를 위아래로 훑어보았다. 그리고선 상황 파악이 됐다는 듯한 얼굴로 헛웃음을 터뜨렸다. 비웃는 웃음소리였다.

“어떤 여자랑 다니면서 사람을 죽인다는 소문이 돈다더니. 이년이 그년인가 봐?”

카야가 뒤돌아 카이에게 말했다. 카이는 그녀를 말없이 노려보았다.

“이제 알겠네. 여자 만날 시간은 있고, 아버지 장례식에 올 시간은 없고. 이년 따위가 아버지 장례식보다 그렇게 중요해?”

비아냥조로 말하는 투에 카이가 붉은 유성우 같은 날카로운 두 눈을 부릅떴다. 땅으로 빨려 들어갈 것처럼 주변 공기가 무거워지기 시작하며 책장과 촛대가 다시 한 번 격렬하게 흔들렸다. 투명한 압력에 어깨가 짓눌리는 듯한 묵직한 느낌이 주위를 감쌌다. 그 답답함은 점점 휘몰아치는 폭풍처럼 강렬하게 변했고, 온몸의 피가 밑으로 쏠리는 것 같았다. 마치 누군가 발목을 잡고 땅속으로 끌어당기는 느낌이었다.

유리는 중심을 잃고 복도 바닥에 주저앉았다. 카야도 비틀거리며 문고리를 잡고 매달려 비명을 질렀다.

주변이 소용돌이 모양으로 일그러지기 시작했다. 유리는 이 느낌을 알고 있었다. 전에 카이가 어둑시니를 처치할 때 느꼈던, 바로 그 강렬하고 압도적인 느낌이었다. 일그러진 투명한 소용돌이가 또다시 두 갈래로 찢어지며 사람 키 만한 검은색 구멍이 나타났다. 카이의 손짓에 공중으로 떠오른 카야의 몸은 허공에 거꾸로 매달린 채 흔들렸다.

카야는 제발 한 번만 봐달라고 다급하게 외쳤다. 카이는 아랑곳 않고 그녀의 팔을 잡아 낚아채듯 손짓했다. 그러자 카야는 검은 구멍 안으로 비명을 지르며 사라졌다. 검은 구멍 또한 카야가 사라지자 할 일을 마쳤다는 듯 연기가 되어 사라졌다.

피가 아래로 쏠리는 느낌과 주변을 감싸던 무거운 공기가 희미해졌다. 유리는 문고리를 잡고 겨우 일어났다. 답답한 느낌이 사라지니 좀 살 것 같았다. 유리는 숨통을 조여올 듯 무거웠던 느낌에 심호흡을 하면서 서재 안으로 들어섰다.

서재 안은 험악했던 분위기를 말해주듯 매우 어수선했다. 깨진 마법 수정 파편들이 여기저기 바닥에 널브러져 있었고, 책상에 있어야 할 마법 두루마리와 책들은 찢어진 채 아무렇게나 굴러다녔다. 책상에는 마력이 담겨있던 커다란 유리병이 반쯤 부서진 채 옆으로 누워 있었는데, 그 안에서 보랏빛 마력 안개가 흘러나왔다. 카이는 화가 끝까지 뻗친 얼굴로 머리를 헝클어뜨리며 한숨만 쉬었다. 카이의 어두운 표정을 읽은 유리는 어색하게 서 있다가 파편을 하나씩 줍기 시작했다. 방금 일어난 일에 대해 궁금한 게 많았지만, 일단 정리부터 해야 할 것 같았다.

“그냥 둬.”

파편을 망토 자락에 옮겨 담던 유리는 카이를 돌아보았다. 그는 두 손으로 이마를 짚고 유리를 내려다보고 있었다. 평소에도 날카롭던 눈빛은 훨씬 더 날카로워서, 그냥 쳐다보는 것만으로도 사람을 죽일 수 있을 것 같았다. 여기서 괜히 이상한 말을 꺼내서 심기를 불편하게 했다가는 자신도 위험해질 것 같았다. 유리는 다시 파편을 주워 담았다.

“그대로 두면 위험해. 다칠 수도 있잖아.”

“라일이 알아서 할 거야. 그냥 둬.”

“그래도 위험하니까…….”

“같은 말 반복하게 하지 마.”

카이는 작게 욕을 읊조리더니 서재를 나갔다. 뒤에서 어디를 가시느냐고 묻는 라일의 목소리가 들렸다. 이런 상황을 모른 채 작은 다과상을 들고 올라오던 라일은 처참한 서재의 광경에 깜짝 놀랐다. 그는 다과상을 내려놓고 유리에게 다가왔다.

“그러다 다치실 수도 있어요. 제가 할 테니 앉아 계세요.”

“괜찮아요, 집사님. 이 파편들은 어디에 버리면 될까요?”

유리의 물음에 라일은 잠깐만 기다려달라며 바깥으로 나갔다. 금방 돌아온 그의 손에는 바구니와 빗자루가 들려 있었다. 유리는 망토 자락에 담았던 파편 조각들을 조심스럽게 바구니에 옮겨 담았다.

“도와주셔서 고맙습니다, 유리 님. 그나저나 서재에 와 계셨군요. 보이지 않으시길래 떠나신 줄 알았습니다.”

“그림을 구경하다가 올라와 봤어요. 그런데, 저기…… 테네브리스한테 동생이 있었나요?”

유리가 파편을 줍다 말고 머뭇거리며 물었다. 그녀의 질문에 라일의 낯빛이 어두워졌다.

“예. 카야 님이라고, 여동생이 한 분 계시죠. 그러고 보니 카야 님은 어디로 가셨죠? 나가시는 모습을 못 본 것 같은데.”

라일은 빗자루질을 하며 주위를 두리번거렸다. 유리는 카이가 마법을 이용해 그 '카야'라는 여자를 어딘가로 보낸 것 같다고 말하고 싶었지만 침묵을 지켰다. 집사는 제가 할 일을 손님이 하시면 안 된다며 말렸지만, 유리는 그와 함께 아수라장이 된 서재를 청소했다. 둘은 찢어진 두루마리들과 책을 모아 책상에 가지런히 놓고 빗자루로 바닥을 쓸었다. 오랜만에 빗자루를 잡으니 사당에서 마당을 쓸던 기억이 났다. 제국 이곳저곳을 돌아다니며 떠돌이 생활을 해온 탓에 방을 정리하고 청소한다는 것은 참 오랜만이었다.

서재가 어느 정도 정리되자 유리는 카이를 찾았다. 그녀는 앞마당을 쓸고 있던 하녀들에게 카이가 어디로 갔는지 물었다. 뒤뜰로 가는 것을 보았다는 말을 따라 유리는 뒤뜰로 향했다. 이곳은 항상 평화롭고 고요했다. 수천 개의 빛나는 은하수 아래 쏟아지는 폭포의 물줄기와 올빼미가 우는 소리만 귓가에 들려왔다. 그러나 카이는 뒤뜰 그 어느 곳에도 보이지 않았다. 정자는 텅 비었고, 주변에는 정원을 관리하는 하녀들만 두어 명 있을 뿐이었다. 그렇다면 그가 있을 곳은 하나뿐이었다.

예상대로 카이는 동굴 안에 있었다. 그는 의자 등받이에 턱을 괴고 앉아 금강석 별자리만 쳐다보고 있었다. 그는 인기척에 흘깃 뒤돌아보곤 다시 천장으로 시선을 옮겼다. 유리는 조심스레 카이에게 다가갔다.

"괜찮아?"

"뭐가."

"방금 전에…… 화가 많이 난 것 같아서. 괜찮은지 물어보려고 왔어."

"안 괜찮은데."

카이의 시선은 여전히 금강석 별빛에 고정되어 있었다. 그의 목소리는 격앙되지 않고 차분했지만 눈빛에는 아직 살벌한 기운이 남아있었다. 유리는 옆의 의자에 조심스럽게 앉았다.

"아까 그 여자는 누구야?"

"동생."

카이가 차가운 목소리로 짧게 답했다. 유리는 왜 카이가 그녀를 '카야 테네브리스'라고 불렀는지 깨달았다. 사실 엿들은 대화 내용으로 대충 짐작은 하고 있었으나 그의 입에서 직접 동생이라는 말을 듣게 되니 기분이 얼떨떨했다. 여태껏 그를 외동아들이라고 생각했기 때문이었다. 미르가 그랬듯 카이도 자신의 가문이나 핏줄에 관해서는 전혀 이야기하고 싶어하지 않는 눈치였다. 궁금한 것이 있어도 섣불리 말을 꺼낼 수가 없었다.

유리는 테네브리스 남매가 나누었던 대화를 떠올렸다. 아버지와 장례식, 가족의 도리를 말하던 카야의 목소리가 생각났다. 정확히 그의 가족 사이에서 무슨 일이 있었는지 알 수는 없지만 적어도 그가 장례식에 가기 싫어한다는 사실만은 명확해 보였다. 어째서일까, 유리는 그에게 연민을 느꼈다. 완벽히는 아니어도 그의 마음을 조금이나마 이해할 수 있을 것 같았다.

그가 불쌍해서가 아니었다. 안타까움이었다. 높은 자리의 귀족 자제임과 동시에 타고난 재능으로 사람들에게 존경을 받지만, 화려할 것 같은 겉모습과는 다르게 그의 마음은 온통 상처투성이인 것 같았다. 그 상처들은 자신의 마음 깊이 남아있는 흉터와 비슷해 보였다.

어차피 귀족들은 모두 똑같으니 알 필요가 없다고 생각했었는데…….
차갑게 성격이 변하고 난 뒤 사람들이 그에게 손가락질을 했다던 라일의 말이 생각났다. 유리는 카이가 대마법사로서 가지고 있을 어떤 막중한 책임감 같은 것에 대해서는 감히 상상도 할 수 없었다. 다만 비참한 어린 시절과 자신을 손가락질하는 사람들에 대한 기억만큼은 이해할 수 있을 것 같았다.

"답답하면 바람 좀 쐬러 나갈래?"

유리가 자리에서 일어나 말했다.

"이미 바깥에 나와 있잖아."

"여기 말고. 어디 술집이라도 가서 나랑 술 한 잔 하자."

"술?"

"몇 잔 마시고 바람 좀 쐬다 보면 기분이 나아질지도 모르니까. 내가 살게. 어때?"

그녀의 제안에 카이는 잠시 고민하는 얼굴이었다. 그는 자리에서 일어나 망토를 걸쳤다.

"좋아. 하지만 밖에서 절대로 날 '테네브리스'라고 부르지 마. 알겠나?"

유리는 말없이 고개를 끄덕였다. 왜냐고 굳이 묻지 않아도 알 수 있었다. 둘은 함께 유리의 말에 올라타 저택을 나섰다.

두 사람은 테네브리스 저택에서 가장 가까운 술집으로 향했다. 저택에서 말을 타고 한 시간 정도 떨어져 있는 작은 마을 근처의 외딴 여관이었다. 한밤중이라 그런지 술집 안에는 사람들이 꽤 많았다. 대부분은 평범한 옷차림의 평범한 사람들이었다. 유리는 쓱 여관 안을 둘러보고는 안도했다. 또다시 마법사들과 마주치고 싶지는 않았다.

방금 누군가 식사를 끝낸 듯 구석에 빈 자리가 보였다. 유리는 다른 손님에게 자리를 빼앗길세라 카이를 데리고 얼른 구석 자리에 앉았다. 두 사람은 얼굴이 드러나지 않도록 두건을 깊이 눌러쓰고, 월광주 한 병과 빈대떡을 주문했다. 의외로 카이는 싸구려 술과 음식도 마다하지 않는 듯 별말이 없었다.

그는 턱을 괸 채 벽만 쳐다보았다. 늘 그렇듯 아무 말이 없었지만, 유리는 이 침묵이 불편했다. 그녀는 분명히 이야기를 몰래 엿들었기 때문일 것이라고 생각했다. 어떻게 하면 그를 화나게 하지 않고 침묵을 깰 수 있을까? 지금 그에게 당장 물어보고 싶은 것들이 너무나도 많았다.

"저기…… 카이."

유리의 목소리에 카이가 고개를 돌렸다. 그는 한쪽 눈썹을 치켜 올리며 시선을 마주했다. 표정이 어째 살짝 언짢아 보이는 것 같기도 했다. 이게 아닌가? 테네브리스라고 부르지 말라고 한 게 아예 이름을 부르지 말라고 한 거였나? 유리는 혼란스러웠다. 하지만 카이는 화를 내지도, 짜증을 내지도 않았다. 그는 어서 말해보라는 듯 눈만 깜빡이고 있었다. 유리는 고민하고 있던 여러 말들 중 하나를 골라 입을 열었다.

"아까 그 마법은 대체 뭐야?"

"뭐가?"

"어둑시니를 만났을 때랑 똑같더라고. 피가 아래로 쏠리는 느낌에다 서 있기도 힘들고…… 그리고 갑자기 사라졌잖아. 너랑 싸우던 네 동생."

"저번에 말한 거야. 중력문을 여는 거."

"중력문? 설마…… 그 연결점인가 뭔가 하는 거 말이야? 그게 중력 마법이라고?"

유리가 눈을 동그랗게 뜨고 묻자 카이는 그렇다고 태연한 목소리로 답했다. 그 검은 구멍의 정체가 중력문이었다니! 유리는 흥분으로 높아지려 하는 자신의 목소리를 깨닫고 목청을 가다듬었다.

"그럼 네 동생은 어디로 간 거야? 네가 말한 그 연결점에 갇힌 거야?"

"아니, 자꾸 내 심기를 건드리면서 짜증나게 하길래 집으로 보내버렸지."

"집?"

유리가 호기심에 이것저것 묻고 있는데, 마침 여관 주인이 음식을 내왔다. 그가 술병과 술잔 두 개, 빈대떡이 올려진 접시를 놓고 멀어지자 카이가 다시 입을 열었다.

"정확히 말하자면 매제의 집이지. 몇 년 전에 생귀스 가문과 혼례를 올렸거든.”

“의외네? 꽤 어려 보여서 아직 아가씨인 줄 알았는데.”

“나보다 다섯 살 어려. 뭐, 몇 달 전에 조카도 생겼고.”

“그렇구나……. 난 혼례 같은 건 한 번도 생각해 본 적이 없는데 좋겠다. 부러운걸.”

유리가 카이의 잔에 월광주를 따라주며 말했다.

“부럽다고?”

카이가 이해되지 않는다는 투로 물었다.

“사당에서 살 때는 전혀 몰랐었어. 교리에 어긋나는 일이니까 생각해 본 적도 없었지. 하지만 4년 동안 혼자서 이곳저곳을 떠돌면서 사람들을 보는데 외로워지더라고. 난 죽으면 아무도 없을 텐데, 저 사람들은 죽으면 슬퍼해 줄 사람들이 있구나 싶어서 말이야. 죽을 때까지 평생 함께 할 사람이 있다는 게 참 부러웠어.”

“큰 착각을 하고 있군.”

“착각이라니?”

“황실도 그렇지만, 귀족들의 혼인도 이해관계 아래 맺어지는 게 대부분이야. 때문에 사랑하지도 않는 사람과 억지로 한 평생을 보내야 하는 경우도 많아. 내 아버지도 그렇게 베스페리 가문과 혼약을 맺었지. 그리고 혼례를 올려도 비밀리에 애인을 두는 경우도 꽤 있고. 세상에 고귀하고 진실된 사랑이란 없어. 적어도 내가 보기엔.”

“딱히 그런 걸 믿는다는 뜻은 아니었는데…….”

그저 부러워서 지나가듯 내뱉은 말에 카이가 진지하게 답하자 유리는 당황스러웠다.

“아무튼 그건 그렇고, 그 중력문이라는 거 말이야. 네 동생을 어떻게 집으로 보냈다는 거야? 그 안은 어둡기만 하고 아무것도 보이지가 않던데.”

“중력문이라는 게 원래 그렇게 생겼지. 반대편은 원래 보이지 않아.”

“하지만 어떻게 내가 가고 싶은 곳인지 알지? 보이지 않는다면 도착점이 내가 원하는 곳인지 알 수 없잖아.”

“내가 만들어낸 것처럼 생기지 않았다면 그건 실패한 거야. 그걸로 알 수 있지. 저번에도 말했듯, 지금껏 수도 없이 숙련된 마법사들이 중력문을 열려고 시도했지만 제대로 성공한 사람은 단 한 명도 없었어. 날 제외하고.”

“그러고 보니 중력 마법에 대한 정보가 거의 없었다고 했었지? 넌 그걸 어떻게 연구한 거야?”

“뭐…… 간단히 설명하자면 잃어버린 지식을 내가 되찾았다고 해야겠지. 얼마 남아 있지 않은 정보를 토대로 연구를 하고, 그 다음 여러 가지 실험을 혼자 해봤더니 알아낸 것들이 있었어. 그걸 가지고 또 끊임없이 실험과 연구를 한 끝에 지금에 이르게 된 거지. 아무튼 선조들이 오래 전에 다른 세계로 넘어갔다는 말이 사실이라면, 그들 중에 중력 마법의 창조자가 있을지도 몰라. 계속 연구를 하다 보면 알아낼 방법이 있겠지.”

카이는 잔에 담긴 술을 쭉 들이켰다. 유리는 설명을 들어도 잘 이해가 되지 않는 탓에 고개를 갸우뚱했다. 명확하게 이해할 수 있는 답을 들으리라 생각했지만 오히려 더 많은 의문들이 머릿속을 가득 채웠다. 역시 아무나 마법은 다루는 게 아니구나. 그래, 어차피 이해할 수 없는데 질문을 해서 무엇하랴. 마법에 대한 공부를 하다 보면 이해할 날이 올지도 모른다고, 유리는 그렇게 생각하며 술을 들이켰다.

자연스럽게 동생에 대해 물어보려던 질문이 마법 얘기로 길이 샌 탓에 유리는 어떻게 다시 말을 꺼내야 할지 고민했다. 그녀는 빈대떡을 우물우물거리며 생각에 잠겼다. 험난한 삶을 살아왔을 그를 위로해주고 싶었지만 딱히 좋은 말이 생각나지 않았다. 괜히 또 불편한 심기를 건드리게 될까, 유리는 의미 없이 젓가락만 부딪히다 술잔을 비웠다.

"할 말 있나?"

카이가 불쑥 말했다.

"어? 뭐가?"

"내 눈치 보면서 우물쭈물하고 있잖아. 할 말 있으면 얘기해."

술잔을 거의 다 비운 카이는 턱을 괸 채 유리를 쳐다보았다. 마른 침만 삼키던 유리는 힘겹게 입을 열었다.

"그게…… 네 동생 말이야, 아버지가 널 때린 걸 알면서도 왜 아버지 편을 드는 거야?"

"걘 내가 맞는 걸 본 적이 없어."

"본 적이 없다니? 한집에서 살았던 거 아니야?"

"같이 안 살았어. 카야는 어머니가 따로 키우다시피 했지. 그래서 그 인간이 날 어떻게 때렸는지 본 적도 없고, 아무것도 몰라. 동생이 보기라도 하면 안 된다면서 날 구석진 곳에 가두고 때렸으니까. 반항했다가 마법으로 고문당한 적도 있고. 내가 잘못한 거라곤 가문의 기대에 부응하지 못했다는 거였지. 뭐, 대마법사가 된 이후론 내게 손끝 하나 대지 못하지만."

카이는 어릴 적이 떠오른 듯 헛웃음을 짓더니 언제 가져왔는지 모를 긴 담뱃대 하나를 꺼내 입에 물었다. 그는 담뱃대 끝을 촛불로 가져가 불을 붙였다. 이윽고 작은 불꽃이 일렁이며 하얀 연기가 피어올랐다.

왜일까, 유리는 저 피어오르는 담배 연기 뒤로 가려진 얼굴에서 슬픔이 보이는 것 같은 기분이 들었다. 어쩌면 이것은 그저 연민 때문에 드는 착각일지도 몰랐다. 카이의 얼굴은 늘 그렇듯 무표정이었으니까. 하지만 유리는 그를 위로해주고 싶었다. 어떤 말이든 그에게 힘이 되어줄 만한 말을 찾고 싶었다. 그러나 가족으로부터 받은 상처는 어떤 말로도 치유가 되지 않는다는 것을 자신도 잘 알고 있었다. 어렸을 적 비참함이 다시 느껴지는 기분에 짜증이 난 유리는 술을 벌컥벌컥 들이켰다.

“아, 그러고 보니 저번에 도서관에서 네가 요괴를 해치웠다면서?”

갑작스러운 말에 유리는 눈을 동그랗게 뜨고 그를 쳐다보았다.

“네가 그걸 어떻게 알았어?”

“어떻게 알긴. 저택에 처박혀 있다고 아무런 소식도 못 듣는 줄 아나?”

“그건 그렇지만…… 아무튼 뭔가 이상했어. 계속 환청이 들리고 헛것이 보였거든. 그런데 갑자기 비명 소리가 들렸어. 나가니까 도서관 앞에 요괴가 있더라고.”

“그 얘긴 나도 들었지. 요괴가 마력을 흡수했다고, 내가 거기 너와 같이 있었다는 소문도 돌던데?”

처음 듣는 얘기였다. 내가 테네브리스와 있었다니? 영문 모를 이야기에 유리는 심장이 철렁 내려앉는 것 같았다.

“너랑 같이? 그게 무슨 소리야?”

“그날 도서관 근처에서 네가 나랑 있다는 걸 봤다는 사람들이 있어. 네가 네 주위를 돌면서 너와 이야기를 나누고 있었다고, 내가 요괴를 마법으로 조종해서 일을 저지른 거라고 하더군. 난 평소처럼 저택에 있었는데 말이지.”

유리는 미르가 자신의 주위를 천천히 돌면서 카이를 언급하던 것이 생각났다. 사람들은 미르가 카이라고 생각한 모양이었다. 오해할 만도 한 것이 미르는 카이보다 키가 약간 더 컸으나 늘 검은 망토에 검은 가죽 장화를 신은, 카이와 비슷한 옷차림이었다. 제국에서는 흔한 옷차림이었지만, 늘 화려한 비단옷을 걸치고 다니는 마법사들의 세계에서는 오히려 드문 편이었다.

어쩐지 그런 생각이 들었다. 일부러 사람들이 오해하도록 미르가 카이와 비슷한 모습을 하고 다니는 것이라고. 게다가 미르는 늘 두건을 뒤집어쓴 채 얼굴을 드러내 보이지 않으니 카이라고 생각할 수도 있었다.

"나야 다른 사람들이 뭐라고 하든 상관없지만, 넌 조심해서 다니는 게 좋을 거야. 이런 소문에 휘말려서 좋을 게 없을 테니까."

"안 그래도 그것 때문에 불안감이 가시질 않는 중이야. 뭐, 날 생각해서 한 얘기라면 고마워."

고맙다는 말에 카이는 알았다는 듯 가볍게 고갯짓을 했다. 유리는 술잔을 들어올리다 다시 내려놓았다. 긴장한 탓인지 더 이상 술이 넘어가질 않았다. 소문만 생각하면 아무것도 손에 잡히지 않았다. 길을 가다 누군가에게 자신의 가족이나 친구, 연인을 죽였다는 이유로 화를 당할 수도 있었다. 할 수만 있다면 미르가 살아있다는 걸 모두에게 알리고 싶었다. 그러나 지금 그를 찾을 수 있는 방법은 없었다. 아니, 애초부터 유리는 직접 나서서 미치광이 살인마를 찾아낼 생각도 없었다. 그저 다시 마주치지 않도록, 애꿎게 봉변을 당하지 않도록 조심하는 수밖에 없었다.

"아니, 이안 테네브리스 경께서 돌아가셨다고? 언제?"

"며칠 전에 돌아가셨다는구먼, 쯧쯧. 나이가 있으셨으니 언제 돌아가셔도 이상할 게 없긴 했지만."

옆자리에서 약간 큰 소리로 말하는 것이 들려왔다. 술 한 병에 파전 하나를 놓고 대화하고 있는 그 남정네 두 명은, 옆에 큰 보따리를 가득 세워놓고 머리에는 패랭이를 쓰고 있는 것으로 보아 보부상인 듯했다.

그들은 카이의 아버지가 죽은 것을 두고 얘기하고 있었다. 카이는 아버지 이야기가 들려오자 듣기 싫은 듯 담뱃대를 문 채 고개를 돌렸다. 하지만 설마 테네브리스 가문의 아들이 바로 옆에 있다는 것을 알 리가 없는 보부상들은 계속 이야기를 이어나갔다.

"안 그래도 그 아들이라는 놈 때문에 속이 썩어 들어갈 텐데, 베스페리 부인께서 상심이 크시겠어. 똑똑하다는 거 아무 짝에도 쓸모 없다니까. 자길 낳고 길러준 부모랑 연을 끊는 놈이 대체 어디 있느냐고."

"맞는 말일세. 사람들이 대마법사를 냉혈한이라고 하는 게 괜히 하는 얘기가 아니야. 왜, 그 마법의 거리에 요괴가 나타난 것도 그놈이 한 짓이라잖아. 황제 폐하께서는 당장 안 잡아들이시고 뭘 하시는 건지, 원."

"정신이 이상한 사람이라는 게 사실인가 보구먼. 아무튼 멀쩡한 사람들이 사라져서는 시체로 나타나질 않나, 갑자기 요괴가 나타나질 않나……. 세상이 말세군, 말세야."

"거 말이 너무 무례한 것 아니오? 어디서 감히 함부로 험담을 하는 거요? 당신네들이 테네브리스 님에 대해 뭘 알기나 하시오?"

건너편 자리에서 말을 듣고 있던 한 남자가 소리쳤다. 보부상들은 남자를 고깝게 쳐다보았다.

"당신은 뭔데 끼어드는 거요?"

"테네브리스 님이 아니었다면 검은 안개 산맥에는 아직도 요괴들이 들끓었을 거요. 그분 덕에 우리가 마음 놓고 산길을 다닐 수 있는 것인데, 감사하지는 못할 망정 확실치도 않은 이야기를 함부로 진실인 양 떠들어서야 되겠소?"

"그건 이상한 마력 연구를 한답시고 그런 거잖소. 그 양반이 언제 사람들을 위해서 요괴를 죽였나, 참."

"목적이 어떠하든 우리에게 도움이 된 것은 사실이오. 테네브리스 님 덕분에 적어도 달빛고개 근처는 안전한 편이잖소?"

보부상들과 남자는 한참 동안 실랑이를 벌였다. 논쟁 속의 당사자는 바로 옆에서 말없이 담배 연기만 내뿜으며 대화를 듣고 있었다. 보부상들은 남자의 말에 동의할 수 없다면서, 그놈이 냉혈한으로 불리는 데에는 다 이유가 있다고 말했다. 카이는 '그놈'이라는 소리에 코웃음을 쳤다. 최고 귀족 가문 중 하나인 테네브리스 가의 장손을 모욕하는 발언이라니, 당장 관아로 끌려가도 할 말이 없는 불경죄였다.

이야기를 듣던 카이는 술잔을 비우고 자리에서 일어났다. 옛날처럼 처참한 광경을 보게 되는 걸까. 험담을 하다 관아에 끌려갔던 남자처럼 저들도 그렇게 되는 걸까? 물론 어디를 가나 황실과 귀족들을 욕하는 자들이 있기 마련이었다. 하지만 듣는 귀가 많은 곳에서 감히 대놓고 솔직한 생각을 말하는 자들은 흔치 않았다. 당사자의 귀에 잘못 들어갔다가는 관아에 끌려가 채찍질을 당하거나 혀를 뽑히는 형벌을 받았으니까. 모욕적인 말의 정도가 어떠하였는지에 따라서 심한 경우에는 모가지가 댕강 잘리기도 했다.

유리는 그런 광경을 딱 한 번, 제국을 돌아다니며 본 적이 있었다. 또다시 눈앞에서 목이 잘려 나가는 광경을 보고 싶지 않아 유리는 눈을 질끈 감았다. 그러나 예상과 달리 아무런 소란도 일어나지 않았다. 눈을 떠 보니 카이는 주머니에 손을 찔러 넣은 채 여관 출입문 쪽으로 멀어지고 있었다. 유리는 자리에서 일어나 그를 따라갔다.

유리는 술값을 지불하고 나와 카이를 따라 광장 외곽으로 나왔다. 그들은 반월성의 정중앙을 통과해 흐르는 혈월강 옆의 길을 걸었다. 강가에는 오로지 두 사람과 말 한 마리뿐이었다. 잔잔하고 어두운 물결 위로 창백한 달빛이 반짝였고, 이따금씩 밤바람이 불며 강가 반대쪽에 피어난 꽃과 나무들 사이를 스쳐 지나갔다. 카이는 여전히 담뱃대를 입에 물고 짙은 회색 연기만 내뿜었다. 유리는 고삐를 잡고 나비를 천천히 이끌며 그의 감정을 살폈다. 하지만 늘 무표정이어서 갈피를 잡기가 쉽지 않았다.

"왜 가만히 있었어?"

유리의 물음에 카이가 그녀를 쳐다보았다.

“너를 욕하는데 왜 가만히 있었는지 궁금해서. 그 자리에서 목을 쳐도 할 말이 없었을 텐데.”

“안 그래도 시끄러운데 괜히 긁어 부스럼 만들 필요는 없지. 그리고 그런 욕은 어렸을 때부터 들어와서 별 생각도 없어.”

“어렸을 때부터?”

“굳이 미움받을 만한 짓을 하지 않아도 내 존재 그 자체로 싫어하는 사람들이 많더군. 사람이란 원래 이기적이고 악한 존재라 그러려니 하지만.”

내 존재만으로도 싫어하는 사람들이라. 바로 부모님이 떠올랐다. 태어나지 말았어야 할, 처음부터 존재하지도 말았어야 할 존재. 그저 살아 숨쉬는 것만으로도 누군가를 화나게 하는 존재. 부모님에게 유리라는 사람은 그런 존재였다. 태어나지 말았어야 할, 아무것도 못하는 병신. 그들을 자신의 딸을 그렇게 불렀다. 유리는 도저히 이해할 수가 없었다. 적어도 자신은 누군가를 이유 없이 싫어한 적은 없었다. 주술사들과 마법사들이 서로를 싫어하는 것도 견해의 차이라는 이유가 있었고, 그녀가 카이를 처음 만났을 때 또한 그가 싫다기 보다는 세상에 대한 원망과 슬픔이 쌓인 것에 더 가까웠다.

그러나 사람은 이런저런 이유로 누군가를 좋아하고 싫어하기 마련이다. 이유가 굳이 필요 없을 때도 있는 법이다. 무언가를 그저 하고 싶어서, 마음이 가서 하는 일도 있으니까. 미르가 별 이유 없이 사람을 죽이고 싶어서 죽이고 희열을 느끼는 것처럼 말이다.

사람들이 죽어가며 고통에 발버둥치는 것을 보는 것이 재미있다고 말하던, 그리고 카이를 믿지 말라고 하던 자신의 옛 연인. 대체 둘 사이에 어떤 일이 있었기에 미르는 카이에 대해 부정적으로 이야기하는 것일까? 어쩌면 미르도 카이의 존재 자체가 싫은 걸까? 그래서 그의 명성을 더럽히고 그를 끌어내리기 위해 소문을 퍼뜨리는 것일까? 머릿속을 파고

드는 여러 생각에 유리는 한숨을 길게 내쉬었다.

“무슨 걱정이라도 있나? 왜 그리 한숨을 쉬고 그래?”

“그냥 어쩌다 이렇게 되었나 해서.”

“뭐, 소문 때문에 걱정되어서?”

“너도 나도 어쩌다가 불행한 일들을 겪게 되었나 싶어서. 우리 둘 다 그렇게까지 맞을 이유는 없었을 텐데.”

“과거는 과거일 뿐 중요한 건 미래야. 앞으로 어떻게 살아갈지, 그게 중요한 거지.”

카이는 담배 연기를 내쉬며 밤하늘을 올려다보았다. 유리는 그의 말을 조금 곱씹어보다 입을 열었다.

“글쎄, 미래라……. 네 말도 맞긴 하지만 난 솔직히 모르겠어. 어떻게 그렇게 과거에 얽매이지 않고 살 수 있는지.”

“다 시간 낭비일 뿐이야. 이미 지나간 일을 돌이켜서 뭐해?”

“아니, 나한텐 지나간 일이 아니야.”

유리는 발걸음을 멈추었다.

“사람들이 너와 내가 도서관 근처에서 함께 있었다고 했지. 하지만 그 사람은 미르였어. 미르는 또 내게 그런 말을 했지. 테네브리스는 위험한 놈이라고. 그래서 내가 말했어. 웃기지 말라고, 테네브리스는 너 같은 살인마가 아니라고. 그랬더니 사람들은 그렇게 생각 안 할 거라면서 나더러 널 조심하라고 했어. 솔직하게 말하자면 나도 의심이 들었어. 네가 범인일지도 모른다고 잠시나마 생각했었거든.”

“그런데?”

"스승님께서 늘 사람의 눈빛을 보라고 말씀하신 적이 있어. 그래서 널 보면 볼수록 난 네가 범인이 아니라고 확신이 들어. 아까 네가 말했지, 네 존재만으로 싫어하는 사람들이 있다고. 나도 그랬어. 우리 부모님이, 마을 사람들이 그랬으니까. 난 그 기분이 어떤지 알아, 테네브리스. 사람들이 등을 돌린다는 게 얼마나 서러운 일인지. 네가 아버지 장례식에 가고 싶지 않은 것도 난 이해해. 나라도 그렇게 했을 거야. 피 안 섞인 남보다도 못한데 가고 싶겠어? 그러니까……."

"난 이해해달라고 한 적이 없는데."

카이가 시큰둥한 투로 말했다. 그는 턱을 치켜올리고 반쯤 시선을 내리깔고서 유리를 쳐다보았다. 별로 달갑지 않다는 표정이었다.

"그게 아니라 내 말은…… 네 마음을 안다는 거야. 사람들이 전부 등 돌리고 세상에 혼자 남겨진 것 같은, 외롭고 쓸쓸한 기분 말이야."

"정확히 하고 싶은 말이 뭔데? 너랑 나랑 같다고?"

"우린 비슷한 어린 시절을 겪었잖아. 난 네 마음 이해해. 세상 사람들이 다 등을 돌려도 나는……."

"지금 그런 같잖은 이유로 날 동정하려고 드는 건가?"

카이의 눈빛과 목소리가 무섭도록 서늘해졌다. 유리는 가슴이 철렁 내려앉는 것 같았다. 그러나 유리의 눈동자가 흔들리는 것을 보았음에도 카이는 전혀 아랑곳 않고 말을 이었다.

"사람들이 등을 돌려서 서럽다고? 넌 그럴지도 모르지. 하지만 난 상관없어. 다른 사람들이 날 믿든 안 믿든 간에 그건 중요하지 않아. 남들한테 끌려다니는 것만큼 줏대 없고 한심한 것도 없으니까. 남들이 뭐라고 하든, 가장 중요한 건 난 내 자신을 믿는다는 거야. 난 그거 하나면 돼. 그런데 네가 뭐라고 내 마음을 안다느니 하면서 지껄이는 거지? 난 그딴 연민 같은 거 필요 없어, 아가씨. 난 당신처럼 나약한 사람이 아니거든."

카이가 특유의 낮은 목소리로 신랄하게 쏘아붙이자 유리는 입술을 깨물었다. 단순히 불쌍하다는 생각에 내뱉은 말이 아니었다. 마음의 문을 깊이 닫아버린 그가 안타까워서 한 이야기였다. 높은 귀족 가문의 혈통에 대마법사라는 지위를 가지고 있지만 저택에 은둔하다시피 사는 그의 모습이, 제국을 떠돌며 북적거리는 인파 속을 다니면서도 늘 외로웠던 자신을 보는 것 같아서 한 말이었다.

"나는…… 널 위로하고 싶었을 뿐이야. 나도 부모님한테 맞으면서 자랐으니까. 네가 불쌍해서 한 얘기가 아니라고. 그냥 네 마음을 이해한다는 뜻이었어."

"그러니까 난 누구한테 이해해달라고 한 적 없다니까?"

그의 차가운 말투와 표정이 마치 네 주제를 알라고 말하는 것 같았다. 말없이 침만 꾹 삼키는 유리의 눈가에 눈물이 맺혔다. 그녀는 고개를 들고 밤하늘을 올려다보며 울지 않으려 애썼다. 유리의 붉어진 눈시울에 카이는 또 시작이라는 듯 눈알을 굴렸다. 그는 중력문을 열어 순식간에 암흑 너머로 사라져버렸다. 유리는 멍하니 그가 서 있던 빈 자리를 바라보며 자신이 카이에게 했던 말을 곱씹었다.

하지만 난 널 절대로 버리지 않아, 유리. 그 비참한 심정이 어떤지 난 다 이해하거든. 우린 비슷한 삶을 살아왔잖아. 우린 비슷한 어린 시절을 겪었잖아. 난 네 마음 이해해. 유리는 자신의 말들이 미르의 말과 똑같다는 것을 깨달았다. 그를 위로하려 했던 말들이 원수가 되어버린 옛 연인의 말과 똑같다니……. 나도 모르게 어느 새 미르와 닮아가고 있었던 걸까. 설마 나도 모르는 사이 그와 같은 괴물이 되어버리는 건 아닐까. 그 생각에 불타는 사당의 모습이 떠올랐다. 스승님의 시체를 부여잡고 울던 선우, 동생들과 자신을 보며 씩 웃던 괴물 같은 미르의 얼굴. 당장이라도 악몽이 가까이 다가와 자신을 집어삼킬 것만 같았다. 유리는 다리에 힘이 풀려 주저앉았다.

'네가 사랑하는 사람들을 죽인 거야. 네 손으로 직접.'

'넌 어차피 혼자야. 혼자서 어딜 갈 건데?'

또다시 귓가에 환청이 들려왔다. 그러나 이번엔 누구의 목소리인지 알 수조차 없었다. 그 목소리는 악몽 속 미르 같기도 했고, 자신의 목소리 같기도 했다. 유리는 얼굴을 감싸쥐고 한숨을 쉬었다. 누가 뭐라고 하든, 자신만 믿고 앞으로 나아간다는 카이의 말이 떠올랐다. 자신도 카이처럼 되고 싶었다. 그처럼 두려움 없이 앞으로 나아가고 싶었다. 어떻게든 미르에게 복수하고 싶었다.

끊임없는 두려움과 의구심이 마음 속을 파고 들었다. 머저리에 아무것도 못하는 병신. 태어나지 말았어야 할 년. 부모님의 말들이 머릿속을 스쳐 지나갔다. 어쩌면 어머니께서 옳은 말씀을 하신 게 아닐까? 내가 존재하지 않았다면 스승님이 돌아가시는 일도, 동생들이 죽는 일도 없었을 텐데.

나비는 유리가 고개 숙인 채 앉아 있자 다가와 위로하듯 얼굴을 핥아주었다. 유리는 녀석의 얼굴을 쓰다듬으며 자리에서 일어났다. 괜히 위로한답시고 주제 넘게 헛소리를 지껄인 것 같아 신경이 쓰였다. 그래, 우린 만난 지 얼마 되지도 않았는데. 내가 오지랖을 부린 거겠지. 어차피 난 결국 혼자일 운명이건만, 또 함부로 입을 놀려서 이렇게 되어버렸구나. 유리는 어리석은 자신을 탓하며 잠을 청하기 위해 말에 올라타 여관으로 향했다.

9장.

지옥의 문턱

Hell-bound

낮 사이 주룩주룩 가을비가 내렸다. 음울한 기운이 감도는 회색 구름이 밤하늘을 뒤덮었고, 길가 곳곳 움푹 패인 웅덩이에 빗물이 고였다. 습한 공기를 마시며 흠뻑 젖은 땅 위로 한 걸음씩 내디딜 때마다 가죽 장화 밑으로 불쾌한 느낌이 전해졌고, 조그만 빗방울이 이따금씩 옷 위로 떨어져 흘러내렸다. 하지만 유리에게 이까짓 날씨쯤은 아무것도 아니었다. 폭포처럼 쏟아지는 빗속에서 내달린 적이 셀 수도 없었고, 겨울에는 발목까지 오는 눈밭을 헤맨 적도 있었다.

궂은 날씨 속에 길을 다니는 것은 익숙했다. 허나 기분까지 덩달아 우울해지는 것은 어쩔 수 없었다. 비가 와서일까, 아니면 그냥 내 마음이 공허한 걸까. 우울한 이유가 무엇인지 알면 기분이 조금 나아질까, 유리는 그런 생각이 들었다.

유리는 오늘도 마법 도서관에서 책을 읽다 광장으로 나왔다. 마구간에 맡긴 나비를 데리고 요괴 사냥을 가기 위해서였다. 어서 카이에게 마법을 배우고 싶었지만 아직 그럴 수는 없었다. 풋내기도 되지 않는 이 정도 실력으로 대마법사에게 인정을 받기에는 어림도 없었다.

아직 사당 생활에 적응하지 못해 모든 것에 서툴렀던 시절, 실수로 말에서 떨어져 다친 적이 한 번 있었다. 미숙함이 불러온 결과였다. 다행히 크게 다치지는 않았지만 한동안 유리는 말에서 떨어지는 것이 무서워 몇 달 동안 말 근처에도 가지 않았다. 그리고 두 번 다시 말에 오를 생각조차 하지 않았다. 겁에 잔뜩 질려 있었기 때문이었다. 그렇게 유리는 한동안 무서워만 하다가 동생들이 말을 타는 것에 익숙해지고 한참

후에야 겨우 말을 탈 수 있게 되었다. 옛 기억에 저절로 실소가 터져 나왔다. 겁에 질려서 아무것도 하지 못하는 꼴이라, 지금의 나 아닌가. 많이 변했다고 생각했건만 결국 나는 몇 년 전과 별반 다르지 않은 사람인 걸까.

불현듯 미르와 자신의 부모님, 그리고 카이가 생각났다. 사실 며칠째 그녀는 카이와 제대로 된 대화를 하지 않고 있었다. 카이는 평소와 같이 그녀를 대했지만, 유리는 그와 대화하게 되는 상황을 최대한 피했다. 괜히 오지랖을 부렸다는 생각에 먼저 말을 걸 수가 없었다. 하지만 그에게 동병상련을 느끼는 것도, 연민을 느끼는 것도 여전했다.

가족의 도리⋯⋯ 부모님. 유리는 어렸을 적부터 항상 바라왔던 부모님의 죽음에 대한 소식을 듣게 된다면 어떨지 궁금해졌다. 아마도 홀가분하겠지. 지금까지 느꼈던 모든 상처가 씻겨 나가는, 더운 여름에 차가운 빗방울이 온몸을 적시는 그런 시원한 기분 아닐까. 꽉 막혀 답답했던 가슴이 뻥 뚫리는 그런 느낌이 아닐까. 그녀는 복수를 이룬 자신의 모습을 상상해 보았다.

예전에 지나가는 이야기로 진율의 부모도 비슷한 부류의 망나니였다는 말을 들은 적이 있었다. 자세한 속사정은 알 수 없었으나, 진율도 가족 없이 동생인 진서와 함께 떠돌아다니며 고생을 한 것만은 분명했다. 그러나 진율은 어째서인지 자신을 버린 부모에게 증오심을 갖고 있지는 않았다. 부모에게 언젠가 반드시 복수하고 싶다는 유리에게, 진율은 복수가 전부가 아니며 복수를 이루더라도 끝은 그리 좋지 않을 것이라 말하곤 했었다.

그 말에 유리는 동의하지 않았다. 이 세상 누구보다도 가장 증오하는 것이 부모님이었다. 그리고 그런 부모님만큼이나 증오하는 사람이 미르였다. 자신이 이렇게 공허한 삶을 살게 된 것은 그들 때문이었다. 복수만이 자신과 스승님을 위하는 길이었다. 유리는 복수할 기회가 온다면 절대로 놓치지 않을 것이라 다짐했다.

안장과 고삐를 점검한 후, 유리는 나비의 상태를 확인했다. 날씨 탓일까? 왠지 모르게 오늘따라 녀석이 슬퍼 보이는 것 같았다. 유리는 며칠 전 나비가 자신을 위로하듯 다가와준 것을 기억했다. 어쩌면 녀석이 내게 마음을 완전히 열었을까, 유리는 반신반의하면서도 녀석과 조금 가까워졌다는 생각에 위안이 되었다.

"주술사님? 주술사님 맞으시지요?"

이제 슬슬 자리를 떠나려는데 갑자기 누군가가 팔을 덥석 붙잡았다. 유리는 화들짝 놀라 하마터면 소리를 지를 뻔했다. 고개를 돌리니 옆칸에서 한 남자가 자신을 애원하듯 보고 있었다. 정확히 말하자면 그의 시선은 유리가 걷어놓은 옷소매 위로 드러난 염주에 닿아 있었다.

"뭐…… 주술사 신분이 맞긴 합니다만. 무슨 일이시죠?"

"아이고, 주술사님! 제발 도와주십시오!"

남자의 울먹이는 듯한 목소리에 주변 사람들이 이쪽을 돌아보았다. 이목이 집중되자 유리는 남자를 다독였다.

"진정하시고 차근차근 말씀해 보세요. 무슨 일인데 그러시죠?"

"사례는 얼마든지 할 테니 제발 좀 도와주십시오. 언제부터인가 마을 연못에 물귀신이 나와서 사람들을 죽이고 있습니다. 그 탓에 벌써 먼 길까지 돌아가서 물을 길어오고 있는 게 한 달이 넘었는데, 마을 근처에 주술사님들이 한 분도 계시지 않아 급한 대로 가까운 사당을 찾아 여기까지 오게 되었습니다. 제발 도와주십시오, 주술사님. 그 망할 요괴를 잡아주십시오. 부탁드리겠습니다."

남자는 두 손을 모아 빌며 제발 도와달라고 부탁했다. 물귀신이라. 설마, 분수대에서 봤던 지네 잉어 같은 건 아니겠지? 요괴의 마력을 구하러 갈 참이었으니 가볼까. 유리는 마침 잘됐다고 생각했다.

"도움이 필요하다면 제가 한번 가보겠습니다. 그 마을이 어디지요?"

"아이고, 살았다! 감사합니다, 주술사님. 감사합니다. 베나투스에 있는 매화마을입니다."

심장이 멎는 것 같았다. 매화마을? 거긴 내가 자란 곳이잖아. 부모님이 있는……. 유리는 자기도 모르게 두 손에 주먹을 꽉 쥐었다. 그렇다면 매화마을에서 도움을 청하러 보낸 청년이란 말인가. 어째서 하필 매화마을 사람인 거지? 대체 어째서…….

혹시 자신을 아는 사람일까, 유리는 남자의 얼굴을 슬쩍 살폈다. 이상하다, 어렸을 때 본 적이 없는 사람인데. 분명히 처음 보는 얼굴이야. 어떻게 된 거지? 베나투스에 다른 매화마을이 있던가? 만약 그 매화마을이 맞다면 부모님과 마주치게 될 지도 모를 텐데.

"주술사님? 왜 그러십니까?"

망설이던 유리는 자신을 부르는 목소리에 생각에서 깨어났다. 문득 진율이 주었던 천체검이 손에 잡혔다. 그래, 내겐 검이 있잖아. 누구라도 날 해치려 하면 검을 휘두르는 거야. 게다가 주술의 힘도 있으니 함부로 건들지 못하겠지. 더 이상 예전의 내가 아니니까. 고민 끝에 유리는 마음을 결정했다.

"아무것도 아니에요. 가시죠."

반월문 광장 서쪽 길을 따라 유리와 청년은 거의 반나절을 달렸다. 베나투스에 가기 위해서는 광장에서 두 시간이 걸리는 카이의 저택을 지나 한참을 더 가야 했다. 그들은 베나투스에 다다르자 지친 말을 달래며 천천히 이동했다. 청년은 궁금한 것이 많은 듯 유리에게 이것저것 물어왔다. 주술사로 사는 것은 어떠한지, 어떤 일들을 하는지, 매번 요괴를 상대해야 할 때마다 두렵지는 않은지…… 그는 끊임없이 질문을 해왔다.

꽤 귀찮을 법한 데도 유리는 나름대로 성의껏 질문에 답해 주었다. 검술 수련을 하던 일, 스승님과 선우와 함께 처음으로 요괴를 마주쳤던 일, 하루도 빼놓지 않고 어둠의 신께 기도를 드리던 일 등 그녀는 이제는 과거가 되어버린 사당에서의 삶에 대해 이야기했다. 하지만 딱 거기까지였다. 이름도 모르는 남에게 모든 것을 털어놓고 싶지는 않았다.

청년은 호기심 가득한 표정으로 눈을 반짝이며 유리의 얘기를 귀 기울여 들었다. 그 얼굴을 보고 있자니 처음 진율이 검술 시범을 보이던 것을 넋 놓고 쳐다보았던 열 일곱 살의 자신이 생각났다.

“정말 대단하십니다, 주술사님. 저는 기껏해야 토끼나 사슴도 겨우 잡는데…… 하지만 그것마저도 놓칠 때가 꽤 많지요. 그런데 성함이 어떻게 되십니까? 미리 성함부터 묻는 것이 예의인데 궁금한 것이 너무 많아 생각하지 못했습니다. 전 ‘환’이라고 합니다.”

“괜찮아요, 그럴 수도 있죠.”

환의 칭찬에 유리는 멋쩍게 웃으며 눈치를 살폈다. 환은 유리가 이름을 밝히길 기다리는 듯한 표정이었다. 유리는 이름을 말하려다 입을 꾹 다물었다. 그가 매화마을에서 온 이상 자신의 정체를 밝힐 수는 없었다. 유리는 신을 모시는 자들은 속세에 깊게 관여할 수 없기 때문에 보통 이름을 말하지 않는다며 핑계를 댔다. 다행히도 환은 유리의 말을 믿는 듯 아쉬운 표정으로 고개를 끄덕였다.

지옥 같은 고향으로 향하는 그녀의 불안감을 모르는 환은, 유리에게 아름다운 분이라는 둥 그렇게 멋진 검은 처음 본다는 둥 이런저런 칭찬을 늘어놓았다. 진심이든 아니든 유리는 자신을 좋게 보아주는 청년의 태도가 낯설었다. 어디를 가든 사람들은 얼굴의 흉터부터 먼저 보았다. 처녀귀신이나 산송장 같다고 자기들끼리 수군거리는 것은 차라리 나은 편이었다. 주술사에 대해 잘 모르는 사람들은 흉터와 검만 대충 쓱 보고선 유리를 하찮은 칼잡이, 망나니라고 오해하며 내쫓기도 했다.

거기에는 유리가 술을 자주 마시는 것도 사실 이유가 있었다. 얼굴에 눈에 띄는 흉터가 가득한, 검을 지닌 자가 하루 종일 술만 마시고 있으니 그럴 법도 했다. 가끔 길가를 돌아다니면서 술을 마시면 경멸의 눈빛은 더 심해졌다. 하지만 그 어떤 것도 매화마을에서 당한 것보다 심하지는 않았다.

유리는 어렸을 적 마을 바깥 호숫가에서 조약돌을 가지고 놀다가 갑자기 누군가 등을 떠밀었던 것이 생각났다. 다행히 죽지 않고 살아서 물가로 나왔을 땐 그 사람은 이미 없어진 뒤였다. 다만 댕기머리를 하고 어딘가로 뛰어가던 또래 여자아이의 뒷모습만 기억이 났다.

정신없이 마을 사람들에게 죽도록 밟혔다가 겨우 살아났던 날과, 머리채를 쥐어 잡고 장작으로 자신을 두들겨 패던 부모님에 대한 기억이 선명하게 떠올랐다. 어느 날은 살갗이 다 터지고 찢길 때까지 맞아 방바닥이 핏자국으로 흥건한 날도 있었다. 만약 부모님을 보게 된다면, 마을 사람들이 날 알아본다면 뭐라고 해야 할까. 말을 더듬거나 하면 나를 더 하찮게 볼 텐데. 유리는 만약을 대비해 그들에게 할 말을 곰곰이 생각해 보았다.

"그런데 어떻게 주술사가 되신 겁니까? 처음부터 사당에서 나고 자라지는 않았을 텐데, 어디에서 오셨습니까?"

"저는…… 그냥 이 근처에서 나고 자랐어요."

갑작스러운 질문에 유리는 대충 얼버무렸다. 마침 멀리 저 앞에 익숙한 마을 입구와 장승, 환은 유리의 불분명한 대답에 고개를 갸우뚱했다.

"이 근처라면 베나투스 말씀이십니까?"

"뭐…… 그렇다고 볼 수 있죠."

"뜻밖이군요. 저도 베나투스에서 태어나 평생을 살고 있습니다. 전에는 유령꽃마을에서 살았지만 얼마 전에 매화마을로 이사를 오게 되었지요. 혹시 유령꽃마을에 대해 들어 보신 적 있으십니까?"

"어렸을 때 가본 적이 있었어요. 아마 가을이었던가…… 하얀 유령꽃이 잔뜩 핀 걸 보고 감탄했던 게 기억이 나네요."

"유령꽃마을에 대해 알고 계시다니 듣던 중 반가운 소리군요. 저, 주술사님은 베나투스 어디에서 사셨는지……."

"어쩌다가 마을을 떠나게 되셨는지 물어봐도 될까요?"

유리는 자꾸 자신에 대해 캐묻는 환의 말을 끊었다. 무례하게 보일 수도 있었지만 어쩔 수 없었다. 더 이상 대답하고 싶지 않았다. 하지만 오늘 알게 된 사람의 속사정을 남이 어찌 알랴. 그저 무언의 경고와 눈빛으로 속뜻을 내비치는 수밖에 없었다. 내가 마음을 이해한다고 했을 때 테네브리스도 이런 기분이었을까. 그래서 짜증을 내면서 가버렸던 걸까? 유리의 경고를 알아차린 환은 머쓱하게 머리를 긁적였다.

"마을을 아주 떠났다기 보단 여기저기 떠돌아다니는 처지에 더 가깝습니다. 그냥 이곳저곳을 다니다 보니 매화마을에 오게 되었지요. 말하자면 꽤 긴 이야기라서 모두 말해드릴 수는 없겠군요."

"그 기분 조금 알 것 같네요. 떠돌면서 사는 삶 말이에요, 저도 비슷하거든요."

쓸쓸함이 느껴지는 유리의 목소리에 환은 무언가 더 물어보고 싶은 표정이었다. 그러나 청년은 더 이상 입을 열지 않았다.

마침 저 앞에 '매화마을'이라고 써진 나무 팻말이 보였다. 미르를 다시 마주했을 때처럼 심장이 빠르게 뛰었다. 환은 잠시 기다려달라며 마을 안으로 들어갔다. 유리는 말에서 내려 마을을 지키는 장승을 올려다보았다. 밤의 인간들에게는 도시나 마을, 사당 입구마다 악귀를 쫓아준다는 장승들을 세우는 전통이 있었다. 매화마을도 예외는 아니었다.

천하대장군과 지하여장군은 어렸을 때부터 늘 보아왔던 그 모습 그대로 마을 입구를 지키고 서 있었다. 오랜만에 보니 세월에 바랜 흔적이 뚜렷했다. 어렸을 때는 심부름으로 시장에서 돌아오다 장승과 눈이 마주치기라도 하면 괜히 두려운 마음에 빠른 걸음으로 지나치곤 했었다. 그러나 험상궂은 인상과 달리 장승들은 유리와 같은 나그네들에게 중요한 이정표가 되어주었다. 유리는 매화마을 사람들의 진짜 모습에 비하면 장승의 기괴한 모습은 아무것도 아니라는 생각이 들었다.

유리는 고개를 돌려 마을 안을 흘깃 보았다. 어린 아이들이 조약돌로 공기놀이를 하고 있었고, 구석에선 남자들이 열심히 장작을 패느라 정신이 없었다. 그 옆으로 걸어오는 아낙네 몇몇은 물통을 머리에 이고 있었는데, 물을 길으러 가는 모양이었다. 그들이 가까이 다가오자 유리는 아낙네들이 지나갈 수 있도록 고삐를 당겨 말을 옆으로 비켜 세웠다.

그녀에게 말을 걸어오는 사람은 없었다. 다만 눈빛에서 낯선 이에 대한 경계심이 묻어났다. 자신을 알아보는 사람이 없어 다행이라고 생각하며 안도하고 있는데, 아낙네들 중 제일 마지막으로 문을 나선 이의 얼굴이 어딘가 익숙해 보였다. 유리는 자기도 모르게 뒷걸음질을 쳤다. 고모였다. 늘 쓸모없는 년이라고 자신을 구박하던 고모가 분명했다. 하지만 고모는 유리를 알아보지 못하고 그대로 지나쳤다. 문득 정말로 부모님과 마주칠지 모른다는 두려움이 마음을 뒤덮었다. 아냐, 괜찮을 거야. 이젠 절대로 당하고만 있지 않을 거야. 유리는 애써 자신을 다독였다.

"주술사님, 들어오십시오."

돌아온 환은 유리를 마을 안으로 안내했다. 유리는 모른 척 그를 따라갔다. 사실 안내를 받을 필요는 전혀 없었다. 그녀는 이미 이 동네 구석구석을 지겹도록 잘 알고 있었다. 마을을 대충 쓱 둘러보자 잊고 있던 낡은 초가집의 거미줄 가득한 구석 모퉁이와 쥐구멍까지 모두 다 생각이 났다.

저 사람도 여기저기 떠도는 신세라고 했었지. 그 말이 사실인지는 모르겠지만…… 과연 저 청년도 이 사람들의 진짜 모습을 보았을까? 아니면 알면서도 여기에 머무르는 걸까? 혹은 이미 이들처럼 변해버린 걸까. 겉으로 보기에 나쁜 사람 같진 않은데 말이야. 유리는 속으로 중얼거리며 얼굴이 보이지 않도록 두건을 앞으로 당겨서 더 깊게 눌러썼다.

"촌장님, 저 환입니다. 주술사님을 데려왔습니다."

환이 문을 두드리며 소리쳤다. 안에서 들어오라는 목소리가 들렸다. 환은 유리에게 일을 마칠 동안 자신이 말을 맡아놓겠다며 들어가보라고 고갯짓했다. 유리는 내키지 않는 발걸음을 안으로 내디뎠다. 안으로 들어가자 작은 화로에 불을 지펴놓고 담뱃대를 입에 문 채 앉아있는 촌장이 보였다. 촌장은 일어나 고개만 대충 끄덕여 가벼운 인사를 건넸다.

기억 속 특유의 덥수룩한 수염과 흰 머리카락, 심부름 때문에 몇 번 들어와 본 적이 있는 가구와 주전자, 책장. 모두 과거의 모습 그대로였다. 비슷한 풍경이지만 조금씩 변화하는 수도의 중심가와 달리 이런 시골에서 변화를 찾기란 쉽지 않은 일이었다. 물건도 사람도, 모두 과거에 머물러 있었다. 차라리 못 알아볼 정도로 달라졌다면 전혀 다른 곳에 온 듯한 느낌을 받을 텐데……. 그랬다면 적어도 불편하지는 않을 터였다. 유리는 언제라도 위협을 느끼면 검을 빼어 들리라 마음먹고 촌장에게 인사를 건넸다.

"안녕하세요. 주술사를 찾으신다고 들었습니다."

"어서 오시게. 드디어 주술사님께서 마을을 찾아 주시는구려."

"얘기는 들었습니다. 연못에서 물귀신이 나온다고 하던데요."

"그렇소. 연못에 얼씬도 안 한 지가 벌써 한 달째라오. 물귀신이니 뭐니 해서 마을 남자들을 데리고 가 봤는데, 갑자기 물속에서 손이 튀어나오더니 내 앞에 있던 이를 잡아 끌었소. 순식간에 일어난 일이라 구할 시간도 없었지."

촌장은 성가신 일이 생겼다는 듯 말했다. 그의 말투와 눈빛에서 이름 모를 요괴에게 죽은 마을 주민들을 향한 동정심이나 측은함은 느껴지지 않았다. 별로 놀랄 일도 아니었다. 촌장은 유리가 어렸을 적 마을 사람들에게 돌팔매질을 당하는 것을 보고도, 제발 도와달라는 유리의 외침에도 들은 척 만 척 그냥 지나치던 사람이었다. 그는 자신의 위치에 특별한 책임감이나 의무감을 느끼는 이는 아니었다. 그런 사람이 주민들의 죽음에 신경 쓸 리 만무했다.

"일이 있기 전에 연못에서 죽은 사람은 없었습니까?"

"없었소. 그건 왜 묻는 거요?"

"저승으로 가지 못하고 이승에 남은 한 맺힌 영혼들이 때로는 괴물이 되는 경우도 많습니다. 원한을 가지고 연못에 뛰어내린 사람이 있다면 물귀신이 되었을지도 모르지요. 정말 죽은 사람이 한 명도 없었습니까?"

"이 작은 마을에서 일어나는 일은 훤히 다 꿰고 있소. 집집마다 누가 사는지 알고 있으니, 그런 일이 일어났다면 바로 알아챘을 거요. 연못에 뛰어든 사람도, 죽은 사람도 없소."

"죽은 이가 없는데 물귀신이 나타났다…… 이상하군요. 우선 연못을 좀 봐야겠습니다. 연못이 어디에 있지요?"

유리는 마을에 대해서 아무것도 모르는 외지인인 양 태연하게 물었다. 이 동네 구석구석을 잘 아는 만큼, 그녀는 연못이 어디 있는지도 잘 알고 있었다.

"마을 중앙에 난 큰길을 따라가면 나온다오. 이 앞에 바로 나가면 있으니 굳이 사람들에게 물어보지 않아도 될 거요. 그런데 아가씨 얼굴이 좀 낯이 익는 것 같은데, 혹시 어디서 오셨소?"

촌장이 유리를 힐끔 쳐다보며 물었다. 유리는 당황해 고개를 홱 돌렸다. 여태껏 그가 자신을 알아보지 못했다고 생각했지만 사실 촌장은 계속 긴가민가한 상태였다. 유리의 옆얼굴을 찬찬히 뜯어보던 그는 눈을 휘둥그레 뜨더니 담뱃대를 입에서 뗐다.

"세상에. 혹시 너 유리 아니냐?"

촌장의 눈빛과 목소리에서 반가움보다는 경멸과 약간의 호기심이 묻어나왔다. 유리는 아무런 말도 하지 못했다. 아니라고 부정하지 못하는 자신이 바보 같았다. 촌장은 유리의 옷차림과 천체검, 손목의 검은 염주를 별난 물건이라도 되는 것처럼 보았다. 잠깐의 관찰을 마친 촌장은 못마땅하다는 듯 혀를 끌끌 차며 다시 담뱃대를 입에 물었다.

"맞네, 맞아. 역시 어디서 많이 본 얼굴 같더라니. 어떤 주술사가 데려갔다더니 설마 정말로 주술사가 되었을 줄이야. 그래, 가서 그 신의 말씀이나 지껄이는 나부랭이들과 사니 편하디?"

"용건만 말씀하시지요. 전 여기 잡담하러 온 게 아닙니다."

유리가 목소리를 낮게 깔고 말했다. 그녀가 자신을 노려보자 촌장의 얼굴이 붉으락푸르락 변했다. 당장 손을 들어올려 한 대라도 칠 기세였다. 그 모습에 유리는 술에 거나하게 취한 아버지와 어머니가 잠든 자신을 발로 밟으며 깨웠던 끔찍한 기억이 떠올랐다.

"이 머리에 피도 안 마른 년이……!"

"신을 모시는 이를 함부로 대해서야 되겠습니까. 설마 그걸 모르지는 않으실 텐데요."

살면서 누군가에게 단호히 얘기해 본 적은 몇 번 없었다. 유리는 떨리는 두 손을 옷소매 끝자락에 숨겼다. 불안감에 심장이 떨렸지만 절대로 여기서 나약한 모습을 보일 수는 없었다. 다행히도 촌장은 유리가 두려워하고 있다는 것을 눈치채지 못했다.

"그리고 돈은 얼마나 주실 건지 상의도 하고 가야지요. 그냥 일을 할 수는 없지 않습니까?"

"3은화. 그 이상은 못 줘."

"3은…… 아니, 이게 무슨 토끼 사냥인 줄 아십니까? 요괴를 잡는 일에 푼돈이 말이나 됩니까?"

"뭘 했다고 벌써부터 돈 받을 생각을 해? 한 번 말했으면 알아들어. 그 이상은 못 줘."

"요괴가 죽기를 바라지 않으시는군요. 이만 가보겠습니다."

시간 낭비를 했다는 생각에 짜증이 확 치밀어 올랐다. 차라리 반월궁 뒷산에 가는 것이 훨씬 나을 뻔했다. 제아무리 주술사를 무시하더라도 이렇게 하대하는 사람은 몇 없었다. 그래, 내가 주술사든 마법사든 중요한 게 아냐. 내가 설령 테네브리스와 같은 지위를 가졌다고 해도 이 마을 사람들은 나를 비웃겠지. 겉으로는 언제 그랬냐는 듯 웃으면서, 속으로는 등에 칼을 꽂을 생각만 하고 있을 거라고. 내 인생의 밑바닥을 보았다는 사실만으로 약점을 잡았다 생각할 테니까. 유리는 미련 없이 뒤돌아섰다.

"잠깐! 가지 말고 기다려 보게."

유리가 떠나려 하자 촌장이 그녀를 다급하게 불러 세웠다.

"그럼 30은화는 어떻겠나? 그 정도면 되겠지?"

"제가 돌아와서 바로 돈을 지불하겠다고 약속하실 수 있습니까?"

"물론이고 말고. 내 반드시 주겠네."

"촌장님의 말씀을 한번 믿어보지요."

유리는 밖으로 발걸음을 옮겼다.

촌장과 대강 합의를 본 유리는 마을 중앙으로 향했다. 낯선 이에 대한 마을 주민들의 경계심 섞인 따가운 시선이 느껴졌다. 유리는 낯이 익은 몇 사람을 보았다. 자신을 발로 걷어차며 더러운 년이라고 욕했던 어른들은 머리카락이 하얗게 센 노인이 되어 지팡이를 짚었고, 나이가 비슷한 또래 아이들은 훌쩍 자라 성숙해진 모습이었다. 그러나 어렸을 적 얼굴만은 또렷하게 남아있어서 유리는 그들을 한눈에 알아볼 수 있었다. 그들 중에는 오래 전에 부부가 되어 아이를 낳은 이들도 몇 있었다.

아이들은 검과 칼집의 무늬가 멋지다며 호기심 가득한 눈으로 그녀를 쳐다보았다. 지금 이 마을에서 유일하게 그녀를 경멸 섞인 시선 없이 보는 것은 아이들뿐이었다. 유리는 사람들을 지나치며 곁눈질로 마을 사람들을 살펴보았다. 다행히도 부모님은 보이지 않았다. 또 어딘가에서 노름판을 벌이며 술이나 잔뜩 마시고 있는 모양이었다. 차라리 잘된 일이었다. 지금 그들을 보게 된다면 치밀어 오르는 화를 주체할 수 없을 것만 같았다.

어릴 적의 기억을 더듬어 십 분 정도 길을 따라 걷자 연못이 나왔다. 매화라는 마을 이름처럼 수백 그루의 매화나무가 옹기종기 모여 연못을 둘러쌌다. 문득 거적때기로 대충 상처를 감싼 채 혼자 연못가를 거닐던 때가 생각났다. 어린 유리는 흩날리는 붉은 꽃잎들과 밤하늘의 달빛이 절경을 이루는 광경을 보며 스스로를 위로하곤 했었다. 살갗을 파고드는 혹한의 추위와 비참한 신세조차 잊게 해줄 만큼 아름다운 풍경이었다. 그러나 지금은 가을이어서 애석하게도 그 풍경을 볼 수가 없었다.

유리는 주위를 둘러보다 정신을 차리고 연못가에 가까이 다가갔다. 고요함 속에 들리는 것이라곤 뺨을 스치는 바람 소리뿐이었다. 연못에 특별히 눈에 띄는 점은 없었다. 다만 사람이 왔다간 듯한 흔적이 남아있었다. 이상했다. 그동안 내린 비로 이런 흔적은 말끔히 씻겨 내려갔어야 했다. 하지만 여기에 있는 이 발자국들은 얼마 전 누군가가 연못에 왔었다는 뜻이었다.

이 발자국이 촌장이 말하는 물귀신일 리는 없었다. 물귀신은 지네 잉어와 같이 사람의 모습을 일부 갖출 수는 있어도 구미호처럼 완벽한 사람의 형태로 둔갑할 수는 없었으니까. 연못가에 앉아 희미한 달빛에 비치는 물결을 바라보며 유리는 곰곰이 생각에 빠졌다. 주변에는 다른 누군가도, 짐승도 없었다. 오로지 그녀 혼자였다. 게다가 연못가에 아주 가까이, 물 위로 얼굴이 비쳐 보일만큼 가까이 있었다.

물귀신이 정말 수면 아래에 있다면 지금 유리는 약점을 보인 것이나 다름없었다. 그런데도 주위는 여전히 소름이 끼칠 만큼 조용했다. 아무런 움직임도, 인기척도 없었다. 가끔 토끼나 사슴, 뱀과 같은 짐승들이 자주 드나들던 곳인데도 불구하고 연못가에는 찢긴 사람들의 옷가지나 신발 등을 제외하면 어떤 짐승의 흔적도 보이지가 않았다.

무언가 수상한 느낌을 감지한 그때, 물속에 언뜻 알 수 없는 형상이 비쳤다. 유리는 조심스레 그것을 살펴보려 가까이 다가갔다. 저 깊은 연못 바닥 아래에 잠긴 무언가가 둥둥 떠다니는 것이 보였다. 그러나 형체가 너무 흐릿해 물고기인지 사람인지 알 수 없었다. 유리는 언뜻 달빛에 겹쳐 보인 자신의 얼굴을 착각했다고 생각했지만, 곧 흐릿한 형체가 서서히 또렷하게 보이기 시작했다. 익사한 사람의 시체였다. 자세히 살펴보니 시체가 한 둘이 아니었다. 끔찍하게도 그들은 생전의 얼굴을 알아볼 수 없을 만큼 몸뚱어리가 잔뜩 부풀어 있었다.

연못 아래 잠들어 있던 망자들이 하나 둘 수면 위로 떠올랐다. 그들 중 하나가 창백한 손을 들어올려 느닷없이 유리의 머리채를 잡고 물속으로 확 끌어당겼다. 유리는 비명을 지르며 순식간에 연못 안으로 빨려 들어갔다. 녹아내려 너덜너덜한 누더기 같은 시체들의 시선이 그녀를 향했다. 뼈와 살이 뒤엉킨 모습의 망자들은 눈을 깜빡이지도, 몸을 움직이지도 않았다. 그저 공허한 시선을 향할 뿐이었다.

머리 위쪽으로 희미한 달빛이 새어 들어오는 것이 보였다. 저기다. 저기로 가야 한다. 유리는 숨을 참으며 시체들과 눈을 마주치지 않으려 애썼다. 그리고 조금씩 수면 위를 향해 필사적으로 헤엄쳤다. 검을 휘두를 때와 달리 어린 아이처럼 서툰 몸짓이었다. 그러나 무조건 헤엄쳐야만 했다. 살아야 한다. 여기서 빠져나가야 한다. 그 생각이 마음을 강하게 파고 들었다.

수면 위에 가까워지자 희미했던 달빛이 선명하게 밝아졌다. 이윽고 물 밖으로 나온 유리는 헛구역질을 하며 물을 토해냈다. 아직 요괴와 제대로 마주하지도 못했건만, 끔찍한 시체들의 모습에 맥이 풀려버린 것 같았다. 유리는 젖은 머리카락과 옷의 물기를 쥐어짜냈다. 그리고 계속 물을 토해냈다. 시체 가득한 썩은 물을 마셨다는 생각에 견딜 수가 없었다. 처음으로 손가락 마디만 한 구더기들을 보았을 때만큼이나 역겨웠다.

주변에서 바스락거리는 소리가 났다. 고개를 돌리니 수풀 쪽에서 하얀 형체가 움직이는 것이 보였다. 유리는 급히 검을 빼어 들고 뒤쫓아갔다. 짐승일 수도, 요괴일 수도 있었다. 어쩌면 촌장이 말한 물귀신일 수도 있었다. 그러니 놓칠 수는 없었다. 한참 그 알 수 없는 무언가를 따라 유리는 숲속으로 깊이 들어갔다.

하지만 이제 그 하얀 것은 더 이상 보이지 않았다. 다만 앞에 커다란 동굴이 있었다. 동굴 주변도 이상하리만치 고요했다. 연못에서처럼 마치 짐승들이 어떤 불길한 기운을 느끼고 모두 피한 것 같았다.

과연 저 안에는 또 어떤 빌어먹을 것들이 나를 기다리고 있을까. 유리는 조심스럽게 동굴 안으로 발을 내디뎠다. 들어서기 전에는 알 수 없었던 썩은 내가 코끝으로 강하게 전해졌고, 눈앞에는 이미 백골이 되어버린 온갖 동물들과 사람의 시체, 뼈가 뒤섞여 기괴한 풍경을 자랑했다. 수도 없이 본 광경이지만 유리는 심상치 않은 낌새를 눈치챘다. 비에 씻겨져 나간 것처럼 깨끗한 백골들이 벽에 장식처럼 주렁주렁 걸려있던 것이었다. 이는 분명 짐승과도 같은, 그저 마력에 미쳐 날뛸 뿐인 요괴들이 할 수 있는 행동은 절대로 아니었다.

유리는 자신이 '고대의 요괴'의 동굴 안으로 들어왔다는 것을 직감했다. 그녀는 아랫입술을 깨물며 머리를 짚었다. 벌써부터 머리가 아파 오는 것 같았다. 고대의 요괴들은 오랜 시간을 살아온 만큼 아주 교활하며 영리한 존재들이었다. 지금은 먼 옛날에 비해 그 숫자가 적기 때문에 상대할 기회가 많지 않아 어떤 면으로 보자면 참으로 다행인 일이었다. 그러나 진율에게서 배운 지식과 스스로 쌓아온 경험에 의지해 행동하는 유리로서는 최악이나 다름없었다.

주술사가 된 지 십 년이 넘었지만 고대의 요괴를 상대한 것은 기껏해야 딱 한 번이 전부였다. 고대의 요괴들은 단순히 강력하며 교활한 존재들이 아니었다. 녀석들은 사람으로 둔갑할 수 있는 재주를 갖고 있었다. 바로 그 사실이 유리를 가장 골치 아프게 했다. 사람처럼 생각하고 말할 수 있는 고대의 요괴들은 사냥하기에 제일 위험하며 까다로운 존재들이었다. 진율도 항상 녀석들의 꾀임에 넘어가는 것을 조심하라고 주의를 주곤 했었다.

유리는 앞으로 검을 겨누고 주위를 살폈다. 마음을 굳게 먹고 준비를 단단히 해야 했다. 자칫 방심했다가 눈 깜짝할 새에 죽음과 만나게 될 테니까. 유리는 주변을 경계하며 안으로 발걸음을 옮겼다.

앞에 울퉁불퉁한 내리막길이 있었다. 경사가 급하지는 않아 보였지만 저 아래의 어둠을 채우고 있는 먹구름 같은 자욱한 안개와 축축한 공기가 마음에 들지 않았다. 안으로 갈수록 끝도 없이 이어진 망자들의 백골로 이루어진 벽장식은 마치 어서 더 깊이 들어와 보라며 자신에게 손짓하는 것 같은 착각까지 들었다. 꺼림칙했지만 어쩔 수가 없었다. 이런 괴이한 풍경과 수도 없이 마주해야 하는 것이 그녀와 같은 주술사들의 일이었다.

내리막길을 따라 아래로 내려가자 사방이 막힌 원형의 공간이 나왔다. 그곳에도 시체들이 가득 쌓여 오래된 썩은 냄새를 풍기고 있었다. 아, 빌어먹을. 유리는 순간 자기도 모르게 욕지거리를 내뱉을 뻔했다. 그녀는 헛구역질을 하며 잠깐 시선을 다른 곳으로 돌렸다. 구더기 때문이었다. 한눈에 보아도 수십 마리는 되어 보이는 구더기들이 옹기종기 모여 시체를 파먹고 있었다.

허나 다른 쪽으로 시선을 피해도 소용없었다. 그런 녀석들이 이 안에는 정말 셀 수도 없이 많았으니까. 대부분은 시체를 파먹느라 정신이 없었지만, 바닥에 기어 다니는 녀석들도 있었다. 유리는 그런 구더기 몇 마리들을 피해 발걸음을 조심스럽게 옮기며 한 손으로 입을 틀어막고 주변을 살폈다. 끔찍하리만큼 역겨운 것을 제외하면 딱히 특별해 보이는 것은 없었다.

유리는 천천히 걸어가며 시체들을 살펴보다가 문득 오른쪽 벽의 틈으로 달빛이 새어 들어오고 있다는 것을 눈치챘다. 사람이 충분히 넘어갈 수 있을 만큼 큰 틈이었는데, 그 너머에 있는 시체들이 보였다. 유리는 조심조심 틈을 따라 그 너머로 이동했다.

틈 안쪽도 상황은 다르지 않았다. 다른 점이 하나 있다면 구더기들이 모인 곳과 달리 비릿한 피 냄새가 풍겨오고 있다는 것이었는데, 죽은 지 얼마 되지 않은 사람들임이 확실해 보였다. 무성하게 자라난 수풀 위로 찢어지고 피 묻은 옷가지들이 수북이 쌓였고 그 옆에 시체 더미 또한 쌓여 있었다. 시체들의 살갗은 아직 썩지 않고 멀쩡했으나 배 부분이 모두 날카로운 칼날에 찢긴 상처가 있었다.

한쪽 무릎을 꿇고 앉아 가까이서 시체 다섯 구 정도를 한참 살펴본 유리는 시체들의 간이 모두 없어졌다는 사실을 눈치챘다. 심장, 쓸개와 같은 부위는 모두 그대로였지만 오르지 간만 사라져 있었다. 이런 짓을 할 요괴는 오직 딱 하나, 구미호뿐이었다.

유리는 주술사가 되기 위한 가르침을 받을 적 진율에게서 들었던 구미호

이야기를 떠올렸다. 구미호들은 대개 아름다운 미녀로 둔갑하여 빼어난 미모로 사람들을 홀려 죽이고 간을 취했는데, 둔갑한 모습이 사람과 별다를 바 없어 어른들은 아이들에게 절대로 낯선 사람을 보면 따라가지 말라고 일러두곤 했다. 물론 사람들 중에는 구미호를 먼 옛날의 전설로 치부하며 대수롭지 않게 여기는 이들도 있었다.

하지만 유리와 같은 주술사들은 구미호 이야기가 단순한 전설이 아님을 잘 알고 있었다. 유리는 전에 딱 한 번 진율과 선우, 그리고 다른 사당의 주술사들과 함께 구미호를 사냥하러 간 적이 있었다. 열 한 명이나 되는 주술사들이 한참 사투를 벌이고 나서야 구미호를 쓰러뜨릴 수 있었다. 그것이 유리가 고대의 요괴와 맞서 싸워본 경험의 전부였다.

거의 열 명이 달려들어야 겨우 쓰러뜨리는 놈을 혼자 어떻게 상대한단 말인가? 유리는 불안한 마음을 애써 억눌렀다. 누가 당장 일을 대신 해결해 줄 수도 없거니와 촌장에게 절대 빈 손으로는 돌아갈 수 없었다. 그랬다간 자신을 짓밟고 조롱했던 매화마을 사람들에게 비웃음만 살 것 같았다.

"제발 좀 도와주세요…… 제발 나 좀 도와줘요, 아가씨."

어디선가 흐느끼는 소리가 들려왔다. 유리는 깜짝 놀라 검을 앞으로 겨누고 소리에 귀를 기울였다. 흐느끼며 도와달라고 말하는 듯한 그 목소리는 수북이 쌓인 시체 더미 옆의 작은 바위 쪽에서 들려왔다. 눈을 가늘게 뜨고 자세히 보자 시체 더미와 바위 사이에 낀 채 쓰러져 있는 한 여자가 보였다.

여자는 배를 움켜쥐고 울먹이고 있었다. 그녀의 두려움 가득한 얼굴 위로 말라붙은 눈물 자국과 핏자국, 흙먼지와 산발이 된 머리카락은 서로를 껴안고 엉켜 있었다. 배의 상처는 옆의 시체들과 비슷했는데 아직 간을 먹히지는 않은 모양인지 상처가 깊지 않아 보였다. 여자는 떨리는 손으로 유리의 발목을 붙잡았다.

"제발 도와줘요, 아가씨. 여기서 당장 나가야 해요. 요괴가 내 남편을 죽였어요. 내 딸…… 내 딸한테 돌아가야 해요. 집에 혼자 있을 거예요.

제발 나 좀 구해줘요, 아가씨."

여자의 울먹이는 목소리에서 유리는 자신과 같은 생존 본능과 두려움을 느꼈다. 여자의 눈빛에는 죽음에 대한 공포가 깊게 서려 있었다. 끔찍한 광경을 목격한 탓인지 정신이 반쯤 나간 것 같기도 했다. 유리는 그 심정을 이해할 수 있었다. 자신도 미르 때문에 처참한 꼴을 수십 번씩 보며 같은 감정을 느꼈으니까. 요괴를 퇴치하는 일을 하는 자신조차 이런 일에 익숙해질 수 없는 마당에, 요괴에게 잡혀온 주민들이 느꼈을 두려움을 생각하면 이해가 안 가는 것도 아니었다.

"괜찮아요, 아주머니. 진정하세요. 촌장님 부탁을 받고 요괴를 퇴치하러 왔어요."

유리는 옷소매를 걷어 손목의 검은 염주를 여자에게 보여주었다. 그리고 손을 내밀어 여자를 힘껏 끌어당겼다. 바위와 시체 더미에 사이에 껴서 숨도 제대로 쉬지 못하던 여자는 몸을 짓누르는 압박감에서 벗어나자 숨을 깊게 들이쉬고 내쉬었다. 하지만 두려움으로 가득한 얼굴은 여전히 정신이 반쯤 나가 있었다. 유리는 다시 염주를 보여주며 주술사가 왔으니 안심하라고 여자를 다독였다. 그러나 여자의 눈에 염주는 전혀 들어오지 않는 것 같았다.

"알았으니까 제발 나 좀 살려줘요. 도와줘요, 아가씨. 내 딸…… 내 딸한테 돌아가야 해요. 집에서 날 기다리고 있을 거예요. 빨리 마을로 좀 데리고 가줘요."

여자는 필사적으로 유리의 손을 붙잡고 도와달라는 말만 반복했다. 유리는 여자의 한쪽 팔을 목에 감고 천천히 아주머니를 일으켰다. 그런데 어딘가 이상했다. 부축을 받으며 일어나는 여자의 모습은 생각보다 멀쩡했다. 요괴에게 상처를 입은 것은 분명했지만, 곧 죽을 사람처럼 빌빌거리며 끙끙대던 방금 전 모습과는 전혀 딴판이었다.

"아가씨! 빨리 마을로 가요. 여기서 나가야 돼요. 빨리 나가야 된다고요!"

“잠시만요, 아주머니. 아직 살아있는 분들이 있을지도 몰라요. 일단 먼저 확인부터…….”

“아니에요, 그러지 말아요. 벌써 다 죽었어요. 살아있어도 어차피 죽을 거예요. 그런 거 신경 쓰지 말고 나부터 좀 마을에 데려다 줘요. 돈은 원하는 대로 얼마든지 줄 테니까, 응?”

여자는 계속 유리의 팔을 잡아당기며 재촉했다. 유리는 그제야 이 여자의 상태가 생각보다 멀쩡하다는 것을 한 번 더 알 수 있었다. 기가 막혔다. 살아있을지도 모르는 사람들을 버리고 가라니, 말도 안 되는 소리였다.

“아주머니, 무슨 말씀을 그렇게 하세요? 어차피 죽을 사람이라고요? 친척이나 친구 분들이 살아 계실 수도 있다는 생각은 안 해보셨어요?”

“내 말 못 들었어요? 요괴가 내 남편을 물어 죽였다고요! 일단 여기서 빨리 나가요. 아, 얼른!”

유리가 따지고 들자 여자는 팔을 더 세게 잡아당겼다. 여자의 눈빛에서 더 이상 죽음에 대한 공포나 절망은 없었다. 살려달라며 울먹이던 목소리에서는 귀찮음과 짜증이 느껴졌다. 왜 그런 사소한 것에 쓸데없게 시간 낭비를 하느냐는 듯한 말투였다.

순간 여자에게서 소름 끼치도록 익숙한 모습이 보였다. 어렸을 적 마을 사람들에게 짓밟히고 있을 때 자신을 무시하고 지나가던 촌장의 모습이었다. 어쩌면 이 아주머니도 자신에게 돌을 던지며 욕하던 사람 중 하나일지 몰랐다.

“걸으실 수 있는 모습을 보니 상태가 그리 나쁘지 않은 것 같은데요. 먼저 가세요. 전 마저 하던 일 끝내고 갈게요.”

“이년이 정말 미쳤나!”

여자가 갑자기 유리의 뺨을 찰싹 내리쳤다.

"얘, 너 귀 먹었니? 지금 나가야 된다고 몇 번을 말해야겠어? 당장 아가씨가 해야 하는 일이 뭔지 알아? 나를 구하는 거야. 요괴한테 뒈져버린 술주정뱅이들 신경 쓸 시간 있으면, 나부터 일단 마을에 데려다 주고 구하든지 말든지 해! 산 사람이 먼저지, 지금 뒈진 놈들 신경 쓸 시간이 어디 있어? 촌장님 부탁이든 주술사든 내 알 바 아니야. 일단 나를 지금 마을에 데려다 줘. 그게 지금 네가 해야 하는 일이야, 알겠어? 얼른 날 데리고 여기서 나가, 어서! 꾸물거리지 말고 빨리 나가라고!"

여자는 동굴이 떠나가라 소리를 질렀다. 유리는 벌겋게 달아올라 얼얼해진 뺨을 만지며 아주머니를 노려보았다. 자신이 이런 사람을 구하려 시간을 낭비했다는 사실에 화가 잔뜩 치밀어 올랐다. 그래, 내가 아는 매화마을 사람들은 이렇지. 다 자기만 알고, 자기만 살려고 하지. 달라진 게 아무것도 없잖아. 유리는 분노로 부르르 떨리는 손에 주먹을 꽉 쥐었다.

뭐라고 대꾸하려 입을 연 순간 유리는 주변 공기가 무섭도록 무거워지는 것을 느꼈다. 저택에서 느꼈던 무거운 중력 마법의 힘과는 달리, 으스스하고 싸늘한 한기에 더 가까웠다. 한겨울처럼 숨을 내쉴 때마다 하얀 입김이 주위로 퍼져 나갔고, 등뒤에서 발걸음 소리가 들렸다. 유리는 잽싸게 뒤를 돌아 검을 겨누었다. 여자는 유리의 뒤에 숨어 네가 빨리 나갔으면 이런 일도 없었을 것 아니냐고 욕을 지껄였다.

하지만 유리는 지금 자신을 모욕하는 말 따위에 신경 쓸 겨를이 없었다. 동굴 안으로 들어온 정체불명의 여자 때문이었다.

10장.

덧없는 복수

Retribution

어둠 속에서 모습을 드러낸 여자는 아주머니와 달리 아주 젊은 얼굴이었다. 여자는 양옆으로 거대한 백여우 두 마리를 끼고 있었고, 주위에 여우불 같은 파란 불꽃이 빙글빙글 제자리에서 돌며 동굴 안의 어둠을 밝혔다. 하지만 유리의 시선을 끈 것은 파란 불꽃도, 두 마리의 백여우도 아니었다. 그것은 바로 여자의 수려한 외모였다.

유리와 비슷한 나이로 보이는 젊은 여자는 꽤나 키가 크고 날씬했다. 바닥에 질질 끌릴 정도로 길고 새하얀 머리카락은 반짝반짝 윤기가 났고, 까마귀 깃털처럼 검푸른 눈동자는 보석을 빼다 박은 것처럼 아름다웠으며 핏빛처럼 붉은 입술은 작고 도톰했다. 보름달처럼 창백하지만 우아하고 아름다운 여자의 얼굴은 마치 이 세상의 것이 아닌 것처럼 느껴졌다. 경국지색, 절세미인이라는 말로도 한참 부족할 정도였다.

"안녕? 못 보던 얼굴이네? 너처럼 예쁘장한 아이가 마을에 있는 줄은 몰랐는데. 여기서 뭐 하고 있는 거니? 길을 잃어버린 거야, 응?"

아름다운 여자가 상냥하고 다정한 목소리로 먼저 말을 건넸다. 귓가를 간질거리는 듯한 그 목소리는 달콤한 속삭임처럼 느껴졌다. 폭신한 침대 위에 누워있는 것처럼 아늑하고 포근한 느낌이 몸을 감쌌고, 몽롱한 느낌이 밀물처럼 몰려 들어왔다. 술에 취해 알딸딸한 기분이었다. 조금 어지럽지만 피곤함은 전혀 느껴지지 않았다. 그저 이대로 영원히 이 기분에 취해 가만히 서서 아무것도 하고 싶지 않았다.

“어쩌다가 이런 곳까지 와서 길을 잃었어? 이런, 몸이 온통 흙이랑 피투성이네. 자, 이리 와. 내가 깨끗하게 씻겨 줄게.”

아름다운 여자는 유리에게 손을 뻗으며 가까이 다가왔다. 여자가 가까이 다가오면 다가올수록 시체 썩은 내 대신 향긋한 무궁화 향기가 코끝으로 느껴졌다. 아니, 애초에 이곳에 시체 썩은 내 같은 건 없었던 것만 같았다. 시체 대신 가끔 산에 열매를 따러 오를 때마다 향기를 맡고 좋아하곤 했던 무궁화가 동굴 안에 만개해 있는 것 같았다.

방금 전까지만 해도 똑똑히 보였던 시체 더미 사이에서 봄꽃들이 피어났다. 마침내 여자는 손을 뻗으면 닿을 거리까지 다가왔다. 향긋한 꽃 향기와 함께 귓가에 달콤한 속삭임이 전해져 왔다. 한 번도 느껴보지 못한 황홀한 느낌이 온몸을 타고 전해졌다. 유리는 사람들이 말하던 극락에 온 기분을 이해할 수 있을 것 같았다. 기어 다니는 구더기든 널브러진 시체든 더 이상 아무것도 상관없었다. 다른 것은 그 무엇도 필요하지도 않고, 관심도 없었다. 이 아름다운 여자만 있다면 썩은 내 가득한 동굴도 호화로운 궁전이 될 터였다. 그녀가 있는 한 세상의 모든 불완전함이 완벽해 보이는 것만 같았다.

“세상에…… 아가씨!”

유리의 등 뒤에 숨어서 덜덜 떨던 아주머니가 앞으로 뛰쳐나왔다. 아주머니도 무궁화 향기와 여자의 미모에 홀린 것처럼 그녀를 넋 놓고 바라보았다. 아주머니는 여자에게 무릎을 꿇고 두 손을 빌었다.

“필시 아가씨는 어둠의 신께서 보내신 분이 틀림없군요! 아가씨, 여기 이년이 구해달라는 제 부탁을 무시했습니다. 하지만 당신처럼 아름다운 분은 부탁을 저버리지 않겠지요. 아가씨는 절대로 그럴 리가 없어요!”

아주머니는 경외심과 안도감이 섞인 얼굴로 아름다운 여자를 올려다보았다. 여자는 아주머니를 의아한 눈으로 쳐다보더니, 입꼬리를 올려 씩 웃으며 아주머니의 목을 한 손으로 잡았다.

“물론 구해주고말고. 너처럼 더러운 인간들도 살긴 살아야지.”

여자의 손에서 칼날처럼 길고 날카로운 손톱이 자라났다. 여자가 손에 힘을 주자 손톱은 아주머니의 목을 파고 들며 상처를 냈다. 네 곳의 상처에서 검은 피가 쭉 흘러나왔다. 여자는 아주머니가 필사적으로 발버둥치자 재미있다는 듯 웃더니 벽에다 대고 아주머니를 내팽개쳤다. 아주머니는 자리에 쓰러져 신음만 내뱉었다. 아름다운 여자는 다시 유리에게 시선을 향했다.

"이제 우리 둘뿐이네. 자, 방해되는 년도 사라졌으니까 같이 재미있게 놀아 볼까?"

여자는 유혹하듯 천천히 옷고름을 풀고 다가왔다. 천장의 틈에서 새어 들어오는 달빛 아래에서 여자는 저고리를 벗고 자신의 맨몸을 드러냈다. 과연 그녀는 풍만한 가슴과 흠집 하나 없는 희고 고운 살결, 정교하게 빚어진 조각상처럼 아름답게 굴곡진 몸매에 수려한 얼굴을 가진 절세미인이었다. 어떤 남자가 그녀의 아름다움을 거부할 수 있을까. 유리는 이제야 알 수 있을 것 같았다. 여자는 평범한 사람이 아닌 하늘에서 내려온 선녀였다. 그렇지 않고서야 세상에 이런 완벽함이 존재할 리가 없었다.

유리는 갑자기 온몸의 피가 뜨거운 욕망으로 끓어오르는 것을 느꼈다. 이제 그 어느 곳을 보아도 역겨운 광경은 보이지 않았다. 시체 위로 향기로운 보랏빛 연꽃들이 피어났고, 구더기들은 파리가 아닌 분홍빛 나비로 변해 달빛을 향해 날아올랐다. 여자가 말할 때마다 그녀의 입안에서 꿀 향기가 맴도는 것 같았다.

유리는 자신 앞에 펼쳐진 아름다움을 황홀한 눈빛으로 쳐다보았다. 이대로 모든 것이 멈췄으면 했다. 사람들이 말하는 부와 명예 따위는 하나도 필요 없었다. 그저 이 여자만 있으면 모든 것이 해결될 것 같았다. 하늘에서 내려온 이 선녀가 존재하는 한, 모든 것이 완벽했다.

하지만 완벽한 아름다움의 허상은 곧 깨지고 말았다. 황홀함에 취해 있던 유리는 순간 여자의 손끝에서 자라난 날카로운 손톱을 보고선 번쩍 정신이 들었다. 유리는 곧바로 천체검을 들고 여자를 향해 겨누었다. 숨을 헐떡이며 주위를 둘러보니 향기로운 무궁화나 연꽃, 나비 따위는 하나도 없었다. 그저 눈 뜨고 죽은 시체와 꿈틀거리는 구더기만이 가득할 뿐이었다.

아름다운 '구미호'는 천체검을 피해 한 발짝 뒤로 물러섰다. 그녀 옆에서 있던 백여우들은 유리를 향해 이빨을 드러내며 으르렁거렸다. 유리는 여자에게 검을 가까이 들이밀었다.

"내 몸에 손대기만 해봐. 세상에 태어난 걸 후회하게 해줄 테니."

"이런, 너도 즐기고 있는 줄 알았는데. 왜, 나 정도로는 부족해?"

구미호의 목소리에서 실망감이 묻어났다. 그러나 올라간 입꼬리는 유리를 가소롭게 여기는 듯 비웃고 있었다.

"이제 알겠어. 네가 연못에서 사람들을 죽인 물귀신이라는걸. 그 물귀신이 구미호인 줄은 몰랐지만."

"그걸 이제야 안 거야? 쯧쯧, 눈치가 제법 빠른 줄 알았는데 멍청하구나."

"다른 사람들은 어디 있어? 어서 말해! 솔직하게 대답하면 덜 고통스럽게 죽여줄 테니까."

"주술사들은 왜 이리 다들 똑같을까, 응? 너처럼 날 죽이겠다고 달려든 놈들이 한둘일 것 같아? 그깟 쇠붙이 좀 휘두를 줄 안다고 내 머리 위에 있다고 생각하지 마. 그랬다간 큰코 다치니까. 너도 내 발톱에 찔려서 죽고 싶은 건 아니잖아?"

"묻는 말에 대답해. 다른 사람들은 어디 있어?"

유리의 물음에 구미호는 고갯짓으로 시체를 가리켰다.

"어디 있긴, 여기 있지. 이 사람들의 행복한 표정을 봐. 마지막 숨을 쉬는 순간까지 날 쳐다보면서 웃었어. 네게도 그런 좋은 기회를 주려고 했는데, 쯧쯧. 역시 주술사들은 멍청하다니까. 누이 좋고 매부 좋다는 말 몰라? 서로한테 나쁠 게 없는데 왜 그걸 거부하는 거야?"

"웃기지 마. 너희 요괴들은 재미를 위해서, 배를 불리기 위해서 사람들을 죽일 뿐이야! 게다가 그게 죄라는 생각조차 하지 않지."

"내가 이기적이라는 것처럼 말하네. 내가 왜 여기에 온 줄 알아? 난 재미가 아니라 복수를 위해서 온 거야."

"거짓말하지 마. 네가 한 짓은 어둠의 신께 절대로 용서받을 수 없어!"

"어머, 내 얘기는 들어보려고 하지도 않고 단정부터 짓네. 너 정말 불쌍한 애구나."

"지금 남 걱정하고 있을 때가 아닐 텐데?"

"널 걱정하는 게 아니라 네가 정말 불쌍하고 딱해서 그래. 가여운 것, 행복하게 죽을 기회를 스스로 걷어차다니. 이제 네 결정을 후회하게 될 거다."

구미호가 두 눈을 부릅뜨고 손톱에 날을 세웠다. 녀석은 거칠게 유리를 향해 돌진해왔다. 이런 공격쯤이야 유리에게는 식은 죽 먹기였다. 유리는 가볍게 옆으로 굴려 공격을 피하면서 춤을 추듯 한 바퀴 돌아 검을 휘둘렀다. 구미호는 여유로운 웃음을 흘리더니 작은 안개가 되어 눈앞에서 사라졌다.

당황한 유리는 검을 들고 주위를 두리번거렸다. 등뒤에서 나타난 구미호가 유리를 덮쳤다. 유리는 중심을 잃고 비틀거리며 넘어졌고, 구미호는 유리를 붙잡고 배를 찌르려 했다. 녀석은 여전히 아름답고 가냘프며 연약한 여자의 모습을 하고 있지만 모두 환상일 뿐이었다. 두 눈에 실핏줄을 바짝 세운 구미호는 이빨을 드러내고 늑대와도 같은 힘으로 유리를 짓누르며 천체검을 꽉 붙잡았다.

"예쁜 검이네? 날 죽이려던 다른 주술사들도 이런 걸 하나씩 갖고 있었지. 예쁘긴 하지만 아무 짝에도 쓸모 없다니까. 지금 너처럼 말이야."

구미호는 유리를 조롱하듯 실실 웃으며 말했다. 유리는 검을 뺏기지 않으려고 안간힘을 썼다.

"쓸모가 없다고? 착각하지 마. 난 이 검으로 너 같은 요괴 새끼들을 수도 없이 죽였어!"

유리는 있는 힘껏 녀석을 밀어내고 자리에서 일어났다. 그리고 정신을 집중해 보랏빛 마력 안개를 피워내려 애썼다. 감당하기 힘든 마력과 온몸에 퍼지는 찌릿한 고통 때문에 손끝이 미세하게 떨려왔다. 곧 손끝에서 보랏빛 연기가 피어났다. 유리는 망설임 없이 구미호를 향해 마력을 쏘았다. 희미한 마력이었지만 구미호에게 상처를 내기는 충분했다. 날아간 마력 안개가 녀석의 어깨를 스치고 지나가 상처를 남겼다. 갑작스러운 마법 공격에 놀란 구미호는 뒤로 몇 걸음 물러섰다.

"세상에, 마법을 쓰는 주술사라니. 천 년을 살면서 그런 건 본 적이 없는데…… 너 재미있는 애구나? 싸워볼 만하겠어!"

구미호가 두 눈을 부릅뜨자 검푸른 보석 같던 두 눈이 뱀처럼 날카롭게 변했다. 벌써 승리를 예감하기라도 한 것처럼 녀석은 힘차게 울부짖었다. 그러자 곁을 지키고 가만히 서 있던 백여우 두 마리가 유리를 향해 거칠게 달려들었다. 하지만 이상하게도 두 마리가 아닌 것 같았다. 반월을 그리며 춤을 추듯 칼을 이리저리 휘두를 때마다 새로운 여우가 한 마리씩 하얀 안개와 함께 나타났다.

유리는 정신없이 옷소매를 물어뜯으며 달려드는 여우들의 목을 쳐냈다. 그러나 여우들은 상처 하나 없이 멀쩡했다. 유리는 이 여우들이 진짜가 아님을 알아챘다. 구미호가 요술을 부려 끊임없이 환영을 만들어내고 있던 것이었다. 구미호는 유리가 처절하게 환영들 사이에서 몸부림을 치며 살아남으려 하는 모습을 보며 씩 웃었다. 구미호의 손끝으로부터 피어난 붉은 꽃의 형상을 한 불길이 유리를 향해 날아갔다. 유리는 그 불길로 손을 뻗었다. 스스로 바람이나 불꽃은 만들어낼 수 없지만 가까이에 있기만 한다면 끌어와 쓸 수는 있었다. 그것이 바로 어둠의 신이 주술사들에게 허락한 제한된 힘이었다.

유리는 불길을 쥔 채 천장 틈으로 들어오는 바람에 손을 뻗었다. 유리가 불과 바람을 손에 쥐고 힘껏 땅을 내려치자 잔잔했던 밤바람은 거센 불 폭풍이 되어 그녀를 감쌌다. 강렬한 충격에 유리를 물어뜯던 여우들은 나가떨어지며 울부짖었다. 하지만 그런다고 포기할 녀석들이 아니었다. 녀석들은 다시 유리를 향해 달려들었다.

끊임없이 피어나는 환영과 싸우기에는 체력에 한계가 있었다. 어떻게든 이 여우들의 시선을 돌려야 했다. 굶주린 녀석들의 관심을 돌릴 방법은 오직 하나였다. 유리는 칼날로 자신의 손가락을 베어 피를 공중에 흩뿌렸다. 그러자 여우 환영들은 발걸음을 멈추고 정신없이 피냄새를 쫓았다. 유리는 피를 향해 달려든 두 백여우를 향해 사정없이 검을 휘둘렀다. 이윽고 거대한 머리들이 발밑에 떨어져 뒹굴었고, 환영들은 하얀 안개가 되어 사라졌다.

그때였다. 차가운 손길이 다가와 유리를 덮쳤다. 구미호는 유리를 바닥에 눕히고 힘껏 목을 조르며 몸을 짓눌렀다. 유리는 검을 떨군 채 구미호의 손을 자신에게서 밀어내려 애썼다. 그 모습에 구미호가 안쓰럽다는 듯 혀를 끌끌 찼다.

“어리석은 것. 네가 주술사인지 마법사인지는 모르겠지만 검은 다루는 실력은 인정해주지. 하지만 그것만 가지고는 부족할 거야. 날 죽이겠다고 쥐새끼처럼 설치다 죽은 인간들이 어디 한둘인 줄 알아? 뭐, 그래도 내 여우들을 죽인 건 잘했어. 마침 쓸모가 없어지던 참이었거든.”

구미호는 발버둥치는 유리를 한 손으로 잡고 그대로 들어올렸다. 유리는 몸부림치며 죽음의 손길에서 벗어나보려 했지만 소용없었다. 기진맥진한 탓에 그녀의 몸은 젖은 종이처럼 힘없이 축 늘어졌다. 몸에 기력이 전혀 없었다. 그저 끓어오르는 욕망에 모든 것을 맡기고 싶은 느낌이 온몸을 지배하고 있었다.

“너도 저년처럼 무릎 꿇고 빌어 봐. 너희 주술사들이 괴물이라고 부르는 나한테 용서를 빌어보라고.”

"주둥아리 좀 그만 나불대시지."

"어머나, 무례하기도 해라. 자비를 베푸는데 감사할 줄을 모르네. 요즘은 사당에서 예절을 안 가르치나 봐? 하여간 어린 것들이 뭘 알겠어. 자, 마지막 기회를 줄게. 살려달라고 빌어."

부드러운 속삭임이 귓가에 울리자 유리는 황홀함에 또다시 취할 것만 같았다. 구미호는 유리를 보고 씩 웃더니 목을 쥐고 있던 손을 놓았다. 답답했던 숨통이 트이자 유리는 연신 콜록거리며 무릎을 꿇고 주저앉았다.

"옳지, 착하네. 잘했어. 이제 손이 닳을 때까지 잘못했다고 싹싹 비는 거야. 어서 해봐. 용서해달라고, 살려달라고 해."

"……싫어."

유리는 재빨리 검을 다시 잡았다. 그리고 검을 구미호가 아닌, 푸른빛으로 불타오르고 있는 여우불을 향해 힘껏 던졌다. 천체검은 구미호를 지나쳐 정확히 여우불 안에 숨겨진 여우 구슬을 맞혔다. 화들짝 놀란 구미호는 다급하게 구슬을 향해 뛰어갔지만, 이미 여우 구슬의 깨진 틈 사이로 안개가 쏟아져 나오고 있었다. 구미호는 뒤를 돌아 유리에게 달려들었다.

"이 미친년! 내 구슬에다 무슨 짓을 한 거야? 너 때문에 내 계획을 다 망쳤잖아! 죽어, 죽어! 죽어버려!"

구미호는 미친 사람처럼 유리의 머리채를 잡고 마구 흔들며 목을 졸랐다. 미쳐 날뛰는 구미호의 지금 모습은 사람이 아니었다. 구미호가 울부짖을수록, 그리고 구슬의 틈에서 안개가 새어 나올수록 녀석의 모습은 짐승에 가깝게 변해갔다. 희고 곱던 살결 위로 하얀 털이 자라났고, 아름다운 얼굴에서는 기다란 주둥아리가, 머리 위로는 뾰족한 여우 귀가, 등 뒤로는 아홉 개의 꼬리가 자라났으며 꼿꼿했던 등은 일흔이 넘은 노인처럼 굽어졌다. 이윽고 반인반수의 모습으로 변한 구미호의 두 눈에서 눈물이 흘렀다.

"네가 복수를 완성하려는 내 계획을 망쳤어! 너도 그이를 만신창이로 만들고 날 겁탈하려고 했던 놈들이랑 똑같아. 이기적이고 역겨운 놈들……. 내 복수를 망쳤으니 너희 둘이 대신 죽어줘야겠어. 인간이 되기 위한 내 마지막 제물로 삼아주지!"

구미호는 발톱을 세우고 쓰러져 있는 아주머니에게 달려들었다. 유리는 그 앞으로 뛰어가 필사적으로 녀석을 막았다. 요괴가 또 사람을 죽이도록 놔둘 순 없었다. 구미호가 미쳐 날뛰며 포효하자 구슬을 감싼 여우불이 동굴 안을 환히 밝히며 거대해졌다. 그 순간, 유리는 아주머니가 겨우 정신을 차리는 것을 보았다. 이상하게도 그 얼굴이 전혀 낯설지 않았다. 어렸을 적 고통스러운 기억 속에 존재하던, 자신과 비슷한 생김새의 이목구비였다.

"어머니……?"

그제야 유리는 깨달았다. 아주머니는 그냥 마을 사람이 아니라 자신의 어머니였던 것이었다. 어머니도 딸을 알아본 것인지 눈빛이 흔들리는 모습이 보였다. 유리의 작은 속삭임을 들은 구미호는 씩 웃었다.

"세상에, 이게 무슨 일이야? 요괴에게 잡혀간 어머니를 구하러 온 딸이라니, 아주 효녀가 따로 없네. 하지만 너무 좋아하지는 마. 오늘이 너희 모녀 제삿날이거든!"

구미호가 푸른 여우불을 피워내 두 사람을 향해 쏘았다. 유리는 온몸의 힘을 쥐어짜내 간신히 옆으로 굴러 공격을 피했다. 그러나 어머니는 여우불을 피하지 못했다. 심장을 제대로 강타한 얼얼한 충격에 어머니가 소리를 질렀다.

"제, 제발 좀 살려줘. 나 좀 살려줘!"

어머니가 유리의 바짓가랑이를 붙잡고 늘어지며 외쳤다. 늘 자신을 욕하던 가증스러운 목소리를 듣자 유리는 정신이 돌아오는 것 같았다.

"이거 놓으세요!"

유리는 어머니의 손을 강하게 뿌리쳤다. 그리고 검을 겨누었다. 구미호가 아닌 어머니를 향해 겨눈 것이었다. 그 행동에 구미호가 의아한 표정으로 쳐다보았다.

"이건 뭐지? 제 어미에게 칼을 겨누는 딸이라니."

구미호가 의심쩍은 눈빛으로 물었다. 유리는 눈물을 꾹 삼키고 입을 열었다.

"너, 마을 사람들한테 겁탈당할 뻔했다고 했었지? 네 사랑하는 그이를 사람들이 만신창이로 만들었다고."

"무슨 말을 하고 싶은 거야?"

"난 원래 이 마을에서 나고 자란 사람이야. 자세한 건 말할 수 없지만 나도 비슷한 일을 당했었어. 그러니까 나도…… 나도 이 마을 사람들에게 복수하고 싶어."

그녀의 눈빛에서 복수를 향한 갈망이 타올랐다. 뭔가를 눈치챈 어머니는 가족의 도리는 지켜야 할 것 아니냐고, 어서 저 괴물을 죽이라고 소리쳤다. 도리…… 그놈의 가족의 도리! 분노가 치밀어 올랐다. 가족의 도리를 먼저 저버린 것은 자신이 아니라 어머니였다.

아마도 열넷, 열 다섯 살 즈음 되었을 무렵의 일이었다. 부모님이 큰돈을 벌어오겠답시고 노름판에 놀러 나간 동안, 마을 근처 호숫가에서 빨래를 끝내고 집으로 돌아오는 길이었다. 마을 뒷골목에 들어서자 동네 남정네들이 담배를 피우며 잡담을 나누는 모습이 보였다. 인기척을 느낀 남정네들의 시선이 이쪽으로 향했다. 그들과 눈을 마주친 유리는 흠칫 놀랐다. 남자들은 그 누구도 입을 열지 않았지만, 유리는 경멸 담긴 눈빛을 읽어낼 수 있었다. *저기 봐, 망나니집 딸년 왔네.* 그런 말들이 귓가에 울리는 것만 같았다.

유리는 남정네들의 얼굴과 이름만 대충 알고 있을 뿐 대화를 나눠본 적은 별로 없었다. 소녀는 태연한 척 빨래 바구니를 머리에 이고 한 발자국씩 앞으로 걸어갔다. 마음 같아서는 당장 여기를 벗어나고 싶었다. 그러나 집으로 향하는 길은 이 뒷골목이 유일했다. 유리는 제발 남자들이 자신을 모른 척했으면 하고 바랐다.

"빨래하고 오는 길이니?"

안타깝게도 그중 한 명이 말을 걸어왔다. 정확히 그들의 앞을 지나가던 순간이었다. 유리는 발걸음을 멈춰 세우고 그들에게 어색한 미소를 지어 보였다.

"네, 이제 집으로 가던 참이었어요."

"혼자 집안일을 도맡아서 하려니 힘들겠구나. 아버지랑 어머니는 잘 계시고?"

웃긴 일이었다. 갑자기 자신을 걱정하는 말에 부모님의 안부를 묻다니……. 천민들 중에서도 제일 못난 망나니라며 손가락질을 하던 그들이 부모님에 대해 신경 쓸 리가 없었다. 유리는 부모님이 잠깐 바쁜 일이 있어 밖에 나가셨다며 말을 얼버무렸다. 남자들은 저들끼리 서로 눈을 마주치고 고개를 끄덕였다. 그들은 천천히 다가와 유리를 에워싸고 한 가지 부탁을 했다. 돈을 줄 테니 심부름을 해달라는 것이었다.

"특별한 건 아니고 간단한 일이야. 조금만 도와줄 수 있겠니?"

늘 자신을 하찮은 벌레를 대하듯 하던 태도와 달리 이상하게도 상냥한 말투였다. 한 명만 그런 것이 아니고 이 자리에 모인 남정네들 모두가 그러했다. 유리는 도와드리겠다며 의심 없이 그들을 따라갔다. 소녀의 머릿속엔 무거운 걸 나르는 힘든 일만 아니면 좋겠다는 생각뿐이었다.

남자들은 소녀를 마을에서 가장 구석진 곳에 있는 헛간으로 데려갔다. 그곳은 심부름을 할 장소라기엔 좀 이상해 보였다. 쌓여 있는 잡동사니도 없었고, 빨랫감이 있는 것도 아니었다. 보통 어른들은 심부름을 시킬 때 은화를 몇 푼 건네며 시장에서 물건을 대신 사다 줄 수 있겠느냐고 하곤 했었다. 하지만 이 남자들은 그저 유리를 둘러싸고 서서 가만히 있을 뿐이었다.

또 기분 나쁘게 쳐다봤다고 맞겠구나, 유리는 그런 생각을 했다. 그러나 여기서 울먹이면 더 맞을지도 몰랐다. 그러니 침착해야 했다.

“저기…… 어떤 심부름이에요, 아저씨?”

유리는 애써 용기를 내어 물었다. 대답 대신 남정네들 중 하나가 가까이 다가왔다. *망나니 딸내미치고는 예쁘장하게 생겼네.* 그는 히죽거리며 유리의 뺨을 쓰다듬었다. 낯선 손길에 유리는 흠칫 놀라서 뒷걸음질을 쳤다.

남자들은 유리의 팔을 붙잡고 움직이지 못하게 했다. 유리가 소리를 지르려 하자 한 남자가 입을 틀어막았고, 그들은 유리의 옷을 거칠게 벗기기 시작했다. 그렇게 해가 밝아올 무렵까지 소녀는 몇 시간 동안 낡고 냄새 나는 헛간에서 남자들에게 겁탈을 당했다. 누구라도 제발 도와달라고 비명을 지르고 싶었다. 그러나 애석하게도 소녀가 지옥 같은 시간 속에서 벗어날 방도는 없었다.

일을 마친 남자들은 부모님에게 이르면 죽여버릴 것이라며 목에 작은 칼끝을 들이밀었다. 유리는 울먹이며 고개를 끄덕였다. 남자들은 햇빛이 밝아오기 전에 서둘러 헛간을 나갔다.

무서웠다. 아팠다. 온몸이 끔찍하게 아파왔다. 다리 사이로 계속 피가 흘러나왔다. 겨우 일어서 한 걸음씩 내디디려고 할 때마다 아랫도리가 자꾸만 화끈거렸다. 하지만 여기 있을 수는 없었다. 늦게 돌아가면 또 부모님께 맞을지도 몰랐다. 유리는 고통을 참고 다리 사이로 피를 질질 흘리면서 빨래 바구니를 들고 집으로 돌아갔다.

집에는 한참 전에 노름판에서 돌아온 부모님이 마루에 앉아있었다. 그들은 유리에게 어디를 싸돌아 다니다가 늦게 왔느냐며 고함을 쳤다. 그러다 어머니가 먼저 딸의 치마 밑으로 흐르는 핏방울을 보고선, 이게 무슨 일이냐며 치맛자락을 들추었다. 부모님은 유리가 짐승이나 요괴에게 물린 것인가 하고 생각했으나 상처가 없는 것을 보고선 대강 상황을 눈치챘다. 아버지는 어서 무슨 일이 있었는지 말하라며 소리쳤다.

유리는 눈물을 흘리며 하는 수없이 헛간에서 있었던 일을 말했다. 부모님은 기가 찬 표정으로 헛웃음을 터뜨렸다. 아버지는 이게 무슨 집안 망신이냐고, 그걸 왜 따라가느냐고 유리의 머리채를 붙잡고 내동댕이쳤다. 유리는 흙바닥 위로 힘없이 쓰러졌다. 하지만 어머니는 딸을 일으켜줄 생각이 없었다. 어머니는 벌써부터 화냥질이나 하고 다니냐며 소리를 버럭 지르면서, 입에 풀칠도 겨우 하는 마당에 애가 들어섰으면 어쩌냐고 유리의 배를 걷어찼다. 유리는 흙바닥을 데굴데굴 구르며 신음을 내뱉었다.

아유, 아주 꼴도 보기 싫어! 하나 있는 딸년이 집안 망신이나 시키고 말이야. 어떻게 되는 일이 없어, 되는 일이! 아버지는 집안 꼴이 수치스럽다며 그대로 집을 나가버렸다. 어머니가 어디를 가느냐며 소리쳤지만 아버지는 뒤도 돌아보지 않았다. 어머니는 쓰러진 딸의 머리채를 붙잡고 일으켰다. 그리고 몇 번이고 다시 배를 걷어차고, 뺨을 때리고, 욕을 했다.

이 더러운 년. 심부름이 아니라 네가 먼저 치마를 들추고 이리로 오라고 했겠지. 아무것도 할 줄 모르는 병신아. 그 반반한 얼굴로 어디 부잣집에 시집이나 가서 부모에게 효도는 하지 못할 망정, 네가 기어코 집안 망신을 시키는구나. 그러니 너 때문에 할아버지께서 돌아가셨지. 너를 낳은 것이 내 평생의 죄다. 그러게 진작에 어디 강물에 뛰어들어서 죽었어야 하는데. 네 나이가 많아 고아원에 보내지도 못하고, 이제 부잣집에 팔아먹기도 글렀구나. 아이고, 내 팔자야. 딸년 잘못 낳았다고 내 인생이 어찌 이리도 고달픈지. 어둠의 신께서는 나를 버리셨어. 어머니는 자신의 비참한 신세 한탄을 하며 딸을 죽도록 두들겨 팼다. 배가 아프다고 말도 할 수 없었다. 아프다고 말해도, 잘못했다고 빌어도 맞을 수밖에 없었다. 애초에 할아버지를 빼면 그녀의 탄생에 기뻐하는 이는 아무도 없었으니까.

그 뒤 몇 주가 흘러도 아버지는 집으로 돌아오지 않았다. 전에도 노름판에 정신이 팔려 집에 오지 않은 적이 있었으나 이렇게 오랫동안 집을 비운 적은 처음이었다. 유리와 어머니는 굶주린 배를 움켜쥐고 지냈다. 아버지가 벌어오는 푼돈으로 입에 겨우 풀칠은 할 수 있었건만 그가 사라지자 이제 풀칠도 거의 할 수 없게 된 것이었다.

어머니는 생각 끝에 막막한 상황을 극복해낼 수 있는 한 가지 궁책을 떠올렸다. 그녀는 마을 으슥한 곳에서 유리를 겁탈한 남자들과 만나 이야기를 나눴다. 그리고 딸을 그들에게 넘기고, 일이 끝나면 돈을 두둑하게 받았다. 부잣집에 팔아 넘기기는 어렵게 됐으니 딸을 이용해 마을 남자들의 욕정을 풀어주는 대가로 돈을 받자는 생각이었다. 살려주세요, 어머니. 너무 아파요. 살려주세요……. 유리는 쉰 목소리로 도와달라고 울부짖으며 어머니를 찾았다. 하지만 어머니는 이미 돈을 받고 자리를 뜬 후였다. 유리의 간절한 외침에도 그녀를 구하러 오는 사람은 그 누구도 없었다.

그 뒤로도 유리는 어머니 때문에 몇 번이나 더 끔찍한 일을 당해내야만 했다. 진율이 매화마을을 지나가던 날 유리가 돌팔매질을 당하고 있던 것도 바로 이 일 때문이었다. 비밀로 지키려 했던 일이 뜻하지 않게 온 마을 사람들에게 알려진 것이었다. 사람들은 유리에게 화냥년이라며 돌을 던지면서 욕을 쏟아부었다. 그러나 소녀의 부모는 딸이 맞고 있는 것도 모르고 여전히 노름판에 나가기 바빴다. 설령 곁에 있었더라도 어차피 그들은 모른 척했을 것이었다. 유리는 비참한 기억에 이를 악물었다.

“그렇게 제게 몹쓸 짓을 해놓고도 구해달라고요? 어머니께선 정말 자기가 괴물이 아니라 사람이라고 생각하세요?”

“지금 무슨 말을 하는 거니? 네가 네 어미인데 당연히 나를 구해야지!”

“웃기지 마세요. 제가 사당으로 간 걸 알고서도 한 번도 찾으러 오지 않으셨잖아요! 걱정하기는커녕 쓸모없는 짐짝이 없어져서 오히려 속이 시원하셨겠죠, 안 그래요?”

“얘가 무슨 말을 하는 거야? 네가 너를 낳아 키웠는데 너도 자식으로서의 도리는 지켜야 할 것 아니니? 어서 저 괴물을 죽여!”

“도리, 그놈의 가족의 도리! 이제 그만하세요! 진짜 괴물은 저 구미호가 아니라 어머니예요!”

유리는 어머니의 목에 칼끝을 들이밀었다. 당당하게 이야기하던 어머니는 갑자기 죄인이라도 된 듯 두 손을 모아 싹싹 빌었다. 그녀의 손끝이 죽음에 대한 공포감으로 극심하게 떨렸다. 유리야, 제발 한 번만 불쌍한 네 어미를 살려다오. 한 번만 나를 도와다오. 우리는 하나뿐인 가족이잖니, 응? 어머니는 고개 숙인 채 살려달라, 도와달라는 말만 반복했다.

살려주세요, 제발 도와주세요. 순간 유리는 어머니에게서 어린 자신의 모습을 보았다. 어렸을 적 자신이 처절하게 외쳐대던 말을, 지금 어머니가 자신에게 하고 있었다. 믿을 수 없게도 난생처음으로 어머니가 불쌍하고 가여워 보였다. 검은 머리카락 사이로 드문드문 보이는 흰 머리카락, 세월이 빗겨간 흔적이 선명한 얼굴, 몸 곳곳에 난 상처. 늘 괴물 같았던 어머니는 이제 늙어가는 나약한 인간에 불과했다. 유리는 어머니에게 연민을 느끼는 자신이 놀라웠다. 이 어미라는 인간은 이득을 위해서 딸의 목숨마저도 이용할 금수만도 못한 사람이건만, 그 딸은 막상 사람을 죽인다고 생각하니 겁이 나 차마 검을 휘두르지 못했다. 어째서지? 평소라면 망설이지 않고 검을 휘둘렀을 텐데. 왜 지금은 그러지 못하는 거지? 어머니는 내게 있어 죽어 마땅한 사람인데, 그토록 원하던 기회가 찾아왔는데! 대체 어째서…….

"우리 거래를 하나 할까?"

구미호가 침묵을 깨고 입을 열었다. 난데없는 말에 유리는 혼란스러웠다.

"……거래? 무슨 말이야?"

"원한다면 널 도와줄 수도 있어. 너도 날 도와준다면."

"날 도와준다고?"

"내가 인간이 되기 위해서 필요한 제물은 이제 딱 하나 남았어."

유리는 말뜻을 알아채고 놀라서 눈을 크게 떴다. 구미호가 말하는 제물이란 사람의 간이었다.

“어차피 너나 나나 마을 사람들에게 가진 원한은 비슷하니 거래를 하자. 네 어미의 간을 취해서 내가 인간이 될 수 있도록 해줘. 대신 부서진 구슬은 증거로 가져갈 수 있도록 넘겨줄게.”

그럴 듯한 제안이었다. 그러나 유리는 선뜻 결정을 내리지 못하고 망설였다. 어머니는 딸에게 애걸복걸하며 울부짖었다. 내가 널 얼마나 아끼는지 아니? 널 얼마나 애지중지하면서 키웠는데! 그 말에 잠시나마 생겼던 동정심이 싹 사라졌다. 불쌍한 척하고 있지만 그건 여길 벗어나기 위한 수단일 뿐이었다. 필요하다면 그녀는 자신의 나약함마저도 무기로 쓸 인간이었다. 사람들은 불쌍한 이들에게 자주 동정심을 갖고 도움의 손길을 내미니까 말이다.

그러나 불쌍하다고 모두가 선인은 아닌 법. 유리에게 어머니는 사람이 아니라 괴물이었다. 딸을 지극정성으로 아끼는 이가 그리 모질게 대할 리 없었다. 유리는 구미호에게 거래에 응한다는 뜻으로 뒤로 몇 걸음 물러났다. *이 배은망덕한 년! 부모가 낳아준 정도 모르는 네가 사람이더냐? 이 요괴 새끼를 죽이고 나를 어서 마을로 데리고 가란 말이다!* 자신을 구미호의 제물로 바치려는 뜻을 눈치챈 어머니가 다급하게 소리쳤다. 그러나 딸은 마음을 바꿀 생각이 없었다.

백발의 요괴는 검푸른 두 눈을 번뜩이며 날카로운 발톱으로 어머니의 목을 움켜쥐었다. 그 다음, 녀석은 배를 사정없이 물어뜯고 할퀴었다. 사방으로 핏방울이 튀었다. 어머니는 저항도 해보지 못하고 비명만 질렀다. 하지만 그 처절한 비명도 오래 가지는 못했다. 구미호는 피가 흐르는 새빨간 간을 한 손으로 우악스럽게 찢어 입안으로 가져갔다. 유리는 구미호가 어머니의 배를 갈라 간을 빼먹는 모습을 덤덤하게 지켜보았다.

주변에 자욱한 하얀 연기가 피어올랐다. 동시에 깨진 여우 구슬에서 푸른빛 정기가 피어나더니 하얀 연기와 함께 구미호를 감쌌다. 이제 구미호의 모습은 하나도 보이지 않았다. 그러나 곧 유리는 다시 자신 앞에 나타난 구미호, 아니, 사람의 모습을 발견했다. 평범한 주행성 인간이 아닌, 붉은 눈에 창백한 피부를 가진 '밤의 인간'이었다. 이윽고 주인을 잃은 여우 구슬에 남아있던 마지막 푸른빛도 완전히 사라졌다.

"내가…… 내가 드디어 사람이 되다니!"

독기가 서렸던 구미호의 눈가에 눈물이 맺혔다. 구미호는 믿기지 않는다며 한참 동안 자신의 변한 모습을 이리저리 살펴보았다. 유리는 말없이 그 모습을 지켜보다가 구미호의 목에 칼을 겨누었다.

"아직 좋아하긴 일러. 일단 여우 구슬부터 내놔."

유리의 행동에 구미호는 기가 막히다는 표정을 지었다.

"어머나, 이건 또 무슨 일이야? 왜, 내가 배신이라도 하고 도망갈 것 같아서?"

"사람이 되었다고 해서 요괴로서 가진 본성이 사라진다는 뜻은 아니지. 일단 여우 구슬부터 내놓고 얘기해."

"거래에 응하는 척하더니 결국 처음부터 이럴 생각이었군. 비열한 어둠의 족속 같으니……."

구미호는 분하다는 얼굴이었지만 어쩔 수 없이 유리에게 여우 구슬을 건넸다. 그리고 잽싸게 뒤로 몇 걸음 물러났다. 유리는 여우 구슬을 주머니에 집어넣고 다시 경계심 가득한 눈빛으로 구미호를 노려보았다.

"비열하다고? 난 너 같은 요괴 새끼들을 잘 알아. 무고한 사람들을 죽여놓고 그게 죄라는 생각조차 하지 않지. 사람이 되었다고 네가 여태껏 요괴로서 벌인 짓들이 용납되는 건 아냐."

"왜 이래? 난 그냥 다시 태어나서 새로운 삶을 시작하는 것뿐이야. 너희 선조인 흡혈귀들이 그랬던 것처럼 말이야."

"……뭐라고?"

"흡혈귀들도 고대 전쟁 때 인간과 엘프들의 피를 마시면서 연명했잖아. 살기 위해서 나도 똑같이 하는 것뿐이야. 그런데 흡혈귀에 대해선 아무 말도 하지 않으면서, 왜 나한테는 죄를 묻는 거지? 밤의 인간들의 조상이 누구인지 잊었어?"

사람이 되었다고는 하나 그 눈빛은 여전히 요괴의 것과 별반 다르지 않아 보였다. 그렇게나 많은 사람을 죽여놓고도 아무런 죄책감이 없는 모습. 그 모습이 언뜻 미르와 겹쳐 보였다.

"정말 밤의 인간이나 엘프나 모두가 다 똑같다니까. 도대체 왜 자신들의 손은 깨끗하다고 믿는 거야? 그렇게나 서로를 못 죽여 안달났으면서 말이야."

구미호가 손톱을 만지작거리며 비아냥댔다. 자신의 목을 겨누고 있는 칼끝의 위협에도 구미호는 두려워하는 기색이 없었다. 유리는 구미호의 말에 동의하지 않았다. 흡혈귀의 후손이라고 한들 그녀는 맹세컨대 결코 무고한 사람을 죽인 적이 없었다. 스승을 죽인 원수가 되어버린 연인조차도 제 손으로 죽이지 못했고, 자신을 이용해 배를 채운 어머니를 향한 복수도 스스로 해내지 못했다. 유리에게 그럴 용기는 없었다.

진율을 따라 사당으로 왔을 때부터, 이미 세상 사람들에게 그녀는 부모를 버리고 도망친 못된 년이었다. 인륜을 저버리고 자신을 낳아준 부모에게 효를 다하지 않은 금수만도 못한 년이었다. 진율은 처음부터 유리의 딱한 사정을 짐작하고 이해해주었지만, 그렇다고 세상의 다른 이들까지 그녀를 이해해줄 이유는 없었다.

나는 내 손에 묻혀서는 안 될 피를 묻힌 것인가? 나는 생명을 소중히 하라는 신의 말씀을 저버린 죄인이 되어버린 것인가? 유리는 아니라고 믿고 싶었다. 적어도 누군가의 목숨을 아무런 명분 없이 빼앗은 적은 단 한 번도 없었기 때문에. 자신은 미르와 달리 무고한 사람들을 죽이며 희열을 느끼는 사람은 아니었기 때문에. 유리는 구미호의 목에 검을 더 가까이 들이댔다.

"앞으로 조심하는 게 좋을 거야. 넌 이제 요괴의 힘을 쓸 수 없으니까."

"'앞으로'라니?"

뜻을 알 수 없는 의아한 말에 구미호가 물었다. 유리는 녀석의 목을 향했던 칼끝을 아래로 내렸다.

"오늘은 내 복수를 도와줬으니 이만 보내주겠어. 단, 네가 또 무고한 사람들을 죽이는 걸 내가 보거나 듣게 되면 그땐 가차없이 죽여버릴 거야. 명심해."

"생각보다 멍청한 인간은 아니었군그래."

구미호는 안도의 헛웃음을 터뜨렸다. 하지만 여전히 경계를 늦추지 않았다.

"뭐, 그래도 날 겁탈하려고 내 그이를 두들겨 패던 놈들보단 네가 낫다고 해주지. 넌 적어도 양심은 있는 것 같으니까. 어쨌든 난 그이가 회복되는 대로 함께 이곳을 떠날 거야. 그러니까 날 뒤쫓거나 할 생각은 하지 마."

구미호는 말을 남기고 황급히 동굴을 빠져나갔다. 유리는 긴 한숨을 내쉬며 천체검을 칼집에 넣었다. 그리고 숨이 끊어진 어머니의 시신을 바라보았다. 처참하게 찢긴 상반신 바깥으로 튀어나온 심장이 보였다. 어머니는 눈도 감지 못한 채 고통을 그대로 느끼며 죽었다. 그러나 왜인지 하나도 기쁘지가 않았다. 오히려 허무함만 느껴질 뿐이었다.

대체 왜 기쁘지 않은 거지? 끊임없는 드는 의문에 유리는 입술을 깨물었다. 그러나 수많은 의문 속에서도 한 가지는 확실했다. 자신을 짓밟았던 마을 사람들과 부모님의 영혼을 저승으로 인도할 이유는 없다고. 차라리 이승을 평생 떠돌며 고통받게 놔두는 것이 그녀에겐 더할 나위 없는 복수였다.

마을로 돌아온 유리는 요괴를 잡았다는 증거로 촌장에게 여우 구슬을 주었다. 그는 말로만 듣던 요괴의 물건을 실제로 보다니 놀랍다며 혀를 내둘렀다. 그는 약속한 대로 30은화를 건넸다. 그러나 유리는 돈을 받기를 거부했다. 자신의 몫은 이미 부모님의 죽음으로 받은 것 같았다.

유리는 촌장에게 질문을 건넸다. 혹시 하얀 머리에 검푸른빛 눈을 가진 아름다운 여자가 있었느냐고, 그 여자와 함께 있던 남자가 있었느냐고. 촌장은 이런 작은 마을에서 눈에 띄는 미모를 가진 이가 있었다면 당연히 알았을 것이라면서 그런 사람은 없었다고, 그런 여자와 같이 다니는 남자도 없었다고 말했다. 유리는 말을 더듬으며 얼버무리는 듯한 촌장의 목소리에서 그가 거짓말을 하고 있음을 알았다. 구미호의 연인을 만신창이로 만들었다는 것이 사실인 것 같았다.

유리는 다시 반월문 광장으로 돌아가기 위해 마구간으로 향했다. 자신을 마을로 안내했던 환이라는 청년이 나비에게 물을 챙겨주고 있었다.

"돌아오셨군요, 주술사님. 물귀신은 어떻게 되었습니까?"

"물귀신이 아니라 구미호였어요. 요괴를 해치우고 여우 구슬을 촌장님께 드리고 오는 길이에요. 일을 마쳤으니 이제 돌아가야겠네요."

유리는 환의 손에서 고삐를 가져갔다. 환은 어쩐지 아쉬운 표정이었다.

"구미호라니, 여우 구슬을 가진 요괴가 정말 존재했었군요. 요괴를 퇴치해주셔서 감사합니다, 주술사님. 그런데 저…… 원래 베나투스에서 나고 자랐다고 하셨지요?"

"네. 그건 왜 물으시죠?"

"나중에 주술사님께서 다시 베나투스에 오실 일이 있을까요?"

환은 쑥스러운 표정으로 머리를 긁적였다. 유리는 그 모습에서 카이에게 다가가려 하던 자신을 보는 것 같았다.

"잘 모르겠어요. 서쪽으로 지나갈 일이 생겨야지요."

"그렇습니까. 살펴가십시오, 주술사님. 짧은 만남이었지만 즐거웠습니다.”

“저도요. 참, 마을에 온 지 얼마 되지 않으셨다고 했죠? 여긴 되도록이면 오랫동안 계시지 않는 게 좋을 거예요.”

“예?”

“안녕히 계세요.”

유리는 어리둥절해하는 환을 뒤로하고 말에 올라탔다. 자꾸만 부모님의 죽음과 어릴 적 악몽 같은 기억이 겹쳐 보였다. 등 뒤로 저 멀리 매화마을을 지키는 장승들이 보이지 않을 때까지, 그녀는 눈물을 삼키며 동쪽으로 쉴 새 없이 말을 몰았다.

얼마나 달렸을까, 유리는 대충 길가에 보이는 아무 여관으로 들어갔다. 자리를 잡고 앉아 안주도 없이 그녀는 술을 정신없이 목구멍 안으로 들이부었다. 고통스러운 기억을 잊기 위해서는 역시 술밖에 없었다. 목에 불덩어리를 쑤셔 넣는 것 같은 느낌 따위 아무것도 아니었다. 그 어떤 것도 지금 마음을 짓누르는 고통보다 더할 수는 없었다.

어릴 적 유리는 적어도 자신이 바깥에서 상처를 입고 돌아오면 부모님이 자신을 감싸주리라 생각한 적이 있었다. 그래도 가족의 일원이 부당한 일을 당한 걸 가만두고 보지는 않겠지, 그런 생각이 있었다. 그러나 어머니는 딸의 순진한 생각을 뛰어넘는 잔인한 짓을 저질렀고, 이후 유리의 마음 속엔 사람에 대한 불신과 증오가 생기게 되었다. 이 일은 동생들에게도, 선우에게도, 심지어는 진율에게도 털어놓은 적 없는 과거였다. 그들은 유리가 그저 맞은 것으로만 알고 있었다.

이 끔찍한 이야기를 유일하게 알고 있는 사람은 미르였다. 카이에게도 이야기를 털어놓긴 했지만 미르에게 말했던 것만큼 자세히는 아니었다. 미르는 이야기를 듣고선 같이 울어주며 상처를 보듬어 주겠다고, 무슨 일이 있어도 자신은 유리를 해치지 않을 것이라고 약속했었다. 헌데 어찌 그런 사람이 스승님을 죽이고 사당을 불태웠을까? 그 배신감은 이루 말할 수 없었다.

유리는 부모님의 죽음을 곱씹었다. 요괴를 살려주고 사람을 죽이다니, 이런 일은 한 번도 없었다. 아니, 유리뿐만이 아니라 그 어느 주술사에게도 이런 일은 없었다. 가까이서 죽은 이를 보고 그냥 지나친 것도 이번이 처음이었다. 그리도 원하던 복수를 완성했건만 뭐가 잘못된 걸까. 내가 직접 죽이지 않았기 때문에? 아니면 덜 잔인하게 죽였기 때문에? 유리는 자신에게 끊임없이 질문을 던졌다. 하지만 답을 찾을 수는 없었다. 그저 끝나지 않을 것 같은 공허함만이 마음을 감쌌다. 유리는 술을 벌컥벌컥 들이켰다.

"어이, 예쁜 아가씨. 혼자 왔나 봐?"

걸걸한 목소리가 들렸다. 고개를 드니 남정네 하나가 앞에서 헤벌쭉대며 웃고 있었다. 눈이 살짝 풀린데다 딸꾹질을 하는 것을 보아 술에 취한 듯했다. 빌어먹을, 또 시작이네. 유리는 속으로 중얼거렸다. 낯선 상황은 아니었다. 구석에 앉아서 혼자 술을 홀짝대고 있으면 이따금씩 남정네들이 다가와 말을 걸곤 했다. 그중에서 그녀에게 진심으로 관심을 보이는 이는 몇 없었다. 대부분은 술에 취해 아무 여자에게나 껄떡대는 호색한이었다.

"외로워 보이는데 나랑 같이 한 잔 할까?"

"괜찮습니다."

"에이, 그러지 말고. 내가 한 잔 살게. 이모! 여기 월광주 한 병!"

남자가 유리의 어깨에 손을 올리며 여관 주인을 향해 소리쳤다. 그의 입가에서 인상을 찌푸리게 만드는 강한 술냄새가 풍겨왔다. 어렸을 적 노름판에서 지고 돌아와 술에 취해 자신을 탓하던 아버지가 떠올랐다. 유리는 남자의 손을 탁 쳐냈다.

"많이 취하신 것 같은데 그만하시죠."

"어쭈, 꼴에 좀 반반하게 생겼다고 얼굴값 하네? 괜히 튕기지 말고 나랑 한 잔 해. 외로운 사람들끼리 친해지자고, 응?"

남자는 옆자리에 앉아 마치 연인이라도 되는 양 유리의 어깨를 팔로 감싸 안았다. 순간 짜증이 확 치밀어 오른 유리는 홧김에 남자의 얼굴을 주먹으로 때렸다. 남자는 옆으로 고꾸라져 바닥에 엉덩방아를 찧으며 넘어졌다. 옆자리의 손님들이 비명을 지르며 자리에서 일어났다. 갑작스러운 소란에 사람들의 시선이 이쪽으로 쏠렸다.

"외로우면 주술사가 아니라 기녀를 찾아가야지, 안 그래?"

"이…… 이 미친년이!"

남자는 충격으로 붉게 달아오른 뺨을 부여잡고 일어났다. 그는 술 취한 목소리로 욕을 지껄이며 삿대질을 했다. 유리는 한 번 더 얼굴에 주먹을 날렸고, 남자는 또 비틀거리며 의자와 함께 뒤로 넘어졌다.

"안 그래도 기분 안 좋은데 건드리지 마. 재수 없으니까."

"세상에! 자기야, 괜찮아?"

출입문으로 들어오던 어떤 여자가 놀란 표정으로 소리쳤다. 꽃무늬가 그려진 화려한 옷차림에 짙은 화장을 한 그 여자는 남자의 일행인 듯 보였다. 그녀는 호들갑을 떨며 한 걸음에 달려와 남자를 살폈다. 그녀의 뒤로 방망이와 낡은 검을 든 남자 세 명이 따라왔다. 그들도 여자의 일행인 듯했는데, 껄렁껄렁한 걸음걸이와 망나니 같은 차림새로 보아 불한당 같았다.

그들은 넘어진 남자와 유리를 번갈아 보았다. 유리는 좋지 않은 예감에 입술을 깨물었다. 재수없는 건 오늘 일로도 족하건만 어째 잘 풀리는 게 하나도 없었다.

"어머나, 이 코피 좀 봐! 우리 자기 누가 때렸어, 응?"

"이…… 이년이 나, 나를……."

남자는 말을 잇지 못하고 더듬었다. 그가 가리키는 손끝을 따라 일행의 시선이 유리를 향했다. 그들은 가볍게 몸을 풀듯 목과 손 마디를 꺾으며 다가와 주위를 둘러쌌다.

"이야, 신을 모시는 주술사가 사람을 때려? 이거 완전 미친년이구먼?"

방망이를 든 남자가 손목의 염주를 보고 삿대질을 했다.

"이 상처 어떻게 할 거야? 다친 거 어떻게 보상할 거냐고, 응? 네년이 뭔데 우리 자기를 때리고 지랄이야!"

여자가 카랑카랑한 목소리로 소리쳤다. 유리는 입술을 깨물며 그들을 노려보았다.

"이 계집년이 어디서 눈깔을 부라려?"

남자 하나가 뺨을 때리려 손을 올렸다. 유리는 반사적으로 남자의 손목을 붙잡았다. 일행은 유리가 공격하려는 것으로 오해하여 무기를 들고 달려들었다. 그러나 평범한 자가 오랜 시간 수련으로 단련된 주술사를 이길 수는 없었다. 매일같이 거대한 요괴들과 싸우는 주술사에게 남자 셋과 여자 하나를 상대하는 것쯤이야 일도 아니었다. 유리는 검도 뽑지 않은 채 주먹과 발길질로 그들을 가볍게 때려눕혔다. 일행은 술에 취해 껄떡거리던 남자 옆에 코피를 흘리며 쓰러졌다.

여관 안의 그 누구도 싸움을 말리려고 하는 자들은 없었다. 놀라서 자리를 피하거나, 혹은 말없이 상황을 지켜보며 재밋거리라도 생긴 듯 구경만 했다. 사람들의 시선에서 자신을 향한 두려움과 경멸이 느껴졌다. 빌어먹을, 정말 재수가 없어도 더럽게 없네. 내 다시는 매화마을 근처에 얼씬도 않으리라. 유리는 속으로 욕을 읊조리며 조용히 짐을 챙겨 술값을 지불하고 여관을 나왔다. 그리고 태양을 피해 잠들 다른 여관을 찾아 말을 달렸다.

11장.

선택의 기로에서

Astray from the Crossroad

"좀 늦었군."

카이가 평소처럼 감정 없는 목소리로 말했다. 유리는 미안하다는 말과 함께 마력이 담긴 병을 건넸다. 요괴를 사냥하고, 마력을 가져다주고, 그에게 돈을 받고……. 오늘도 특별할 것 없이 아주 지극히 평범한 날이었다.

유리는 며칠째 머리가 멍했다. 부모님의 죽음 때문이었다. 그들이 죽은 것이 슬프지는 않았다. 하지만 진율이 얘기한 대로 복수는 참으로 덧없게 느껴졌다. 속이 시원해질 줄 알았던 복수는 오히려 유리를 허무하게 만들었다.

마음의 공허함도 전보다 더 심해졌다. 하지만 어찌할 방도가 없어 유리는 술로 대신 마음을 채우고 있었다. 그녀는 스승님의 말씀이 또다시 옳았다는 것을 깨달았다. 그들을 죽인다고 해서 모든 것이 끝나는 게 아니었다. 유리는 책을 읽고 있는 카이를 바라보았다. 테네브리스는 어땠을까? 그도 허무함을 느꼈을까? 문득 궁금해졌다.

"수련은 잘 되어가나?"

카이가 돈주머니를 건네며 물었다. 물끄러미 책상만 내려다보며 생각에 잠겨 있던 유리는 그의 목소리에 놀라 움찔했다.

"응? 수련?"

"마법 수련을 한다면서."

"그게…… 도서관에서 책을 읽고 있긴 한데, 솔직히 잘 모르겠어."

"무슨 책인데?"

"마법과 함께 하는 재미있는 시간……."

유리의 기어들어가는 목소리에 카이가 피식 웃음을 터뜨렸다.

"아, 꼬맹이들이 보는 그 책? 재미있나?"

"또 잘난 척이시네. 누군 꼬맹이들이 배우는 책 읽고 싶은 줄 알아?"

장난기 섞인 카이의 목소리에 유리는 그가 또 자신을 놀리고 있다는 것을 깨달았다. 유리는 카이를 노려보며 구시렁댔다.

"그럼 내가 책을 골라줄까?"

"뭐?"

"어차피 도서관에 갈 생각이었거든. 가는 김에 네 책도 골라주고, 내가 읽을 책도 좀 빌리고. 잘됐네."

"빌린다니? 도서관에서 책을 빌릴 수 있는 거야?"

처음 듣는 말에 유리가 고개를 갸우뚱하며 물었다. 카이는 어이없다는 표정으로 한쪽 눈썹을 치켜 올렸다.

"여태껏 들락날락하면서 설마 그것도 몰랐나?"

"책들은 모두 도서관에 있으니까 도서관에서만 읽어야 하는 줄 알았지. 어쩐지 사람들이 책을 가지고 밖으로 나가더라니……. 그게 책을 빌렸었던 거구나."

"한심하군."

카이가 혀를 끌끌 차며 자리에서 일어났다. 그가 문을 열고 나가리라 생각한 유리는 옆으로 몇 걸음 물러났다. 하지만 카이는 제자리에 서서 허공을 향해 손짓했다. 서재 중앙의 빈 공간이 물결 모양의 투명한 소용돌이처럼 일그러지기 시작했다. 소용돌이는 두 갈래로 갈라졌고, 가운데에 검은색의 무한한 빈 공간이 나타났다. 유리는 그가 무엇을 하려는지 눈치챘다. 중력문을 통해 도서관에 가려는 것이었다.

타원형의 검은색 구멍처럼 생긴 중력문은 딱 유리와 카이의 키만큼 컸다. 칠흑같이 어두운 그 안은 아무것도 보이지 않았다. 밤의 인간 특유의 야간 투시 능력으로도 볼 수 없는 완전한 암흑이었다. 저 안에 들어가면 떨어져 죽는 건 아닐까? 막상 중력문을 가까이서 자세히 보니 유리는 겁이 났다.

"왜 가만히 서 있지? 안 들어가?"

"정말…… 들어가도 되는 거야? 아무것도 안 보이는데. 잘못되면 어떡해?"

"잘못될 거라면 이미 백 번은 더 잘못되고도 남았어."

카이는 별것을 가지고 다 걱정한다는 듯 코웃음을 쳤다. 그는 아무 일도 일어나지 않을 테니 들어가라고 말했다. 그러나 유리는 머뭇거렸다. 그의 동생인 카야가 검은색 공간 안으로 사라지던 것이 떠올랐다. 카이를 의심하는 것은 아니었지만 처음 경험하는 것에 두려움을 느끼는 것은 어쩔 수 없었다. 유리가 망설이는 모습에 카이는 그녀를 한심한 눈빛으로 쳐다보았다.

"무서우면 그냥 여기 있어, 겁쟁이 아가씨. 나 혼자 갈 테니까."

"아, 아냐! 해볼게."

유리는 먼저 암흑 너머로 발을 내디디려는 카이를 막아섰다. 그녀는 침을 꾹 삼키고 숨을 깊게 들이쉬었다. 테네브리스가 괜찮다고 했으니 괜찮겠지. 저번에도 이 안으로 들어가 놓고서 멀쩡하게 내 옆에 있잖아. 유리는 용기를 내어 눈을 질끈 감고 중력문 속의 암흑으로 걸어 들어갔다.

발을 내딛자마자 온몸을 강하게 잡아 끄는 어떤 알 수 없는 힘이 느껴졌다. 머리 끝부터 발끝까지 아주 강한 힘이 자신을 어딘가로 끌어당기는 것 같았으나 전혀 고통스럽지도, 숨이 막히지도 않았다. 그 느낌은 아주 잠시 동안만 이어졌다.

잡아 끄는 힘이 사라지고 눈을 뜬 유리는 놀라서 주변을 둘러보았다. 그녀가 서 있는 곳은 하얀 대리석 기둥 네 개가 지붕을 떠받들고 있는 그 마법 도서관 앞이었다. 유리는 감탄하며 주위만 두리번거렸다. 아무리 눈을 씻고 보아도 이곳은 마법 도서관 앞이 맞았다. 마치 꿈을 꾸는 듯한 기분이었다.

"정말 순식간이네. 굉장한데."

"내가 아무 일도 없다고 했잖아. 겁먹기는."

카이는 어깨를 으쓱해 보이며 암흑 속에서 걸어 나왔다. 그가 중력문을 향해 손짓하자 두 사람이 건너온 검은색 공간은 조그만 구멍이 되어 사라졌다. 그들은 도서관 입구를 향해 걷기 시작했다.

"그 중력 마법이라는 거, 나중에 너에게 인정받게 된다면 가르쳐줄 수 있을까?"

유리가 호기심에 두 눈을 반짝이며 말했다. 그러나 카이는 또 말없이 한심한 눈빛으로 쳐다보기만 했다.

"왜 또 그렇게 보는 거야?"

"꼬맹이들 읽는 책부터 완전히 익힐 생각이나 해."

"그냥 물어본 것뿐이잖아. 꼭 차갑게 얘기해야 돼?"

“기본기도 없는데 무작정 높은 곳부터 올라갈 생각이나 하니 그렇지.”

카이의 답에 실망한 유리는 입을 삐쭉 내밀었다.

두 사람은 계단을 올라 문지기들에게 다가갔다. 문지기들은 멀리서부터 카이가 다가오는 것을 보고 긴장한 표정이 역력했다. 그들은 대마법사에게 허리를 깊이 숙여 인사했다. 카이는 가볍게 고개만 끄덕이고선 안으로 발걸음을 옮겼다. 그동안 도서관을 드나들면서 유리는 그 어떤 마법사에게도 문지기들이 이렇게 공손하게 인사하는 모습을 본 적이 없었다.

안으로 들어가자 유리는 더 신기한 광경을 보게 되었다. 도서관 안의 지나가는 마법사들이 카이를 알아보고 한번씩 그에게 인사를 하는 것이었다. 평소처럼 책을 정리하던 사서도, 책을 읽고 있던 마법사들도 자리에서 일어나 그를 향해 인사했다. 카이는 사람들의 인사를 받는 것이 익숙한 듯 가볍게 고개만 끄덕이며 그들을 지나쳤다. 그가 대단한 사람이라는 건 알고 있었지만 직접 이렇게 마법사들이 인사하는 것을 보니 더욱 놀라웠다.

두 사람은 사서와 박쥐 동상을 지나쳐 책장으로 다가갔다. 카이는 유리에게 먼저 괜찮은 책을 골라주려 책들을 훑어보았다. 유리도 옆에서 여러 책을 살펴보다가 저번에 보았던 책을 발견했다.

“테네브리스, 이 책 진짜로 네가 쓴 거야?”

“뭐가.”

“이거 말이야. 중력 마법의 이론과 역사라는 책.”

유리가 책을 카이에게 내밀어서 보여주며 말했다. 잠깐 눈길조차 주지 않고 책을 고르던 카이는 유리 쪽을 힐끔 보았다.

“아, 그거? 맞아, 내가 쓴 거.”

그는 대수롭지 않다는 듯 다시 책장으로 시선을 옮겼다.

“여기 처음 왔을 때 이 책을 보고 좀 놀랐어. 네가 책을 읽기만 하는 줄 알았거든.”

“내가 쓴 건 그 책 말고도 몇 권 더 있어.”

“몇 권 더 있다고?”

유리가 놀라서 물었다. 카이는 고개만 끄덕였다. 유리는 얼떨떨해하며 책을 다시 책장에 꽂아 놓았다.

“어떻게 책을 쓸 생각을 한 거야, 넌?”

“제국에서 중력 마법을 나만큼 잘 다루는 사람도, 나만큼 잘 아는 사람도 없어. 황궁이고 마법 학회고 여기저기서 그 귀한 지식을 나눠달라고 하길래 책을 썼었지. 오래 전에 그만뒀지만.”

“그만뒀다고? 왜?”

“사람들은 욕심이 많아. 지나치게 많지. 내가 충분히 나눠준 지식을 스스로 연구할 생각은 안 하고 더 달라고 아우성이더군. 황궁에서는 나더러 제국을 위해 일하지 않는 배신자라는 말까지 했고. 앞에서는 존경하는 대마법사님이라고 아첨을 하면서 뒤에서는 지식을 혼자서만 가지려는 이기적인 놈이라고 욕을 시껄이더군. 그 더러운 꼴을 보니 더 이상 책을 쓰기가 싫어졌어.”

카이가 덤덤하게 말했다. 테네브리스 가문의 귀공자로 태어나 대마법사라는 높은 지위에 올랐음에도 전혀 기쁘지도, 행복해 보이지도 않던 모습. 그녀의 머릿속에 불현듯 한 가지 기억이 스쳤다.

“혹시 대마법사가 된 거…… 네 뜻이 아니었어?”

이런저런 책들을 살펴보던 카이는 말없이 유리에게 고개를 돌렸다.

“엿들어서 미안한데, 네 동생이랑 싸웠을 때 한 얘기 들었거든. 전부는 아니지만.”

“어렸을 때부터 그 인간들은 끊임없이 나에게 ‘넌 대마법사가 될 운명을 안고 태어났다’고 했지. 그때의 난 어린 소년에 불과했어. 저항하고 싶어도 힘이 없으니 실질 끌려다니기만 했었고. 그런데 대마법사가 되었더니 그 다음에는 재상이 될 운명이라고, 신께서 내리신 사명을 따라야 한다고 말하더군. 사람의 욕심이란 끝이 없는 법이야. 절대로.”

카이는 더 이상 말하고 싶지 않다는 듯 책을 살펴보는 데에 집중했다. 원치 않게 대마법사가 된 기분이 어떨지 유리는 절대 알 수 없었다. 알 수도 없고, 감히 이해하려 들 수도 없었다. 그러나 한 가지는 확실했다. 어느 곳을 가든 사람들은 똑같다는 것이었다. 늘 앞에서는 활짝 웃으며 친절하지만, 뒤에서는 언제든 남을 이용해 먹을 생각만 하는 것이 사람들이었다. 그것은 귀족이나 천민이나 똑같았다.

사람들은 다 똑같아, 유리. 귀족들이라고 다를 것 하나 없어. 다들 자기 체면과 품위를 지킨다고 앞에서는 너그럽고 좋은 사람인 척하지만, 뒤돌면 언제든지 네 등에 칼을 꽂을 생각만 해. 이 세상 모든 사람들이 다 그렇다니까. 테네브리스도 지금 네 앞에서 연기하는 것일 뿐이야. 밖에 나와서 고생 한번 해본 적 없는 새끼가 네 마음을 알겠어? 유리는 미르의 말과 카이의 말을 곱씹었다. 미르의 말은 그저 자신을 회유하기 위한 거짓말이라고 생각했건만 두 사람의 말은 놀랍도록 비슷했다. 두 사람 모두 인간관계에 대한 어떤 기대감 그 자체를 버린 것만 같았다.

그것은 유리 또한 같았다. 그녀는 사람들이 미치도록 싫었다. 좋은 기억은 쥐꼬리만큼도 없는데 나쁜 기억은 매일같이 꿈에 나와 그녀를 괴롭혔다. 그러나, 이런 생각을 바꾸게 해준 한 사람이 있었다. 완전한 남인데다 자신을 도와줄 이유가 전혀 없음에도 기꺼이 손을 내밀어 주었던 사람. 바로 스승인 진율이었다. 진율은 유리에게 아버지와도 같은 사람이자 희망적인 존재였다. 죽음에 대한 생각으로 물들던 그녀의 마음을 심연에서 건져 올린 사람이 바로 그였다.

진율을 보며 유리는 아직 세상에는 좋은 점이 있다고, 희망이 남아있다고 생각하곤 했었다. 그러나 이제는 어디를 보아도 절망밖에 없었다. 희망은 꺾인 지 오래였다. 어쩌면 카이도 희망을 안고 여러 사람들에게 베풀다가 상처를 받고 마음을 닫은 것은 아닐까, 그런 생각이 들었다.

두 사람은 한참 이런저런 마법에 대한 이야기를 나누며 다양한 서적을 훑어보았다. 그런데 문득 뒤에서 테네브리스라는 이름이 들려왔다. 돌아보니 마법사 두 명이 책을 읽다 말고 수군대고 있었다. 그들의 입에서 대마법사의 이름과 살인마와 요괴라는 말이 튀어나왔다. 그들은 유리와 카이를 살인자라고 단정짓고선 자기들끼리 키득대며 듣기 낯부끄러운 원색적인 욕을 하고 있었다.

제아무리 대마법사라도 별것 아니라는 둥 깎아 내리며 열심히 험담을 하던 그들은, 자신들의 맞은편 책장 앞에 서 있는 카이를 보고서 화들짝 놀라 허둥지둥했다. 카이는 책 두 권을 팔에 끼고서 말없이 싸늘한 시선으로 그들을 쳐다보았다. 마법사들은 어색하게 웃으며 자리에서 일어났다.

"아, 안녕하세요, 테네브리스 님! 오랜만에 뵙네요."

"그러게요! 오, 오랜만이에요, 테네브리스 님."

"다음부터 나한테 하고 싶은 말이 있다면 그냥 하시죠. 비겁하게 뒤에서 이러지 말고."

카이는 차갑게 맞받아치며 그들의 맞은편 의자에 앉았다. 마법사들은 카이에게 죄송하다고, 죽을 죄를 지었다고 연신 고개 숙여 사과했다. 주변의 이목을 끄는 그 행동에 카이가 붉은 눈을 번뜩이며 노려보자 그들은 읽던 책을 들고 얼른 자리를 떠났다.

유리는 방금 그들이 앉았던 자리에 카이를 마주보고 앉았다. 카이는 고른 책 두 권 중 하나를 유리에게 내밀었다. 그 책은 의외로 기초적인 마법 이론 같은 것이 아니었다. 마법에 대한 역사 서적이었다.

"뭐야, 읽을 책을 골라준다면서 웬 역사야?"

"마법사가 되려면 마법이 어떻게 발전했는지 알아야 하지 않겠어?"

듣고 보니 그의 말이 맞는 것 같기도 했다. 유리는 말없이 책을 펼치면서 가이가 골라온 책을 흘깃 보았다. 그가 고른 책은 '전쟁의 역설'이라는 정치에 관한 책이었다. 저택에서처럼 마법 책을 읽을 줄 알았던 유리는 눈알을 굴렸다. 카이의 두 눈은 바삐 책을 읽어 내려가기 시작했다. 벌써 내용에 완전히 집중하고 있는 듯 보였다.

테네브리스는 마법 말고도 정치나 역사에도 관심이 많은 걸까? 유리는 카이라는 사람에 대해 조금 더 자세히 알고 싶었다. 그의 비참한 과거를 안다고 해서 그에 대해 모두 아는 것은 아니었으니까. 비참한 어린 시절이 유리의 전부는 아니듯, 그녀도 카이의 과거가 그의 전부가 아니라는 걸 알고 있었다. 그러나 그 복잡한 머릿속을 이해하려면 한 세월은 걸릴 듯했다. 저 머리에 뭐가 들었는지 언젠가는 알게 되겠지. 언젠가는. 유리는 마음 속으로 중얼거리며 카이가 건넨 서적을 읽기 시작했다. 첫 페이지를 펼치자 이렇게 쓰여 있었다.

마력의 존재는 고대 전쟁 때 엘프들에 의해 처음 발견되었다. 엘프들은 전쟁 중 마력석을 발견했다. 여러 연구 끝에 그들은 마법의 잠재력과 그 가능성에 대해서 알게 되었고, 첫 엘프 마법사가 탄생하였다. 엘프들은 전쟁에 마력을 사용하였고, 마력의 존재에 대해 전혀 알지 못한 채 검과 활로만 싸웠던 인간들은 패배하였다.

그리하여 인간들은 북쪽의 추운 땅으로 쫓겨나게 되었다. 하지만 인간들은 북쪽 땅에도 마력석이 존재한다는 것을 알게 되었다. 곧 그들 사이에서도 첫 인간 마법사가 탄생하였다. 마력을 손에 넣은 인간들은 복수를 위해 다시 전쟁을 시작하였지만 오랜 시간 능숙하게 마력을 다뤄온 엘프들에게 패배할 수밖에 없었다. 인간들은 마력을 이용해 복수할 방법을 다시 찾기 시작하였고…….

첫 마법사가 엘프였다고? 유리는 전혀 몰랐던 새로운 사실에 놀라 눈을 깜빡였다. 그녀는 페이지를 조금 더 읽어 내려갔다.

인간들은 전쟁에서 승리하기 위하여 끊임없이 마력과 어둠을 결합해 강력한 힘을 만들어내려는 시도를 했다. 그리하여 오랜 연구 끝에 탄생한 것이 '혈석'이었다. 혈석은 그 힘을 취하게 되면 고통스러운 죽음을 맞이하게 되지만 죽음을 극복한다면 무한하고 강력한 마력을 가진, 불멸의 삶을 사는 '흡혈귀'로 재탄생할 수 있었다. 동시에 피에 대한 갈증과 빛에 취약해지는 단점도 있었지만, 무한한 마력은 무시할 수 있는 힘이 아니었다.

혈석이 만들어지고 얼마 후 3차 전쟁이 시작되었다. 3차 전쟁은 예상보다 오래 지속되었다. 수많은 사상자가 발생했지만 승자도 패자도 없었다. 결국 흡혈귀들은 엘프들과 합의하여 전쟁을 중단하기로 했고, 제국으로 돌아와 폐허가 된 땅을 다시 재건해 나가기 시작했다. 그리고 그 재건 계획에서 마법은 절대로 빼 놓을 수 없었다. 이 책은 그중 가장 중요한 부분이었던 마법 연구와 발전에 대하여 우리 선조들이 남긴 기록을 바탕으로 쓰였다.

거기까지 읽자 머릿속에 수많은 질문들이 밀물처럼 몰려 들어왔다. 유리는 첫 마법사였다는 엘프와 인간, 혈석에 대해서도 궁금해졌다. 그들이 어떤 사람이었는지, 또한 혈석과 마법을 어떻게 다루었는지 자세히 알고 싶었다. 하지만 페이지를 아무리 넘겨보아도 두 사람과 혈석에 대한 구체적인 정보는 알 수 없었다. 첫 엘프 마법사는 '솔렌딜'이라는 태초의 빛 아래 탄생한 최초의 엘프들 중 하나라고 되어 있었는데, 반면 첫 인간 마법사에 대한 것은 이름조차도 적혀 있지 않았다. 혈석에 대한 정보 또한 그저 전쟁이 끝나고, 선조들이 영생의 힘을 잃어버리며 혈석 또한 자연스럽게 사라졌다고 적혀 있었다.

페이지를 더 넘기자 익숙한 이름들이 눈길을 끌었다. 황실 가문 블러드크라운, 대대로 재상을 배출한 칼리고와 녹스 가문, '마법' 하면 빠질 수 없는 테네브리스와 벨리스, 포르티스, 블러드시커…… 블러드시커? 유리는 인상을 찌푸렸다. 이 이름이 왜 여기에 있는 거지? 유리는 자신이 잘못 보았나 하고 다시 내용을 살폈다. 그러나 눈을 씻고 아무리 봐도 책에 쓰인 그 이름은 블러드시커였다.

하지만 '블러드시커'라는 이름 그 자체보다 더 놀라운 사실은 따로 있었다. 제국의 첫 대마법사가 바로 블러드시커 가문 출신의 한 노인이었다는 것이었다.

"테네브리스, 나 한 가지 물어볼 게 있어."

유리는 카이가 읽고 있는 책의 윗부분을 톡톡 건드리며 작은 목소리로 말했다.

"여기 이 부분 말인데…… 정말 첫 대마법사가 블러드시커 가문에서 나온 거야?"

"첫 번째는 블러드시커, 두 번째는 벨리스였지. 세 번째가 나고."

카이는 관심 없다는 듯 책으로 시선을 돌렸다. 유리는 침을 꾹 삼키며 불길함이 느껴지는 그 '블러드시커'라는 이름을 내려다보았다. 미르는 자신이 대마법사가 되지 못해서 안달이 난 걸까? 자신이 조상의 뜻을 이어 대마법사가 되어야 하는데, 그 자리를 다른 사람이 차지하니 질투를 느낀 걸까? 유리는 왜 그토록 미르가 카이를 증오하는지 추측해 보려 했다. 어쩌면 대마법사였던 자신의 조상과, 대마법사가 된 카이를 보고선 자신이 초라하게 느껴져 그랬을지도 모르는 일이었다. 그는 분명 '용의 눈'을 타고난 범상치 않은 인물이었으니까.

"그런데 이상하네. 첫 대마법사라면 온 제국 사람이 다 알고도 남을 텐데, 왜 그 사실이 사람들에게 알려지지 않은 걸까? 블러드시커 가문에서 대마법사가 나왔다면 너희 가문만큼 유명해야 하는 것 아니야?"

“업적을 남긴다고 모두가 명성을 얻게 되는 건 아니지.”

카이는 공부에나 집중하라며 핀잔을 주곤 다시 독서에 집중했다. 하지만 유리는 도저히 다시 그 책을 읽을 엄두가 나지 않았다. 차라리 몰랐다면 좋았을걸. 여태껏 유리는 미르를 그저 어느 정도 명망 있는 가문의 자제라고만 생각했었다. 하지만 그가 사실 위대한 사람의 후손이었다니, 어깨가 무거워지는 느낌이었다. 게다가 자신 앞에 앉아 있는 사람은 대마법사 그 자체였다.

난…… 어떻게 되는 거지? 이것도 신께서 내리신 시련인 건가? 유리는 어째서 보잘것없는 자신이, 대마법사의 핏줄을 가진 사내를 둘씩이나 만나게 됐는지 이해가 되지 않았다. 내가 바랐던 건 이런 게 아니야. 원치 않게 거대한 바위 틈에 끼어서 빠져나오려고 개고생을 하는 그런 게 아니라고. 난 그냥 평범하고 소박한 삶을 원했는데…… 대체 신께서는 내게 어떤 운명을 내리신 거지.

얼마나 지났을까. 한참 동안 책을 읽는 둥 마는 둥 하던 유리는 의자에 기대어 졸고 있는 자신을 발견했다. 책을 읽다 지루함에 잠이 든 모양이었다. 하품을 하며 기지개를 켜던 유리는 앞자리가 비어 있는 것을 보았다. 어디 간 거지? 그녀는 두리번거리며 사라진 카이를 찾았다. 곧 유리는 그가 바로 등 뒤에 서 있다는 것을 깨달았다. 카이는 유리가 깨어난 것을 눈치채지 못한 듯 이런저런 책을 살펴보기 바빴다.

유리는 마법 서적을 덮고 자리에서 일어났다. 그녀는 몽롱함에 취한 자신을 깨우기 위해 고개를 흔들었다. 입구로 다가가 창문 밖을 보니 아직 이른 시간인 듯 달이 환하게 떠 있었다. 맞은편 마법 가게의 지붕 밑에 형형색색의 등불들이 빛을 냈고, 특유의 대리석 바닥에 반사된 달빛이 은은하게 반짝였다. 저 멀리 마법의 숲에서 뿜어져 나오는 보랏빛 안개와 그 밑으로 쏟아지는 폭포의 푸른빛 물결은 꿈 속으로 들어온 듯 몽환적이었다.

거리의 아름다움에 감탄하는 것도 잠시, 저 앞에 지네 잉어가 나타났던 분수대가 보였다. 사람들이 잉어들에게 먹이를 던져주고 있었다. 마치 아무런 일도 없었던 듯 평화로워 보였다. 허나 유리는 순간 그날 보았던 괴물의 모습과 피로 흥건한 거리의 광경이 떠올라 마음이 불편했다. 어쩐지 거리 전체에 을씨년스러운 분위기가 감도는 것만 같았다.

섬뜩한 기억에 구경을 그만두고 자리로 돌아가려는데, 분수대 뒤쪽으로 누군가 서 있는 것이 보였다. 그 낯선 이는 소나무에 기대어 이쪽으로 시선을 향한 채 자신을 뚫어지게 쳐다보고 있었다. 유리는 등골이 서늘해지는 것을 느꼈다. 그림자 아래에서 번뜩이는 황금빛 눈동자가 보인 것이었다. 유리가 자신을 알아보고 움찔하자 미르는 씩 웃어 보이더니 뒤돌아 가버렸다. 내가 어떻게 여기 있는 걸 안 거지? 설마 저번 같은 일이 일어나는 건가? 요괴가 들이닥친다면 위험해질 텐데! 불안함에 두 손이 떨려 왔다. 또다시 도지기 시작한 두려움에 심장이 쿵쿵 뛰었다.

“일어났나 보네. 한참을 늘어지게 자더니.”

카이가 책 한 권을 팔에 낀 채 다가왔다. 그는 유리가 눈에 띄게 불안해하는 모습에 한쪽 눈썹을 치켜 올렸다.

“왜 표정이 울상이지? 어디 아프기라도 한 건가?”

“잠시만.”

유리는 도서관 밖으로 나왔다. 그녀는 주위를 두리번거리며 미르를 찾으려고 했다. 또 요괴가 나타난다면 큰일이었다. 사람들이 다치거나 죽는 것을 막는 것도 중요했지만, 유리는 이상한 소문 때문에 자신이 더 곤란해지는 건 용납할 수 없었다. 유리는 도서관 주변에 수상한 흔적이 없는지 면밀히 살폈다. 하지만 이상한 흔적이나 요괴의 발자국 같은 건 없었다. 미르도 보이지 않았다.

“왜 그렇게 뛰쳐나가? 꼭 귀신이라도 본 것처럼.”

밖으로 그녀를 따라 나온 카이가 의아한 표정으로 물었다. 유리는 극심한 공포감에 숨이 가빠오고 눈앞이 흐려지는 것만 같았다. 하지만 여기서 정신을 잃을 수는 없었다. 그녀는 최대한 마음을 가라앉히고 입을 열었다.

"미르가 여기 있었어. 여기 있었다고!"

"뭐?"

"미르 말이야. 미르가 여기 있었어. 내가 분명히 봤어! 저번처럼 도서관에 요괴를 불러들이려고 하는 것 같아."

"흠……. 혹시 졸려서 헛것을 본 건 아니고?"

"내 두 눈으로 똑똑히 봤다니까! 저기 분수대 뒤에 서서 날 보고 웃었어. 분명히…… 분명히 무슨 꿍꿍이가 있는 게 틀림없어."

유리는 불안한 눈길로 주위를 경계했다. 카이는 주변을 쓱 돌아보더니 다시 유리에게 다가왔다.

"안심해. 이 근방에서 다른 특별한 마력 기운은 느껴지지 않으니까."

"하지만 미르가…… 미르가 날……."

안심하라는 말에도 유리는 떨리는 손을 멈출 수 없었다. 미르 때문에 또 무슨 일이 일어날지, 어떤 참혹한 광경을 보게 될지 상상도 하기 싫었다. 불안에 떠는 유리를 쳐다보던 카이는 두건을 뒤집어썼다.

"갈 데가 있으니 따라와."

두 사람은 마법의 거리에서 나와 반월문 광장으로 향했다. 유리는 떨리는 심장을 부여잡고 조용히 카이를 따라갔다. 카이는 길게 늘어선 저잣거리를 지나쳐 광장 남쪽 골목길에 있는 가게로 들어갔다. 나무로 된 간판에 '회색 늑대 골동품 가게'라고 쓰여 있었다. 골동품 가게? 여긴 왜 온 거지? 유리는 의아해하며 그를 따라 안으로 들어갔다.

가게 안은 생각보다 고급스러웠다. 탁상 위로 커다란 붉은 양초가 불빛을 밝혔고, 주변에는 먼지가 낀 두꺼운 마법 서적들이 쌓여 있었다. 진열대에는 꽤 낡지만 고급스러운 회중시계나 금으로 만든 주전자 같은 골동품들이 있었다. 유리는 이런 옛 물건들에 추억이 있기엔 너무 젊은 나이였지만, 이 물건들은 그녀가 경험해보지 못한 시대의 모습을 잘 간직하고 있었다.

골동품을 대충 둘러보고 있는데 가게 구석의 커튼 뒤로 나이가 지긋해 보이는 인상 좋은 한 아주머니가 모습을 드러냈다. 가게 주인인 것 같았다.

"어서 오세요. 찾고 계시는 거라도 있으시……."

커튼을 젖히고 나오던 주인은 말끝을 흐렸다. 그녀는 카이를 보더니 환한 함박웃음을 지었다.

"세상에, 카이 님?"

"오랜만입니다."

카이가 입가에 미소를 띤 채 말했다.

"아유, 아주 오랜만이죠! 한 일 년만인가요? 못 본 사이에 더 늠름해지셨네요. 그런데 옆에 이 아가씨는 못 보던 분인데, 누구예요? 혹시 애인?"

아주머니가 멀뚱멀뚱 서 있는 유리를 보며 장난스럽게 물었다.

"아닙니다. 제가 그냥 고용한 사람이에요."

테네브리스에게 이런 모습이 있었던가? 유리는 처음 보는 부드러운 카이의 태도와 말투에 놀라 멍하니 그를 쳐다보았다. 아주머니를 대하는 그의 말투는 라일을 대할 때와 비슷했지만, 그 목소리에는 약간 더 다정함이 담겨있었다.

"그래요? 아유, 미안해요. 내가 너무 넘겨짚었네. 그런데 아가씨가 아주 참하고 예뻐요. 이렇게 예쁜 며느리 하나만 있으면 소원이 없겠는데. 아가씨, 우리집에 며느리로 들어올 생각 없어요?"

아주머니의 능청스러운 농담에 뭐라 답해야 할지 몰라 유리는 멋쩍게 웃기만 했다.

"그런데 카이 님, 오늘은 왜 라일 님이 안 오시고 직접 오셨어요? 무슨 일 있어요?"

"아니에요. 라일은 오늘 좀 바빠서요. 순간이동석이 하나 필요한데 있을까요?"

"순간이동석이요? 음, 마침 저번에 하나 들어온 게 있을 텐데. 잠깐만 기다려요."

주인 아주머니는 탁상 너머에 앉아 서랍장에서 물건들을 주섬주섬 뒤지기 시작했다. 한참을 뒤적거리던 그녀는 작은 상자에서 무언가를 꺼내어 카이에게 건넸다. 별빛을 머금은 듯 신비로워 보이는 그 물건은 손바닥 만한 크기에 동그란 모양을 하고 있었다. 투명하고 반짝이는 조약돌 같았다. 카이는 그 물건을 이리저리 살펴보았다.

"지금 있는 건 이거밖에 없는데 어쩌지? 워낙 구하기 힘든 물건이라서 말이에요."

"괜찮습니다. 이 정도면 쓸 만해요."

"오랜만인데 차라도 한 잔 하고 가요. 내가 하나 금방 내올 테니까."

"아닙니다. 일 때문에 가 봐야 해서요."

"그러지 말고 잠깐 있다가 가지. 오랜만인데 얘기도 좀 하고."

"죄송해요. 지금은 시간이 안 될 것 같아서요."

카이의 말에 아주머니가 서운한 표정을 지었다.

"오랜만에 얘기라도 나누고 가면 좋을 텐데……."

"다음에 시간이 나면 오겠습니다. 그리고 돈은 내일 라일을 보내서 늦지 않게 바로 지불할게요."

"꼭 와야 돼요! 맛있는 거 잔뜩 준비해 놓고 있을 테니까. 다음에 아가씨랑 라일 님도 데려와요. 사람 많을수록 좋잖아요."

"예, 부인. 다음에 뵙겠습니다."

"꼭 와야 돼요, 꼭!"

유리와 카이는 아주머니를 뒤로하고 가게를 나와 광장을 걸었다. 카이는 다시 평소의 차가운 모습으로 돌아왔다. 늘 그렇듯 웃음기가 싹 가신 싸늘한 얼굴이었다. 가게 안에서 보았던 모습과 같은 사람이라고는 믿을 수 없을 정도였다. 유리는 대체 그 아주머니가 어떤 사람이길래 카이가 이토록 살갑게 구는지 궁금했다.

"저 아주머니는 누구야? 너랑 꽤 친해 보이던데."

"레이븐 부인이야. 한 6년 정도 알고 지낸 분이지."

"6년? 생각보다…… 꽤 오래 됐네."

"예전에 서적이랑 골동품을 사러 자주 갔었어. 지금은 연구 때문에 바빠서 갈 시간이 없지만."

"그렇구나. 그런데 나 말이야, 솔직히 좀 놀랐어."

"뭐가?"

"네가 다른 사람한테 그렇게 부드럽게 얘기하는 거 처음 봤거든. 너한테도 그런 면이 있었나 싶어서."

"그게 무슨 문제라도 되나?"

카이는 실소를 터뜨렸다. 유리는 카이도 누군가에게 친절할 수 있다는 것이 신기했다. 집사인 라일을 제외하고는 그 누구에게도 마음을 열지 않을 것 같은 그가 다정하게 대하는 사람들이라……. 테네브리스가 좋아하는 사람들은 어떤 사람들일까? 골똘히 생각에 빠져 있는데 카이가 발걸음을 멈춰 섰다. 그는 유리에게 한 손을 내밀었다.

"잠깐 네 염주 좀 줘봐."

"갑자기 왜?"

"일단 줘봐."

유리는 머뭇거리다 손목에서 염주를 빼서 건넸다. 그는 염주를 받아들자마자 양손으로 염주를 잡아당기더니, 손에 힘을 주어 염주를 반으로 끊어버렸다. 염주알 안으로 이어져 있던 실이 뚝 끊기는 소리가 났다.

"뭐 하는 거야, 너?"

갑작스러운 카이의 행동에 유리가 버럭 화를 냈다. 카이는 아랑곳하지 않았다. 그는 레이븐 부인의 가게에서 산 순간이동석을 꺼냈다. 그리고 손에 작은 마력 안개를 피워냈다. 투명한 조약돌 같은 그 물건은 카이의 마력이 스며들자 천천히 형체가 바뀌기 시작하더니 점점 염주알로 바뀌었다. 유리의 것과 똑같이 생긴 검은 염주알이었다.

카이는 다시 작은 마력 안개를 피워냈다. 그러자 놀랍게도 끊어졌던 염주가 다시 하나로 이어졌다. 카이는 유리에게 다시 염주를 내밀었다.

"가만히만 있지 말고 받아."

"방금 그거…… 염주알로 바꾸지 않았어?"

“염주알처럼 보이지만 이건 여전히 순간이동석이지. 마법으로 변형시켜서 그렇게 보일 뿐.”

염주처럼 보이는 순간이동석이라. 그녀는 어안이 벙벙한 얼굴로 염주를 받아 들었다. 중력문이 지금껏 본 것 중 최고라고 생각했긴만 마법이 가진 신비한 힘은 끝이 없었다.

"그 순간이동석을 사용하는 방법은 간단해. 그냥 네가 가고 싶은 곳을 마음 속으로 떠올려. 그 다음 온 정신과 마력을 염주에 집중하면 돼. 하지만 사용할 때 반드시 명심해야 할 게 있어."

“뭔데?”

“순간이동석은 중력 마법에 미숙한 마법사들이 순간이동을 하기 위해서 아주 옛날에 만든 물건이야. 중력 마법을 다룰 줄 몰라도 순간이동을 할 수 있다는 건 아주 큰 장점이지만, 나와 같은 숙련자가 만든 물건이 아니라서 완벽하지 않아. 직접 중력문을 여는 것보다 훨씬 더 불안정하지. 그래서 불안정한 만큼 위험을 감수해야 해. 운이 좋으면 엉뚱한 곳으로 가도 살아남긴 하겠지만, 운이 나쁘면 네가 원하는 곳으로 가더라도 공간 왜곡에 휘말려서 죽을 수도 있어. 최악의 경우에는 공간이 찢기는 대로 같이 몸이 찢기면서 죽겠지. 한마디로 네가 이걸 사용하고서도 살아남느냐는 온전히 운에 달렸어.”

유리는 반쯤 입을 벌린 채 그의 말을 들었다. 몸이 뒤틀리고 찢기면서 죽을 수 있다니, 왠지 섬뜩했다.

“그러니까 네가 아무리 기를 쓰고 악을 써도 아무것도 할 수 없을 때, 당장 사용하지 않으면 죽을 것 같을 때. 꼭 필요할 때만 써. 알겠어?”

카이는 절대 아무 때나 사용하지 말라며 신신당부했다. 마음 속이 혼란과 기쁨으로 뒤섞이기 시작했다. 유리는 염주를 다시 손목에 끼웠다.

“고마워. 그런데 저기…… 왜 날 도와주는 거야?”

유리의 물음에 카이가 말없이 쳐다보았다.

“저번에 네가 말했잖아. 널 동정하지 말라고, 참견하지 말라고. 그래서 네가 날 그냥 계약 관계로만 생각하는 줄 알았거든. 그런데 왜 이런 걸 주면서까지 도와주나 싶어서.”

“넌 지금 내 행동을 호의라고 생각하나 본데.”

카이는 어이없다는 듯 헛웃음을 터뜨렸다.

“네가 하도 그놈 얘기만 나오면 불안해하니까 주는 거야.”

그놈. 유리는 카이가 누굴 얘기하는지 알았다. 그녀의 눈동자가 떨리는 것을 본 카이는 다시 입을 열었다.

“그게 계약에 방해가 된다면 너뿐만이 아니라 나한테도 손해야. 네가 일을 그만두면 난 처음부터 다시 공고문을 붙이고 사람을 찾아야 돼. 그럼 실력이 보장도 되지 않은 사람들을 위해서 처음부터 또 모든 걸 일일이 설명해야 하고. 귀찮아. 시간 낭비야.”

카이는 생각만 해도 진저리가 난다는 듯 고개를 흔들었다. 유리는 실망감에 고개를 숙였다. 자신을 도와주는 것이 마음을 열어서가 아니라 시간 낭비를 하기 싫어서라니. 문득 묘지에서 카이를 만났을 때가 떠올랐다. 그때도 카이는 선의가 아닌 다른 목적으로 유리를 구했었다. 카이에게는 유리가 죽는 것이 중요한 게 아니라, 그녀가 신성한 곳에서 목숨을 내던져 어둠의 신께 불경한 짓을 저지르게 되는 것이 더 중요했다. 마치 태양빛 아래 바싹 말라버린 나뭇잎처럼 그에게는 감정이라곤 하나도 없어 보였다. 서로 살아온 얘기를 나누며 조금이나마 친해졌다고 생각했건만. 한 발자국씩 그를 향해 내디딜수록 오히려 그가 더 멀게만 느껴졌다.

어색한 분위기 속에 유리는 카이와 계속 광장을 걸었다. 물론 언제나 그랬듯 그 어색함은 유리만 느끼고 있는 것이었다. 어떻게 다른 말을 꺼낼까 생각하고 있는데, 근처의 저택 담 밑에 대략 열 살쯤 되어 보이는 한 남매가 눈에 들어왔다. 마지막으로 씻은 지가 언제인지 알 수 없는 얼굴은 흙투성이였고, 옷은 다 헤지고 구멍이 뚫려 있었다. 남매는 귀족 저택의 감나무를 올려다보고 있었다. 자세히 보니 열매가 달린 나뭇가지가 담 바깥으로 나와 있었다. 남매는 안간힘을 쓰며 위로 팔을 뻗었다. 하지만 나뭇가지는 키가 작은 그들의 손에 닿기에는 너무 높았다.

그걸 보자 사당에서의 기억이 떠올랐다. 가을이면 진율은 늘 어디선가에서 과일과 음식을 얻어오곤 했었다. 그의 성품을 알고 있는 마을 사람들이 나누어 준 것이었다. 유리는 음식들을 먼저 진율과 동생들에게 나누어 주고, 자신은 남은 과일을 선우와 나누어 먹곤 했었다. 특별할 것 없는 사소한 기억이지만 좋은 추억이었다. 어디까지나 4년 전의 비극이 있기 전까지였다.

모른 척하며 지나가려던 찰나, 갑자기 저택 문이 쿵 소리를 내며 화들짝 열렸다. 검을 든 저택의 문지기였다. 남매를 보는 것이 익숙한 듯, 문지기는 또 뒷마당에 와서 이러고 있느냐고 호통을 쳤다. 행색이 꼬질꼬질한 남매를 보는 그의 눈빛에 경멸이 담겨 있었다. 남매는 문지기의 바지 끝자락을 잡고 무릎을 꿇으며 먹다 남은 것이라도 좋으니, 개가 남긴 찌꺼기라도 좋으니 아무것이나 제발 달라고 사정했다. 문지기는 자비를 베풀지 않았다. 그는 천한 것들은 어서 썩 꺼지라며 욕을 지껄이곤 다시 저택 안으로 들어갔다.

문지기가 매정하게 남매의 부탁을 거절하는 모습을 보자 유리는 발걸음을 멈췄다. 한겨울에 말라붙은 나뭇가지로 연명하면서 지나가는 사람들을 붙잡고 구걸하던 어린 자신이 떠올랐다. 유리는 길거리를 다니며 제발 한 푼만, 제발 한 그릇만 달라고 구걸하는 것이 얼마나 비참한지 잘 알고 있었다.

"안 오고 뭐해?"

유리가 발걸음을 멈춘지도 모른 채 걷던 카이가 그녀를 돌아보았다.

"잠깐 여기서 기다려봐."

"왜?"

"저 아이들한테 먹을 것 좀 사다 주려고. 잠깐 갔다 올게."

유리가 감을 따려고 팔을 뻗고 있는 남매를 가리키며 말했다. 카이는 그들을 흘깃 보더니 고개를 저었다.

"그럴 시간 없어."

"오래 걸리지 않아, 아주 잠깐이면 돼."

"네가 오늘 저 아이들을 도와주면 내일은 누가 도와줄 거지?"

유리는 돈주머니를 찾으려 가방을 뒤적거리다 멈추고 그를 쳐다보았다.

"무슨 말이야?"

"모레엔 누가 저 아이들을 도와주지? 일주일 후엔? 한 달 후엔? 곧 겨울이 올 텐데, 그땐 누가 거둬들여주지? 네가 저 아이들이 죽을 때까지 책임질 건가?"

카이가 두 눈을 번뜩이며 날카롭게 쏘아붙이듯 말했다. 유리는 난데없는 말에 당황했다.

"누군가를 돕는다는 게 나쁜 건 아니잖아."

"그래, 누군가를 돕는다는 일이 나쁜 건 아니지. 하지만 인생은 스스로 길을 찾아가는 거야. 스스로 길을 찾지 못한 나약한 자들은 도태되고 강한 자들만 살아남아. 그렇게 해서 우리 선조들이 살아남았어. 나약한 인간들은 혈석의 힘을 취하고도 죽음에서 영원히 깨어나지 못했지만, 강인한 인간들은 죽음에서 깨어나 흡혈귀가 되었지. 무조건 도와준다고 해서 좋은 게 아냐. 무작정 도와주기만 한다면 저 아이들은 늘 누군가가 먼저 손을 내밀기만 바라는 나약한 인간이 되겠지. 그럼 결국 넌 간접적으로 저 고아들을 살리는 게 아니라 죽이는 게 되는 거고. 그렇게는 생각해 본 적 없나?"

생각지도 못한 말이었다. 자신의 도움이 아이들을 살리는 게 아니라 죽이는 것이라니, 유리는 넋이 나간 표정으로 입을 벌린 채 멍하니 그를 보았다. 이해할 수 없었다. 유리는 카이가 너무 이성적으로만 생각한다고 느꼈다.

"살면서 한 번쯤은 서로 돕고 살 수도 있잖아. 그 정도도 못해? 누군가를 도와주는 게 이렇게 계산적으로 따져가면서 생각할 일이야? 세상 사람들이 다 너처럼 똑똑한 줄 알아? 너도 어릴 때 그런 일을 겪었으면서 어떻게 이렇게 사람이 냉정할 수가 있어?"

감정에 북받친 유리의 목소리가 점점 높아지자 지나가던 사람들이 힐끔힐끔 두 사람을 쳐다보았다. 카이는 듣기 싫다는 듯 인상을 찌푸렸다. 원치 않는 시선이 쏠리자 그는 유리를 혼자 남겨둔 채 발걸음을 옮겼다. 그렇게 가버리시겠다 이거지, 나리. 유리는 돈주머니를 꽉 쥐며 뒤돌아섰다.

그런데 뒤돌아서자마자 유리는 아주 이상한 광경을 목격했다. 남매가 안간힘을 쓰고 닿으려 하던 나뭇가지가 살짝 아래로 기울어진 것이었다. 남매는 눈치채지 못했는지 감을 잡으려 손을 높이 뻗었다. 나뭇가지는 누군가가 잡아 끌어당기는 것 마냥 더 아래로 구부러졌다. 이윽고 애타게 팔을 뻗던 남매의 손에 감이 떨어졌다. 나뭇가지는 감이 떨어지자 자신의 할 일을 했다는 듯 천천히 다시 제자리로 돌아갔다. 허기를 달랠 음식을 손에 넣자 어둡던 남매의 얼굴에 환한 웃음이 피어났다.

어떻게 된 거지? 나뭇가지가 스스로 구부러지다니! 유리는 놀라 눈을 동그랗게 뜨고 주위를 두리번거렸다. 하지만 남매를 쳐다보고 있는 사람은 자신뿐이었다. 지나가는 그 어느 누구도 남매에게 눈길조차 주지 않았다. 유리는 다시 뒤를 돌아보았다. 카이가 저 앞에서 빠른 걸음으로 여전히 두건을 깊게 눌러쓴 채 혼자 걸어가고 있었다. 설마…… 테네브리스가? 유리는 그를 향해 달리기 시작했다.

"기다려!"

유리가 카이를 향해 외쳤다. 하지만 카이는 뒤도 돌아보지 않고 계속 걷기만 했다. 빠르게 카이를 따라잡은 유리는 가쁜 숨을 고르며 그의 옆에서 같이 걸었다.

“잠깐만 기다려 보라니까! 그냥 가버리면 어떡해?”

카이는 자신을 쫓아온 유리를 흘깃 쳐다보고는 다시 앞을 보았다.

“네가 저 감 떨어뜨린 거야?”

“뭐?”

“네가 아이들 도와주려고 일부러 한 거 아니야? 마법으로 나뭇가지를 움직여서.”

“무슨 소리를 하는지 모르겠군.”

카이는 시큰둥한 반응이었다. 그는 빠른 발걸음으로 유리에게서 멀어졌다. 모른 척하며 가버리는 모습에 어쩐지 유리는 확신이 들었다.

“맞는 것 같은데. 정말 아니야?”

유리가 팔짱을 끼고 속도를 맞춰 걸으며 말했다. 그녀의 목소리에는 약간 장난기가 묻어났다. 카이는 눈알을 굴리고 시선을 다른 쪽으로 돌린 채 아무 말도 하지 않았다. 입을 꾹 다문 그 모습에 흐릿했던 생각이 더욱 선명해졌다.

“쑥스러워하지 말고 말해도 돼. 솔직하게 말한다고 나쁠 건 없잖아.”

“부담스러우니까 좀 떨어져.”

유리가 장난스레 얼굴을 들이대며 말하자 카이는 쌀쌀맞은 투로 되받아쳤다. 평소라면 왜 그렇게 차갑게 이야기하냐며 따졌겠지만 지금은 상관없었다. 유리는 미소를 띤 얼굴로 솔직하게 어서 말하라며 그를 놀렸다. 하지만 카이는 여전히 곁눈질로 그녀를 째려볼 뿐, 아무 말도 하지 않았다.

"맞다. 그러고 보니까 나비 네 저택 앞마당에 두고 왔네."

"나비?"

"내가 타고 다니는 녀석 말이야. 이름 지어줬거든."

"이름을 '나비'로 지었다라. 넌 그런다고 말이 날아오를 수 있을 줄 아나?"

"뭐? 무슨 소리야?"

"말을 들어올리려면 어느 정도의 마력이 필요한지 알기나 해? 생각해 봐. 다 자란 성체 말의 어깨 높이는 보통 우리 밤의 인간 여자의 키와 비슷해. 그리고 무게는 남자 대여섯 명과 비슷하지. 네 키가 나보다 조금 작으니 딱 네 정도겠군. 그렇다면 너만한 사내 다섯 명을 들어올려야 한다는 뜻이지. 하지만 그 정도라면 웬만한 마력으로는 어림도 없어. 그런데 이름을 나비라고 짓는다니, 좀 웃기지 않나?"

유리는 무슨 소리인지 몰라 황당한 표정으로 그를 쳐다보았다. 이 인간은 무슨 개소리를 하는 거야? 이름을 나비라고 지었다니까 무슨 키가 얼마니, 무게가 얼마니……. 그의 사고방식을 도통 이해할 수가 없었다.

"무슨…… 뜻인지 전혀 모르겠는데."

"이해를 못하는군. 이렇게 간단한 농담도 못 알아들으니 멍청하다고 하는 거야."

카이는 이해하지 못한다면 굳이 애쓸 필요 없다며 어깨를 으쓱했다. 설마, 이름이 이상하다는 말을 돌려서 한 건가? 하긴 저번에도 내가 존댓말 하는 게 웃기다면서 간 떨어지게 만들었었지. 자기만 웃긴 살벌한 농담에 이젠 고상한 방식으로 놀리다니. 다른 마법사들도 저런 식으로 농담을 주고받는 걸까? 툭하면 냉소적으로 비꼬는 말버릇에 늘 감추지 않고 당당하게 드러내는 저 오만함. 참으로 카이다운 모습이었다. 하지만…… 어쩌면 생각보다 좋은 사람일 수도 있지 않을까. 유리는 어쩐지 그런 생각이 들었다.

"언니!"

싱숭생숭한 기분으로 한참 광장을 걷고 있을 무렵. 어디선가 익숙한 목소리가 들려왔다.

"유리 누나!"

누군가 자신의 이름을 부르는 소리가 들려왔다. 누구지? 날 아는 사람이 있는 건가? 아니면 이름이 같은 사람인가? 한참을 두리번거리던 유리는 저 앞에 손을 흔들며 뛰어오는 사람들을 발견했다. 그들은 각각 남청색과 흑적색의 주술복을 입고, 허리에는 주술 부적을 달고 있었다. 선우와 동생들이었다. 저만치 멀리 있던 동생들의 얼굴이 점점 가까워지며 또렷하게 보이기 시작했다. 소유와 준이 활짝 웃으며 달려왔고, 그 뒤로 혜성과 선우가 그들을 따라왔다.

"유리 언니! 그때 왜 먼저 갔어?"

소유가 유리의 손을 잡으며 말했다. 동생의 목소리에서 섭섭한 감정이 묻어났다.

"미안, 좀 바빠서."

"아무리 바빠도 그렇지. 선우 오빠한테 얘기 들었지만 그래도 좀 서운했어."

"맞아, 말도 없이 가버려서 놀랐잖아. 다음에 오겠다고 해놓고 오지도 않고. 우리 벌써 잊어버린 거야?"

준이 소유의 말을 거들었다. 아, 그렇지. 다음에 놀러가겠다고 했는데 깜빡 잊고 있었네. 유리는 변명 대신 미안함이 담긴 얼굴로 동생들을 바라보았다. 그러다 동생들 뒤에 무표정으로 서 있는 선우와 눈을 마주쳤다. 선우는 고갯짓만 할 뿐, 딱히 나서서 반갑게 인사하지는 않았다.

"미안해, 다음에 꼭 갈게. 그런데 너희가 광장까진 무슨 일이야? 사당에 있지 않고."

"방앗간에 다녀오는 길이야. 곧 명절이잖아."

혜성이 보따리를 열어서 보여주었다. 그 안에는 시루떡, 송편과 같은 떡이 가득 들어 있었다. 모두 예전에 동생들과 함께 나누어 먹곤 했던 것들이었다. 명절이라…… 벌써 시간이 그렇게 되었나. 벌써 초가을이 지나고 계절이 한참 무르익었다는 것도 모른 채 정신없이 지내온 탓에 오늘이 며칠인지도 가물가물했다.

"이번 명절은 언니도 있으니까 같이 보내면 되겠다! 팥죽이랑 호박죽 만들어서 먹고 같이 놀자, 응? 어때?"

소유가 손뼉을 치며 들뜬 목소리로 말했다. 혜성과 준도 좋은 생각이라며 맞장구를 쳤다. 명절이라니, 지금은 한가하게 놀고 있을 시간이 아닌데. 유리는 갑작스러운 제안에 당황스러웠다. 하지만 오랜만에 그리웠던 동생들과 함께 보내는 명절이라는 말에 설레는 기분이 드는 것은 사실이었다.

"누나, 근데 이 사람은 누구야?"

준이 카이를 힐끔 보며 물었다. 유리는 동생들을 다시 만났다는 반가움에 카이가 옆에 있다는 것을 잠시 잊고 있었다. 유리는 불안한 눈길로 카이의 반응을 살폈다. 그는 여느 때와 같이 아무런 감정이 없어 보였다. 유리는 적당한 거짓말을 찾아 머리를 굴렸다.

"그게, 사실은…… 내 친구야. 인사해."

친구라는 말에 카이가 유리를 곁눈질했다. 그의 시선에 유리는 황급히 고개를 돌렸다. 대마법사를 자신의 친구라고 소개하다니, 카이의 입장에서는 어이가 없을 만도 했다.

"친구분이시구나! 안녕하세요, 저는 소유라고 해요. 이쪽은 준, 혜성, 그리고 선우 오빠구요."

"안녕하세요. 유리 누나 친구분이시라니 반갑습니다."

준이 먼저 고개 숙여 카이에게 인사했다. 뒤따라 혜성이 인사했고, 카이는 무표정으로 떨떠름하게 고개만 살짝 끄덕였다.

"야, 근데 우리 이름 뒤에는 '오빠' 안 붙이냐? 왜 선우 형만 오빠야?"

혜성이 소유의 이마에 가볍게 꿀밤을 놓으며 따지듯 물었다. 소유는 혜성의 팔을 장난스럽게 살짝 밀쳤다.

"오빠 같은 행동을 해야 오빠라고 불러주지. 선우 오빠 빼고 둘은 잘한 거 없잖아?"

"어쭈, 이거 봐라. 쪼끄만 게 확 그냥."

동생들은 또 저들끼리 놀리고 장난을 치느라 신나서 웃고 떠들었다. 반면 선우는 아무런 말도 없이 서 있다가, 카이와 유리를 번갈아 보더니 무언가 눈치챈 듯한 얼굴을 하고 입을 열었다.

"이 남자가 네가 계약했다던 그 사람이야?"

떠드느라 정신없던 동생들은 입을 다물었다. 순간 싸늘한 정적이 흘렀다. 동생들은 선우에게 시선을 돌렸다.

"계약? 그게 무슨 소리야, 형?"

혜성이 물었다. 동생들의 얼굴 위로 의문과 혼란이 떠올랐고, 유리는 얼음처럼 굳은 채 아무 말도 하지 못했다. 예전부터 선우는 눈치가 빨랐다. 함께 요괴를 사냥할 때 늘 그는 제일 먼저 수상한 기운을 알아채곤 했다. 때문에 진율은 가끔 선우에게 주변을 감시하는 일을 맡기기도 했다.

대충 친구라고 둘러대며 자리를 벗어나려 했건만, 유리는 동생들을 속일지 언정 선우는 속일 수 없었다. 선우는 진율과 함께 유리가 미르를 따라가는 것을 유일하게 반대한 사람이었다. 미르가 영 수상하다며 탐탁지 않아 하던 선우의 모습과 말들이 마음 속에 떠올랐다.

"선우야, 뭔가 오해가 있는 것 같은데……."

"말해봐. 계약한 사람, 이 남자 맞아?"

"내가 고용한 사람인데. 그게 당신이랑 무슨 상관이지?"

조용히 있던 카이가 불쑥 입을 열었다. 선우는 시선을 카이에게로 옮겼다. 두 남자는 서로를 차갑게 노려보았다.

"당신한테 한 말 아니야. 난 유리한테 물었어."

선우가 쌀쌀맞게 되받아쳤다.

"이런, 내가 네 서방에게 실례를 한 모양이군."

난데없는 말에 온 주술사들이 카이를 쳐다보았다.

"서방이라니, 갑자기 그게 무슨……."

"외간남자와 정분이라도 난 것처럼 말하는 태도가 신기해서 말이야. 주술사들은 평생을 신께 바치기로 맹세한 탓에 연인을 두는 것도, 혼인도 허락되지 않는다고 들었는데. 내가 모르는 사이에 주술사들의 교리가 바뀌기라도 한 건가?"

카이는 유리에게 말하고 있었지만 비아냥대는 특유의 말투는 분명히 주술사, 그중에서도 선우를 향하고 있었다. 자신을 조롱한다는 것을 깨달은 선우의 얼굴에 경멸과 분노가 짙게 드리웠다. 부르르 떨리는 주먹을 보아 당장 한 대라도 칠 기세였다. 카이의 말에 깜짝 놀란 동생들은 혼란스러워하다가 선우를 진정시키려 애썼다.

"오빠, 화난 건 알겠는데 제발 여기서 이러지 마. 사람들도 지나다니는데, 응?"

소유가 선우의 팔을 붙잡고 말렸다. 하지만 선우는 막냇동생의 손을 강하게 뿌리쳤다.

"초면인 사람한테 말하는 꼬락서니가 어처구니없잖아. 유리, 말해봐. 이 남자가 그 마법사 맞지?"

"오해가 있는 것 같아서 한 말일 뿐이니 마음에 담아두지 않았으면 좋겠군. 말보다 주먹이 먼저 나가서는 안 된다는 걸 모르진 않겠지? 어리석은 행동이라는 걸 명심하도록. 알겠나?"

카이가 눈 하나 꿈쩍하지 않은 채 선우를 올려다보며 말했다. 보통 사람들은 거구에 강인한 인상을 한 선우를 두려워했으나, 카이의 눈빛에서 두려움은 전혀 읽을 수 없었다. 오히려 그의 말투에서는 여유로움이 느껴졌다. 결국 선우는 분노를 이기지 못하고 주먹을 들어올렸다. 다행히도 혜성과준이 겨우 진땀을 빼며 말리느라 몸싸움으로 번지지는 않았다. 분위기가 험악해지자 유리와 동생들은 살얼음판을 걷는 기분이었다. 동생들이 선우를 진정시키려 설득하는 동안 유리는 카이에게 다가갔다.

"너 지금 제정신이야? 그렇게 얘기하면 어떡해?"

"날 연적이라고 생각하고 있잖아. 그러니 네 서방이 오해하지 않도록 해야지."

"함부로 얘기하지 마, 테네브리스. 그래도 내가 아끼는 친구인데……."

"*테네브리스*라고?"

선우가 놀라서 물었다. 유리는 한 손으로 자신의 입을 틀어막았다. 동생들 앞에서, 그것도 선우가 있는 앞에서 그를 테네브리스라고 부르다니! 그녀는 자신이 엄청난 실수를 한 것을 깨달았다.

"잠깐, 테네브리스라면…… 그 명문가잖아?"

혜성이 당황한 목소리로 말했다. 조금 전까지만 해도 유리의 친구라며 친근하게 굴던 동생들은 당혹감을 감추지 못했다. 그들은 귀족에게 무례하게 굴었다는 것을 깨닫고 쭈뼛거리며 카이를 향해 허리를 숙였다. 그 와중에도 선우는 가만히 서 있었다. 광장 한복판에서 여러 명이 허리를 숙여 인사하는 광경에 지나가던 사람들이 힐끔 쳐다보았다. 사람들의 시선과 관심이 집중되자 카이는 인상을 찌푸렸다.

"고개 들어."

카이가 명령하듯 말했다. 동생들은 우물쭈물하며 어쩔 줄을 몰랐다. 준은 특히 긴장했는지 이마에서 땀을 삘삘 흘릴 정도였다.

"고개 들라니까. 멍청하게 뭐 하는 짓이야?"

"함부로 내 동생들한테 이래라저래라 명령하지 마."

선우의 말에 카이가 눈을 부릅뜨고 그를 노려보았다. 선우도 지지 않는다는 듯, 팔짱을 낀 채 경멸하는 눈빛으로 카이를 내려다보았다.

말싸움이 다시 시작되려는 분위기였다. 왜 하필이면 지금 마주쳐서 이런 일이 생기는 거야, 대체? 유리는 애써 상황을 중재해보려 입을 열었다.

"왜 둘 다 화를 내고 그래? 싸우지 마. 그리고 선우 너도 그런 태도로 얘기하지 말고. 나중에 귀족 나리한테 함부로 대했다고 끌려가기라도 하면,"

"준, 혜성! 일어나. 소유 너도. 저런 살인마 나리한테 인사할 필요 없어."

선우는 유리의 말을 끊고 무시했다. 동생들은 쭈뼛거리며 고개를 들었고, 카이는 자신을 모욕하는 선우의 말에 코웃음을 쳤다. 유리는 또다시 손이 미친 듯이 떨려오는 것을 느꼈다. 심장이 빠르게 뛰기 시작했고, 등에 식은 땀이 흐르며 숨이 가빠졌다. 금방이라도 세상이 핑 돌며 모든 게 무너져 내릴 것 같았다.

"선우야, 진정하고……. 진정하고 내 말 좀 들어봐, 응? 그냥 오해가 있어서 그런 것뿐이야."

"오해 좋아하시네. 유리 너, 옛날 일도 모자라서 살인마랑 계약을 해? 너 진짜 미쳤구나?"

"그게 아니라 난……!"

유리가 입을 연 그 순간, 어딘가에서 비명이 들려왔다. 뒤이어 흉포한 요괴의 울음소리가 들렸다. 소리가 난 쪽으로 고개를 돌려보니 멀리서 요괴 한 마리가 입가에 피를 잔뜩 묻힌 채 광장 위를 날고 있었다. 거대한 두 개의 닭 머리에 날카로운 보랏빛 비늘로 뒤덮인 용의 형상을 한 모습. 계룡(鷄龍)이었다.

평화롭던 광장은 순식간에 아수라장으로 변했다. 사람들은 비명을 지르며 도망가기 바빴다. 녀석의 두 머리 중 왼쪽에 달린 머리가 도망가는 사람들 중 한 남녀를 잡아서 물어뜯었다. 눈 깜짝할 새에 녀석은 그들의 몸통을 꿀꺽 삼켰고, 다른 쪽 머리가 다리를 물어뜯었다. 주인을 잃은 버선발이 피를 철철 흘리며 바닥에 나뒹굴었다. 한 끼 식사를 해치운 녀석은 다른 사냥감을 찾아 네 개의 보랏빛 눈을 번뜩였다.

녀석은 유리와 카이가 있는 쪽을 노려보았다. 유리와 동생들은 각자 진율에게서 받았던 천체검을 꺼내 들었다. 그러나 먼저 녀석에게 상처를 입힌 사람이 있었다. 선우는 등에 맨 대궁을 바로 꺼내 들어 활시위를 당겼다. 궁술에 능하며 다른 이들보다 체구가 훨씬 큰 첫 번째 제자를 위해 진율이 특별히 선물한 무기였다.

쏜살같이 허공을 날아간 선우의 거대한 독화살이 정확하게 몸통을 맞추었다. 녀석은 화들짝 놀라 날개를 퍼덕였다. 동생들은 그 틈을 놓치지 않았다. 혜성은 주술의 힘으로 바람을 손에 쥐고 녀석을 향해 천체검을 날려보냈다. 검은 바람을 타고 빠르게 공중을 가로질렀지만 안타깝게도 녀석을 맞추지는 못했다. 은빛과 푸른빛의 별자리와 주문 글귀로 빛나는 천체검은 힘없이 땅에 떨어졌고, 선우가 거대한 화살을 한 발 더 쏘았다. 그러나 화살은 아슬아슬하게 녀석의 머리를 빗겨갔다.

준과 소유는 얼마 전 내린 소나기로 생긴 웅덩이로 손을 뻗었다. 그들은 함께 주술의 힘을 모아 흙탕물을 물보라로 바꾸어 녀석에게 힘껏 던졌다. 몸에 화살이 꽂힌 채로 세찬 물벼락을 맞았음에도 녀석은 끄떡없었다. 녀석은 젖은 날개를 퍼덕여 물기를 털어내곤 눈을 부릅뜨고 날아왔다.

순식간에 녀석이 거리를 좁히던 그 순간, 유리가 검을 들고 앞으로 뛰쳐나갔다. 그녀는 바람을 쥐고 돌풍을 일으켜 다가오려는 녀석을 밀어냈다. 다시 검을 겨누고 돌진하려는데 갑자기 녀석이 제자리에 멈추었다. 사슬에 발이 꽁꽁 묶이기라도 한 것처럼 녀석은 옴짝달싹 못했다. 피가 아래로 쏠리며 금방이라도 주저앉을 것 같은 무겁고 익숙한 느낌이 몰려왔다.

요괴를 멈춘 것은 카이였다. 그는 요괴를 향해 손을 뻗었다. 그의 손짓에 녀석은 다시 날아오르려다 그대로 땅에 내리꽂혔다. 무거운 공기는 이제 바윗덩이처럼 몸을 짓누르듯 더 강렬해졌다. 선우는 무언가 심상치 않은 기운을 느끼고 동생들을 뒤로 물러서게 했다. 유리도 카이가 무엇을 하려는지 어림짐작으로 눈치채고 몇 걸음 물러났다. 그러나 중력의 힘을 거스를 수 있는 사람은 그 힘을 제어하는 자인 카이뿐이었다.

자신의 몸을 조여오는 압도적인 느낌에 녀석은 어떻게든 벗어나보려 울부짖으며 위협하듯 커다란 날갯짓을 해보였다. 부리 끝에서 죽은 남녀의 피가 아직도 뚝뚝 떨어지고 있었다. 카이는 녀석을 향해 한 번 더 손짓했다. 보랏빛 안개가 계룡 위로 날아갔고, 녀석의 날개 위로 짙은 잿빛의 먹구름이 피어났다.

유리와 선우 일행은 갑작스레 머리카락이 곤두서는 듯한 느낌과 함께 무거운 공기가 점차 뜨거워지는 것을 느꼈다. 이윽고 카이의 손짓에 먹구름 아래로 금빛 섬광이 번쩍였고, 거대한 보랏빛 벼락이 화살을 타고 내리쳤다. 번개는 녀석의 몸을 그대로 관통했다. 땅이 쩍쩍 갈라지며 도자기가 깨지는 듯한 높은 굉음과 함께 날개가 타들어가며 하얀 연기가 피어올랐다. 몸통과 꼬리, 발톱까지 모두 잿더미로 만든 불길은 카이의 손짓에 뼛조각도 남기지 않고 먹구름과 함께 사라졌다. 주술사들은 어안이 벙벙한 얼굴로 요괴가 있었던 자리와 카이를 번갈아 보았다.

"……방금 그건 대체 뭐야?"

준이 놀람과 두려움이 섞인 목소리로 말했다.

"너희 같은 주술사들은 절대로 이해할 수 없는 힘이지. 아무리 기를 쓰고 애를 써도 감히 시도조차 할 수 없는."

카이가 오만한 표정으로 고개를 들고 선우 일행을 쳐다보았다. 꼭 하찮은 벌레라도 보는 눈빛이었다. 선우 일행은 카이의 말에 기가 찬 표정을 지었다. 그러나 동생들은 아무 말도 하지 못했다. 그가 마음에 들지 않을지 언정 감히 귀족에게 따지고 들 수는 없었다. 하지만 선우만은 달랐다. 그는 경멸이 담긴 눈빛으로 카이를 노려보았다.

"내 동생들한테 함부로 얘기하지 말라고 경고했을 텐데, '살인마' 나리."

선우가 비꼬는 투로 말했다. 카이는 코웃음을 쳤다. 대꾸할 가치도 없다는 듯한 표정이었다. 카이는 말없이 중력문을 열어 자리를 떠났다.

주술사들 사이에 무거운 침묵이 감돌았다. 사람들로 가득했던 광장은 텅 비었다. 선우 일행은 여전히 카이가 떠난 자리를 멍하니 바라보고 있었다. 그들에게는 요괴나 아수라장이 된 광장보다도, 알 수 없는 암흑 구멍 속으로 사라진 카이와 그가 구사한 마법의 정체에 대해 온 정신이 쏠려 있었다. 긍정적인 관심은 아니었다. 처음 보는 강렬한 힘에 대한 두려움과 마법사에 대한 적개심에 더 가까웠다.

"귀족들은 대부분 마법사라지만, 설마 테네브리스일 줄이야."

선우는 온정이라고는 느껴지지 않는 싸늘한 얼굴로 유리를 내려다보았다. 유리는 시선을 피하며 입을 꾹 다물었다.

"왜, 뭐라고 말이라도 좀 해보지 그래? 옛날에 미르 그 자식을 따라간 것처럼 말이야. 이번엔 또 어떤 이유로 살인마 마법사 나리와 계약을 맺었는지 얘기나 좀 들어보자고."

"옛날에 그 일은…… 내가 살인마인 걸 알고 미르를 따라간 게 아니었잖아. 그 얘기는 하지 말자, 선우야."

"그럼 이번엔 알고서도 뻔뻔하게 계약을 했어? 살인마인 걸 알고도?"

"너희들이 오해하는 게 있어. 여기서 이러지 말고, 말하자면 기니까 나중에 얘기해 줄게. 이건 오해야. 정말로."

"오해 같은 소리 좋아하시네. 너, 누구 때문에 스승님께서 돌아가시고 동생들이 죽었는지, 왜 반월당이 없어졌는지 기억 안 나?"

선우가 격앙된 목소리로 소리치자 유리는 고개를 떨구었다. 목이 메이고 가슴이 답답해졌다.

"이건 너희들이 생각하는 그런 게 아냐. 나중에 다 설명해 줄게. 그러니까 믿어줘."

"믿을 걸 믿어야지. 이상한 호리병부터 마법 서적까지 설마설마했는데, 네가 어떻게 이럴 수가 있어? 저 새끼는 마법사를 떠나서 사람을 죽이고 다니는 미친놈이라고! 정말 너 제정신이야? 왜 아직도 이러고 다니는 거야, 대체?"

오랜 친구의 얼굴 위엔 그녀를 향한 원망과 배신감이 떠올랐다. 선우가 날카롭게 다그치자 결국 참았던 울음이 터져 나왔다. 허나 이 자리에 유리의 눈물을 닦아줄 수 있는 사람은 아무도 없었다.

"미안해. 하지만 진짜 오해야. 약속할게. 나중에…… 나중에 보자."

유리는 옛 동료들에게서 등을 돌리며 눈물을 훔쳤다. 동생들이 부르는 소리가 들려왔지만 선우는 그냥 가게 내버려 두라며 말렸다.

유리는 빠른 발걸음으로 광장을 빠져나왔다. 한참을 걷다 한적한 골목길에 들어섰을 즈음 그녀는 뒤를 돌아보았다. 선우와 동생들은 더 이상 보이지 않았다. 이미 돌아간 모양이었다. 길을 지나는 사람도 몇 없었다. 유리는 몇 걸음을 더 걷다 길가의 나무에 등을 기대어 주저앉았다.

지나가는 나그네도, 시끄럽게 우는 까마귀도 없는 고요한 길목에서 유리는 어린 아이처럼 소리 내어 펑펑 울기 시작했다. 또 이런 일이 일어나길 원하지는 않았는데. 어둠의 신께서는 왜 시련만 내리시는 거지? 사람들 말처럼 전생이라는 것이 사실인 걸까? 내가 전생에 큰 죄를 저질러서 지금 고통받고 있는 걸까? 유리는 손목의 염주를 내려다보며 만지작거렸다.

어째서 사람들이 많은 곳에 요괴가 또 나타난 거지. 잠깐, 설마 이게 모두 미르의 짓이라면…… 아니야. 아닐 거야. 유리는 불안한 마음을 진정시키려 숨을 깊게 내쉬었다. 그 순간 유리는 이상한 광경을 목격했다. 달빛에 비친 자신의 그림자가 물결처럼 요동치고 있었다.

"내가 위험하다고 했지."

등 뒤에서 익숙한 목소리가 들렸다. 유리는 차마 뒤를 돌아보지 못했다. 누군가 바스락거리는 나뭇잎을 밟으며 걸어오는 발소리가 들렸다. 커다랗고 창백한 손이 유리의 축 처진 어깨를 감싸 안았다. 살결 위로 차가운 숨결과 입술의 감촉이 느껴졌다.

"대체 왜 이렇게 내 말을 안 들어? 내 말만 잘 들으면 더 이상 위험해지는 일도 없을 텐데."

부드럽고 매혹적인 목소리가 귓가에 속삭였다. 유리는 자신을 향하는 시선을 느꼈다. 굳이 보지 않아도, 뒤돌지 않아도 누구인지 알 수 있었다. 두려움에 온몸이 떨려 왔다. 하얗고 커다란 두 손은 천천히 아래로 내려와 그녀의 떨리는 손에 깍지를 꼈다.

"지금이라도 늦지 않았어. 아직 더 기회가 남아있거든. 너도 알겠지만 내가 이렇게 자비를 베푸는 일은 아주 드물어. 특별히 너니까 용서해주는 거야. 우린 가족이나 다름없잖아."

그는 겁에 질린 옛 연인을 지긋이 쳐다보았다. 마치 그녀가 눈을 깜빡이는 단 한순간조차도 놓치지 않고 기억에 담아두겠다는 듯이.

가족. 왜 그 한마디가 이렇게 가슴을 후벼파고 드는 걸까? 화가 치밀어 올랐다. 유리는 미르의 손을 뿌리치고 일어나 천체검을 빼 들었다. 그리고 날카로운 칼끝을 그의 심장을 향해 겨누었다. 허나 용감한 그 행동과 달리 손은 두려움으로 떨리고 있었다.

"가족이라고? 웃기지 마. 우린 끝났어!"

"내가 아니면 누가 네 가족인데? 널 비난하는 그 주술사 놈들?"

"이렇게 우리 사이를 갈라놓으니까 좋아? 꼭 비참하게 만들어야 속이 시원해?"

"착각하지 마, 유리. 내가 너희들 사이를 갈라놓은 게 아니야. 그놈들이 본모습을 드러낸 거지. 겉으로는 착한 척하면서 위선을 떠는 '진짜' 모습을."

미르가 혀를 끌끌 차며 말했다.

"봤잖아. 널 얼마나 의심하는지, 널 얼마나 싫어하는지. 팔은 안으로 굽는다는데, 글쎄. 가족이라는 놈들이 그렇게 모든 걸 덮어두고 무조건 의심부터 하나?"

"선우가 날 의심하는 건 내 과오 때문이지. 널 진심으로 사랑한다고 믿었던 내 과오 때문에."

"날 사랑했다는 게 과오라. 썩 듣기 좋은 말은 아니네."

미르는 천천히 옆으로 돌아 유리에게 가까이 다가왔다. 살결 위로 미르의 차가운 숨결이 느껴졌다. 황금색 눈동자는 유리의 검붉은 눈동자와 그녀의 입술을 바쁘게 훑었다. 입을 맞추려는 듯 그는 눈을 천천히 감으며 더 가까이 다가왔다.

입술이 거의 닿을 뻔한 순간, 미르는 반쯤 감긴 눈을 다시 떴다. 그는 가소롭다는 듯 웃으며 시선을 아래로 향했다. 유리의 칼끝이 미르의 심장을 향하고 있었다.

"난…… 난 분명히 경고했어. 가까이 오지 마."

"별 볼 일 없는 칼 한 자루를 가지고 날 위협한다니…… 귀엽네. 그런다고 뭐가 달라질 것 같아?"

미르는 마력으로 천체검을 가볍게 붙잡았다. 그리고 천천히 한 걸음, 한 걸음씩 앞으로 나아가며 유리를 밀어내기 시작했다. 당황한 유리는 검을 심장으로 밀어넣으려 안간힘을 쓰고 제자리에서 버티려 했다. 하지만 소용없었다.

"그런 하찮은 검 따위로 나를 또 죽이려고 하다니, 주술사라 그런지 한심하기 짝이 없어."

미르가 점점 더 강한 마력으로 검을 밀어내자 유리의 두 발은 뒤로 쭉 밀려났다. 한 걸음, 한 걸음씩 미르는 광기 가득한 두 눈을 번뜩이며 천천히 다가왔다. 미르는 여전히 시선을 유리에게서 떼지 않았다. 여관에서 다시 만났던 그날처럼 그는 옛 연인에게서 절대로 눈을 떼는 법이 없었다.

온몸이 뻣뻣하게 굳은 느낌이 들었다. 말을 할 수도, 자리에서 움직일 수도 없었다. 온 정신에 몽롱한 기운이 퍼졌다. 유리는 정신 차리려 고개를 흔들었다. 그러나 기를 쓰고 잊어버리려 했던 과거의 기억이 머릿속에 생생히 되살아났다.

예전에 정확히 똑같은 광경을 본 적이 있었다. 죽어버린 진율을 붙잡고 우는 선우의 모습과, 잿더미가 되어버린 사당의 모습이었다. 제자리에서 밀리지 않으려 힘으로 버티던 유리는 힘이 빠져 결국 검을 떨어뜨리고 말았다. 그녀의 겁에 잔뜩 질린 표정에 미르는 웃음을 터뜨렸다.

"거봐, 아무리 발악해봤자 소용없다니까. 어차피 나약한 인간이면서 왜 그리 기를 쓰는지 이해할 수가 없어."

미르의 손짓에 불길이 고리를 만들며 유리를 감쌌다. 그가 손을 앞으로 끌어당기자 유리는 덫에 걸린 사냥감처럼 그의 앞으로 질질 끌려갔다. 살인마는 겁먹은 채 손만 벌벌 떠는 옛 연인의 머리채를 거칠게 잡았다. 그 고통에 유리가 비명을 질렀다.

"감히 나를 또 찌르려고 하다니, 너 따위 칼잡이가 내 상대나 될 것 같아? 내가 오늘 특별히 네게 예절 교육을 시켜 주지. 너같이 천한 것들이 귀족 앞에서 어떻게 행동해야 하는지 말이야."

미르는 보랏빛 마력 안개를 쥐고 유리에게 손짓했다. 유리는 그 손짓이 무슨 의미인지 알아채고 숨을 가쁘게 헐떡였다. 어떻게든 벗어나기 위해 발버둥쳤지만 미르의 말처럼 그 모든 발악은 아무런 의미도 없는 짓이었다. 이윽고 마력 안개가 유리의 몸안으로 스며들었다. 유리는 온 정신으로 퍼지는 짙은 몽롱한 기운을 느꼈다.

술에 취해 잠이 들 때처럼 천천히 눈이 감기기 시작했다. 도와줘. 제발 누구라도 도와줘. 살려줘. 벗어나고 싶어. 유리는 마음 속으로 애타게 도와달라고 소리쳤다. 그러나 지금 그 간절한 외침을 들을 수 있는 사람은 오로지 자신뿐이었다.

12장.

공포의 화신

Fear Incarnate

등을 타고 한겨울 같은 차가운 느낌이 전해졌다. 손가락 마디조차 움직일 수 없을 만큼 고통스러웠고, 온몸을 타고 흐르는 찌릿한 느낌에 저절로 미간이 찌푸려지며 낑낑대는 소리가 나올 정도였다. 하지만 유리를 깨운 것은 고통이 아니었다. 어떤 소리였다. 날카로운 무언가로 딱딱한 것을 긁는 듯한 소리였다. 그 소리는 오랫동안 이어지다가 겨우 멈춘 듯하면 다시 시작되었고, 또 잠잠해지면 다시 시작되는 식이었다.

정신이 조금씩 돌아오자 유리는 몽롱한 상태에서 들렸던 그 불쾌한 소음이 칼을 가는 소리라는 것을 깨달았다. 역겨운 피 냄새와 시체 썩은 내가 나는 것 같기도 했다. 유리는 소리가 나는 쪽으로 고개를 돌렸다. 하지만 주변이 너무 어두워 아무것도 보이지가 않았다. 밤의 인간의 야간 투시 능력으로도 이 어둠을 꿰뚫어볼 수가 없었다.

이마 위로 작은 물방울이 툭 떨어져 콧등을 타고 턱 끝까지 흘렀다. 주변 공기는 새벽의 안개처럼 습한 기운으로 가득했고, 왠지 모르게 기분 나쁜 음산함까지 느껴졌다.

귓가에서 울리던 날카로운 소리가 멈췄다. 하지만 다시 으드득거리는 이상한 소리가 들려왔다. 딱딱한 무언가를 질겅질겅 씹어대는 것 같은 소음이었다. 유리는 암흑 속에 누군가가 있다는 사실을 눈치챘다. 하지만 칠흑 같은 어둠 때문에 아무것도 보이지 않았다. 때문에 그 누군가가 멀리 있는지, 가까이 있는지조차도 알 수 없었다. 유리는 겁에 질려 도망치려 했으나 움직일 수가 없었다. 무언가가 그녀의 손목과 발목을 꽉 붙잡은 채 잡아당기고 있었다.

"유리."

어디선가 속삭이는 듯한 부드러운 목소리가 들려왔다. 유리는 본능적으로 목소리의 주인이 미르라는 것을 알아챘다.

"일어났어?"

그의 목소리는 바로 옆에 있는 것처럼 아주 가까이서 들렸다. 동시에 코끝에 피비린내와 시체 썩은 내가 강하게 풍겨왔다. 역겨운 냄새에 구역질이 날 것 같았다. 가슴에 불덩이가 내려앉은 것처럼 뜨거워지더니 심장이 쿵쿵 뛰기 시작했다. 아니야…… 이럴 리가 없어. 그냥 악몽이겠지. 다시 붙잡혔을 리가 없잖아! 유리는 숨을 헐떡이며 발버둥쳤다.

"얌전히 있어."

차가운 무언가가 뺨에 닿는 느낌이 났다. 옛 연인을 쓰다듬는 살인마의 손길이었다.

"날 어디로 데려온 거야?"

유리는 암흑 속 어딘가에 있을 미르를 노려보았다. 그는 대답이 없었다. 침묵을 뚫고 무언가 질겅질겅 씹는 소리가 다시 이어졌다. 그리고 꿀꺽꿀꺽 삼키는 소리 또한 들려왔다. 미르가 무언가를 먹고 있는 듯했다. 하지만 시야를 완전히 차단한 어둠 때문에 무엇을 먹고 있는지, 이곳이 어떤 곳인지 전혀 알 수가 없었다.

"왜 그렇게 불안해해? 안 잡아먹는다고 했잖아."

다시 차가운 손길이 뺨을 쓸어내리는 것이 느껴졌다. 그 손은 뺨에 있는 흉터를 어루만졌다.

"그런데 내가 남긴 이 상처, 정말 잘 아물었네. 볼수록 너랑 잘 어울린단 말이지."

어둠 속의 목소리가 실실 웃는 소리가 들려왔다. 유리는 고개를 흔들며 자신을 어루만지는 손길을 피했다. 그러자 차가운 손이 그녀의 턱을 꽉 움켜쥐었다. 강하게 끌어당기는 힘에 저항할 수가 없었다.

"가만히 있으라니까. 안 괴롭힌다고 몇 번을 말해?"

"여긴 대체 어디야? 날 어디로 데려온 거냐고! 너, 또 무슨 짓을 한 거야?"

"무슨 소리야, 유리? 난 '아직' 아무 짓도 안 했어."

미르는 재미있다는 듯 낄낄 웃어댔다. 그는 손가락 사이로 유리의 머리카락을 부드럽게 쓸어넘겼다.

"잠깐만 있어봐."

가까운 곳에서 들렸던 미르의 숨소리, 그리고 발소리가 조금씩 멀어졌다. 정체를 알 수 없는 소음도 멈추었다. 그의 발소리는 여전히 선명히 귓가에 들릴 만큼 가까운 곳에서 멈추었다. 아주 멀리 간 것 같지는 않았다. 이윽고 날카로운 쇠붙이가 서로 부딪히며 '쨍' 하는 듯한 소리가 들려왔는데, 그와 동시에 누군가의 흐느끼는 울음소리가 들렸다.

"제발…… 제발 살려주세요! 잘못했습니다. 한 번만, 한 번만 자비를 베풀어주세요."

알 수 없는 누군가의 겁에 질린 목소리. 자신과 미르 말고도 이 짙은 어둠 속에 다른 누군가가 함께 있었다. 아마도 젊은 남자인 것 같았는데, 완전히 쉬어버린 목소리로 보아 힘없고 완전히 녹초가 되어 지쳐버린 듯했다.

"자비? 그건 네놈이 행동하기에 달렸지. 더 공손하게 얘기해야 되지 않겠어?"

미르가 싸늘한 목소리로 말했다. 유리에게 다정하게 말할 때와는 전혀 다른 분위기였다.

"제, 제발요…… 살려주세요."

"그럼 자비를 베풀고 싶게 만들어 봐. 아니면 재주라도 좀 부려보든가. 날 즐겁게 해준다면 여기서 살아나갈 수 있을지도 모르니까."

"제발 부탁드립니다, 나리. 여, 여기서 나갈 수 있도록 허락해 주십시오. 제겐 가족이 있습니다. 먹여 살려야 할 아이들이 있습니다. 집사람이 며칠째 저를 기다리고 있을지도 모릅니다. 제발 나가게 해주십시오, 나리……."

"슬슬 짜증이 나려고 하는데. 넌 살려달라는 말밖에 할 줄 몰라?"

"나리, 제발 부탁입니다. 살려주십시오……."

"그러니까 살고 싶으면 내가 자비를 베풀고 싶게, 즐겁게 해달랬잖아. 누가 네 쓸데없는 가족 얘길 듣고 싶댔어? 즐겁게 해달라는 게 그렇게 이해하기가 어려워? 얼마나 더 쉽게 설명해줘야 돼?"

그렇게나 유리에게 '가족'이라는 말을 하던 미르는 남자의 가족 이야기를 듣자 오히려 짜증을 냈다. 이윽고 무언가를 쿵 내리치는 소리가 났고, 찐득한 액체가 꿀렁거리는 듯한 괴상한 소음이 들렸다. 남자는 비명을 질렀다.

"이만큼 봐줬으면 알아서 기어야지, 이 벌레 같은 새끼야. 꼭 내 입에서 먼저 공손하게 하라고 얘기가 나와야겠어?"

"자, 잘못했습니다, 나리! 부, 부디 넓은 마음으로 용서해 주십시오!"

"용서? 내가 대체 얼마나 더 자비를 베풀어야 너 같은 미개한 새끼들이 정신을 차릴까? 살려줘, 자비도 베풀어줘, 용서도 해줘. 아주 간이고 쓸개고 다 빼어가겠네? 멍청하면 마음씨라도 곱게 써야지, 응?"

무언가 강하게 내리치는 소리가 또 들려왔다. 그 소리는 방금 것보다 훨씬 둔탁하면서도 날카로웠다. 뾰족한 도구로 살갗을 내리찍고 흔드는 것 같았다. 고통에 울부짖으며 흐느끼는 남자의 비명 소리가 천장을 타고 메아리쳤다. 미르는 정신 나간 사람처럼 웃어댔다.

"이제야 조금 재미있어지네, 안 그래? 흠, 허기도 채웠으니까 목이 좀 마른데."

"그, 그건 안됩니다, 나리! 재, 재미있게 해드리겠습니다. 제발 부탁입니다. 사, 살려주……."

남자의 목소리가 끝을 맺지 못하고 멈췄다. 대신 아주 작은 신음만 들려왔는데 살려달라고 말하는 것 같았다. 신음 소리는 점점 작아지더니 얼마 가지 않아 헐떡이는 숨소리와 함께 완전히 멈추었다. 침묵을 다른 소리가 채웠다. 질퍼덕한 무언가가 서로 맞부딪히는 듯한 소리 같기도 했고, 벌컥벌컥 물을 마시는 소리 같기도 했다.

또다시 역한 피비린내가 풍겨왔다. 그제서야 유리는 미르가 여태껏 무엇을 먹고, 무엇을 마시고 있었는지 눈치챘다. 구역질이 날 것 같았다. 생각조차 하기 싫었다. 유리는 얼굴을 찡그린 채 고개를 흔들었다. 어떻게든 귀를 막고 싶었다. 저 벌컥벌컥 들이켜는 소리에서, 뼈를 으드득 씹어대는 소리에서 벗어나고 싶었다. 하지만 손발이 묶인 탓에 하나하나 모든 것을 그대로 듣고 있어야만 했다.

시간이 조금 지나고 방 안을 채우던 소리가 멈추었다. 무언가 짤랑거리는 소리와 함께 발소리가 가까워지는 것이 들렸다.

"너도 마실래?"

미르가 유리의 손을 잡고 말했다. 유리는 그의 입가에서 강하게 풍겨오는 짙은 피비린내에 인상을 찌푸렸다. 그녀가 대답하지 않자 미르는 유리의 턱을 꽉 움켜쥐고 고개를 돌려 자신을 보게 했다.

"며칠 동안 자기만 했잖아. 배도 고프고 목도 마를 텐데, 응? 좀 마셔."

"싫어."

"자, 얼른."

차갑고 딱딱한 무언가가 입술 끝에 닿는 것이 느껴졌다. 아마도 유리병 같았다. 그 안에서 과일주 향기와 반쯤 섞인 피비린내가 올라왔다. 유리는 코끝을 찌르며 진동하는 냄새에 헛구역질을 했다. 미르는 재미있다는 듯 낄낄거렸다.

"아직 안 익숙해서 그래. 자, 그래도 참고 한번 마셔봐."

"싫어. 역겨워."

"네가 좋아하는 과일주야. 고집 부리지 말고 마셔, 얼른."

"싫다니까!"

유리가 강하게 몸을 흔들며 소리쳤다. 벗어나려 몸부림을 치자 온몸을 에워싸는 소름 끼치는 느낌이 다가왔다. 곧 유리병이 와장창 깨지는 소리가 들려왔다. 어둠 속에서 차가운 손이 유리의 머리채를 붙잡았다.

"아직도 정신을 못 차렸어? 날 화나게 하면 어떻게 되는지 알고 있잖아!"

짙은 암흑 속에서 황금빛 눈동자가 모습을 드러냈다. 다른 것은 아무것도 보이지 않았다. 오로지 자신을 주시하는 황금색 눈동자만이 있을 뿐이었다. 유리의 불안한 시선이 흉측해진 눈동자와 맞닿았다. 코가 닿을 듯 말 듯한 거리에서 황금색 빛을 잃어버린 흉측한 눈동자가 그녀를 응시했다. 흰자위에는 여전히 선명한 붉은 실핏줄들이 가득했다. 유리는 그의 시선을 피해 고개를 돌리려 했다. 하지만 지금 그녀에게 선택지는 없었다. 자신의 시선을 붙잡아 두고 있는 강렬한 마력 때문이었다.

"움직이지 말고 가만히 있어! 날 봐. 날 똑바로 보라고! 내가 널 얼마나 아끼는데, 응? 아직도 이해를 못하겠어? 내가 꼭 이렇게 해야만 말을 들을 거야? 대답해."

미르가 날카로운 목소리로 소리쳤다. 유리는 흐느끼기만 할 뿐 아무런 말도 하지 못했다. 이미 두 뺨은 눈물바다가 된지 오래였다.

"싫어…… 다 싫어. 죽고 싶어. 죽어버릴 거야……."

더 이상 말하고 싶지 않았다. 이러고 있을 거라면 차라리 그냥 당장 죽어버리고 싶었다. 결국 아무리 발버둥쳐도 그에게서 벗어날 수 없는 것이 삶이라면, 유리는 당장이라도 그가 자신을 죽여주기를 바랐다. 그가 지금껏 잔인하게 죽인 그 모든 사람들처럼 자신도 어서 저승으로 가고 싶었다. 신의 품에 안겨 스승님과 동생들을 만나고 싶었다. 그렇게 된다면 더할 나위 없이 행복할 텐데, 유리는 속으로 중얼거렸다. 미르는 말없이 흐느끼는 유리를 내려다보았다. 그러더니 불안한 얼굴로 유리를 살폈다.

"미, 미안해. 내가 너무 심했다. 이러면 안 되는데 내가 잘못 생각했어. 많이 추워? 옷이라도 벗어줄까?"

그의 목소리는 예전의 상냥하고 다정하던 연인으로 돌아와 있었다. 미르는 유리를 붙잡고 있던 마력을 거두고 자신의 망토를 벗어 유리의 무릎에 덮어주었다. 허공 속에서 차가운 손이 그녀를 애타게 찾아 헤매듯 움직였다.

"소리 질러서 미안해. 다음엔 더 잘할게. 배고프지? 먹고 싶은 거 있어?"

미르는 유리의 뺨을 쓰다듬고 또 쓰다듬으며 그녀에게서 눈을 떼지 못했다. 안절부절못하고 불안해하며 자신을 향해 다정하게 대하는 태도에 유리는 등골이 오싹해졌다.

"얼굴빛이 안 좋은데. 감기라도 걸린 건 아니지? 아프지 마. 죽고 싶다는 말 하지 마. 네가 없으면 나는…… 나는 어떻게 살라고……."

연신 미안하다는 말만 반복하던 그는 두 손으로 유리의 뺨을 부여잡고 흐느끼기 시작했다. 미르의 목소리는 이제 불안정하게 떨리고 있었고,

유리는 너무나도 소름이 끼쳐 울음을 그치고 그의 우는 소리를 멍하니 듣고 있었다. 울어야 할 사람은 미르 네가 아닌데, 왜 네가 울고 있는 걸까. 의문이 들었지만 유리는 아무 말도 하지 않았다.

"내 옆에 있어, 응? 아무 데도 가지 마. 난…… 네가 필요해. 네가 없으면 미쳐버릴 것 같아. 네가 없으면 난 죽어버릴 거야. 그러니까 아무 데도 가지 말고 내 곁에 있어야 돼. 그래, 맞아. 넌 여기에 있어야 돼. 나랑 같이 죽을 때까지. 아니, 죽어서도 영원히."

미르는 한참 동안 말을 늘어놓으며 횡설수설했다. 그의 불안한 눈빛은 방금 전까지 욕을 읊조리면서 사람을 죽였던 이의 모습이라고는 상상조차 할 수 없었다. 미치광이 살인마였던 잔인한 모습과 달리 지금은 겁 많고 순수한 청년 같기만 했다.

그래, 내가 바로 이 모습과 이 아름다움에 속아넘어갔었지. 몇 년 전 폐허의 지하실에 갇혀 있을 때가 떠올랐다. 그때도 이렇게 사람들이 죽어가는 끔찍한 모습을 몇십 번이고 보았다. 아무리 귀를 막아도 고통에 울부짖는 비명이 또렷하게 들려왔고, 눈을 감으면 미르가 마력을 이용해 강제로 눈을 뜨게 만들어 바닥에 굴러다니는 사람들의 머리를 보게 했다.

유리가 온 힘을 다해 저항하면 미르는 잔인한 고문을 시작했다. 우물 속에 머리를 처넣어서 숨을 못 쉬게 하고, 피가 범벅이 되도록 살갗을 찢고, 마법으로 딱 죽지 않을 정도로만 목을 조르곤 했다. 그후 유리가 지쳐 쓰러지면, 미르는 언제나 그랬냐는 듯 음식을 가져와 다정하게 떠먹여주고 등을 토닥여주며 상냥하게 대했다. 하지만 처참한 꼴을 너무나도 많이 본 탓에 유리는 입맛이 없어 모두 토해내곤 했었다.

시체와 피로 가득한 방에서, 미르는 자신을 거부하는 연인에게 강제로 입을 맞추고 몇 번이고 사랑한다는 말을 속삭였다. *사랑해, 유리. 난 네가 없으면 안 돼. 난 너뿐이야. 넌 내 삶의 전부야. 죽음도 결코 우릴 갈라놓을 수 없어.* 유리는 그의 정신 나간 고백에 한 번도 대답한 적이 없었다. 그러면 미르는 다시 고문을 시작했다. 그의 기분이 풀릴 때까지. 유리가 지쳐 쓰러져 정신을 잃을 때까지.

끔찍한 기억이 떠오르자 마치 과거로 돌아온 것만 같았다. 카이를 만난 것도, 선우와 동생들을 다시 만나고 마력 흡수를 하게 된 것까지 지금껏 있었던 일들은 모두 꿈처럼 느껴졌다. 무엇이 현실이고 꿈인지도 더 이상 분간이 되지가 않았다.

"넌…… 넌 대체 어떻게 살아있는 거야?"

유리가 떨리는 목소리로 물었다. 눈물에 젖은 황금색 눈동자가 고개를 들고 다시 그녀를 마주했다. 그의 눈빛에 잠시 사라졌던 광기와 살의가 되돌아왔다.

"또 그 얘기야?"

"분명히 죽었다고, 황제 폐하께서 네가 죽었다고 하셨는데……."

"뭐, 죽었던 건 맞지. 혈석으로 다시 태어나기 전까지는."

"혈석……?"

"우리 선조들이 만들어낸 물건 말이야. 왜, 궁금해? 더 알려줄까?"

그의 낄낄대는 웃음소리와 함께 주변이 환해졌다. 벽과 선반, 구석에 놓인 수십 개의 붉은 양초에 촛불이 켜졌고, 암흑에 가려져 보이지 않았던 것들이 눈에 들어왔다. 폐허의 지하실 같은 곳이 아니라 동굴이었다. 곳곳 바닥의 웅덩이에는 흥건한 핏물이 고여 있었고, 주인을 잃은 손가락 마디들과 찢긴 옷자락들, 언제 생을 마감했는지 모를 사람들의 시체와 짐승의 뼛조각이 뒤섞여 여기저기 널브러져 있었다. 바닥에는 미르가 던졌던 유리병이 와장창 깨져 파편들이 나뒹굴었다.

천장에는 짐승과 토막 난 사람들의 사체가 거꾸로 매달려 있었다. 짐승, 사람 할 것 없이 대부분 머리와 팔, 다리가 없었으며 몸통만 덩그러니 있었다. 게다가 모두 다 하나같이 피가 빨려 나간 것처럼 피부가 쪼그라든 모습이었는데, 흡사 도살장에 온 것 같았다.

벽에 기대어 쓰러져 있는 남자의 시체도 비슷했다. 유리는 그가 집에 기다리는 아내와 아이들이 있다며 울부짖던 남자임을 눈치챘다. 그의 목에 뱀에 물린 것 같은 송곳니 자국이 있었고, 심장에는 커다란 칼날이 박혀 있었다. 금칠을 한 칼자루 밑부분에 피가 흐르는 듯한 무늬의 붉은 보석 장식이 여러 개 박혀 있었으며 장식 주위로는 황금색 박쥐 날개가 활짝 펼쳐져 있었다. 미르는 시체로 다가가 심장에서 검을 쑥 빼냈다. 칼끝이 미르의 입가에 묻은 핏자국처럼 붉은빛을 띠었다.

유리는 그 검이 무엇인지 알아보고 놀라 눈을 휘둥그레 떴다. 선조들이 엘프들과의 전쟁 때 썼다던 '혈석검'이었다. 말로만 듣던 검이 실재하다니, 그냥 전설로만 내려져 오는 줄 알았는데! 먼 이야기로만 생각했었던 전설 속 검을 마주하자 유리의 마음에 경외심이 일었다. 하지만 그 경외심은 얼마 가지 않아 곧 의구심으로 바뀌었다. 이걸 대체 어떻게 미르가 가지고 있을 수 있는 건지, 그가 혈석으로 '다시' 태어났다는 소리는 무엇을 의미하는 것인지, 유리는 알 수 없었다. 미르는 유리가 검을 알아보자 씩 웃었다. 그의 입가에 잔뜩 고인 핏물과 입술 밑으로 드러난 송곳니가 무섭도록 기괴해 보였다.

"나도 이 검을 처음 봤을 땐 믿을 수가 없었지. 하지만 혈석검이 정말로 존재할 줄 그 누가 알았겠어?"

"대체 어떻게 된 거야? 네가 어떻게 이 검을……!"

말문이 막혔다. 여러 질문들이 끊임없이 머릿속을 타고 올라왔으나 한마디도 입을 뗄 수가 없었다. 날카로운 송곳니에 피를 마시는 모습, 그리고 고대 선조들이 사용했다는 혈석검까지. 유리가 이 동굴 안에서 목격한 모든 증거는 미르가 흡혈귀라는 결론으로 귀결되고 있었다. 그러나 연인이었을 당시 미르에게서는 전혀 이런 모습이 없었다. 살인을 유희거리로 삼으며 즐기는 것은 똑같았으나 그는 절대 사람들의 피를 마시지도 않았고, 날카로운 송곳니를 지니고 있지도 않았다. 4년 전 그는 분명 자신과 똑같은 평범한 밤의 인간이었다.

어떻게 된 걸까. 유리는 과거의 기억들로 스스로의 질문에 답을 해보려 애썼다. 그러나 기억의 조각을 지금 상황에 아무리 맞춰 보려고 해도 완벽하게 딱 들어맞는 것이 전혀 없었다. 미르는 그녀를 다독이듯 어깨에 손을 올렸다.

"너도 궁금한 게 많겠지. 하지만 자세히는 얘기해줄 수 없어. 뭐, 우연히 좋은 기회가 왔다고만 일러둘게."

"……좋은 기회?"

이해할 수 없는 말에 유리가 인상을 찌푸리며 물었다.

"나중에 말해줄게. 아직 나한테 중요한 일이 남아있거든."

미르는 만족스러운 얼굴로 혈석검에 묻은 피를 손끝으로 쓱 훑었다. 그의 모습은 끊임없이 피에 대한 갈증을 갈구하는 괴물처럼 느껴졌다. 좋은 기회라니, 무슨 뜻일까. 불길한 예감이 들었다. 그러나 물어본다고 한들 미르가 답해줄 것 같지도 않았다. 중요한 일…… 중요한 일이라. 유리는 미르의 말을 곱씹었다. 순간 한 남자의 이름이 번뜩 머리를 스쳤다.

"그 중요한 일이라는 게…… 혹시 테네브리스에 관련된 일이야?"

유리는 애써 용기를 내어 물었다. 하지만 그 용기는 얼마 가지 못하고 고개를 떨구었다. '테네브리스'라는 이름에 또다시 싸늘해진 그의 눈빛 때문이었다. 미르는 두 눈을 번뜩이며 고개를 들었다.

"금방 눈치챘네. 맞아, 난 그 새끼를 죽일 거야. 그놈을 죽이고 나서 일이 정리가 되면 말해줄게. 그러니까 조금만 기다려."

카이를 죽이고 말겠다는 그의 의지는 한 치의 흔들림도 없이 확고해 보였다. 여태껏 재미로 사람을 죽이던 것과는 분명히 다른 모습이었다. 누군가를 죽인다는 사실에도 불구하고 지금 미르는 전혀 즐거워 보이지 않았다. 오히려 원한에 사무쳐 악에 받친 듯한 얼굴이었다.

"대마법사…… 자리 때문에 그런 거야? 네가 테네브리스를 증오하는 이유."

미르는 말없이 눈을 깜빡이며 유리를 쳐다보았다. 유리는 어렵게 입을 열어 말을 꺼냈다.

"몇 백년 전에 블러드시커 가문에서 첫 번째 대마법사가 나왔었다고 들었어. 그거랑 어떤 연관이 있나 싶어서."

"난 원래 내 조상님의 뜻을 이을 생각이었지. 사람들도 나한테 기대하는 게 그거였고. 하지만 그 새끼가 내 모든 걸 뺏어가는 바람에 다 없던 일이 되어버렸어."

"뺏어갔다고?"

이해하기 힘든 말이었다. 모든 것을 가진 그 남자가 다른 이의 모든 것을 빼앗아 갔다니. 미르는 공허함이 섞인 긴 한숨을 푹 쉬더니 입을 열었다.

"너도 알다시피 난 그 고귀하다는 용의 눈을 타고 난 사람이야. 전설에서도 그런 말이 있잖아, 용의 눈을 타고 난 사람들은 모두 비범한 천재라고. 어렸을 적부터 사람들은 나한테 기대하는 게 많았어. 난 그 기대에 잘 부응하고 있었지. 모두 내가 대마법사 자리에 오를 것이라고 믿어 의심치 않았고. 그 새끼가 나타나기 전까지는 말이야."

"……무슨 일이 있었는데?"

"지금도 그렇지만 어렸을 적에도 그 새낀 이상한 놈이었어. 늘 수업은 듣지 않고 잠만 잔다거나, 수업과 상관없는 책을 읽곤 했었으니까. 처음엔 모두 테네브리스가 이상한 놈이라고 했었어. 교수들도, 나도 그렇게 생각했고. 그런데 알고 보니 그놈이 모두의 머리 꼭대기 위에 올라가 있었어. 그 새끼가 마법 대학에 올라와서 치른 첫 시험을 만점으로 통과한 거야. 공부하는 모습을 한 번도 본 적이 없는데 말이야. 결국 몇 년 내내 난 그 새끼 때문에 두 번째가 되어버렸어. 첫 번째 자리는 항상 그놈이 꿰차고 있었으니까. 아버지한테 그 이후로 더 심하게 두들겨 맞기 시작했지. 뭔가 이상하다고 생각했어. 나랑 동의하는 친구들도 몇 명 있었고. 그 새끼는 늘 수업과 상관없는 중력 마법 서적이나 읽고 있었는데, 정작 교수들이 묻는 질문에는 옳은 답을 내놓고 늘 만점으로 시험을 통과했거든. 그런데 교수들은 테네브리스가 뛰어난 능력으로 재능을 증명했다고 칭찬을 아끼지 않았어. 나중에 그 새끼가 하는 말이 가관이더군. 마법대학은 너무 시시하고 재미없다고, 배울 게 하나도 없다고. 그러면서 하루는 모두가 보는 앞에서 내게 그런 말을 했지. 이렇게 간단한 이론도 모를 수 있냐고, 이름값을 못하니 너는 기초부터 다시 배워서 와야겠다고. 겸손할 줄 모르는 오만한 새끼 같으니……."

미르는 날카로운 송곳니를 드러내며 짐승처럼 으르렁댔다. 그는 계속 말을 이었다.

"모두가 깔깔대고 웃는데 그렇게 치욕스러울 수가 없었어. 이제 알겠어, 유리? 그 새끼만 없었어도 내가 아버지한테 고문당하고 맞을 이유는 없었어. 테네브리스가 없었으면 그 자리는 내 것이었을 테니까. 그 새끼가 없었으면 내가 대마법사가 되었을 테니까! 하지만 과거가 어떻든 상관없겠지. 내가 왜 용의 눈을 타고 났는지, 내 스스로 증명해 보였으니."

그는 허공을 노려보며 한 손에 주먹을 꽉 쥐었다.

"어쨌든 난 죽을 수 있었지만 죽지 않았어. 그리고 다시 이렇게 살아났고. 이제 모두가 날 두려워하게 될 거야. 고생은커녕 죽음도 경험하지 못한 새끼가 설치고 다니는 날도 이제 얼마 안 남았다니까."

과거를 이야기하던 그의 눈빛은 잠시 절망의 바다에 빠져 슬픔 속에 가라앉았다가 다시 광기로 되살아났다. 오로지 카이를 죽이겠다는 확고한 의지와 살의만이 그에게 생기를 불어넣고 있었다.

죽음을 경험한 사람. 그 말에 유리는 죽음을 연구한다는 강령술사들에 관한 소문을 떠올렸다. 그녀는 강령술이 옳다고 생각하지는 않았으나, 가끔은 스승님을 살려낼 수 있다면 어떨까라는 의문을 가진 적이 있었다. 진율이 살아 돌아온다면 그것만큼 기쁜 일이 또 있을까? 하지만 죽은 이를 살려낸다는 것은 흡혈귀를 제외하고서는 그 어떤 경우에도 용납되지 않았다. 그리고 진율의 영혼이 돌아온다고 한들 그것이 만약 영안실에서 보았던 청년과 비슷하다면 무슨 소용일까? 그렇다면 그는 살아있어도 살아있는 것이 아니었다.

죽음의 세계에 대한 호기심이 심연으로부터 스멀스멀 기어올라왔다. 그리고 지금 눈앞에는 궁금증을 풀어줄 수 있을지 모를, 죽음을 이미 경험한 존재가 있었다.

"죽음…… 뒤엔 뭐가 있어?"

유리는 머뭇거리다 겨우 입을 열었다. 미르는 살기를 누그러뜨리고 그녀를 쳐다보았다.

"죽음에서 깨어났다고 했잖아. 삶이 끊어진 이후엔…… 뭐가 있는 건데?"

"유리, 넌 아직도 희망이라는 부질없는 가치를 믿어?"

미르는 대답 대신 질문을 던졌다. 유리는 아무 말도 하지 않았다. 미르는 다시 말을 이었다.

"사람들은 저승이 어둠의 신의 품에 안겨 잠드는 평화로운 곳이라고들 믿지. 하지만 유리, 저승은 사람들이 생각하는 것처럼 절대 따뜻하지 않아. 난 죽음의 세계가 어떤지 똑똑히 봤어. 오로지 고통과 슬픔만이 존재하는 세계를 봤다고. 그 고통이 어떤 건지 알아? 내가 그토록 바라는 희망을 눈앞에 보여주면서, 절대로 붙잡을 수 없게 만드는 거야. 그리운 얼굴이 바로 내 앞에 있는데도 만질 수가 없었어. 모든 게 만지면 부서지고 사라져버리는 흐릿한 안개였으니까. 그리고선 희망이 다시 내 앞에 보여. 내가 안을 수 있고 만질 수 있는 실체인 것처럼 다가와. 하지만 다가가면 또다시 사라져버리지. 처음부터 아무것도 없었다는 듯이! 그런 허상이 나타나고 사라지길 수도 없이 반복했어. 어둠의 신 따위는 애초에 있지도 않았지.

그런데 사람들은 허상에 집착하면서, 어둠의 신 따위가 정말 존재한다고 믿으면서 어떻게든 살아가려고 아득바득 발버둥을 쳐. 그러면서 남들을 이용해 먹을 생각만 해. 웃기지 않아? 사람들이 희망을 얼마나 소중하게 여기는지 알면서, 가증스럽게도 남의 희망을 이용해 먹으려고 하는 새끼들뿐이라고. 결국 속고 속이는 놈들뿐인 거야. 죽음을 경험하고 보니 그런 새끼들이 얼마나 같잖던지. 이 세상 그 누구도 진정한 고통에 대해서 나만큼 이해하는 사람은 없어. 뭐, 어쩌면 선조들께서는 알고 계실지도 모르지만."

유리는 파르르 떨리는 입술을 깨물었다. 믿을 수가 없었다. 죽음 이후에도 절망뿐이라고? 그렇다면 스승님도, 동생들도 모두 처절하게 고통 속에서 몸부림치고 있단 말인가? 안 돼, 그럴 리가 없어. 어둠의 신께서 다른 사람도 아닌 스승님을 고통받게 내버려두실 리가 없잖아. 유리는 미르의 말을 부정했다. 믿을 수도 없고 믿기도 싫었다. 아니, 사실은 그의 말이 진실인지도 알 수가 없었다. 어쩌면 그는 유리를 겁주려고 말을 꾸며낸 것일지도 몰랐다.

"어쨌든 유리, 이 세상은 혼돈과도 같아. 이승이든 저승이든 결국 희망 같은 건 없어. 신 같은 건 절대로 없다고. 하지만 공포라는 건 분명히 존재해. 멋대로 행동하면서 미쳐 날뛰던 새끼들이 목에 칼이 들어오면 어떻게 반응하는지 알아? 울며불며 살려달라고 빌어. 날 그렇게 무시하고 하찮게 여기던 놈들이, 갑자기 살려만 주면 뭐든지 하겠다고 맹세해. 물론 그 맹세조차도 새빨간 거짓말이고. 아마 테네브리스 그 새끼도 똑같이 행동할걸? 사람은 죽음 앞에선 다 똑같거든. 지금은 고귀하고 용맹한 척 가면을 쓰고 있는 것뿐이야."

차분하던 미르의 목소리는 다시 날카롭게 변했다. 카이에 대한 욕을 읊조리던 미르는 유리의 목덜미를 흘끗 보았다. 피를 갈구하는 듯한 눈빛에 유리는 자신도 모르게 움찔했다. 하지만 미르는 입맛만 다실 뿐 그녀를 건들지는 않았다.

"마음 같아서는 널 당장 흡혈귀로 만들고 싶지만…… 네가 죽을 수도 있으니 그건 안 돼. 어떻게 찾았는데, 널 두 번씩이나 잃을 수는 없어. 그러니까 카이 테네브리스를 죽이고 나서 일이 정리되면 방법을 같이 찾아보자. 네가 죽지 않고도 영생의 길로 들어설 수 있는 방법을. 그럼 영원히 함께 할 수 있게 될 테니까."

미르는 부드러운 손길로 유리의 머리카락을 쓸어 넘겼다.

"잠깐 볼 일이 있어서 나갔다 올게. 기다려."

미르는 유리의 이마에 입을 맞추었다. 그리고 혈석검을 들고 터벅터벅 걸으며 어둠 속으로 사라졌다. 영생의 길이라니, 유리에게 그딴 건 필요 없었다. 그를 따라 흡혈귀가 되느니 다시 살아날 때마다 몇 번이고 혀를 깨물고 죽을 것이다. 설령 그의 말대로 정말 죽음의 세계가 희망 따위 찾아볼 수 없는 절망이라고 해도 차라리 죽는 것이 훨씬 나았다. 미르와 함께 하는 삶은 영생의 길이 아니라 죽음보다도 더한, 끝없는 고통의 길이었다. 그러니 또다시 시작될지 모를 이 고통의 출발점에서 나갈 방법을 찾아야 했다.

유리는 그가 나간 쪽을 슬며시 보았다. 그쪽에는 여전히 야간 투시 능력으로도 볼 수 없는 짙은 어둠이 깔려 있어 아무것도 보이지 않았다. 반면 그녀가 앉아있는 동굴 안은 여전히 환한 촛불들이 일렁이고 있었다. 끔찍한 도살장 같은 풍경이 다시 눈에 들어왔다. 피가 빨려 나간 몸뚱어리들, 잘린 머리와 손가락 마디들. 그나마 구더기가 들끓고 있지 않는 것이 천만다행이었다. 기회를 틈타 어서 여기서 나가야만 했다. 절대로 이 사람들과 같은 죽음을 맞이할 수는 없었다.

나가려면 일단 양손과 양발에 묶인 밧줄을 풀어야 했다. 유리는 어떻게든 매듭을 풀려고 안간힘을 쓰며 손을 움직였다. 거친 밧줄의 느낌이 손가락 끝으로 전해져 왔다. 하지만 그게 전부였다. 그 이상으로 매듭에 손이 닿을 수는 없었다. 밧줄은 그녀가 기대고 있는 벽 어딘가에 깊숙이 연결되어 있는 것인지 일어나 보려고 해도 자꾸만 다시 주저앉게 되었다.

한참 낑낑대며 손을 움직이던 유리는 결국 이대로 매듭을 풀 수는 없다는 걸 깨달았다. 그녀는 주위를 면밀히 살폈다. 뭔가 사용할 수 있는 도구가 있을 거야. 미르가 그렇게 꼼꼼한 성격은 아니니까…… 분명히 어딘가 단도 같은 걸 흘렸을 텐데. 대체 어디 있는 거지? 주위를 둘러보는데 유리병 파편이 눈에 들어왔다. 꽤나 크고 날카로워서 밧줄을 자르는 데에 쓸 만할 것 같았다.

유리는 벽에 등을 기댄 채 몸을 옆으로 살짝 기울였다. 그리고 다리를 조금씩 앞으로 움직여 파편을 건드렸다. 파편이 신발 콧등에 살짝 닿았지만 그것뿐이었다. 까딱거리는 움직임에 파편은 조금씩 그녀에게서 멀어졌다. 하지만 포기할 수는 없었다. 유리는 멀어지는 파편 쪽으로 발을 움직였다.

4년 전, 미르에게서 도망치려 안간힘을 썼던 기억이 났다. 옛 연인은 철두철미한 성격이 아니었다. 처음에 유리는 미르의 느긋하고 여유로운 면을 보고 자유분방한 청년이라고 생각했다. 사실 어느 정도는 맞는 말이었다. 그는 틀에 박혀 사는 것을 싫어했으니까. 하지만 그 이면 뒤에 이런 모습이 숨겨져 있을 것이라고는 전혀 생각지 못했다. 눈빛만을 보고 미르의 광기까지 모두 꿰뚫어 보다니, 그런 점에서 유리는 돌아가신 스승님이 참 대단해 보였다.

파편을 주워보려 발을 움직이던 유리는 그만 균형을 잃고 옆으로 엎어졌다. 아주 잠시 동안 세상이 도는 것처럼 어지럽더니 관자놀이에 따끔하고 찌릿한 고통이 느껴졌다. 하지만 그런 고통 따위 지금은 아무것도 아니었다. 유리는 옆으로 엎어진 채 필사적으로 발을 움직였다. 이윽고 신발 끝에 닿은 조각이 조금씩 다시 움직이기 시작했다. 조금만…… 조금만 더 가까이……! 됐다! 마침내 조각이 발등에 다시 닿았다. 그녀의 발에 가볍게 채인 파편 조각은 미끄러지듯 손에 닿을 수 있는 거리까지 다가왔다.

그녀는 등에 벽을 기대고 천천히 몸을 일으켜 손에 유리 조각을 잡았다. 따끔한 느낌이 손바닥으로 전해져 왔고, 파편에 베인 상처 위로 피가 흘러나왔다. 유리는 이를 악물고 매듭 끝을 잡았다. 그리고 조금씩 유리병 조각으로 칼질을 하듯 잘랐다. 다행히도 밧줄은 그리 두꺼운 편이 아니었지만 양손이 묶인 탓에 유리는 매듭을 자르는 데 애를 먹었다. 마침내 손목을 꽉 잡고 있던 매듭이 스르르 풀리는 느낌이 났다. 손이 자유로워지자 유리는 파편으로 발에 묶인 매듭도 풀어냈다.

유리는 자리에서 일어나 일단 검부터 찾았다. 다행스럽게도 천체검은 눈에 쉽게 띄는 선반 위에 놓여 있었다. 그녀는 검을 챙긴 뒤 붉은 양초 하나를 집어들고 미르가 걸어 나갔던 쪽으로 가보았다. 어둠 속에 가려져 있던 작은 통로가 드러났고, 앞에 돌로 만들어진 문이 있었다. 문고리 하나 없이 울퉁불퉁한 돌을 깎아 대충 만든 듯한 문이었다.

안될 것이라는 것을 알면서도 유리는 그 문을 힘껏 밀어보았다. 역시 예상대로였다. 미르가 그리 철두철미한 성격은 아닐지라도 이렇게까지 허술한 사람은 아니었다. 그녀는 칼끝으로 문을 내리찍을까 하다가 그 생각을 관두었다. 괜히 내리쳤다가는 검만 부러질 것 같았다.

유리를 양초를 들고 다른 출구나 통로는 없는지 동굴 곳곳을 돌아다니며 살폈다. 그러나 다른 문은 보이지 않았다. 나가는 곳은 오직 그 바위문 하나뿐인 것 같았다. 그녀는 망연자실한 표정으로 자리에 주저앉았다. 어떻게 저 문을 뚫고 나갈 방법이 없을까? 강한 마력이라면 이까짓 바위쯤이야 얼마든지 부수고도 남을 텐데…….

잠깐, 마력? 마력이라……. 카이가 골동품 가게에서 샀던 투명한 조약돌이 생각났다. 테네브리스가 염주로 바꿨었는데. 순간이동석이라고 했었나? 유리는 다급한 손길로 염주를 찾았다. 그러나 손목은 허전하기만 했다. 그제서야 유리는 여태껏 염주를 차고 있지 않았다는 사실을 깨달았다. 그리고 잊고 있었던 마력 가루와 마력 흡수에 대한 서적도 생각이 났다.

다급해진 유리는 온 선반과 서랍을 뒤지기 시작했다. 서랍에는 온갖 날붙이와 밧줄 따위 같은 고문이나 살인을 위한 도구들로 가득했고, 선반 위에는 알 수 없는 붉은 액체가 담긴 술병들로 즐비했다. 그러나 자신의 낡은 가방은 어디에도 없었다. 유리는 떨리는 손으로 물건들을 이리저리 손으로 헤집었다.

허둥지둥하던 그녀의 눈에 뭔가 들어왔다. 오른쪽 선반 위에 낯익은 갈색 가방이 보였다. 유리는 헐레벌떡 선반으로 달려가 가방을 뒤져 보았다. 다행히도 라일이 준 마력 가루와 책, 돈주머니가 그대로 있었다. 그러나 어찌 된 일인지 염주는 눈을 씻고 보아도 없었다. 카이가 주었던 마법 도서관 출입패도 보이지 않았다. 미르가 가방을 뒤진 모양이었다. 유리는 불안함에 숨을 헐떡였으나 침착하려 애썼다. 아니야, 이럴 거라고 예상 못한 건 아니잖아. 가지고 나갔을 리는 없을 테고…… 그렇다면 분명히 이 안에 있을 텐데.

유리는 다시 꼼꼼하게 모든 서랍과 선반을 살펴보기 시작했다. 한참 동안 이곳저곳의 서랍을 열었다 닫았다 하던 그녀는 반대편 구석에 작은 탁상이 있는 것을 보았다. 탁상 위에 검은색 염주와 출입패가 있었다. 애타게 찾던 물건을 보자마자 저절로 안도의 한숨이 나왔다. 됐다! 이제 나갈 수 있어. 이제 이 끔찍한 곳에서 나갈 수 있다고! 그녀는 탁상 쪽으로 발걸음을 옮겼다.

어딘가에서 문이 끼이익하고 열리는 소리가 났다. 유리는 제자리에서 더 움직이지 못하고 그대로 굳어버렸다. 그녀는 소리가 난 방향으로 천천히 고개를 돌렸다. 어둠 속에서 미르가 입가에 피를 잔뜩 묻힌 채 걸어 들어왔다. 혈석검에 피가 흥건한 것을 보아 또 누군가를 죽이고 온 듯했다. 유리와 시선을 마주한 미르의 얼굴 위로 의문과 불안, 언짢은 감정이 교차했다. 그는 유리가 손에 들고 있는 가방과 잘려 있는 밧줄을 번갈아 보더니 불쾌하다는 듯 인상을 찌푸렸다.

"지금 뭐 하는 거야?"

당황한 유리는 아무 말도 하지 못했다. 미르는 혈석검을 어깨에 기댄 채 이쪽으로 다가왔다.

"지금 뭐 하는 거냐고 물었잖아. 대답 안 해? 밧줄은 어떻게 풀었어?"

"그, 그게……."

"그리고 서랍은 대체 왜 열려 있어? 너 내 물건에 손댄 거야? 너 뭐 했어?"

"아, 아무것도 아니야."

"아무것도 아니라고? 그럼 검은 왜 들고 있는데, 응? 도망가려고 한 거 아니야?"

미르는 쉴 새 없이 유리를 몰아붙이며 추궁했다. 그는 마력으로 불꽃을 피워내 고리를 만들었다. 유리는 불꽃 고리를 피해 뒷걸음질쳤지만 벽에 가로막혀 도망칠 수 없었다. 살인마를 피해 벗어날 곳은 아무 데도 없었다. 불꽃 고리가 주위를 감쌌다. 미르는 마력으로 유리의 손에서 검을 쳐냈다. 그리고 불꽃 고리로 유리를 붙잡고 앞으로 끌어왔다. 광기로 기득한 황금색 눈동자가 그녀를 내려다보았다. 마치 4년 전 미행을 하다 들킨 날로 돌아간 것 같았다.

"날 두고 또 도망을 가시겠다? 내가 그렇게 순순히 보내줄 것 같아?"

"그게 아니라……."

"그게 아니면 대체 뭔데!"

날카로운 고함소리에 유리는 움찔했다. 지금 그의 눈동자는 분노로 이글거리고 있었다. 다정한 목소리로 절대 소리치지 않겠다고 약속하던 아까와는 전혀 다른 사람이 눈앞에 있었다.

"왜, 날 버리고 그 주술사 놈들한테 가게? 그 새끼들이 널 신경이나 쓰는 것 같아?"

"그건……."

"유리, 아직도 모르겠어? 그놈들은 다 위선자야. 널 위하는 척만 하는 거라고."

"아니야! 선우가 그럴 리 없어."

"선우? 아, 그 활이나 쏘면서 설치고 다니던 놈? 글쎄, 그놈이 널 제일 싫어하는 것 같던데? 사당에서 널 챙겨줄 때는 언제고 이제 와서 미쳤다느니, 뭐니. 그놈은 널 친구로 생각한 게 아냐. 그냥 곁에 있으니까 어울렸던 것뿐이지."

"아니야. 선우는 그냥……."

"부정해도 달라지는 건 없어. 그놈들이 네게서 등을 돌렸다는 건 변하지 않는 사실이니까. 생각해봐. 널 정말로 걱정한다면 돌아와달라고 하지 않을까? 돌아와서 같이 자화당에서 살자고 했겠지, 안 그래?"

"자화당? 미르 네가 그걸 어떻게……?"

유리가 놀라서 눈을 깜빡이며 물었다. 미르는 빈정 상한 얼굴로 공허한 웃음을 터뜨렸다.

"널 찾기 위해서 반월성을 샅샅이 뒤지고 다녔는데, 설마 그 정도도 모를 거라고 생각했어? 나를 너무 과소평가하고 있다고 생각하지 않아?"

"나는……."

유리는 말을 잇지 못했다. 미르가 자화당에 대해서 알고 있었다니, 그가 얼마나 오랫동안 선우와 동생들을 지켜보고 있었을지 생각만 해도 머리가 아팠다. 언제 미르가 그들을 찾아가 죽일지 모른다고 생각하니 숨이 멎는 것 같았다. 그 눈치 빠른 선우조차도 미르가 돌아왔다는 것에 대해선 전혀 모르고 있는 게 분명했다. 유리는 두려움에 손이 벌벌 떨렸다. 그러나 미르의 관심은 어디까지나 자신을 향했다. 처음부터 끝까지 그의 마음은 오로지 연인에 대한 생각뿐이었다. 미르는 그녀 말고 다른 사람에게는 절대로 눈길조차 주지 않았다. 그는 오직 유리만을 바라보았다. 그 사실에 안도해야 할지, 아니면 걱정해야 할지 유리는 알 수 없었다.

"내가 말했지. 넌 어차피 혼자라고."

미르가 나지막하게 말했다. 혼자. 그 말이 어쩐지 쓸쓸하고 공허하게 들려왔다.

"그거 알아? 너 때문에 그 노인네가 죽은 거야. 네가 날 따라와서."

"뭐…… 뭐?"

"내가 4년 전에 뭐라고 했어? 내가 돌아올 때까지 얌전히 기다리라고 했지? 근데 넌 어떻게 했더라? 내 말 안 듣고 날 미행했잖아. 그러게 내 말 좀 듣지 그랬어. 날 따라오지만 않았어도 이렇게 되는 일은 없었을 것 아냐?"

"말도 안 되는 소리 하지 마. 그때 내가 널 따라갔던 건,"

"여행이 끝난 뒤에 난 어차피 반월성으로 다시 돌아올 생각이었어. 내가 코르부스에서 태어났다고 해도, 결국 내게 있어서 진짜 고향은 반월성이니까. 너만 가만히 있었으면 나랑 다니면서도 가끔씩 노인네 얼굴은 보러 갈 수 있었을 거야. 아마 그 주술사 놈들도 지금 전부 살아있었겠지. 하지만 네가 우리 약속을 깨뜨렸어. 내가 돌아올 때까지 날 기다리고 있겠다는 그 약속을. 네가 날 안 믿었기 때문에 이렇게 된 거야, 알아? 그 사소한 약속 하나를 못 지켜서, 네 스스로 모든 걸 망친 거라고."

미르는 싸늘한 시선으로 약속을 저버린 연인을 내려다보았다.

"하지만 걱정 마. 이미 널 용서하기로 마음먹었으니까. 내가 네게만 특별히 베푸는 자비야. 널 위해서."

그는 큰마음 먹고 선심이라도 쓰는 양 말했다. 유리는 용서라는 말에 고개를 들었다. 기가 막혀 헛웃음이 나올 것만 같았다.

"생각해봐. 난 너한테 배신당했어. 믿는 도끼에 발등이 찍혀버렸다고. 그런데도 난 이렇게 널 다시 받아주잖아. 아무런 대가도 없이 말이야. 널 위해 모든 걸 다 버리고 이렇게 헌신하는 사람이 또 어디에 있겠어?"

미르는 차가운 손을 유리의 손등 위로 살며시 포개어 잡았다.

"네가 살인마와 함께 했다는 사실을 알면 아무도 곁에 남아있지 않을 거야. 사람들이란 원래 그런 존재야. 늘 자기 안위에만 관심이 있지, 남들이 어떻게 되든 전혀 상관하지 않아. 기억 안 나? 네가 그렇게 길바닥에서 굶주려 죽어가고 있는데 아무도 도와주지 않았잖아. 네 부모든 친척이든, 누구든."

유리는 고개를 다시 떨구었다. 부모님의 죽음이 생각났다. 살려달라고 바짓가랑이를 붙잡고 늘어지던 어머니, 산 채로 간을 뜯기고 죽은 아버지, 그리고 돌아가신 스승님과 그 시체를 부여잡고 우는 선우의 모습이 기억을 스쳐 지나갔다. 과거의 기억이었지만 지금 바로 눈앞에 있는 것처럼 생생했다. 유리는 얼굴을 감싸쥐고 고개를 저었다. 마른 눈물 자국 위로 뜨거운 눈물이 흘렀다.

평생을 혼자 이렇게 살아야 한다고 생각하니 끔찍했다. 이미 부모님의 죽음으로 복수가 덧없다는 것을 깨달아버린 그녀였다. 설령 미르에게 복수하더라도 달라질 것은 없었다. 자신은 혼자였고, 어딜 가든 반가운 인사 대신 경멸의 눈초리가 자신을 맞이했다. 살인마와 연인이었다는 사실을 알면 자신도 오해받을 것이 분명했다. 지금 카이와 유리에 대해 떠돌고 있는 소문이 딱 그런 꼴이었다. 결국 내 곁에는 아무도 남지 않으리라. 그 사람이 선우든 테네브리스든, 아니면 다른 사람이든 변함없었다.

"울지 마. 내가 있는 한, 넌 혼자가 아니야. 늘 네 곁에 있을 거야. 널 사랑하니까."

미르가 따뜻한 목소리로 말했다. 그는 뺨에 흐르는 눈물을 닦아주며 입꼬리를 올려 씩 웃었다. 또다시 황금색 눈동자가 광기로 번뜩였다. 유리는 소름이 끼쳤다. 지금 미르가 말하고 있는 건 절대로 사랑이 아니었다. 집착이었다. 어떻게든 자신을 곁에 두겠다는 집착. 겁에 질린 유리는 불꽃 고리에서 도망치려 발버둥쳤다. 하지만 집념 강한 살인마가 그녀를 다시 놓아줄 리 없었다. 미르는 불꽃 고리를 바짝 당겨 유리가 마력 안에서 벗어나지 못하도록 꽉 붙잡았다. 그는 두려움에 떠는 연인의 모습을 애처롭게 바라보았다.

"왜 이렇게 무서워해? 안 괴롭힌다니까. 도망가려고 하지 마. 얌전히 있어."

미르가 부드럽게 타이르듯 말했다. 하지만 유리에게는 그 말이 들리지 않았다. 여기서 벗어나고만 싶었다. 차라리 혼자 평생을 고통스럽게 살아가더라도 미르와 함께 살아갈 수는 없었다. 그녀는 빠져나가려 온몸을 흔들며 몸부림쳤다. 자신에게서 벗어나기만 하려고 하는 모습에 미르는 유리의 몸을 불꽃 고리로 더 강하게 조였다.

"얌전히 있으라고 했잖아!"

날카로운 목소리가 동굴 안에 메아리쳤다. 다정한 표정으로 자신을 바라보던 얼굴 위로 또다시 분노가 드리웠다. 감정이 바뀔 때마다 미르는 완전히 다른 사람 같았다. 유리는 침을 꾹 삼키며 미르의 어깨 너머로 보이는 반대편 탁상을 흘깃 보았다. 카이가 주었던 순간이동석이 거기 있었다. 지금 이 악몽 같은 상황에서 벗어날 수 있는 유일한 탈출구였다.

미르는 그녀의 시선을 따라 옆으로 고개를 돌렸다. 그는 언짢은 눈빛으로 유리가 바라보는 곳과 그녀의 얼굴을 번갈아 보았다.

"서랍을 뒤지면서 네가 찾던 물건이 저거였어?"

미르가 등 뒤로 손을 뻗으며 물었다. 곧 마력에 이끌려 허공을 날아온 물건이 그의 손에 잡혔다.

"그런데 말이야, 유리. 네 염주에서 마력 기운이 느껴지더라? 내가 알기로 주술사들은 절대로 마법을 쓸 수가 없는데 말이지. 좀 이상하지 않아?"

유리를 약 올리듯 미르는 그녀의 눈앞에다 대고 염주를 흔들어 보였다.

"솔직하게 말해. 이게 무슨 물건인지."

부드럽고 매끄러운 목소리는 점점 우울한 분노로 물들어 갔다. 유리는 입을 꾹 다문 채 침묵을 지켰다. 설령 목에 칼이 들어오더라도 순간이동석에 대해서는 절대로 얘기할 수 없었다. 그 물건은 미르에게서 벗어날 수 있는 유일한 탈출구였다. 유리가 못 들은 척 입을 다물고 있자 미르는 거칠게 한 손으로 그녀의 목을 졸랐다.

"좋게 얘기할 때 말해."

"그, 그건 그냥 염주야."

숨이 막히는 고통에 유리는 얼굴을 찡그렸다. 미르는 유리의 말을 믿지 않았다. 그는 유리의 머리채를 잡고 바닥에 내동댕이쳤다. 살갗이 쓸리는 고통에 그녀는 신음을 내뱉었다.

"너 지금 누굴 바보로 아는 모양인데, 날 속일 생각은 추호도 하지 않는 게 좋을 거야."

"지, 진짜야. 그냥 염주일 뿐이야. 믿어줘."

"거짓말."

"진짜라니까……."

"또 거짓말. 주술사가 마법 도서관은 왜 드나드는데, 응? 마력 가루에 출입패까지 들고, 네가 마법 도서관을 그렇게 자주 갈 일이 뭐가 있는데? 솔직하게 말해. 테네브리스랑 둘이 무슨 일 꾸미고 있는 거 맞지?"

"그, 그런 거 아니야."

"자꾸 거짓말할 거야? 말해. 그 새끼가 너한테 뭐라고 했어?"

"아무 말도 안 했어. 믿어줘……."

유리의 계속된 부정에 미르는 주머니에서 작은 단도 한 사루를 꺼냈다. 그리고 유리의 팔을 거칠게 잡아 그녀의 팔을 그었다. 하얀 피부 위로 검붉은빛 피가 흘러나왔다. 살갗이 찢기는 고통에 유리가 신음 소리를 냈다. 조금 전 살해당한 남자가 떠올랐다. 설마 나도 그렇게 죽게 되는 걸까. 여기서 허무하게 죽을 수는 없는데. 마음 속에 두려움이 걷잡을 수 없이 밀려왔다.

"내가 정말 이렇게까지 해야겠어?"

"제발 살려줘."

"걱정하지 마, 널 죽일 생각은 없으니까. 네가 갖고 있던 이 물건들에 대해서 이실직고한다면 이렇게 아플 일도 없어."

"정말 아무것도 아니야……."

"나 많이 봐주고 있는 거야. 내 인내심을 시험하려고 들지 마. 똑바로 말해."

"아냐…… 진짜라니까."

"틀린 대답이야."

미르는 다시 칼끝으로 유리의 살갗을 그었다. 유리는 고통을 참으려 이를 악물었다.

"제발 믿어줘."

"다시 물을게. 마지막 기회야."

"그냥 염주라니까……."

유리는 자신을 노려보는 그의 시선을 피해 눈을 감았다. 계속 유리가 대답을 회피하자 미르는 긴 한숨을 내쉬며 어쩔 수 없다는 표정으로 그녀를 내려다보았다.

"내가 마지막 기회라고 했을 텐데."

미르는 유리의 목을 조르던 한 손에서 보랏빛 마력 안개를 피워냈다. 마력 안개가 몸안으로 스며들며 온몸에 찌릿한 고통이 흐르기 시작했다. 잊고 있던 기억이 생생하게 되살아났다. 등에 식은 땀이 흐르고 심장이 빠르게 뛰며 숨이 가빠졌다. 시야가 흐려지며 금방이라도 정신을 잃을 듯한 어지러움이 몰려왔다.

차라리 지금 죽어버렸으면 좋겠다는 생각이 들었다. 하지만 미르는 자신의 옛 연인을 죽일 생각은 없었다. 그것만큼은 진심이었다. 그는 마법사인 만큼 마력 조절에 아주 능숙했다. 오랫동안 살인을 저질러 온 만큼 어느 정도로 마력을 써야 적당히 고통을 느끼는지, 어떻게 해야 마법으로 사람을 죽일 수 있는지 잘 알고 있었다.

그런 미르가 자신을 놓아주지 않으리라는 것을 유리도 알고 있었다. 유리는 미르를 노려보며 그녀가 사랑했던 그 아름다웠던 얼굴에 침을 뱉었다. 그러나 적대적인 행동은 미르를 더욱 분노하게 만들뿐이었다. 미르는 유리의 머리채를 거칠게 움켜잡았다.

“그 어떤 정신 마법보다도 효과적인 게 뭔지 알아? 마음에 공포를 심어주는 거야. 사람들은 좋게 말하면 절대로 듣지 않지. 하지만 목에 칼이 들어오면, 곧 죽을지도 모른다는 공포를 느끼면 그때서야 고분고분해져. 사람이란 참 간사하고 비열해. 그렇지 않아, 유리?”

미르는 마력으로 더 강하게 유리의 목을 졸랐다. 숨이 막히는 고통에 유리는 허공에 손을 휘저으며 발버둥쳤다. 고통이 온몸을 휘감자 그의 말처럼 살갗 위로 소름 끼치는 서늘한 공포가 느껴졌다. 하지만 죽음에 대한 공포는 아니었다. 그녀를 감싼 것은 과거의 공포였다. 유리는 진율과 대판 싸웠던 4년 전 어느 날을 떠올렸다.

“네가 그 미르라는 아이와 어울리지 않았으면 좋겠구나.”

서늘한 달빛이 내리며 한기가 뼛속까지 파고 들던 새벽. 진율은 유리를 방 안으로 불러들여 그렇게 말했다. 평소 차분하고 무게감 있던 그의 목소리는 근심과 불안으로 떨리는 것처럼 들렸다. 여느 때처럼 주술사로서의 몸가짐에 대한 조언을 들으리라 생각했던 유리는 갑작스러운 말에 놀라 두 눈을 크게 떴다.

“네? 무슨 말씀이세요?”

"여태껏 살면서 그렇게나 증오심을 가진 사람은 몇 본 적이 없단다. 넌 그 아이가 좋은 사람이라고 하지만, 눈빛에서 그런 살기와 악한 기운이 느껴지는 사람은 처음이더구나. 그런 사람을 가까이 둔다면 너만 위험해질 거야. 그러니 더 이상 만나지 말거라."

진율은 부드럽게 제자를 타일렀다. 유리는 당혹스러운 표정으로 고개를 저었다.

"말도 안 돼요. 미르가 얼마나 마음씨 착하고 따뜻한 사람인데요. 항상 다른 사람부터 생각하고 배려하는 사람이에요. 남에게 베푸는 것이 중요하다고 스승님께서 늘 말씀하셨잖아요. 미르는 바로 그런 사람이라고요."

"화려한 겉모습에 속아서는 안 된다, 유리. 그것이 정말 그 아이의 모습일지 어떻게 알겠니? 누군가를 볼 때는 늘 그 사람의 눈빛을 읽어야 해."

"눈빛만으로 어떤 이를 판단하는 건 편견이에요, 스승님. 보고 싶은 대로만 보시는 것 아닌가요?"

"제아무리 좋은 사람인 척 연기를 한다고 한들 그 악함은 숨길 수 없는 법이란다."

"미르가 악한 사람이라고요? 스승님께서 그걸 어떻게 아시는 건데요?"

흥분한 유리의 목소리가 약간 높아졌다. 진율은 제자를 진정시키려 그녀를 어르고 달래듯 두 손을 꼭 잡고 어루만졌다.

"제발 내 말을 듣거라. 다 너를 위해서 하는 말이니."

"차라리 제가 교리에 어긋나는 일을 해서 그렇다고 말씀하세요. 전 다 알고 있어요. 스승님께선 미르가 마법사여서 싫어하시는 거잖아요. 주술사들의 교리 중에 그런 게 있지 않았나요? 늘 남들에게 베풀고 친절하게 대하라고요. 미르는 스승님께서 항상 말씀하신 그런 따뜻하고 좋은 사람이란 말이에요."

"유리, 진정하고 내 말을 더 들어보거라. 지금 내가 너에게 하고자 하는 말은 교리 때문만이 아니란다. 어떤 면에서는 교리보다도 더 중요한 문제야."

"몰라요. 어쨌든 전 미르랑 같이 수도를 떠날 거예요. 이미 결정했어요."

"수도를 떠날 것이라니?"

진율이 의아한 표정으로 물었다.

"미르랑 내일부터 같이 여행을 떠나기로 약속했어요. 금방 돌아올 생각이니 너무 걱정하지 마세요."

"절대로 허락할 수 없다! 너는 그 아이에게 미쳐 주술사의 본분을 잊어버린 것이냐? 내일 미르가 오면 네가 자리에 없다고 얘기해둘 것이니 그리 알고 있거라."

부드러운 태도를 유지하던 진율의 목소리가 높아졌다. 하지만 여기서 감정에 스스로 잡아먹히도록 놔둔다면 좋을 것이 전혀 없었다. 그는 분노를 가라앉히려 애쓰면서 동시에 제자를 차분하게 설득하려 노력했다. 그러나 제자가 상처 입을까 염려하는 스승의 마음을, 정작 그 제자는 전혀 알지 못했다. 연인과 사랑에 빠져 깊이 매료된 탓이었다. 유리는 자신이 진심으로 미르를 사랑한다고 믿고 있었다. 내 눈에 당장 흙이 들어가도 미르와 만나는 것은 절대 허락할 수 없다는 진율의 말에 유리는 길길이 날뛰었다.

"그깟 교리 때문에 사람을 멋대로 판단하시는 거예요? 스승님께서 언제 미르랑 제대로 이야기나 나눠보신 적 있으세요? 한 번도 없으시잖아요! 미르가 인사할 때마다 받아주지도 않으셨고요. 저희들한테는 누군가를 거짓으로 모함하고 함부로 판단하지 말라고 하셨으면서, 왜 미르한테는 그게 예외가 되는 건데요?"

“교리가 문제가 아니라 그 아이에게 깃든 악한 기운이 가장 문제야. 사람에게 한번 깃든 살의는 쉽게 지워지지 않는 법이지. 그리고 그 아이는 너를 보자마자 홀딱 반해서 좋아한다고 쫓아다니지 않았니? 세상에서 그런 사람들을 가장 조심해야 해. 아무런 이유도, 명분도 없이 처음 보는 이에게 온갖 호의를 베푸는 사람 말이야. 그런 이들은 대개 불순한 목적으로 다가오는 법이니까.”

“저한테는 주술사의 교리 때문에 반대하시는 걸로 들리는데요. 늘 남들에게 친절하게 대하라는 것이 신의 말씀 아니었나요? 왜 아무 잘못도 없는 미르한테 야박하게 구세요? 마법사들은 그런 교리에서 항상 예외가 되는 존재인가요? 멋대로 사람을 골라서 판단하는 게 주술사의 교리라면 전 더 이상 따르지 않겠어요!”

“지금이야 그 마음이 영원하고 절대 변치 않을 것 같겠지. 하지만 네가 사랑이라고 믿고 있는 감정은 착각에 지나지 않는 것이야. 내일부터 너는 그 아이를 볼 생각은 추호도 하지 말고, 방에 들어가서 며칠 동안 근신하고 있거라!”

“사랑이 아니라고요? 제 마음에 대해서 스승님께서 얼마나 아신다고 그런 말씀을 하세요? 왜 마법사들이 주술사들을 무시하는지, 왜 고리타분하다고 하는지 이제야 좀 알겠네요. 그저 마법사라면 적대할 줄밖에 모르니 그런 거라고요! 전 다 알아요. 스승님은 그저 절 붙잡을 핑계를 만드시는 것뿐이죠. 허구한 날 사당에 처박혀서 신의 말씀만 읽고 있으니까 우물 안 개구리가 되신 거예요! 저희들까지 아무것도 모르는 멍청이로 만드실 셈이세요?”

“유리, 네가 정녕 매를 맞아야 정신을 차릴 것이냐!”

결국 억누르고 있던 진율의 화가 폭발하듯 터져 나왔다. 유리는 한참 동안 그와 실랑이를 벌이며 언성을 높였다. 진율의 안방에서 고성이 오고 가자 선우와 동생들은 옆 별채에서 이부자리를 정리하다 말고 밖으로 나왔다. 진율은 선우에게 유리를 별채 끝방에 근신하고 있도록 하고 그녀를 감시하라 명했다. 사실 그도 이렇게까지 하고 싶지 않았으나 위험으로부터 제자를 보호하려면 어쩔 수 없었다. 유리가 말을 듣지 않으니 강하게 나갈 수밖에 없는 것이었다.

무슨 일인지 대강 상황을 파악한 선우는 유리를 끝방으로 데려갔다. 선우도 강제로 유리를 가두어 놓는다는 것이 마음 편하지는 않았다. 그러나 스승의 명령을 거역할 수는 없었고, 유리가 미르를 따라간다면 어떻게 될지 알 수 없었기에 불안한 것 또한 사실이었다. 그렇게 방에 갇힌 유리는 한참을 서럽게 울다 지쳐 잠이 들었다.

다음 날, 미르는 약속한 대로 유리를 데리러 반월당을 찾아왔다. 그는 유리에게 볼 일이 있어 왔으니 얼굴을 보고 싶다고 말했다. 그러나 진율은 미르에게 유리는 더 이상 널 만나고 싶어하지 않으니 찾아오지 말라 경고했다.

미르는 그 말을 믿지 않았다. 그는 어제까지만 해도 나를 잘 따르고 좋아하던 사람이 갑자기 마음이 변했다는 것은 믿기 힘들다며 말했다. 늘 그랬듯 공손하고 예의 바른 태도였지만, 어딘가 냉기가 느껴지는 그 말투는 수틀리면 마력을 사용하겠다고 진율을 협박하고 있었다. 몇 번이고 돌아가라는 말에도 미르는 아랑곳 않고 큰 목소리로 유리를 불렀다.

방 안에서 무릎을 끌어안고 울고 있던 유리는 미르의 목소리를 듣고 자리에서 일어났다. 그녀는 선우의 만류를 뿌리치고 자신의 방으로 가 검과 함께 간단한 짐을 챙겨 헐레벌떡 마당으로 뛰쳐나왔다. 진율은 제발 그를 따라가지 말라 애원했다. 그러나 유리는 죄송하다는 말과 함께 짧은 인사만 남기고 미르를 따라 사당을 나섰다. 그것이 유리가 본 진율의 생전 마지막 모습이었다.

스승님께 평생 씻지 못할 죄를 지었다는 생각에 어깨가 무거웠다. 진율이 말했던 광기 가득한 황금색 눈동자는 지금 이 순간에도 여전히 그녀를 주시하고 있었다. 스승님께서 좋게 이야기할 때는 듣지 않다 이제 와서야 후회하는 모습이라니, 이기적이기 짝이 없었다. 어쩌면 정말로 염치없는 사람은 자신이 아니었을까? 유리의 얼굴 위로 두려움과 후회가 떠올랐다. 무거운 죄책감과 함께 뒤섞인 슬픔이 그녀를 더 비참하고 고통스럽게 만들었다.

"어서 솔직하게 말해, 유리. 안 그러면 더 괴로워질 거야."

스승님 말씀을 들었더라면, 그래서 이런 일이 일어나지 않았더라면 좋았을 텐데. 유리는 미르의 황금색 눈동자 안에서 애처롭게 발버둥치는 자신을 보았다. 눈물과 피로 범벅이 된 얼굴이 겁에 잔뜩 질린 채 사냥감에게 잡힌 먹잇감처럼 바들바들 떨고 있었다. 하지만 황금색 눈동자 안에 비치는 또 다른 것이 있었다. 카이가 주었던 검은색 염주, 아니, 순간이동석이었다. 작은 염주알들이 그의 손바닥 안에서 뒹굴고 있었다.

"바른대로 말해."

미르는 더 세게 유리의 목을 졸랐다. 유리는 그가 원하는 대답 대신 입술을 꽉 깨물었다. 그리고 카이가 있을 테네브리스 저택을 떠올렸다. 도와줘, 테네브리스. 난 살고 싶어. 네가 있는 곳으로 가고 싶어. 여기서 벗어나고 싶어. 제발. 고통에 몸부림 치면서도 유리는 온 정신과 마력을 집중하기 위해 애썼다. 달빛이 비추는 넓고 고요한 저택의 앞뜰과 팔작지붕 위로 빛나는 초승달 장식, 저택 뒤로 하늘을 찌를 듯 높이 솟아 있는 검은 안개 산, 수천 개의 금강석 별이 박혀 있던 동굴과 회색 담을 뒤덮은 덩쿨, 그 아래로 쏟아지는 폭포…….

마력과 정신을 집중하던 유리는 마침내 무언가 떨려 오는 것을 느꼈다. 피가 한 곳으로 쏠리며 가슴이 답답해졌다. 동시에 미르가 들고 있는 염주도 떨리기 시작했다. 미르는 갑작스레 느껴지는 마력 기운에 당황했다.

"당장 말하라니까!"

그는 유리를 놓치지 않으려 그녀의 머리채를 붙잡았다. 숨이 막힌 유리는 거의 넋이 나간 상태였다. 그러나 그녀는 어떻게든 정신을 잃지 않으려고, 짧은 순간만이라도 삶의 끈을 놓지 않으려고 버텼다. 그래야만 카이가 선물한 순간이동석이 자신을 희망으로 데려다 줄 수 있을 테니까. 만약 그가 말했던 것처럼 온몸이 갈기갈기 찢기며 죽는다고 해도 지금 이 고통보다 더 나쁠 수는 없었다.

유리는 마음 속으로 자신의 구원이 될 대마법사의 이름을 간절하게 외쳤다. 곧 그녀는 자신을 강하게 잡아 끄는 투명하고 강렬한 힘을 느꼈다. 그 힘은 유리를 서서히 어딘가로 이끌기 시작했고, 이제 동굴 안에는 오로지 널브러진 시체와 살인마만이 남겨져 있었다. 미르는 그녀가 사라진 자리를 노려보며 한참 동안 분노에 찬 비명을 쏟아낼 뿐이었다.

13장.

깨어진 우정

The Breaking of Friendships

아름다운 수천 개의 금강석 별빛들이 칠흑처럼 어두운 밤하늘을 밝혔다. 그러나 빛은 너무나도 희미해 당장이라도 손을 뻗지 않으면 사라질 것만 같았다. 유리는 별빛들을 만져보려 손을 뻗었다. 하지만 그녀의 손이 닿기에 별들은 너무도 높이 있었다. 닿지 않는 밤하늘에 애써 닿으려고 유리는 손을 더 높이 뻗었다.

그녀의 간절한 마음도 모른 채 달과 별들은 어둠 속으로 모습을 서서히 감추기 시작했다. 달빛과 별빛뿐만 아니라 눈앞의 모든 것이 희미해지고 있었다. 놀란 유리는 위로 더 높이 손을 뻗었다. 가지 마. 날 내버려두고 가지 마, 제발! 난 살고 싶어……. 어둠은 점차 희미해지더니 핏빛으로 변했다. 이제는 어디를 보아도 피 고인 웅덩이뿐이었다. 눈물이 앞을 가렸다. 두 발은 피 고인 웅덩이 속에 빠져나올 생각을 하지 않았다. 전혀 움직일 수가 없었다.

"누나, 유리 누나! 일어나!"

자신을 부르는 익숙한 목소리가 들렸다. 유리는 낯설지 않은 목소리에 눈을 떴다. 고개를 드니 옆에 동생들이 앉아 있었다. 설마 내가 아직도 꿈을 꾸고 있는 걸까. 유리는 당혹스러웠다.

"……준?"

"언니! 다행이다. 또 쓰러져 있어서 얼마나 걱정했는데."

소유는 안도감에 가슴을 쓸어내리며 유리의 손을 꼭 붙들고서 세심하게 언니의 상태를 살폈다. 유리는 동생의 부축을 받으며 머리를 짚고 천천히 일어나 주변을 살폈다. 머리가 깨질 듯이 아파왔다. 이제는 이런 고통을 느끼고 이상한 환청을 듣는 것쯤이야 익숙했다.

소유는 유리가 무엇을 찾으려 하는지 눈치채고 옆에 둔 낡은 갈색 가방과 천체검을 건넸다. 그녀의 짐은 멀쩡해 보였다. 그러나 주변은 그렇지 못했다. 온통 숲으로 둘러싸인 이곳에는 오래된 듯한 잔해 파편들이 널브러져 있었다. 자신이 누워있는 마루 바닥은 반쯤 부서져 온전치 못했고, 벽과 기둥도 모두 처참하게 무너지거나 불에 그을린 듯한 흔적이 있었다.

어딘지 모르게 익숙한 폐허의 모습을 둘러보던 유리는 문득 손에 잡히는 자신의 염주를 발견했다. 염주도 흠집 없이 멀쩡한 모습이었다. 어떻게 된 거지? 여긴 반월당이잖아. 난 분명히 테네브리스 저택으로 가려고 했는데. 그녀는 염주를 만지작거리며 멍하니 마루 바닥을 내려다보기만 했다. 그 모습에 소유가 걱정스러운 듯 유리의 어깨를 토닥였다.

“이제 좀 정신이 들어?”

가까이서 선우의 목소리가 들렸다. 침묵을 깨는 낮은 목소리에 놀라 고개를 들자, 팔짱을 낀 채 눈앞에 서 있는 오랜 친구가 보였다. 유리는 아직도 자신을 원망하고 있을 그를 마주할 자신이 없어 시선을 피했다.

“응, 괜찮아. 그런데 저기…… 여긴 반월당 아니야? 내가 여기 왜 있는 거야?”

유리는 선우 대신 동생들을 보며 입을 열었다. 가만히 있던 혜성이 입을 열었다.

“우리 여기 청소하러 왔었어. 그러다가 갑자기 누나가 정신을 잃은 채로 검은 구멍 안에서 나타나서 살펴보고 있었지. 조금 더 기다려 보고 안 깨어나면 자화당으로 데려갈 참이었어.”

"검은…… 구멍이라니?"

"광장에서 봤던 이상한 구멍 말이야. 네가 그 안에서 튀어나왔다고. 또 얼굴에 피를 잔뜩 묻히고 나타나서는 아무리 불러도 일어나질 않더만."

선우가 가까이 디가와 말했다. 유리는 순간이동석이 자신을 테네브리스 저택이 아닌 반월당으로 데려다 주었다는 사실을 깨달았다. 어떻게 된 걸까, 아무리 생각해 보아도 이해할 수가 없었다. 자신이 가려고 했던 곳은 절대로 이 폐허가 아니었다. 씁쓸한 고통의 기억으로 가득한 이곳으로 미르를 피해서 온다는 것은 말도 되지 않았다. 사당의 처참한 꼴을 백번이고 더 보아야 한다면 차라리 죽겠다는 것이 유리의 생각이었으니까.

어쩌면 순간이동석에 무언가 문제가 생긴 걸지도 몰라, 유리는 그렇게 결론을 지었다. 중력 마법에 미숙한 자들이 만든 물건이라고 했으니 원하는 곳으로 완벽하게 이동하는 일은 불가능할지도 몰랐다. 혹은 그녀 자신이 마법을 다루는 데에 너무나도 미숙한 탓일 수도 있었다. 유리는 고개 숙인 채 팔에 난 상처를 훑어보았다. 급한 대로 약초를 바르고 붕대를 감은 흔적이 있었다.

"솔직히 말해봐. 대체 무슨 일이 있었던 거야?"

선우가 마루에 살짝 걸터앉아 말을 꺼냈다. 동생들도 그녀의 이야기를 들으려는 듯 귀를 쫑긋 세우고 주위에 가까이 둘러앉았다. 어디서부터 얘기해야 할지 감이 오지 않았다. 마법을 증오하는 그에게 섣불리 카이에 대해서 얘기할 수는 없었다. 대뜸 미르에 대한 이야기를 꺼내기에도 이상했다. 죽은 사람이 살아서 돌아왔다고 하면 선우는 뭐라고 할까. 아마 나를 미친 사람으로 보겠지. 굳이 말하지 않아도 뻔한 사실이었다.

"선우 형한테 누나가 그 테네브리스라는 사람이랑 계약을 맺고 일한다고 들었어. 광장에서 봤던 것도 그렇고, 누나가 이상한 구멍에서 나온 것도 그렇고. 혹시 그 사람이 누나를 괴롭힌 거야?"

준이 조심스럽게 물었다. 동생들의 얼굴을 보아 그들은 카이가 유리를 이 꼴로 만들었다고 생각하는 것 같았다. 적어도 선우는 거의 확실하다고 믿고 있는 표정이었다. 유리는 고민하다 겨우 입을 열었다.

"그런 건 아냐. 어디서부터 시작해야 될지 모르겠는데…… 내가 전에 얘기한 대로, 카이 테네브리스가 범인이라는 건 전부 오해야."

"또 그 소리야, 너?"

선우가 유리의 말을 끊으며 쏘아붙였다.

"좀 들어봐, 얘기 안 끝났어. 나도 처음에는 테네브리스가 범인일지도 모른다고 생각했어. 그 사람은 평범한 마법사가 아니거든. 너희도 조금 봐서 알겠지만, 그 사람은 테네브리스 가문 출신에다 열 여섯 살에 대마법사 임명까지 받은 사람이야. 그렇게 뛰어난 사람이라면 얼마든지 흔적을 숨길 수 있을 거라고 생각했지. 또 흉흉한 소문까지 도니까 나도 엮이고 싶지 않아서 멀리 하려고 했었어. 그런데 테네브리스가 내게 시체 조사를 해달라고 했어."

"시체 조사?"

소유가 눈썹을 찡그리며 물었다.

"응, 자기도 돌고 있는 소문 때문에 조금 곤란하다고 하더라고. 그래서 무슨 일인지 알아봐야겠으니 나더러 조사를 도와달라고 했었거든. 반신반의했지만 어쨌든 믿어보기로 하고 조사를 하러 갔었는데…… 뭔가 이상했어. 시체를 봤는데 손가락이 모두 잘려 있었어. 소문대로 송곳니 자국도 있었고, 몸의 피도 모두 빨려 나가 있었지. 하지만 전혀 낯설지가 않았어. 전에도 손가락이 잘린 시체를 본 적이 있었으니까. 스승님하고 대판 싸우고 나서 여길 나왔을 때 말이야."

유리는 침을 꾹 삼켰다. 그리고 자신을 혼란스러운 눈빛으로 쳐다보는 옛 동료들을 향해 다시 입을 열었다.

"너희들은 믿기지 않겠지만, 지금부터 내가 하는 얘기 잘 들어. 얼마 전에 미르를 여관에서 만났어."

긴 정적이 감돌았다. 모두들 무슨 소리인지 모르겠다는 표정이었다.

"무슨 정신 나간 소리야? 그놈을 만났다니?"

선우가 팔짱을 낀 채 인상을 쓰고 물었다.

"믿기지 않겠지만 정말이야. 나도 처음엔 술에 취해서 꿈을 꾸는 게 아닌가, 헛것을 보고 있는 게 아닌가 했는데…… 아무리 봐도 미르였어."

"웃기지 마, 잘못 봤겠지. 그놈 죽은 지가 언젠데."

"내가 미친 사람처럼 보이는 거 알아. 하지만 정말이야. 미르가 정말 살아 있었다니까! 잘못 봤다기엔 스승님 일도 그렇고 나에 대해서도 너무 잘 알고 있었어. 이 상처도 다 미르가 한 짓이야. 방금까지만 해도 미르한테 붙잡혀 있었,"

"소문처럼 너도 마력 때문에 미치기라도 한 거야? 무슨 말도 안 되는 소릴 하고 있어, 대체?"

"진짜라니까! 나 거짓말하는 거 아냐, 선우야. 동생들 앞에서 내가 왜 그러겠어?"

유리가 울먹이는 목소리로 말했다. 하지만 선우는 누군가의 눈물 앞에서 약해지는 사람이 아니었다. 선우는 어이없다는 듯 헛웃음을 터뜨리더니 자리에서 일어났다.

"그래, 네 말이 맞다 치자. 네가 사실대로 얘기하고 있다 쳐. 하지만 그렇다고 해도 그놈이랑 같이 다니는 이유가 설명이 안 되잖아? 이미 그런 일을 한 번 겪고도 살인자라는 소문이 떠도는 사람이랑 붙어 다니는 건 정상이 아니지. 난 네가 그 테네브리스니 뭐니 하는 기생오라비같이 생긴 놈한테 홀려서 변명하는 걸로밖에 안 들려. 그리고 그놈이 살아 있었다면 당장 우리한테 찾아왔겠지, 안 그래? 살아 있다면 당장 우리부터 죽이려고 했을 것 같은데. 내 생각은 그래."

"테네브리스랑 다니는 건 딱히 특별한 이유는 없어. 내가 마법을 가르쳐 달라고 해서 같이 다니는 것뿐이야."

"마법을 가르쳐 달라고 했다고? 왜?"

혜성이 놀라서 물었다.

"미르 때문이야. 내가 이상한 말을 하는 것 같고 정신 나간 것처럼 보이겠지만 정말이야. 걔가 무슨 생각을 하고 있는지는 몰라도 느낌이 안 좋아. 그래서 미르를 상대하려면 마법만이 답이라고 생각했어. 내가 지금 여기에 갑자기 나타날 수 있었던 이유도 테네브리스가 준 물건 덕분이야. 이 순간이동석이 없었다면 난 벌써 죽었을 거야."

유리가 염주를 내려다보며 말했다. 마법으로 변형을 시킨 탓에 어느 것이 순간이동석인지는 그녀조차도 알 수 없었다. 카이의 도움이 없었다면 자신은 여기까지 오지 못했으리라. 유리는 미르에게 붙잡히기 전 그가 순간이동석을 건네준 것이 참 운이 좋았다고 생각했다.

"설령 언니 말이 맞다고 해도 그 방법은 잘못된 것 같아. 마법사들은 자연의 섭리를 어기고 자기들 멋대로 사용하는 사람들이잖아."

"게다가 그 테네브리스라는 사람, 어떻게 보면 스승님을 죽인 사람보다 더 위험할 수도 있어. 광상에서도 봤잖아. 그런 힘을 가진 사람이 더 위험하면 위험했지, 절대 덜하진 않을걸."

"그래, 소문도 돌고 그러잖아. 그냥 좀 어디가 이상한 것도 아니고 살인자라는데."

잠자코 듣고 있던 준과 혜성이 소유의 말을 거들었다. 동생들은 테네브리스와 멀어져야 한다며 유리를 말렸다. 반면 선우는 아무 말도 없었다. 유리는 자신의 말을 믿지 않는 옛 동료들의 모습에 답답함을 느꼈다. 어떻게 그들을 설득해야 할지 몰라 눈앞이 깜깜해졌다. 자신의 말을 증명한답시고 동생들을 미르에게 데려갈 수도 없는 노릇이었다.

“너희는 잘 모르니까 그렇게 생각할 수도 있겠지. 이해해. 나도 처음엔 그랬으니까. 하지만 미르가 자화당 얘기를 했어. 너희들이 어디 있는지 쭉 지켜보고 있었던 것 같아. 거기 있으면 위험해질지도 몰라. 그러니까 무슨 일이 생기기 전에 피신을,”

“여기서 뭐 하는 거지?”

익숙한 중저음의 목소리가 그녀의 말을 끊었다. 모두의 시선이 목소리가 들려온 방향으로 향했다. 사당 폐허의 입구에 검은 망토를 두른 날카로운 인상의 남자가 서 있었다.

“테, 테네브리스? 네가 어떻게 여길…….”

“계약서에 일을 아무렇게나 내팽개치고 놀아도 된다는 내용은 없었는데, 아가씨.”

카이는 태연하게 폐허 안으로 걸어 들어왔다. 다른 주술사들은 그를 보고 경계하며 뒤로 물러났다.

“테네브리스, 네가 대체 여길 어떻게 온 거야?”

“내가 순간이동석을 준 뒤로 며칠 동안 저택에 코빼기도 안 보이더군. 어디다 비싼 값에 팔아먹고 도망이라도 간 건 아닌가 싶어서 라일에게 널 반드시 찾아내라고 했지.”

카이는 놀란 얼굴로 멍하니 자신을 쳐다보는 유리에게 가까이 다가왔다.

“그런데 여기서 태평하게 놀고 있었어? 하라는 일은 안 하고?”

“그게 아니라 일이 좀 생겨서…….”

“뭐, 네 친구들하고 한가하게 잡담이나 하는 일?”

"아냐, 정말로 일이 좀 있었어. 그리고 네 순간이동석도 안 팔아먹었으니까 걱정하지 마."

그의 비꼬는 말투에 유리는 옷소매를 걷어 손목에 차고 있는 염주를 카이에게 내보였다. 카이는 염주를 흘깃 보더니 의외라는 표정으로 한쪽 눈썹을 치켜 올렸다.

"잡담 그만하고 이제 돌아가지. 밀린 일이 산더미야."

카이는 어서 떠나자는 듯 돌아서며 유리에게 고갯짓을 했다. 그러나 유리는 당장 떠날 수가 없었다. 옛 동료들의 얼굴 위로 떠오른 선명한 경계심을 읽은 그녀는 언뜻 이 상황이 4년 전과 비슷하다는 것을 깨달았다. 카이를 의심하는 옛 동료들에게 그가 범인이 아니라고 항변하는 자신, 자신을 데리러 온 마법사 청년, 그 마법사를 적대시하는 동료 주술사들까지. 4년 전 자신이 미르가 좋은 사람이라고 감싸며 그를 따라 나섰던 기억과 소름 끼치도록 똑같았다.

선우와 동생들은 카이가 어떻게 알고 왔는지는 둘째치고, 그가 다짜고짜 나타나 유리를 데려가려는 것에 반감을 가진 듯 보였다. 이대로 떠난다면 절대로 오해를 풀 수 없으리라. 검을 챙겨 일어나려던 유리는 도로 자리에 앉았다. 미르의 모습이 자꾸만 아른거려 불안해졌다. 그가 자화당에 대해 알고 있는 이상 무슨 일이 일어날지 장담할 수 없었다.

"미안해, 테네브리스. 조금만 더 있다 갈게. 꼭 얘기할 게 있어서."

"지금 어딜 간다는 거야?"

선우는 유리의 팔을 붙잡고 자신 쪽으로 가까이 끌어당겼다.

"못 가. 난 널 저런 살인마 새끼한테 같이 보낼 생각 없어."

"왜 이래? 아니라고 했잖아."

"저 새끼가 널 마법으로 세뇌시켰을지 뭘 했을지 어떻게 알고 같이 간다는 거야? 또 옛날처럼 비참한 꼴 보고 싶어?"

경계심 섞인 선우의 날카로운 어투에 카이는 어이없다는 듯 헛웃음을 지었다.

"실망시켜서 미안하지만 난 그 여자한테 손댄 적 없어."

"웃기지 마."

"어쨌든 그 여잔 나와 계약한, 내가 고용한 사람이야. 그러니까 내가 시키는 대로 할 의무가 있지."

"계약이고 나발이고 그건 당신 사정이고. 난 유리를 당신 같은 살인마랑 순순히 가게 놔둘 생각 없어."

광장에서처럼 또다시 험악해지려는 분위기였다. 동생들은 조금씩 뒷걸음질치며 선우 뒤에 섰다. 이번엔 싸움을 말릴 생각이 없는 듯, 다들 가만히 보고만 있었다.

"왜 또 싸워? 싸우지 마. 선우야, 일단 이거 먼저 좀 놓고서 얘기하자, 응?"

"가만 있어."

유리가 벗어나려 자꾸 움직이자 선우는 그녀의 팔을 더 세게 붙잡았다. 유리는 싸늘한 시선으로 서로를 노려보는 두 남자를 번갈아 보았다. 카이도, 선우도 물러날 생각은 전혀 없는 듯했다.

"이거 좀 놓으라니까! 테네브리스는 아무 짓도 안 했어. 일을 구하러 갔다가 우연찮게 만났던 것뿐이야. 처음 만났을 땐 누군지도 몰랐단 말이야! 내가 이런 거 가지고 거짓말할 사람으로 보여?"

"설령 네가 직접 찾아갔다고 해도 못 보내. 마법사란 인간들을 당최 믿을 수가 있어야지. 마법으로 어떤 개수작을 부렸을지 어떻게 알아?"

“개수작? 어이가 없군. 그깟 소문에 팔랑귀처럼 휘둘리는 꼴이라니, 역시 앞뒤가 꽉 막힌 고리타분한 주술사답다니까.”

“둘 다 그만해! 왜 만나기만 하면 싸우는 거야? 왜 그래, 정말? 둘 다 미쳤어?”

자신의 말은 들리지도 않는 것처럼 행동하는 두 사내에게 유리는 화가 났다. 차라리 저 둘이 진짜로 미쳐서 그런다면 안심이 될 터였다. 그러나 두 사람은 모두 제정신으로 말을 내뱉고 행동하고 있었고, 진심으로 서로를 증오하고 있었다. 아니, 사실 카이의 생각은 어떤지 확실치 않았다. 이런 순간에도 그의 얼굴엔 감정 하나 없었으니까. 그러나 적어도 선우는 과거 일 때문인지 진심으로 카이를 증오하고 있는 듯 보였다.

“내 농담에 너무 연연하지 말라고 하지 않았었나? 난 일 때문에 이 아가씨가 필요한 것뿐이야. 당신과 상관없는 일이니 신경 꺼.”

“미안한데 그 부탁은 못 들어주겠어. 유리는 주술사고, 당신은 자연의 섭리에 어긋나는 짓을 하는 살인마거든. 어쨌든 가려면 혼자 가시지. 유리는 여기에 우리랑 있을 거니까.”

“자연의 섭리라……. 뭐, 이런 걸 말하는 건가?”

카이는 입구 근처 나무 밑에 죽어 있는 어린 사슴의 사체를 향해 손을 뻗었다. 그의 손안에서 검은 안개가 피어났고, 검은 안개는 영안실에서 그랬듯 죽은 어린 사슴의 사체 안으로 스며들더니 다시 흘러나와 그 주변을 둘러쌌다. 곧 믿을 수 없는 일이 벌어졌다. 눈알과 몸이 반쯤 썩어 들어간 죽은 사슴이 스스로 땅을 딛고 일어난 것이었다. 사슴은 일어나 끽끽대는 소리를 냈다. 그러더니 선우 일행을 보고 소스라치게 놀란 듯, 썩어 문드러져 뼈가 드러난 한쪽 다리를 절뚝거리며 저 멀리 도망가버렸다.

죽은 짐승이 살아 움직이는 기괴한 모습에 선우 일행은 모두 숨이 멎은 듯 눈만 깜빡였다. 유리는 일이 완전히 꼬여버렸다는 생각에 얼굴을 두 손으로 감싸고 한숨을 쉬었다. 오로지 카이만이 자신만만한 표정으로 여유로운 웃음을 짓고 있었다. 하지만 그는 거기서 멈추지 않았다. 카이는 검은 안개를 움직여 다섯 개의 비석을 향해 손을 뻗었다.

"자, 이제 공손하게 얘기해 보시지, 주술사 나리들. 특별히 자비를 베풀어서 네 죽은 친구들도 살려줄 테니까."

카이가 눈 하나 꿈쩍 않고 말했다. 그의 행동을 경악한 얼굴로 바라보고만 있던 선우 일행은 참지 못하고 검을 꺼내 들었다.

"강령술을 쓰다니……! 그 금기를!"

"살인마! 유리 누나한테 무슨 짓을 한 거야?"

동생들은 카이를 향해 검을 겨누고 달려들었다. 카이는 자신에게 겁도 없이 달려드는 주술사들을 향해 다른 한 손을 뻗었다. 그와 동시에 세 자루의 천체검이 바닥으로 툭 떨어졌고 동생들의 몸은 공중으로 붕 떠올랐다. 카이는 다시 마력이 깃든 손짓을 했다. 동생들은 아무것도 해보지 못한 채 자신들의 천체검 옆에 힘없이 떨어져 데굴데굴 굴렀다. 그 광경에 선우가 독화살 한 발을 집어들어 카이를 향해 활시위를 당겼다.

"살인마 새끼. 역시 그럴 줄 알았어."

"그깟 화살로 날 죽일 수 있을 것 같나?"

"기회만 된다면 기꺼이 기쁜 마음으로 죽여주지, 마법사 나리."

"고리타분한 주술사치고는 자신감이 대단하군."

"더러운 마법사 놈들. 너희들은 다 똑같아."

"제발 그만해!"

유리가 소리쳤다. 카이는 그녀를 힐끗 쳐다보고선 다시 선우에게 시선을 돌렸다.

"주술사들은 전부 고지식한 줄 알았는데, 주술사에도 설마 급이 있을 줄이야."

"뭐라고?"

"적어도 이 여자는 위험을 무릅쓰면서도 그 어렵다는 마법을 스스로 배우려고 노력하거든. 우매하기 짝이 없는 너희들과 달리."

카이가 비아냥대며 말했다. 그의 도발에 선우는 활시위를 더 팽팽하게 당겼다.

"테네브리스 경 장례식에 아들 놈이 코빼기도 안 보였다고 소문이 쫙 깔렸던데. 글쎄, 키워준 아버지의 은혜도 모르는 너 같은 배은망덕한 놈이 또 있을까?"

"남의 일에 너무 쓸데없이 관심이 많군."

"살인도 모자라서 패륜까지 저지르는 놈이라. 그러니 아버지께 절연당한 것 아니겠어?"

선우가 계속 자신의 가문을 들먹이자 카이는 날카로운 두 눈을 부릅떴다. 진하고 붉은 눈동자는 평소보다도 훨씬 더 매섭게 빛났고, 그의 분노에 번개가 내리치는 듯한 '쾅' 소리와 함께 땅에 균열이 생기기 시작했다. 폐허의 잔해와 돌멩이들이 위로 떠올랐다.

동시에 또다시 무언가가 발목을 잡아당기듯 피가 아래로 쏠리며 공기가 무거워지는 느낌이 들었다. 선우도 그 강렬한 기운을 느낀 듯 당황한 얼굴이었다. 하지만 여전히 두 눈은 카이를 노려보고 있었다. 무슨 일이 있어도 그를 향한 적대심은 내려놓지 않을 기세였다. 유리는 중력의 힘에 애써 저항하며 두 사람을 말리려 다가갔다.

"그만해!"

유리가 목소리를 높였다. 그러나 두 사내는 그녀가 뭐라고 하든 안중에도 없었다. 카이는 날카로운 눈을 번뜩이며 선우를 향해 거대한 붉은 안개를 피워내 쏘았다. 동시에 선우도 팽팽하게 당겨진 활시위를 놓았다.

"제발 그만하라니까!"

두 사람이 작정하고 서로를 죽이려 들던 그 순간, 유리는 필사적으로 싸움을 막으려 붉은 마력 안개와 화살 사이로 뛰어들었다. 카이는 유리가 뛰어들자 놀라서 선우에게 쏜 마력의 방향을 재빨리 바꾸었다. 붉은 안개는 선우와 쓰러진 동생들을 빗겨가 돌담을 무너뜨린 뒤, 주변의 숲까지 날아가 거대한 버드나무 한 그루를 완전히 박살내 쓰러뜨렸다. 하지만 이미 날아가버린 선우의 독화살은 제어할 수 있는 것이 아니었다. 아슬아슬하게 유리의 눈앞에서 바로 스쳐 지나간 화살은 카이에게 날아가 정확히 어깨를 관통했다. 고통에 카이는 무릎을 꿇고 주저앉았다.

"테네브리스!"

유리는 놀라서 카이에게 달려갔다. 카이는 어깨에 꽂힌 화살을 부여잡고 얼굴을 찡그렸다.

"세상에, 어떡해! 괜찮아?"

"빌어먹을."

카이는 낮게 욕을 읊조렸다. 유리가 상태를 확인하며 안절부절하고 있는데, 그가 갑자기 두 눈을 날카롭게 다시 부릅떴다. 무시무시한 붉은 눈동자가 수백 개의 태양처럼 번뜩였다. 카이는 붉은 안개를 피워내 한 치의 망설임도 없이 선우를 향해 쏘았다. 안개는 돌풍처럼 빠르게 허공을 날아가 선우가 딛고 있는 땅을 무너뜨렸고, 당황할 틈도 없이 선우는 아래로 추락했다. 겨우 정신을 차린 동생들은 다급하게 아래로 손을 뻗었다. 다행히도 선우는 그들의 손을 잡고 다시 위로 올라올 수 있었다.

"미쳤어? 진짜로 화살을 쏘면 어떡해? 잘못하면 테네브리스가 죽을 뻔했잖아!"

카이의 심각한 상처를 본 유리가 뒤돌아 옛 동료에게 소리쳤다. 선우는 자신이 아닌 다른 이의 편을 드는 유리를 원망 가득한 두 눈으로 보며 옷에 묻은 흙먼지를 털어냈다.

"어차피 죽어야 할 더러운 살인마한테 쏜 것뿐이야."

"오해라고 했잖아! 왜 이렇게 내 말을 안 믿어?"

"오해는 얼어 죽을. 귀족 나리들이랑 같이 다니니까 진짜 네가 귀부인이라도 된 것 같아? 마법사 도련님들이라면 이제 살인마든 망나니든 상관없어?"

"왜 그렇게 얘기하는 거야? 옛날 일은 내 잘못인 거 나도 알고 있어. 하지만 이번엔 진짜 오해라고 몇 번을 말해야겠어? 내가 그렇게 살인마에 미친 사람으로 보여?"

"이미 미친 사람 같은데? 살인마와 계약을 맺은 것도 모자라서 감싸고 도는 꼴이라니."

"오해라니까! 정말이야. 선우 너, 내가 이런 걸로 거짓말할 사람 아니란 거 알고 있잖아."

"유리. 네가 진짜 돌아가신 스승님을 생각한다면, 죽은 동생들을 생각한다면 이렇게 나오면 안 돼. 네가 그 새끼를 따라가고 나서 스승님께서 어떻게 지내셨는지 알아? 잠도 제대로 못 주무시고 늘 네 걱정만 하셨어. 그러면서도 네가 내린 그 결정이 옳기를 바라셨어. 하지만 결국 어떻게 되었지? 우리들 고향이나 다름없던 이곳은 불에 타서 재가 되어버렸고, 이 앞마당을 뛰어다니던 동생들 반은 망자가 되어버렸고, 스승님은 남은 우리들을 지켜주려고 하시다 그 새끼한테 사지가 갈기갈기 찢겨서 돌아가셨지. 유리 너도 봤잖아."

"선우야, 그때 나는……."

"스승님께서는 돌아가시는 그 순간마저도 널 걱정하셨어. 미르 그놈이 네가 어디 있는지 말하라고 해도 절대로 말하지 않으셨다고. 네가 위험해질까 봐, 너 마저 동생들처럼 그놈한테 죽어버릴까 봐 걱정하셨다고! 그 일이 있고 나서 내가 어떻게 살아왔는지 알아? 미칠 듯이 괴로웠어. 당장이라도 혈월강에 뛰어내려서 죽고 싶었어. 매년 스승님 기일만 되면 미칠 것 같은데도 혜성이, 준, 소유를 생각해서 애써 참았어. 다 무너져버렸는데 얘네들은 나 마저 없으면 기댈 곳도, 아무것도 없을 테니까. 그래서 널 원망하면서도 네가 일부러 그런 것은 아니니까, 네가 잘못한 것은 아니니까 하고 생각했어. 널 미워하지 않으려고 해 봤어. 널 원망하지 않으려고도 해 봤어. 그런데 기껏 오랜만에 만났더니 또 살인마 귀족 나리와 다니겠다고? 그런데도 널 믿으라고? 네 선택을? 유리, 정신 차려. 마법은 네 구원이 될 수 없어. 절대로."

선우가 감정이 실린 목소리로 쏘아붙였다. 동생들도 선우의 고통을 모르지는 않았던 듯 죄인처럼 말없이 고개를 푹 숙였다. 유리는 그 말에 대꾸할 수가 없었다. 선우가 얼마나 괴로웠을지, 얼마나 힘들었을지 그녀도 잘 알고 있었다. 어쩌면 그의 고통과 죽음을 향한 갈망은 감히 가늠해볼 수조차 없을 만큼 더 심했을지도 몰랐다. 자신이야 어차피 제국을 떠도는 외톨이기에 울고 싶으면 울고, 죽고 싶으면 뛰어내릴 수 있었다. 하지만 선우에게는 그런 선택지조차 없었다. 그에게는 유리와 달리 책임져야 할 동생들이 있었다. 유리는 선우의 마음을 곱씹어 보다가 겨우 입을 열었다.

"미안해. 그땐…… 널 보기가 너무 힘들었어. 그냥 여기 있는 것 자체가 너무 고통스러워서, 죄책감 때문에 너무 힘들어서 너희를 두고 떠나버렸었어. 나도 알아, 내가 겁쟁이였다는 거. 지금도 별반 다르지 않아. 하지만 스승님에 대한 것만큼은, 너희들 대하는 내 마음만큼은 진심이야. 그러니까 과거 일 때문에 내가 보기 싫더라도, 역겹더라도 내 말 좀 한 번만 믿어주면 안될까? 부탁할게."

유리가 눈물을 삼키며 말했다. 동생들은 무슨 말을 해야 할지 고민하는 표정이었다. 하지만 선우는 이미 마음을 굳힌 지 오래였다. 마법에 대한 그의 생각은 4년 전의 일로 끝난 것이나 마찬가지였다.

"네 말이 사실이든 아니든, 네가 진짜로 스승님을 생각한다면 이러면 안

된다고. 알아?"

"미안해. 하지만 테네브리스는 정말로 범인이 아니야. 믿어줘."

"웃기지 마."

"진짜야! 오해라니까. 이건 다 미르 때문이야. 미르가 소문을 퍼뜨려서 우릴 이간질시키고 있는 거라고!"

"얘기 끝났으면 이만 돌아가지. 태양이 뜨고 있으니까."

가만히 대화를 듣고 있던 카이가 완전한 암흑으로 가득한 중력문을 열었다. 그는 상처 입은 어깨를 한 손으로 감싸고 먼저 중력문 안으로 사라졌다. 유리는 하는 수 없이 짐을 챙겨 그를 따라 돌아섰다.

"다음에 얘기하자."

"지금 테네브리스를 따라가면 넌 우리 모두를 적으로 돌리게 되는 거야."

선우는 유리를 향해 활시위를 당겼다. 심장이 철렁 내려앉는 것 같았다. 아니야. 진심이 아닐 거야. 그냥 화가 나서……. 유리는 눈물을 삼켰다. 그러나 눈물을 여러 번 보인다고 한들 그녀의 말을 믿어 줄 선우가 아니었다.

"미안해."

유리는 이제 적이 되어버린 그들을 향해 마지막 말을 남기고서 암흑 속으로 발걸음을 옮겼다.

자신을 잡아 이끄는 힘에 유리는 망설임 없이 몸을 맡겼다. 눈을 뜨니 늘 그렇듯 책장에 빼곡히 채워져 있는 온갖 서적들, 책상 위에 널브러진 마법 두루마리, 마법 재료들이 보였다. 코끝으로는 익숙한 종이의 냄새가 느껴졌다. 먼저 서재로 넘어온 카이는 어깨를 뚫고 나온 독화살 때문에 아픈지 천천히 호흡을 가다듬고 있었다. 그는 거칠게 옷깃을 북북 잡아뜯어 자신의 상처를 살폈다.

찢어진 망토와 비단 저고리 아래로 창백한 피부가 드러났다. 그러나 유리의 시선을 끄는 것은 창백한 피부도, 마른 근육질의 몸매도 아니었다. 온몸에 가득한 수많은 흉터였다. 그동안 험난한 삶을 살아오면서 유리는 자신보다 흉터가 많은 사람은 없을 거라고 생각하곤 했다. 하지만 유리의 흉터들은 카이에 비하면 아무것도 아니었다. 그의 몸에는 목 아래 뒤쪽부터 허리, 등, 배, 가슴, 심지어는 팔 안쪽까지 작고 큰 수많은 흉터들이 있었다. 어떤 흉터들은 유리의 것과 비슷하기도 했고, 등에 있는 몇몇 흉터들은 그 정도가 보기 대단히 역겨울 정도로 징그러웠다. 대체 어떻게 이런 고통을 견디며 살아온 걸까? 유리는 그가 안쓰러웠다.

상반신이 모두 드러나도록 옷을 벗은 카이는 독화살을 뽑아내려 화살을 잡았다. 그는 두 번 정도 빠르게 심호흡을 하고 손에 힘을 꽉 쥐었다. 그리고 어깨에 박힌 화살을 단번에 쑥 빼냈다. 화살이 깊게 박힌 자리의 상처에서 붉은 피가 주르륵 흘러나왔다. 유리는 지혈을 해주려고 망토를 벗었다. 그러나 카이는 고개를 저었다. 그는 한 손을 상처가 난 자리에 갖다 대더니 알 수 없는 말을 중얼거리기 시작했다. 영안실에서 들었던 말과 비슷한 것으로 보아 고대어인 듯했다.

카이가 말을 마치자 놀라운 광경이 펼쳐졌다. 창백한 피부 위로 뚝뚝 흘러내리던 피가 시간을 거스르듯 반대로 흐르기 시작했다. 피가 상처 안으로 스며들기 시작한 것이었다. 피가 몸속으로 되돌아가자 카이는 보랏빛 마력 안개를 피워냈다. 마력 안개가 피와 함께 몸안에 스며들었고, 이윽고 어깨뼈 안쪽까지 뚫려 있던 상처가 서서히 아물었다. 그의 어두운 얼굴빛도 다시 생기를 되찾았다.

유리는 넋을 놓고 상처가 아무는 것을 지켜보았다. 강령술에 중력문을 여는 것도 모자라서 치유까지 할 수 있다니, 카이는 정말로 '대마법사'가 될 자격이 있었다.

상처가 사라지자 다시 끔찍한 흉터들이 시선을 끌었다. 카이는 아무렇지도 않게 찢어진 옷깃으로 몸을 닦았다. 잘 모르는 이에게 자신의 치부를 드러내 보였다고 할 수 있음에도, 그는 전혀 상관 않고 있었다.

"미안해, 테네브리스."

유리가 작은 목소리로 말했다. 카이는 무슨 뜻이냐는 듯 쳐다보았다.

"사실 네 아버지 얘기를 들었을 때…… 내가 더 심하면 심했지 덜하지는 않을 거라고 생각했거든. 미안해."

"너만 그런 게 아니야. 다들 그렇게 생각해. 속사정도 제대로 모르면서 날 이상한 놈 취급하고. 항상 그랬지."

카이는 마저 몸에 묻은 얼룩과 땀을 깨끗하게 닦아냈다. 눈 깜짝할 새에 없어진 상처와 바닥에서 뒹굴고 있는 피 묻은 독화살, 그리고 찢어진 옷깃. 유리는 다시 카이의 상반신으로 시선을 옮겼다. 목 뒷부분과 등으로 이어져 있는 초승달 모양 흉터가 눈에 띄었는데, 그가 가진 흉터들 중 자신의 것과 가장 비슷했다. 혹시 카이의 아버지도 테네브리스의 목을 조르면서 때렸던 걸까? 유리는 미르가 수도 없이 자신의 목을 졸랐던 기억에 치가 떨렸다. 흉터를 없앨 수만 있다면 그나마 조금 나아질 텐데. 그녀는 미르가 마법으로 자신의 오른쪽 뺨에 남긴 흉터를 만지작거렸다.

"혹시 그 흉터들…… 마법으로도 지워지지 않는 거야?"

유리가 머뭇거리며 물었다.

"아니, 가능해."

의외의 대답에 유리는 눈을 크게 떴다.

"없앨 수 있다면 왜 그냥 놔두는 거야? 넌 그 흉터들 지우고 싶지 않아? 한눈에 보기에도 심한데."

"상관없으니까."

"상관없다고?"

"과거에 생긴 흉터 따위에 신경 쓸 이유가 없잖아. 어차피 다 지나간 일인데."

이해가 되지 않았다. 자신은 비참한 어린 시절이나 미르와 관련된 기억을 떠올리기만 하면 고통스러웠다. 그 기억들은 잊고 있다가 갑작스레 튀어나올 때가 많았다. 그럴 때면 유리는 어떻게든 잊어보려고 잠을 청하거나 술을 마셨다. 그런데 과거의 악몽에 여전히 시달리는 자신과 달리 카이는 멀쩡해 보였다. 과연 두려움을 느끼지 않는 사람다웠다.

"너, 아까는 왜 내 편을 들었지?"

카이가 정적을 깨고 물었다.

"무슨 말이야?"

"네가 소중히 아끼는 친구들이라면서. 왜 그놈들 편이 아니라 내 편을 들었는지 궁금해서."

왜 그랬을까? 그녀는 마음 속으로 자신에게 질문을 던졌다. 솔직히 말하자면 자신조차도 답을 몰랐다. 그저 카이가 화살에 찔렸으니 심하게 다치지는 않았을까 걱정되어 그를 챙긴 것이었다. 그러나 유리는 만약 선우가 똑같이 다쳤더라도 선우를 먼저 챙겼을지 확신이 서지 않았다. 어떤 결과였든, 자신은 카이에게 달려갔을 것 같다는 생각이 들었다.

"모르겠어, 나도 왜 그랬는지. 하지만 선우가 다쳤어도 난 너한테 갔을 것 같아."

"왜지?"

"그냥…… 네가 다쳤으니까."

“다친 건 네 친구도 마찬가지 아닌가?”

붉은 마력 안개에 그 견고한 돌담과 거대한 버드나무가 박살이 나 산산조각 부서지던 광경이 떠올랐다. 그 정도의 압도적인 위력을 가진 마력 안개가 만약 선우를 맞혔더라면 어떤 일이 벌어졌을지, 유리는 상상도 하기가 싫었다. 카이가 그런 안개를 쏘았다는 것은 자신의 오랜 친구를 확실하게 죽일 생각이 있다는 뜻이었다. 그러나 선우도 카이를 죽이려 한 것은 마찬가지였고, 결국 그는 화살을 쏘아 카이에게 상처를 입혔다. 어차피 두 사람 다 유리의 말을 들을 생각은 없었다.

“잘 모르겠어. 어떻게 되든 난 너한테 갔을 것 같은데.”

“의외군.”

“뭐가?”

“지금까지 누군가가 내 편을 들어준 적은 단 한 번도 없거든. 전부 혼자 알아서 해야 했지.”

자기 편 없이 늘 혼자였다는 말에 유리는 어쩐지 그의 어깨가 무거워 보였다. 항상 남들에게 관심도 없고 흥미도 없으며 쌀쌀맞은 사람이지만 그 속에 어떤 상처들을 갖고 살아왔을지 생각하니 안타까웠다. 적어도 유리에게는 선우나 스승님이 있었지만 카이에게는 아무도 없는 것 같았다. 물론 라일이 있기는 했으나 그의 역할은 어디까지나 집사로서였다. 유리는 십 년이 넘게 카이가 고민을 털어놓지 않았다는 라일의 말을 떠올렸다. 카이는 분명히 라일을 좋은 사람으로 생각하고 있었으나, 그렇다고 솔직하게 모든 것을 털어놓을 수 있는 사람이라고 여기는 것은 아닌 듯했다.

어떤 말을 해야 할지 몰라 유리는 침묵을 지켰다. 저번처럼 괜히 너를 이해한다며 나서고 싶지는 않았다.

“뭐 하나만 물어봐도 될까, 테네브리스?”

카이가 말해보라는 듯 고갯짓을 했다. 그는 이제 몸을 닦는 일을 마치고 책상 의자에 앉아 등받이에 머리를 기대고 있었다. 방금 있었던 일에도 불구하고 그의 표정은 한결 편안해 보였다.

"아까는 왜 그대로 마력 안개를 쏘지 않은 거야? 그냥 날아가게 내버려 둘 수도 있었잖아."

"그게 무슨 마법인지는 알고 얘기하는 건가?"

"뭐?"

"마력이 널 빗겨갔던 건 네가 중간에 끼어들어서지. 네가 끼어들지만 않았다면 내가 화살을 맞을 이유도 없었어."

카이의 목소리에서 짜증이 묻어났다. 미안하다고 해야 할지, 아니면 고맙다고 해야 할지 몰라 유리는 우물쭈물했다. 하지만 한 가지만은 확실했다. 선우와 카이가 서로를 죽이게 놔둘 바에야 차라리 자신이 대신 죽는 것이 훨씬 낫다고. 화살에 몸이 꿰이고 마력 안개에 머리통이 박살난다고 해도 유리는 기꺼이 그렇게 할 생각이었다. 두 사람이 죽는 걸 막을 수만 있다면.

"마법을 공부한답시고 해놓고도 그게 어떤 마법인지도 모르다니, 이제까지 도대체 뭘 한 거야? 제대로 공부하긴 했나?"

카이는 약간 비아냥대듯이 장난스럽게 핀잔을 주었다. 유리는 붉은 마력 안개를 다시 떠올렸다. 자신이 여태까지 본 마법 서적에서 붉은 마력에 관한 내용은 없었다. 다만 보랏빛 마력보다 훨씬 강렬했던 느낌으로 추측하건대, 평범한 마법사들이 다룰 수 없는 능력인 것만큼은 확실해 보였다.

"라일!"

카이가 문 밖을 향해 외쳤다. 그의 부름에 라일이 문을 열고 서재로 들어왔다. 그는 카이에게 인사를 하다 바닥에 널브러진 피가 잔뜩 묻은 독화살과 찢어진 옷깃을 보고 놀랐다.

"부르셨습…… 세상에, 카이 님! 무슨 일이 있으셨던 겁니까?"

"다 말하자면 너무 길어요. 나중에 얘기할게요. 일단 얘 오늘 여기서 잘 거니까 침실 하나만 내주세요. 이것들도 좀 치워 주시고요."

라일은 더 묻지 않고 바로 알겠다며 나갔다. 여기서 잔다고? 유리는 아연실색한 얼굴로 손사래를 쳤다.

"아냐, 괜찮아! 굳이 나 때문에 그럴 필요 없어. 난 그냥 여관 가서 자면 돼."

"지금 바깥에 해가 떠 있는데 어딜 가겠다는 거야? 죽기 싫으면 토 달지 말고 여기서 자."

카이의 단호한 목소리에 유리는 작은 목소리로 '고맙다'고 말했다. 곧 라일이 핏자국을 닦을 천을 가지고 돌아왔다. 유리는 그를 도와 함께 서재를 청소하고 싶어했으나, 집사는 손님이 하실 일이 아니라며 그녀를 밖으로 내보냈다. 손님에게 두 번이나 자신의 일을 맡길 수는 없다는 것이었다.

두 사람은 라일을 뒤로하고 복도로 나왔다. 카이는 옷을 갈아입겠다며 3층으로 올라갔다. 청소가 끝나길 기다리는 동안 유리는 2층 계단 벽에 기댄 채 감정이 절제된 느낌의 풍경화 한 점을 감상했다. 저번에 보았던 하얀 보름달이 비추는 빈 거리를 그린 것이었다. 사람들이 북적여야 할 화려한 거리가 텅 비어 있는 모습이라. 유리는 그림의 풍경이 자신의 마음처럼 공허해 보인다는 느낌이 들었다.

'지금 테네브리스를 따라가면 넌 우리 모두를 적으로 돌리는 거야. 평생.'

자신을 향해 활시위를 당기던 선우의 말이 떠올랐다. 도대체 어쩌다가 이렇게 되어버렸을까? 카이를 따라간다는 것이 우정을 저버리겠다는 뜻은 아니었다. 하지만 선우는 그 어떤 말도 믿지 않았고, 믿을 생각도 없었다. 유리는 쓰러지듯 계단에 주저앉아 무릎에 얼굴을 파묻었다. 너무나도 피곤했다. 당장이라도 계단에 누워 그냥 아무 생각 없이 잠들고만 싶었다. 차라리 속시원하게 엉엉 울고 털어버리고 싶었으나 이제는 눈물도 한 방울 나오지 않았다. 어쩌면 너무 충격을 받아서 그런 것일지도 몰랐다. 자신을 적으로 돌리겠다는 그 말이 너무나도 가슴에 사무쳐서, 혹은 마음 한 구석 어딘가에서 자꾸만 그 말을 밀어내려고 해서일 수도 있었다.

지금껏 혼자라고 생각해 왔으나 선우의 입에서 직접 그런 말을 들으니 이제 정말로 세상에 혼자 남겨진 기분이었다. 세상엔 사람이 이렇게나 많은데 정작 내 곁에 있을 사람은 아무도 없구나. 살갗을 싸늘한 한기가 껴안는 듯한 공포감이 몰려왔다. 유리는 몹시 두려웠다. 늘 북적이는 인파 속을 거닐 때마다 생각했던 것이 진실로 다가오다니…… 믿을 수도 없고 믿고 싶지도 않았다.

"유리 님?"

등 뒤에서 라일의 목소리가 들렸다. 그는 벌써 청소를 다 마치고 나온 듯했다. 너무 생각에 빠져 있느라 유리는 그의 발걸음소리도 미처 듣지 못했다. 라일은 일을 끝내고 내려가려는 하녀에게 찢긴 옷 조각이 담긴 바구니를 1층에 가져다 두라고 일렀다.

"침실로 안내해 드리겠습니다. 따라오시죠."

라일이 앞장서서 3층으로 향하는 계단을 올랐다. 유리는 조용히 그 뒤를 따랐다.

처음으로 올라와보는 저택의 3층은 밑층들보다 훨씬 깔끔하고 넓어 보였다. 복도 끝까지 커다란 문 여덟 짝 정도가 넓은 간격으로 서서, 천장 중앙의 거대한 흑룡 벽화를 사이에 두고 마주보고 있었다. 문 사이사이에는 밑층처럼 붉은색 촛대들이 나란히 걸려 있었다. 멀리서 보아도 충분히 위압감 넘치던 흑룡은 가까이서 보니 마치 살아 움직이는 진짜 용처럼 보였다. 화려한 날갯짓에 무시무시한 이빨과 날카로운 두 눈을 치켜뜨고 있는 흑룡은 금방이라도 그림 속에서 튀어나와 자신을 집어삼킬 것 같았다.

라일은 여덟 개의 방 중 왼쪽에 있는 두 번째 방문을 열었다. 침실은 유리가 평소에 묵는 여관 방의 열 배는 되어 보일 정도로 굉장히 넓었다. 왼쪽에는 두 사람이 누워도 한참 남을 만큼 커다란 침대가 있었고, 그 밑에는 부드러워 보이는 붉은색 융단이 깔려 있었다. 하지만 유리는 침대보다도 이불에 화려하게 놓인 자수에 더 눈길이 갔다. 보름달과 까마귀, 그리고 이불 전체를 감싸는 백 송이 정도 되어 보이는 장미꽃 자수가 놓여 있었다.

대체 얼마 동안 수를 놓았을까? 자수는 아주 꼼꼼하고 정교하며 아름다웠는데, 이렇게 정성 들여 수를 놓으려면 몇 달이 아니라 몇 년이 걸릴 듯싶었다. 테네브리스를 몰랐다면 아마 이런 게 있는지조차 몰랐겠지. 화려한 이불로 몸을 감싼 침대 옆에는 조그만 협탁과 옷장, 서랍장이 나란히 벽에 기대어 있었다. 손잡이는 모두 달맞이꽃 모양에 반짝반짝 금칠을 했고, 까마귀가 붉은 달을 향해 날아가는 그림이 새겨져 있었다. 그 가구들을 반대쪽의 커다란 병풍 하나가 마주보고 있었는데, 유리가 이해하기에는 꽤 어려운 글들이 적혀 있었다. 유리는 어렴풋이 그 글들이 시라는 것을 눈치챘다. 하지만 고풍스럽고 은유적인 말들로 가득해 정확한 뜻은 이해할 수 없었다.

"보셨다시피 잠은 저 침대 위에서 주무시면 됩니다. 그리고 목욕을 하고 싶으시다면 말씀해 주세요. 1층에 욕조가 있으니 말씀해 주시면 물을 채워 놓도록 하겠습니다."

"감사합니다."

"더 필요하신 건 없나요? 시장하시면 식사라도 차려드릴까요?"

"아, 아니에요. 괜찮아요."

"정말 괜찮으세요? 얼굴빛이 어두워 보이시는데요. 뭐라도 좀 드시는 게 좋을 것 같습니다."

"괜찮아요. 신경 쓰지 마세요."

"방은 좀 편안하나?"

이것저것 세심하게 신경 써주는 라일의 말에 멋쩍게 웃고 있는데 문 밖에서 목소리가 들렸다. 카이가 문틀에 기대어 서 있었다. 그는 편안하고 부드러워 보이는 검푸른빛의 잠옷을 입고 있었다. 라일은 두 사람이 얘기할 수 있도록 자리를 비워주었다.

"어때, 오늘 지낼 만할 것 같아?"

"여기서 자면 다시는 여관으로 돌아가고 싶지 않을 것 같은데."

유리가 카이 쪽으로 걸어와 말했다. 카이는 피식 웃었다.

"이만 얼른 자. 피곤할 테니까."

"저기, 테네브리스."

유리는 뒤돌아 나가려는 카이를 불러세웠다. 카이는 말없이 유리를 빤히 쳐다보았다. 얘기해보라는 뜻이었다.

"이런 말을 하면 좀 이상하게 들릴 수도 있는데…… 너도 굉장히 의외였어."

그 말에 카이가 눈을 살짝 크게 떴다. 무슨 엉뚱한 소리를 하냐는 질문이 그의 얼굴에 떠올랐다.

"넌 아니라고 했지만 난 알고 있어. 네가 그 아이들을 도와줬던 거. 그리고 날 굳이 도와줄 필요도 없는데 도와줬잖아. 사람들이 너더러 냉혈한이니 뭐니 해도, 의외로 생각보다 남들을 도와주는 구석이 있는 것 같아서 말이야. 솔직히 난 네가 누굴 도와줄 거라고 절대로 생각해본 적이 없거든."

마지막 말은 하지 말 걸 그랬나? 아니, 그냥 얘기를 꺼내지 말았어야 하는 걸까? 카이를 조금이라도 화나게 했을까 하는 생각에 유리는 초조해졌다. 하지만 유리의 생각과 달리 카이는 웃기만 했다.

"날 보고 사람들이 흔히 착각하는 게 하나 있는데, 나도 다른 사람들과 별 다를 바 없어."

테네브리스가 다른 사람들과 별 다를 바 없다니, 유리는 세게 머리를 얻어맞은 듯 얼얼한 느낌이 들었다. 카이는 멍하니 굳은 표정으로 서 있는 유리의 이마를 검지로 가볍게 툭 쳤다.

"쓸데없는 생각하지 말고 얼른 자."

카이는 뒤돌아 건너편에 있는 자신의 침실로 돌아갔다. 유리는 문을 닫고 침대에 쓰러지듯 누웠다. 그녀는 여전히 생각에 잠겨 있었다. 왜일까, 방으로 돌아가던 카이의 뒷모습이 떠올랐다. 절대 무너지지 않을 굳건한 성벽 같던, 어떤 뜨거운 불꽃으로도 녹일 수 없을 정도로 차가워 보였던 그가 새삼 처음으로 외롭고 쓸쓸해 보였다.

유리는 카이가 자신을 같잖은 연민으로 동정하지 말라고 했던 것을 떠올렸다. 생각해보면 그의 말이 맞았다. 상처투성이인 그의 마음을 이해한다고 했으면서도, 정작 그도 자신과 같은 사람에 불과하다는 건 생각하지 못했다. 테네브리스는 그동안 자기 편 하나 없이 얼마나 오랫동안 힘든 싸움을 해온 걸까? 그녀는 머릿속에 떠오르는 질문들에 대한 대답을 한참 찾다 부드럽고 포근한 향이 나는 이불 냄새를 맡으며 잠이 들었다.

14장.

추스를 수 없는 마음

Fear and Wrath

유리는 달이 뜬 지 한참 지나서야 일어났다. 카이가 첫 식사를 마치고 몇 시간은 지난 후였다. 문득 어제 일로 잊고 있었던 통증이 다시 올라오기 시작했다. 미르가 남긴 찌릿한 고통이 양팔과 윗몸에 남아 있었다. 아직도 누군가 자신의 목을 조르고 있는 듯한 답답함이 느껴졌다. 통증에 얼굴을 찡그리며 유리는 겨우 몸을 일으켰다. 아무것도 신지 않은 맨발바닥 밑으로 부드러움이 느껴졌다. 밑을 내려다보니 어제 그 붉은색 융단이었다. 자신의 가죽 장화가 협탁 옆에 가지런히 놓여 있었고, 그녀가 앉아 있는 정면으로 작은 협탁과 의자가 보였다.

어제 이곳에서 잔 것이 꿈은 아니구나. 다행히도 미르에게서 벗어났다는 안도의 한숨을 쉬던 유리는 또 악몽을 꾼 것 같은 느낌에 이마를 짚었다. 분명히 누군가가 꿈에서 자신을 쫓아오고 있었다. 얼핏 왼쪽 눈의 붉은 실핏줄과 광기 가득한 눈빛을 마주친 것 같았다. 얼마나 멀리 도망치든 그는 지친 기색 하나 없이 자신을 쫓아왔다. 유리는 악몽에 대한 기억을 털어버리려 자리에서 일어났다. 미르에게 잡혀 있을 동안 아무것도 먹지 못했고, 싸움을 말리느라 무리한 탓인지 다리가 덜덜 떨려왔다. 그나마 걷는 데는 크게 문제가 없어 다행이었다.

2층으로 내려간 유리는 복도를 쓸고 있는 라일과 마주쳤다. 그는 계단을 내려오는 발자국 소리에 고개를 들었다.

"일어나셨네요, 유리 님."

라일은 다정한 미소와 함께 인사를 건넸다. 집사와 마주치리라 생각하지 못했던 유리는 헝클어진 머리카락을 다급한 손길로 가다듬었다.

“아, 안녕하세요, 집사님.”

“곧 카이 님 식사하실 시간인데 같이 드시겠어요? 저희가 식사 준비를 하는 동안 몸을 씻으실 수 있도록 물을 받아 놓을까요?”

“그래도 되나요?”

“엄연히 손님이시기도 하니 안 될 이유는 없죠. 어떻게 해 드릴까요?”

라일은 언제나 그렇듯 상냥한 태도로 물었다. 유리는 머뭇거리다가 입을 열었다.

“저…… 실례가 안된다면 말씀하신 대로 해주세요.”

“밑에서 기다려 주시겠어요? 준비되면 바로 말씀드리겠습니다.”

라일의 말을 따라 유리는 1층 식당으로 내려갔다. 벽난로 앞에서 풍경화를 감상하며 기다리는 동안 하녀들은 분주하게 움직였다. 그들은 빨래바구니와 물통을 들고 왔다갔다했고, 라일은 식사를 준비하러 부엌으로 들어갔다.

하녀들 중 하나가 유리에게 다가왔다. 하녀는 복도를 지나 유리를 1층 복도 끝으로 데려갔다.

“여기가 욕실입니다. 필요한 것들은 안에 준비해 두었으니 편히 사용하십시오.”

하녀는 다시 일을 하러 복도 저 편으로 멀어져 갔다. 유리는 멀어지는 하녀를 멀뚱멀뚱 쳐다보다가 욕실 안으로 발을 들였다.

욕실 안은 호화스러운 침실과 거의 맞먹을 정도로 넓었다. 매끄러운 검은 대리석으로 된 바닥의 차가운 느낌이 맨발바닥에 느껴졌다. 시선을 돌리니 왼쪽에 아름다운 흑요석을 깎아 만든 듯한 욕조가 보였다. 김이 모락모락 나는 물 위에는 붉은 장미 꽃잎이 띄워져 있었다. 오른쪽 벽에는 유리의 키만한 거울이 박혀 있었고, 그 밑에 역시 돌을 깎아 만든 듯한 탁상이 하나 있었다.

탁상 위의 바구니에는 부드러운 재질의 수건과 갈아입을 비단옷, 약초와 붕대가 담겨 있었다. 약초들은 유리가 평소 자잘한 상처들을 치료하는 데에 쓰던 혈월초와 만월초를 곱게 빻은 것이었다. 유리는 거울 앞에 서서 비단옷을 몸에 대보았다. 옷은 아무런 무늬도 없이 단조로운 느낌으로 순백색을 띄는 긴 치마였는데 철릭과 비슷했다. 소매가 약간 컸지만 그럭저럭 몸에 대충 잘 맞을 것 같았다.

유리는 옷을 벗고 욕조 안에 몸을 담갔다. 물은 너무 차갑지도 않고 너무 뜨겁지도 않은, 딱 알맞은 온도였다. 장미 꽃잎들 때문인지 우아한 향기가 났다. 그냥 씻는 곳일 뿐인데도 이렇게나 다르구나. 유리는 부드러운 장미 꽃잎을 이리저리 만지작거리며 머리를 벽에 기댔다. 따뜻한 물에 몸을 담그고 있으니 피로와 긴장이 조금씩 풀리는 것 같았다.

몸을 씻고 난 후, 유리는 약초를 집어들었다. 그녀는 곱게 잘 빻아진 약초를 한 움큼 쥐어 팔에 난 상처 위에 조금씩 발랐다. 닿자마자 전해지는 따가운 느낌에 유리는 얼굴을 찡그렸으나 애써 이를 악물었다. 미르가 남긴 상처가 팔뚝을 타고 크게 일자를 그리고 있었다. 유리는 그 상처를 보기 싫어 붕대를 재빨리 팔에 감았다. 미르에게 당한 것이 그나마 이 정도면 천만다행이었다.

옷을 갈아입고 나오자 한 하녀가 기다렸다는 듯 식사가 준비되었다며 그녀를 맞이했다. 하녀는 유리를 식당으로 데려갔다. 목욕을 하기 전까지만 해도 휑했던 붉은 대리석 식탁 중앙에 커다란 금빛 촛대를 중심으로 화려한 진수성찬이 차려져 있었다. 저번 다과회가 검소해 보일 정도였다. 카이는 이미 먼저 와서 식사를 하고 있었다.

"잘 잤나?"

카이가 먼저 인사를 건넸다. 유리는 그렇다고 대답하며 하녀가 이끄는 대로 맞은편 의자에 앉았다. 문득 그에게 배웠던 식사 예절이 생각났다. 유리는 기억을 조금씩 떠올려 손수건을 펴서 무릎 위에 놓았다. 그리고 꽃무늬가 그려진 하얀 접시를 끌어와 앞에 놓았다. 이렇게 하는 게 맞나? 방법이 틀렸을까 싶어 유리는 괜히 카이의 눈치를 살폈다. 식사를 할 때마다 이런 걸 일일이 신경 써야 한다는 것이 이해가 되지 않았다. 하지만 조금이라도 카이의 심기를 불편하게 한다면 또 한소리 들을 게 뻔했다.

다행히도 카이는 별 신경 쓰지 않는 것 같았다. 유리는 화려한 음식들을 쭉 훑어보다가 밥을 한 숟가락 떴다. 하얀 밥알은 놀랍게도 거칠고 질긴 느낌 하나 없이 부드러웠다. 반찬 없이도 밥맛이 이렇게나 좋을 수 있다니, 믿기지가 않았다. 유리는 밥을 우물우물거리며 카이가 나물 반찬 하나를 집어드는 것을 보았다. 저건 무슨 반찬일까? 고소한 향이 나는 것 같은데. 그녀는 식탁에 놓인 수많은 음식들을 쭉 살폈다. 마늘과 파를 얹은 갈색빛 윤기가 도는 고기 요리, 보기만 해도 정갈함이 느껴지는 나물 반찬들, 다양한 찜 요리들…… 궁중 요리는커녕 지금까지 귀족의 밥상조차 가까이 가 본 적이 없었지만, 유리는 아마 궁중의 음식이 이런 것들이 아닐까라는 생각이 들었다. 하루도 빠짐없이 이런 요리들을 먹을 수 있다면 황제도 부럽지 않을 것 같았다.

무엇을 먹어볼까 고민하던 유리는 고기 몇 점을 집었다. 고기는 매콤한 향과 함께 말 그대로 입안에서 살살 녹는 느낌이 났다. 감미롭다는 말이 딱 어울렸다. 그녀는 다른 반찬들도 하나씩 가져와 입으로 넣었다. 하나같이 입안에서 부드럽게 녹지 않는 것이 없었고, 담백한 채소에서조차 전에 경험하지 못했던 감칠맛 나는 풍미가 있었다. 어떤 재료로 어떻게 만들었는지 그 요리법이 자세히 알고 싶어질 정도였다.

"누가 보면 배 속에 거지라도 든 줄 알겠군."

정신없이 식사에 집중하고 있는데 카이가 갑자기 말을 툭 던졌다. 유리는 다른 반찬을 집으려다 말고 젓가락질을 멈추었다. 또 무언가 잘못한 걸까? 저번에 알려준 식사 예절에서 까먹은 게 있는 걸까? 분명히 조금씩 가져와서 접시에 담았는데…… 뭘 잘못한 거지? 유리는 우물우물 씹던 반찬을 삼키고 가만히 눈치를 살폈다. 하지만 카이는 언제나 그렇듯 감정이 없는 차가운 얼굴을 하고 있었다. 그가 지금 어떤 감정인지 갈피조차 잡을 수 없었다.

"천천히 먹으라고. 뺏어 먹을 사람 없으니까."

카이는 왜 그렇게 쓸데없이 긴장을 하고 있냐며 태연하게 식사를 이어갔다. 별것 아닌 일에도 카이의 말들은 가끔 유리를 불안하게 했다. 그녀는 반쯤 먹다 남은 고깃덩이를 입안으로 밀어 넣었다.

"그건 그렇고, 무슨 일이 있었던 건지 말해봐."

"뭘?"

"지난 며칠 동안 왜 코빼기도 안 보였는지 말이야. 네가 일이 생겼다고 하지 않았나?"

유리는 바쁘게 반찬을 집던 젓가락을 내려놓았다. 실핏줄이 선 광기 가득한 눈빛을 떠올리니 입맛이 싹 사라졌다.

"그게…… 미르한테 붙잡혔었어."

"블러드시커한테?"

카이가 약간 놀란 목소리로 말했다. 유리는 그가 중력문 너머로 사라진 후 일어난 일들에 대해 이야기했다.

"선우랑 싸우고 나서 혼자 길가에서 울고 있는데 미르가 나타났어. 나중에 정신을 차려 보니 어떤 동굴인 것 같더라고. 시체가 굉장히 많았는데 영안실에서 봤던 네 친구랑 똑같았어. 잘려나간 손가락 마디랑 피가 빨려나간 모습 말이야. 그 동굴 안에는 나 혼자가 아니었어. 어떤 남자가 울고 있었는데 미르가 죽이려고 납치해 온 것 같았어. 남자가 가족이 기다리고 있다면서 애원하는데 듣지도 않았지. 미르가 그 사람을 죽이고 나서 시체를 보니 목에 송곳니 자국이 있었어. 죽은 네 친구와 똑같은 송곳니 자국 말이야. 난 미르가 잠깐 자리를 비운 틈을 타서 순간이동석을 찾아냈어. 너에게 가려고 했는데 이상하게도 예전 사당에 와 있었지. 네 말대로 죽지 않은 게 천만다행이긴 하지만……. 아무튼 그 다음부터는 네가 아는 대로야."

저택에서의 첫 식사 시간이라 살짝 들떠 있었던 유리의 목소리가 무겁게 가라앉았다. 유리는 사색에 잠긴 카이의 얼굴을 바라보았다. 그녀는 먼저 카이에게 달려가 그를 챙겼던 것을 후회하지는 않았으나, 애초부터 자신 때문에 모든 것이 꼬여버린 것 같아 복잡한 심정이었다. 자신이 조금이라도 다른 말을 했더라면, 조금이라도 다르게 행동했더라면 달라졌을까? 그 상황을 막을 수 있었을까? 유리는 자신에게 질문을 던졌다.

명확한 답은 찾을 수 없었지만 적어도 한 가지는 확실했다. 카이와 선우 두 사람 모두 부드러운 성격은 절대로 아니었다. 자신이 어떻게 하든 둘은 결국 죽기 살기로 싸웠을 것이 분명했다. 거기서 유리는 답을 찾았다. 결국 자신이 없었으면 일어나지 않았을 일이었다. 괜히 그리운 기억에 이끌려 반월성으로 돌아온 것이 문제였다. 유리는 늘 그런 식으로 자신을 탓했다.

"아, 맞다. 이건 좀 놀라운 얘긴데."

유리의 말에 카이가 눈썹을 치켜 올렸다.

"전설로만 내려져 오던 혈석검을 봤어."

"혈석검?"

카이가 흥미롭다는 듯 물었다.

"선조들이 전쟁 때 썼다는 검 말이야."

"알고 있어. 역사 서적에서 수도 없이 봤으니까."

"그래, 당연히 알겠지. 우리들 모두가 들어본 얘기니까. 그런데 미르가 그걸 가지고 있었어. 어떻게 된 건지는 몰라도."

"이상하군. 혈석에 관한 모든 물건은 이나실에서 사라졌다고 들었는데. 확실히 본 게 맞나?"

카이가 의심쩍은 목소리로 물었다. 유리는 분명히 두 눈으로 똑똑히 보았다며 목소리에 힘을 주어 말했다.

"나도 그림을 본 적이 있어서 어떻게 생겼는지 알아. 확실해. 피가 흐르는 듯한 무늬가 있었거든."

"그게 진짜 혈석검이라고 어떻게 단정지을 수 있지?"

"정말 봤다니까. 송곳니도 엄청 날카로웠어. 우리들에겐 더 이상 그런 송곳니가 없잖아?"

"마법의 힘을 간과하지 마. 그건 혈석검이 아니라 비슷하게 만들어낸 가짜일 수도 있어. 어쩌면 날카로운 송곳니도 마법으로 환상을 보게 만든 것일 수도 있지."

"내 말을 못 믿는 거야?"

"지금 확실한 건 세 가지야. 첫째, 블러드시커가 살아있다는 것. 둘째, 살인 사건이 일어났다는 것. 셋째, 황궁에서 아직도 범인을 잡지 못했다는 것. 네 말이 맞다면 말이지. 뭐, 난 솔직히 네가 본 그놈이 정말 미르 블러드시커가 맞는지도 의심이 가지만."

마지막 말에 유리는 고개를 갸우뚱했다.

"무슨 소리야?"

"생각을 해봐. 정말 살아있었다면 지난 4년 동안 어디서 뭘 하다 이제서야 나타난 거지? 더군다나 그렇게 사람을 못 죽여서 안달이 난 놈이라면 조용히 지낼 수가 없을 텐데."

전혀 생각지도 못한 가능성이었다. 마음을 뒤덮은 공포감에 말문이 막혀 유리는 아무런 말도 할 수가 없었다. 잠깐, 그럼 내가 같이 있던 사람은 누구였던 거지? 분명히 미르가 맞을 텐데. 황금색 눈동자의 청년은 분명히 둘 사이에 있었던 일들을 잘 알고 있었다. 유리가 직접 그녀의 입을 통해 말했던 어릴 적 비참한 기억들도 잘 알고 있었다. 그 남자가 미르 행세를 하는 다른 사람이라면 부모님에 관한 이야기나 사당에 대해서 절대 알 수 있을 리가 없었다.

"혹시…… 혹시 네가 황궁에 가서 물어봐줄 수는 없을까? 난 못 들어가지만, 넌 대마법사에 테네브리스 가문 사람이니까 들어갈 수 있을 것 아냐?"

"아무리 대마법사라고 해도 황궁에 마음대로 드나들 수는 없어. 난 황실이 아니라 마법학회 소속이니까. 그리고 지금 모든 건 추측에 네 증언뿐인 데다, 사실을 뒷받침할 수 있는 명백한 증거는 아무것도 없지. 내가 단순히 대마법사라는 이유로 황궁에서 내 말을 믿어줄 거라 생각했다면 큰 오산이야."

작은 희망조차 사라지는 느낌이었다. 어쩌면 자신도 모르게 카이가 이 모든 문제를 해결할 수 있는 열쇠를 쥐고 있다는 생각을 한 것일지도 몰랐다. 그는 두려움이 없는 사람인데다 모든 마법사들이 존경해 마지 않는 대마법사였으니까. 하지만 강력한 힘을 가진 대마법사라고 해서 모든 일을 손쉽게 해결할 수 있는 것은 아니었다.

어쩌지. 그럼 정말 이대로 지켜볼 수밖에 없는 건가? 불안감에 한숨을 내쉬는데 문득 카이의 왼쪽 어깨가 눈에 들어왔다. 유리는 죄책감에 고개를 숙였다. 자신 때문에 주변 사람들이 다치는 것만 같았다.

"미안해."

"뭐가?"

"내가 조금이라도 마법에 재능이 있었다면 네가 어제 그렇게 되는 일은 없었을 텐데……."

유리가 말끝을 흐리며 사과하자 카이는 피식 웃었다.

“네가 사과해야 할 건 그게 아니야. 날 먼저 건드린 건 그놈이니까. 다만 네 잘못이라면 내가 어제 말했듯 중간에 끼어들어서 날 방해했다는 것, 그것뿐이지. 다음부턴 그런 멍청한 짓 하지 마. 알겠나?”

“으, 응. 고마워.”

“어쨌든 네가 내 편을 든 건 정말 의외였어. 그래서 사례를 하나 하고 싶은데.”

“사례라니?”

“난 도움을 받은 게 있으면 답례는 확실하게 하는 사람이야. 우리가 계약한 내용은 네가 내게 마력을 가져오는 거였지. 네가 날 변호해주는 게 아니라. 원하는 게 있으면 말해봐, 도와줄 테니까.”

카이는 턱을 괴고서 대답을 기다리듯 유리를 쳐다보았다. 원하는 것이라…… 테네브리스에게 도움을 받을 수 있는 일이 어떤 게 있을까? 골똘히 생각에 잠긴 유리는 손목의 염주를 만지작거렸다. 유리는 카이가 가진 막대한 부나 명예에는 관심이 없었다. 다만 딱 한 가지 간절하게 원하는 것이 있었다. 미칠 듯이 자신을 따라다니는 과거의 그림자, 죽음에 대한 갈망, 자신을 괴롭히는 두려움. 유리는 그 모든 것에서 벗어나고 싶었다. 선우는 마법은 절대로 구원이 될 수 없다고 말했다. 그러나 지금 그녀에게 구원이 될 수 있는 것은 한 가지뿐이었다. 유리는 마침내 결심이 서자 두려움으로 떨리는 손을 꽉 쥐었다.

“마법을 가르쳐줘. 그게 내가 원하는 전부야.”

그 말은 진심이었다. 당장 살인마가 자신을 찾아내려 혈안이 되어있을 텐데 명예와 부를 가졌다고 한들 무슨 소용이 있을까? 유리가 진심으로 원하는 것은 평화로운 삶이었다.

마법을 가르쳐 달라는 말에 카이는 한동안 말이 없었다. 그는 한참이

지난 후에야 입을 열었다.

“다 먹고 나면 서재로 올라와.”

카이는 말을 남기고 2층으로 올라가버렸다.

식사를 끝마친 후 유리는 서재로 향했다. 카이는 평소처럼 책상에 앉아 물건을 정리하고 있었다. 그는 책상 끄트머리에 처음 보는 열 권 정도의 책을 높이 쌓아 놓고 있었는데, 그가 자주 읽던 중력 마법 서적과는 많이 달라 보였다. 유리는 천천히 그에게 다가갔다.

“많이 기다렸어?”

“아니.”

카이는 늘 그렇듯 짧게 대답했다. 이젠 어느 정도 무심하게 넘길 법도 하건만, 딱 잘라서 간결하게 말하는 특유의 냉정한 말버릇에는 쉽게 익숙해질 수가 없었다. 유리는 민망한 기분이 들었다.

“그런데 왜 올라오라고 한 거야?”

“본격적으로 널 가르치기 전에 네가 얼마나 잘해낼 수 있는지 시험해볼까 해서.”

“시험?”

“일단 앉아.”

카이가 옆에 있는 의자를 고갯짓으로 가리키며 말했다. 본격적으로 가르치기 전이라니, 설마……! 드디어 내 부탁을 들어준 건가? 이제 마법을 배울 수 있는 건가? 유리는 카이가 드디어 자신의 노력을 인정해준 것 같아 약간 들뜬 기분으로 의자에 앉았다.

"정말 고마워, 테네브리스. 열심히 할게."

"열심히 하는 건 당연한 거고. 이 책들은 네가 오늘부터 수련을 하면서 함께 공부해야 할 것들이야. 하나도 빠짐없이."

기쁨도 잠시였다. 카이는 열 권의 책들을 앞으로 내밀었다. 그 책들에는 모두 하나같이 '기초', '처음'이라는 단어가 적혀 있었다. 방금 귓가에 울린 말이 믿기지 않아 유리는 얼떨떨한 얼굴로 카이의 얼굴을 빤히 쳐다보기만 했다. 힘든 여정이 되리라는 건 어느 정도 이미 알고 있었지만 막상 책들을 보자 한숨부터 나왔다. 마법이라…… 한번도 정식으로 배워본 적이 없는데. 내가 잘할 수 있을까? 그녀의 불안 섞인 한숨 소리를 들은 카이가 입을 열었다.

"절대로 쉽지 않을 거라는 건 너도 알고 있었을 텐데. 설마 그 정도 각오도 없이 가르쳐 달라고 한 건가?"

"그냥…… 잘할 수 있을지 걱정돼서."

"내가 전에도 얘기했지. 이건 이론일 뿐이라고, 실전은 수련부터라고. 하지만 그렇다고 해서 이론을 무시하고 넘어갈 수는 없어. 겨우 이까짓 걸 보고 벌써 포기하고 싶은 거라면 그만둬."

"아, 아냐. 열심히 할 거야. 잘 부탁해."

"좋아. 그럼 네가 얼마나 잘해낼 수 있는지 볼까?"

카이는 손에서 짙은 보랏빛 마력 안개를 피워냈다. 마력 안개는 그의 손바닥 위에서 빙글빙글 돌고 있었다. 그 모습이 마치 작은 소용돌이 같기도 하고, 꽃잎을 연상시키기도 했다.

"자, 해봐."

카이가 유리에게 고갯짓을 하며 말했다. 막상 대마법사 앞에서 보잘것없는 실력을 보여야 한다고 생각하니 긴장감이 몰려왔다. 그녀는 심호흡을 한 번 길게 한 후 자신의 손바닥을 내려다보았다. 그리고 눈을 꼭 감았다. 불안감과 기대감이 유리를 에워쌌다. 그녀는 걱정 반, 자신감 반으로 마력 안개를 피워내려고 집중했다. 이윽고 무언가 손바닥 위에서 꿈틀대는 듯한 느낌이 났다. 유리는 기대감에 눈을 떴다. 그러나 안타깝게도 눈앞에 보이는 것은 아주 작고 희미한 보랏빛 안개였다. 카이의 것과 달리 유리의 마력 안개는 어린 아이들이 가지고 노는 공에서 힘없이 새어 나오는 바람처럼 픽 하고 금세 사라져버렸다. 카이는 못마땅한 표정으로 의자에 머리를 기댔다.

"예상은 했다만, 조금만 삐끗하면 마력에 집어삼켜지겠군."

"무슨 소리야?"

"마력을 제어하는 건 너 자신이지, 마력이 아냐. 마력에 이끌려 다니는 게 아니라 네가 스스로 힘을 조절해서 다뤄야 한다고. 알겠어? 다시 해봐."

유리는 깊은 한숨을 내쉬며 다시 눈을 감았다. 그리고 천천히 정신을 집중했다. 또다시 손바닥 안에서 꿈틀대는 느낌이 났다. 무언가가 자신의 손안에서 벗어나려 하는 것 같았다. 손과 팔이 미세하게 떨리기 시작했다. 조금이라도 힘을 풀면 금방이라도 사라져버릴 것 같아, 유리는 그 느낌을 놓치지 않기 위해 더 힘을 꽉 주었다. 그 순간 무언가가 자신의 손안에서 빠져나가는 듯한 느낌이 들었다. 눈을 떠보니 손바닥 위에 마력 안개가 피어나 있었다. 그러나 여전히 희미하고 보잘것없었다. 마력 안개는 손안에서 머물지 못하고 힘없이 손가락 마디 사이로 빠져나갔다. 그 광경을 본 카이가 한쪽 눈썹을 치켜 올렸다.

"제대로 집중하지 않았군. 다시."

카이의 말에 유리는 다시 눈을 감았다.

"네 손바닥 위에 작은 돌멩이가 올려져 있다고 생각해. 그리고 그걸 놓치지 않도록 잡고 있는 거지."

조언대로 유리는 머릿속에 작은 돌멩이 하나를 떠올렸다. 그녀는 생각

속의 돌멩이를 정말 쥐고 있는 것처럼 손에 힘을 주었다. 방금 전
시도보다 약간 더 심하게 손이 떨려왔다. 또다시 무언가가 자신의
손안에서 도망치려 하고 있었다. 손목까지 강한 떨림이 전해지자 유리는
입술을 꽉 깨물었다. 그녀는 어떻게든 빠져나가려고 하는 마력의 느낌을
잡아보려 힘을 더욱 세게 주었다.

그런데 갑자기 마력 안개가 손안에서 빠져나가는 느낌이 들었다. 놓치면
안 되는데! 유리는 다급하게 눈을 떴다. 놀랍게도 손바닥 위엔 전보다
조금 더 진한 마력 안개가 피어나 있었다. 그러나 여전히 카이의 것만
못했다. 하지만 가르침을 따라 피어난 새로운 마력 안개는 픽 하고 힘없이
사라져버리지도 않았고, 아주 희미하지도 않았다. 보랏빛의 마력 안개는
손안에 머물러 있었다.

세 번만에 성공인 건가? 그렇다면…… 나도 꽤 재능이 있는 걸까.
유리는 기대감으로 눈치를 살폈다. 하지만 카이의 표정에는 전혀 변화가
없었다. 나름대로 괜찮았다고 생각했던 유리는 그의 반응에 살짝 실망하는
기색을 내비쳤다. 저 인간한테 칭찬이라도 받을 거라고 생각한 내
잘못이지. 그래도 잘했다고 해주면 어디 덧나나? 유리는 속으로
중얼거렸다.

"일단 마력을 제어하는 법부터 배워야겠어, 넌."

"마력을 제어하는 법?"

"제아무리 강한 마력을 타고 났다고 해도 다루는 법을 모른다면
무용지물이지. 하지만 넌 강한 마력을 타고 난 것도 아니고, 마법에
대해선 아무것도 모르잖아."

유리는 입을 뾰로통하게 내밀었다. 직설적인 말투에 약간 기분이
언짢았지만 그녀는 굳이 반박하려 들지 않았다. 강한 마력은커녕 마력
자체를 타고 나지 않았다는 건 사실이었으니까.

"그럼 어떻게 하면 되는데?"

"지금처럼 익숙해질 때까지 연습해야지. 끊임없이. 제대로 마력 안개를 피워내는 방법을 익힌 다음에 이론을 가르쳐줄 거야. 자, 다시 해봐."

카이가 팔짱을 끼고 의자에 머리를 기대며 말했다. 유리는 투덜대며 다시 눈을 감고 정신을 집중했다.

마법 수련을 시작한 지 며칠이 흘렀다. 그동안 유리는 마력 안개를 피워내는 연습을 하고 있었다. 그녀의 실력은 처음보다 많이 좋아져 있었다. 마력 안개는 더 이상 힘없이 픽 사라져 버리지도 않았고, 아주 희미하지도 않았다. 그러나 카이는 마음에 들지 않는 모양이었다. 유리가 조금 나아졌다고 생각하면 카이는 끊임없이 '다시'라는 말과 집중하라는 말만 되풀이했다.

며칠 내내 끊임없이 반복되고 있는 똑같은 수련에 슬슬 질리기 시작했다. 허나 유리는 절대로 싫증을 내지도, 짜증을 내지도 않았다. 무언가를 완벽하게 다루려면 끊임없이 연습해야 한다는 것을, 오래 전 진율로부터 받은 가르침을 통해 잘 알고 있었다. 하지만 대체 언제쯤 그가 본격적으로 자신에게 마법을 가르쳐줄지 궁금했다.

오늘도 유리는 근처 산에서 요괴의 마력을 가져와 건넨 뒤 2층에 있는 서재 안에서 끊임없이 연습을 하고 있었다. 손안으로 기운을 모으듯 집중하자 손끝이 미세하게 떨려왔다. 옅은 보랏빛 안개가 손바닥 위에서 빙글빙글 맴돌았다. 이제 마력 안개를 피워내는 것은 처음보다 수월했으나 온 마력을 하나로 모으듯 집중하는 과정이 가장 힘들었다. 때로는 고통스럽기도 했다. 하도 손에 힘을 주고 움직이느라 손가락 열 마디가 저리고 당기는 듯한 느낌까지 들었다.

"끝까지 집중하지 않았잖아. 다시 해."

유리가 손가락을 주무르고 있자 카이가 다시 해보라며 재촉했다. 수백 번은 질리도록 들은 말에 짜증이 나서 저절로 미간이 찌푸려졌다.

"언제까지 이것만 해야 해?"

"완벽해질 때까지."

"완벽해질 때까지?"

카이는 말없이 고개를 끄덕였다. 아주 당연하다는 듯한 표정과 함께. 유리는 새삼 카이가 얼마나 지독한 사람인지 깨달았다. 그녀는 자신의 스승을 떠올렸다. 진율은 제자들의 실력이 조금씩 나아질 때마다 늘 격려하는 말을 아끼지 않았다. 그는 완벽해지는 것보다는 차근차근 발전하는 것을 중요하게 여겼고, 때문에 실수를 여러 번 한다 해도 다그치거나 재촉하는 일이 없었다. 그러나 카이는 달랐다. 그는 처음부터 아주 깐깐한 태도로 한 치의 빈 틈도 없는 완벽함을 추구하고 있었다.

테네브리스는 이래서 대마법사가 된 걸까? 그래도…… 이 정도면 처음보다는 많이 나아진 것 같은데. 유리는 자신의 손안에서 여전히 빙글빙글 돌고 있는 보랏빛 안개를 내려다보며 중얼거렸다. 연습으로만 실력을 더 끌어올리려면 어떻게 해야 할까. 혹시 수련을 해볼까? 그래, 그거야! 시험을 해보는 거야. 그러면 조금이나마 내 실력이 나아졌는지 알 수 있겠지. 유리는 어렸을 적 선우, 혜성 등과 함께 작은 검술 내기를 했던 기억을 떠올리며 입을 열었다.

"부탁할 게 있어, 테네브리스."

"뭔데?"

"널 상대로 내 마력을 시험해보고 싶어."

"지금 장난하는 거지, 아가씨?"

카이는 유리의 말에 코웃음을 쳤다. 그의 상대가 되지 않는다는 건 당연히 알고 있었지만, 막상 비웃는 듯한 반응을 보니 기분이 좋지는 않았다.

"이제 마력 안개를 피워내는 건 자신 있어."

"죽고 싶어서 환장했군. 나와 싸우게 되면 뼈도 못 추릴 텐데."

"내 실력이 어느 정도인지 시험해보고 싶어서 그래. 부탁이야."

유리는 간절히 부탁했다. 카이는 말없이 마력 안개를 피워냈다. 보랏빛 안개는 주위로 퍼져 나가며 그의 주변을 에워쌌다. 두 사람 사이를 이제 진보랏빛 장막이 가로막고 있었다.

"그럼 어디 이 보호막을 깨봐. 있는 힘껏."

유리는 예상치 못한 말에 당황했다. 그동안 자신이 주술사로서 동생들과 검을 맞대고 연습했듯, 카이와도 그런 식으로 수련하리라 생각했기 때문이었다. 하지만 카이는 굳이 유리와 대결하려고 하지 않았다. 유리는 그 이유를 잘 알고 있었다. 이제 막 발을 뗀 풋내기가 대마법사와 싸울 수는 없었다.

천천히 집중하면서 유리는 이제껏 해온 것처럼 보랏빛 마력 안개를 피워냈다. 유리는 손안에서 빙글빙글 맴도는 보랏빛 안개를 쥐고 마력 장막을 향해 쏘았다. 하지만 보랏빛 안개는 장막에 닿자마자 희미한 연기가 되어 사라졌다. 당황스러웠다. 왜 이러는 거지? 설마, 아무리 그래도 이렇게 약할 리가 없을 텐데? 유리는 다시 마력을 쏘았다. 그러나 이번에도 마력 장막을 뚫기는커녕 작은 균열조차 만들지 못한 채 사라져버렸다. 그동안 카이는 장막 너머에서 턱을 괸 채 책을 읽고 있었다.

오기가 생겼다. 그녀는 계속해서 마력으로 카이의 보랏빛 장막을 뚫어보려 했다. 세 번, 네 번, 다섯 번. 유리는 끊임없이 마력 안개를 만들어내 카이 쪽으로 쏘았다. 그러나 스무 번이 넘는 시도가 무색하게도 카이의 보호막은 꿈쩍하지 않았다. 십 분도 채 지나지 않아 유리는 결국 지칠 대로 지쳐 얼굴을 책상에 파묻었다. 페이지만 넘기며 눈길 한 번 주지 않던 카이가 드디어 고개를 들었다. 그는 손짓 한 번으로 주위를 에워싸고 있던 마력 보호막을 거두었다.

"이까짓 걸 가지고 벌써 힘들어 하는 건가?"

"아무리 해도 안돼. 검술 수련을 할 때 이런 적은 없었는데."

"그래서 마법이 어려운 거지. 무기를 휘두르는 것과는 완전히 다른 방식으로 접근해야 하니까."

"어지러워……."

유리는 책상에 엎드린 채 끙끙 앓는 소리를 냈다. 카이는 그녀의 얼굴 위로 떠오른 실망감과 지친 표정을 읽었다.

"짧은 시간 안에 너무 마력을 많이 소모해서 그런가 보군. 오늘은 이만 하지."

"안 돼. 계속 해야 돼."

유리는 마력 안개를 피워내려고 손을 뻗었다. 그러나 의지와 달리 마력 안개는 처음처럼 힘없이 픽 하고 사라져버렸다.

"기본기도 없는데 마력을 효율적으로 쓰는 방법을 모르니 이렇게 되지. 쓸데없는 고집 부리지 말고 돌아가. 오늘은 여기까지야."

카이는 유리 앞에 펼쳐진 마법 서적을 덮고 어서 나가보라며 손짓했다.

유리는 할 수 없이 저택에서 나왔다. 바깥으로 나오니 별빛이 가득한 밤하늘이 자신을 맞이했다. 여관으로 돌아가기엔 너무 이른 시간이었다. 마력을 다루는 연습 때문에 피곤하기는 했으나 딱히 배가 고프지도 않았고 졸리지도 않았다. 어디로 갈까 고민하며 유리는 천천히 말을 몰았다.

저택으로 이어지는 길목을 나와 반월문 광장에 들어선 그녀의 눈에 광장 서쪽에 있는 마법의 거리가 보였다. 그래, 내 스스로를 지키기 위해서라도 쉽게 포기할 수는 없어. 사람 많은 길로만 다닌다고 해도 언제 또 잡힐지 모르니까.

유리는 망설임 없이 마법 도서관 안에 발을 들였다. 물론 두건을 깊게 눌러쓰고 얼굴을 가린 채였다. 그래도 이제는 이곳에 드나드는 일에 제법 익숙해졌다. 유리는 사서에게 책 한 권을 부탁해 가져와 구석 자리에 앉았다. 그 책은 저번에 카이가 골라주었던 마법의 역사라는 책이었다. 유리는 저번에 읽다가 잠들었던 페이지를 찾아 읽어 내려가기 시작했다. 마법사들이 주로 하는 일에 관한 내용을 살펴볼 차례였다. 그러니까, 치유 마법을 전문으로 하는 마법사들은 의원이라고 하고…… 마법으로 병을 치료하고 마법 영약이라는 걸 만드는 일을 하는구나. 영약 제조만 전문적으로 연구하는 사람들도 있네. 뭐, 마법사인 걸 빼면 동네에 있는 의원님들이랑 비슷하려나? 유리는 한 줄씩 손끝으로 짚어가며 책을 집중해서 읽었다.

"도와주세요!"

난데없이 바깥에서 날카로운 비명소리가 났다. 이어서 무언가 '쾅' 하고 부딪히는 큰 소리에 책을 읽던 마법사들이 모두 입구로 시선을 돌렸다. 한두 명씩 자리에서 일어났고, 유리도 책을 덮고 일어났다. 무슨 소리지? 이게 대체 무슨……. 또 저번 같은 일이 일어나려고 하는 걸까. 느닷없이 나타난 요괴 한 마리와 피가 낭자한 길거리, 자신의 주위를 맴돌던 미르. 설마 이번에도……. 아니야, 아니겠지. 아닐 거야. 유리는 부정하면서도 만일을 대비해 검을 들었다. 그리고 다른 마법사들과 함께 바깥의 상황을 확인하러 나갔다.

안타깝게도 유리의 생각은 사실이었다. 도서관 앞은 또다시 난장판이 되어있었다. 거리는 붉은 피로 난무했고, 시체 네 구 정도가 갈기갈기 찢긴 채 널브러져 있었다. 그리고 그 시체들을 커다랗고 새까만 무언가가 정신없이 먹어치우고 있었다. 자세히 보니 요괴가 아니라 박쥐였다. 산속 깊은 동굴에서 가끔 만날 수 있는 조그만 무리가 아니라 한 마리의 거대한 녀석이었는데 웬만한 독수리의 두 세 배는 되어 보이는 크기였다.

이상했다. 요괴들이 가끔 산 근처의 마을을 습격할 때가 있지만, 이런 거대한 박쥐가 광장 한복판까지 내려온 적은 단 한 번도 없었다. 게다가 요괴들과 달리 박쥐들은 위협을 느끼지 않는다면 사람들을 먼저 공격하는 일도 없었다.

마법사 한 명이 박쥐를 향해 보랏빛 마력을 쏘았다. 정신없이 허기를 채우던 녀석은 공격을 받자 날카로운 이빨을 드러낸 채 유리가 서 있는 쪽을 노려보았다. 붉은 눈이 살의로 번뜩였다. 유리는 자신도 모르게 뒷걸음질을 쳤다. 녀석은 겁에 질린 유리를 보자마자 먹잇감을 찾았다는 듯 바로 쏜살같이 날아왔다. 제길, 요괴도 수십 마리씩 해치웠던 내가 박쥐 따위를 보고 겁을 먹다니. 유리는 검을 들고 춤을 추듯 앞으로 한 바퀴 돌았다. 그녀는 미끄러지듯 녀석의 몸통 밑으로 들어가 두 다리를 베었다.

주위에서 다른 마법사들이 녀석을 공격하느라 마력 안개가 그녀의 시야를 가렸다. 녀석의 끼익끼익하는 기이한 울음소리가 유리의 고막을 찢을 듯 크게 울렸다. 하지만 피할 생각은 없었다. 또다시 같은 일이 일어나서는 안 되었으니까. 유리는 검으로 녀석의 배를 힘껏 찔렀다. 그리고 자신의 시야를 가리는 마력 안개를 피해 재빨리 안에서 나왔다.

그 순간, 녀석이 유리의 옷자락을 물고 늘어졌다. 날카롭고 거대한 송곳니 두 개가 망토에 걸렸다. 녀석은 배를 채울 여분의 먹잇감을 손에 넣자 높이 날아오르려 했다. 유리는 떨어지지 않으려고 녀석의 커다란 귀를 붙잡았다. 어떻게든 박쥐를 떨어뜨릴 방법이 필요했다.

두리번거리던 유리의 시야에 무언가가 들어왔다. 거리를 밝히는 등불이었다. 그녀는 등불을 향해 손을 뻗었다. 이윽고 불꽃이 반응하며 그녀의 손안에 들어왔다. 유리는 가느다란 실 같은 작은 불꽃을 녀석의 입안으로 쏘았다. 커다란 불길이 치솟아오르며 녀석의 입천장을 태웠고, 녀석은 고통에 머리를 흔들었다. 유리는 녀석의 귀를 붙잡고 버티며 송곳니에 걸린 망토를 벗어 던졌다. 망토 속에 숨겨져 있던 흑적색 주술복이 드러났다. 이렇게 된 이상, 마법사들로부터 자신의 신분을 숨기기란 불가능했다.

그녀는 힘을 쥐어 짜내어 간신히 몸통 위로 올라왔다. 녀석을 어떻게든 처리해야만 했다. 유리는 입천장을 쑤시는 뜨거운 열기에 몸부림치는 박쥐의 움직임을 따라 균형을 유지하면서 펄럭이던 양쪽 날개를 하나씩 베어버렸다. 날개가 떨어지며 끈적거리는 피가 흘러나왔고, 조금씩 공중으로 떠오르던 몸통은 다시 땅으로 추락했다. 박쥐를 향해 날아가는 마력 안개들이 유리를 아슬아슬하게 빗겨갔다. 자칫하면 저들의 마력에 자신의 머리통이 날아갈 지경이었다.

유리는 바닥에서 뒹굴며 바둥거리는 녀석의 머리에 칼끝을 꽂았다. 박쥐는 그녀를 떨어뜨리려 끝까지 발악하며 몸뚱어리를 마구 흔들었다. 유리는 머리 깊숙이 꽂힌 검을 두어 번 비틀었다. 이윽고 살아남으려 악을 쓰던 녀석의 몸짓이 잠잠해졌다. 녀석이 확실히 죽었다는 것을 몇 번이나 확인하고서 나서야 유리는 땅에 착지했다.

상황 정리가 되자 유리는 박쥐의 사체를 면밀히 살펴보았다. 생기 없는 박쥐의 두 눈이 그녀를 주시했다. 유리는 녀석의 입가에 잔뜩 묻은 핏자국과 시체들을 번갈아 보았다. 자세히 보니 박쥐는 시체를 먹고 있던 것이 아니었다. 녀석은 사람들의 피를 마시고 있었다. 유리는 녀석의 눈빛에서 흐르고 있던 광기가 단순한 살육에 대한 것이 아님을 깨달았다. 그것은 갈증에 대한 광기였다. 피에 대한…… 갈증이라. 떠오르는 사람은 하나뿐이었다.

"당신, 저번에 카이 테네브리스랑 같이 왔던 사람 맞아?"

박쥐를 살펴보고 있는데 뒤에서 여자의 목소리가 들렸다. 마법사들이 자신을 의심쩍은 눈으로 보며 서로 속닥거리고 있었다. 그들의 눈빛에서 경멸이 느껴졌다.

"맞습니다만. 무슨 문제라도 있습니까?"

"그러고 보니 이 여자, 저번에 요괴가 들이닥쳤을 때도 여기에 있었잖아!"

"맞아요! 기억나요. 그때도 이 여자가 있는 걸 저도 봤어요."

"설마 그 주술사예요? 테네브리스랑 같이 다닌다는 그 주술사?"

어떤 남자가 유리를 가리키며 본 적이 있다고 말하자, 다른 몇 사람들이 맞장구를 쳤다. 사람들은 유리가 소문의 그 주술사였냐며 떠들어댔다.

유리는 안 좋은 예감에 아랫입술을 꽉 깨물었다.

"안 그래도 테네브리스가 살인마란 소문이 도는데, 당신 뭔가 수상해. 당신이 도서관에 올 때마다 이런 일이 일어나잖아."

"혹시 살인 사건이랑 연관 있는 거 아니야? 당신이 테네브리스한테 부탁받고 죽인 거 아니냐고!"

이제 마법사들은 저들끼리 수군거리지 않고 유리에게 다가와 그간 떠도는 소문에 대해 따져 물었다. 어차피 해명한다고 해도 믿지 않을 거면서 뭐하러 묻는담. 거짓된 이야기에 대한 진실을 알리고 싶어도 결국 늘 제자리걸음일 뿐인 상황에 유리는 진절머리가 났다.

"뭔가 오해가 있으시군요. 전 살인 사건과는 상관없습니다. 대마법사 나리도 마찬가지고요."

"거짓말하지 마! 저번에도 당신이 테네브리스랑 있는 걸 내가 봤어!"

어떤 남자가 유리에게 삿대질을 하며 소리쳤다.

"나도 봤어."

군중 속의 어떤 여자가 그의 말을 거들었다. 유리는 고개를 저었다.

"다시 한 번 말하지만 저와도, 대마법사님과도 상관없는 일입니다."

"그럼 왜 해명을 안 하는 거지? 뭔가 찔리는 게 있으니 조용히 있는 거잖아!"

"테네브리스가 아니라고 말하도록 저 여자한테 시켰겠지. 보나마나 뻔해."

마법사들은 이미 유리와 카이를 범인으로 단정짓고 있었다. 유리는 자신이 무슨 말을 하든 사람들이 믿지 않을 것임을 알고 있었기에 굳이 해명하려 들지 않았다. 그녀는 사람들을 무시하고 거리에 갈기갈기 찢겨 널브러진 시체들로 고개를 돌렸다. 그래도 할 일은 할 생각이었다. 유리는 죽은 영혼들을 인도할 생각으로 가방에서 주술 부적을 몇 개 꺼냈다. 그 모습을 본 마법사들이 다가와 그녀를 막아섰다.

"하지 마. 부정 타니까."

어떤 젊은 마법사 여자가 다가와 유리에게서 거칠게 주술 부적을 빼앗아 찢어버렸다. 잠을 설쳐가며 열심히 만들었던 노란 주술 부적은 보잘것없는 종이 조각이 되어 허공에 휘날렸다.

"전 그저 죽은 영혼들을 위로하려고……."

"우린 주술사 따위 필요 없으니까 당장 여기서 꺼져. 앞으로 얼씬도 하지 마."

여자는 더 들을 필요도 없다는 듯 유리의 말을 끊었다. 유리는 자신을 경멸하는 눈빛들을 등 뒤로하고 돌아섰다. 테네브리스가 있을 때는 아무 말도 못하던 사람들이 내 앞에서는 살인마니 뭐니 하는 개소리를 잘도 지껄이는구나. 유리는 카이의 등 뒤에서만 용감해지는 그들이 역겨웠다.

마법의 거리에서 나와 광장을 가로질러 유리는 미노리 마을에 있는 여관으로 갔다. 거짓된 소문으로 가득한 이 지옥 같은 곳에서 그나마 마음을 진정시켜줄 장소였다. 유리는 구석에 앉아 술을 정신없이 들이켰다. 이런 상황에선 어떻게 해야 할까? 아무도 자신을 믿지 않을 때, 모두가 자신을 오해하고 있을 때 어떻게 해야 하는지 진율은 가르쳐준 적이 없었다. 당연했다. 청렴한 삶을 살려 노력하는 주술사들 사이에서 누군가를 함부로 모함하는 일은 거의 없었으니까.

사람들은 어차피 믿고 싶은 것만 믿고, 보고 싶은 것만 보았다. 그게 사람이었다. 자신도 그랬고, 다른 사람들도 그랬다. 유리는 잘 알고 있었다. 자신이라고 예외가 될 수는 없었다. 잔에 술을 더 따르려던 유리는 술병이 벌써 비어버렸다는 것을 깨달았다. 술병을 아무리 흔들어봐도 찔끔찔끔 몇 모금만 나올 뿐이었다.

"술 한 병 좀 더 가져다주세요."

유리는 마침 옆을 지나가는 여관의 하인에게 월광주 한 병을 더 가져다 달라고 부탁했다. 하인은 알겠다며 멀어져 갔다. 그녀의 목소리에 몇몇 손님들이 뒤를 돌아보았다.

"세상에, 반월당의 주술사잖아!"

한 남자가 유리의 얼굴을 보고 말했다. 그와 같이 앉아있던 다른 남자는 두 눈을 휘둥그레 떴다.

"뭐? 반월당이라고? 그게 무슨 말인가?"

"왜, 그 사당에서 꼬맹이들 말고 좀 나이가 있는 제자들이 있었잖아. 키 큰 사내랑 계집이 하나 있었던 걸로 아는데. 아마 이름이 유리였던가?"

하인이 내온 술을 잔에 따르던 유리는 자신의 이름이 들리자 술병을 내려놓았다. 왜 내 얘기를 하는 거지? 유리는 곁눈질로 옆자리에 앉은 사람들을 흘끗 보았다. 어딘가 낯이 익는 얼굴이긴 하나 정확히 누군지는 기억나지 않았다. 유리는 못 들은 척 술을 마시며 그들의 대화에 귀를 기울였다.

"그게 정말인가? 정말 저 여자가 그 반월당의 주술사라고?"

"틀림없네. 요즘 도는 살인 사건에 대한 소문 말일세, 듣기로는 테네브리스 집안의 아들이 주술사를 고용해서 사람들을 죽인 것이라고 하더구먼. 그런데 기가 막히는 건 그 주술사가 저 여자라는 걸세. 양반 나리들 얘기로 얼굴에 흉터가 있었다고 했거든. 지금 보니 옛날에 본 그 얼굴하고 닮았어. 확실하네."

두 남자는 유리가 듣고 있는 것을 아는지 모르는지 계속 대화를 이어 나갔다. 사람들이 수군거릴 때 테네브리스도 이런 기분이었을까? 유리는 술이고 뭐고 그냥 이곳에서 나가고 싶어졌다. 아무도 모르는 곳으로 사라지고 싶었다.

유리는 자리에서 일어났다. 술값을 지불하려 가는데 등 뒤에서 따가운 시선이 느껴졌다. 뒤를 돌아보자 사람들이 자신을 힐끔힐끔 쳐다보며 속닥거리고 있었다. 뒤에서 테네브리스와 살인마라는 말들이 들려왔다. 설마, 다른 사람들도 저 남자들 이야기를 들은 걸까. 극심한 불안감이 또다시 엄습해오자 유리는 움직이지도, 말하지도 못하고 제자리에 굳어버렸다.

"저 여자가 그 주술사라고?"

"그래, 그 영감이 고아들을 거두어 키웠었잖아."

"배은망덕한 년. 스승의 은혜도 몰라보고 저런 짓거리나 하고 다니다니."

사람들은 저마다 소문이나 진율, 혹은 반월당에서 있었던 일에 대해 떠들어댔다. 어느 곳을 보아도 자신을 경멸 담긴 눈으로 쳐다보는 시선뿐이었다. 손이 떨려왔다. 더 이상 견딜 수가 없었다. 당황하지 말자. 침착하고, 아무것도 모르는 척 그냥 나가는 거야. 그러면 돼. 유리는 돈주머니를 찾으려 다급하게 망토 안주머니를 뒤적거렸다. 그러나 바짝 긴장한 상태인데다 허둥지둥하는 바람에 그만 앞에서 걸어오는 사람과 부딪혀 넘어지고 말았다. 제길, 이럴 때일수록 침착해야 하는데 바보같이 넘어지기나 하고. 유리는 자신이 한심하게 느껴졌다.

"죄송합니다, 앞에서 오시는 걸 못 봤어요. 정말 죄송합니다."

"아니에요, 그럴 수도 있죠. 어디 다치신 곳은 없으세요?"

유리는 남자에게 정중히 사과하며 떨어진 돈주머니를 주우려 허리를 굽혔다. 하지만 손이 채 닿기도 전에 남자가 돈주머니를 주워 주었다. 모두들 자신을 싸늘한 시선으로 쳐다보는 이 여관 안에서 마주친 뜻밖의 친절함이었다. 유리는 남자의 부축을 받으며 일어났다.

"네, 전 괜찮아요. 정말 감사합니다. 그쪽은 어디 다치신 곳 없으신지……."

다시 한 번 감사하다고 말하려던 그때였다. 남자와 시선을 마주친 유리는 숨이 멎는 느낌을 받았다. 깊이 눌러쓴 두건 아래, 황금색 눈동자가 그림자 속에 숨어 자신을 보며 웃고 있었다.

"정말 괜찮아요? 많이 아파 보이는 것 같은데."

미르는 태연하게 입꼬리를 올려 씩 웃었다.

"네가 어떻게 알고 여길……!"

유리는 반사적으로 검을 빼어 들어 그에게 겨누었다. 은빛의 칼끝이 미르의 심장을 향했다. 자신을 도와준 사람에게 느닷없이 검을 겨누는 모습을 목격한 손님들은 경악했다.

"저것 봐! 내가 저 여자가 맞다고 했지!"

"진율 님만 불쌍하게 됐어. 저딴 쥐새끼만도 못한 년을 거둬들이다니. 주술사가 아니라 망나니야, 망나니."

"역시 그 마법사랑 뭔가 있는 게 틀림없다니까!"

힐끔거리며 뒤에서 수군대던 사람들은 이제 대놓고 삿대질을 하며 언성을 높였다. 몇몇 사람들은 비명을 지르며 여관을 빠져나갔다.

"아가씨, 뭐하는 거요? 정신 나갔소?"

삿대질을 하던 사람들 중 한 남자가 유리에게 다가와 어깨를 툭 치며 시비를 걸었다. 여관 안의 모든 시선들이 유리에게 쏠렸다. 심장이 두근거렸다. 침착하려고 해도 가슴의 두근거림 때문에 불안감은 더욱 심해졌고, 숨이 가빠왔다. 무거운 불덩이를 올려놓은 듯한 압박감이 가슴을 짓눌렀다.

"모두들 오해가 있으시군요. 맹세컨대 전 살면서 사람을 죽인 적은 단 한 번도 없습니다."

유리는 애써 담담하게 말했다. 그러나 이미 사람들은 그녀를 살인자로 낙인찍은 지 오래였다.

"웃기지 말아요! 반월성 모든 사람들이 당신이랑 테네브리스가 범인이라는 걸 알고 있는데, 대체 뭐가 아니라는 거예요?"

"됐소. 그년이랑 말 섞지 마시오. 진율 님이 베푸신 은혜도 모르는 배은망덕한 년이니."

어떤 중년 여자가 소리치자, 유리의 이름을 언급하며 먼저 이야기를 시작했던 남자가 뒤를 돌아보며 말했다. 그는 괜히 쓸모없는 사람 때문에 시간 낭비하지 말라는 말을 덧붙이며 마저 술을 들이켰다. 여관을 꽉 채운 많은 사람들 중 누구 하나 자신을 믿는 사람은 없었다. 혼자. 이곳에서 그녀는 또다시 완전히 혼자였다. 그녀가 불안에 떠는 동안 미르는 여전히 얼굴을 반쯤 가린 채 조용히 의미심장한 미소만 짓고 있었다. 끊임없이 자신을 곤경으로 몰아넣으며 이 모든 상황을 여유롭게 즐기고 있는 그의 모습에 유리는 분노가 치밀어 올랐다.

"범인은 제가 아니라 이 사람입니다! 이 사람, 아니, 미르 블러드시커가 범인이라고요!"

유리가 울먹이는 목소리로 항변했다. 하지만 누구도 그녀의 말에 귀 기울이는 이는 없었다.

"블러드시커라니요? 아가씨, 무슨 말을 하시는 거예요? 전 그냥 도와드렸을 뿐인데……"

미르가 억울하다는 투로 말했다. 그는 눈빛의 광기를 살짝 누그러뜨리고서 당황스러운 척 연기하고 있었다. 이윽고 한 여자가 다가와 괜찮냐며 그를 다독였고, 사람들은 미르의 편에 섰다. 유리는 할 말을 잃고 얼이 빠진 표정으로 미르를 쳐다보았다. 그는 여전히 그림자 속에 진의를 숨긴 채 그녀를 보고 씩 웃고 있었다.

"아, 뭐 하고 있어? 어서 여기서 썩 꺼지지 못해? 술맛 떨어지게 하지 말고 나가!"

옆자리에서 술을 마시던 노인이 버럭 소리를 질렀다. 유리는 할 수 없이 술값을 지불하고 여관을 나왔다. 내가 여기 있는 걸 어떻게 안 거지? 날 따라다니고 있는 건가? 또 붙잡힐까 봐 일부러 사람들이 많은 곳만 골라서 다녔는데! 일이 완전히 꼬였다는 생각에 머리가 지끈거렸다. 사람들이 많은 곳도 어쩌면 이제는 안전하지 않을지 몰랐다. 개똥 밭에 굴러도 이승이 낫다고? 대체 누가 그런 말을 한 걸까? 난 그저…… 이 상황을 타개할 수 없다면 차라리 저승으로 도망치고 싶은 마음뿐인데. 미르만 없다면 지옥조차도 내게는 편안한 곳이 될 텐데.

해가 뜰 시간이 다가오고 있었다. 유리는 여관을 나와 말을 타고 달렸다. 어서 잘 곳을 찾아야 했다. 그러나 미노리 여관으로 돌아갈 수는 없었다. 다른 여관으로 갈 수도 없었다. 경멸의 시선들의 중심에 서 있던 기억에 손이 떨려왔다. 세상 어디에 있더라도 미르가 찾아낼 것만 같았다. 유리는 다른 여관을 찾아 가려던 걸음을 멈추고 미련 없이 뒤돌았다. 그리고 서쪽을 향해 미친 듯이 말을 재촉했다.

"집사님, 계세요? 집사님! 문 좀 열어주세요!"

유리는 테네브리스 저택 대문을 부서져라 두들기며 다급하게 소리쳤다. 분명 라일이나 하녀들이 정원에서 꽃을 손질하거나 마당을 쓸고 있을 터였다. 유리는 그들 중 아무나 제발 문을 열어 주길 바라며 계속 문을 두드렸다. 곧 누군가 다가오는 발소리가 들렸고, 작은 쪽문이 끼이익거리는 소리를 내며 열렸다. 그러나 그 너머로 자신을 마주한 이는 집사나 하녀가 아니었다. 타오르는 불꽃 같은 눈동자의 주인이 의아한 표정으로 눈썹을 찡그린 채 자신을 쳐다보고 있었다. 그의 주변으로 회색 연기가 떠다니는 것을 보아, 정원을 거닐면서 담배를 피우고 있었던 듯했다.

"뭐지? 왜 다시 돌아왔어? 오늘은 끝났다고 했잖아. 잊었나?"

카이가 살짝 짜증 섞인 투로 물었다. 유리는 주저앉아 숨을 고르고 일어났다. 어쩐지 그의 모습을 보자 불안한 마음이 진정되는 느낌이었다.

"부탁인데 나 오늘만 여기서 재워줘."

"뭐?"

카이는 황당하다는 듯 헛웃음을 지었다.

"멀쩡한 여관을 놔두고 왜 여기서 잔다는 거지? 왜, 귀족의 저택에서 하루 지내보니까 낡고 냄새 나는 여관은 더 이상 못 버티겠던가?"

"그게 아니라……."

"공손하게 말해봐."

뜬금없는 말에 유리는 눈을 깜빡였다. 그녀가 무슨 말인지 모르겠다는 듯 가만히 서 있기만 하자 카이는 명령하듯 고갯짓을 했다.

"한 번만 더 재워 달라고 공손하게 부탁해봐, 아가씨."

그의 목소리에서 장난기가 묻어났다. 유리는 카이가 자신의 말을 진지하게 받아들이지 않고 있다는 것을 깨달았다.

"나 지금 농담하는 거 아니야, 테네브리스. 미르 때문에 그래."

"……블러드시커? 또 무슨 일이지?"

유리의 입에서 살인마의 이름이 언급되자 장난스럽던 카이의 표정이 차갑게 굳었다.

"방금 여관에서 만났어. 아무래도 날 따라다니고 있는 것 같아. 돈주머니를 떨어뜨렸는데 어떤 사람이 주워 줬거든. 그런데 그 사람이……."

생각만 해도 소름 끼치는 기억에 유리는 말끝을 흐렸다. 그녀가 말을 잇지 못하는 모습을 본 카이는 문고리를 당겨 대문을 열었다.

“일단 들어와서 얘기해.”

유리는 다시 저택으로 들어섰다. 그녀는 하녀들에게 나비를 맡기고 3층 침실에 짐을 푼 뒤, 2층의 서재로 내려와 카이와 마주보고 앉았다. 유리는 카이와 마주보고 앉아 라일이 가져다준 차만 조금씩 홀짝였다.

한동안 긴 침묵이 이어졌다. 스스로 생각해도 조금 웃긴 광경이었다. 몇시간 전에 작별인사를 나눴던 하녀들과 다시 인사를 하고, 서재로 돌아와 그와 다시 마주보고 있다니. 그녀가 도로 돌아온 것을 집사나 하녀들이 특별히 이상하게 여기는 것 같지는 않았지만, 그래도 유리는 부끄러웠다. 그러면서도 이곳의 고요함이 가져다주는 평온함에 한시름 놓을 수 있어 마음이 약간이나마 진정되는 느낌이 들었다. 이젠 테네브리스 저택이 아니라면 갈 곳이 없을 것 같았다.

“왜 여관에서 못 자겠다는 건지 말해봐. 대체 블러드시커가 또 뭘 어떻게 했길래 그런 건지.”

카이가 눈짓을 하며 물었다. 그의 다른 한 손에서는 여전히 깃펜이 그의 손놀림을 따라 이리저리 뒹굴고 있었다. 유리는 찻잔을 만지작거리며 망설이다 입을 뗐다. 그녀는 방금 전 마법 도서관에 방문했던 것과 박쥐가 도서관을 공격한 것, 여관에서 마주친 미르에 대해 말을 꺼냈다.

“사람들한테…… 내가, 우리가 사람들을 죽이는 게 아니라고 말했어. 하지만 아무도 듣지 않았어. 전부 미르 편만 들더라고.”

“비겁한 놈이군. 정정당당하게 앞으로 나와 싸우지는 못할 망정 뒤에 숨어서 소문이나 퍼뜨리다니.”

카이는 생각만 해도 진저리가 난다는 듯 고개를 저었다.

“그런데, 넌 왜 집을 놔두고 여관에서 지내는 거지?”

“무슨 소리야?”

"집이 없다면 다른 지낼 곳이라도 있을 텐데. 어디든지 네가 집이라고 여길 만한 곳 말이야."

"난…… 집이 없는데?"

"집이 없다고? 아무데도 갈 데가 없다는 말인가?"

카이의 두 눈에 의문과 호기심이 일었다. 믿을 수 없다는 표정이었다. 유리는 집이 있다는 것을 너무나도 당연하게 여기는 듯한 그의 말투에 얼떨떨했다.

"원래 없으니까 없지. 난 지난 4년 동안 제국을 떠돌면서 살아왔어. 말해준 것 같은데, 기억 안 나?"

"사당에서 네 친구들과 스승이랑 있었다는 얘기는 들었지만, 글쎄. 그 얘기는 들은 적이 없는 것 같군."

"내가 자세하게 말을 안 했었나? 어쨌든 4년 전에 사당에서 그 일이 있고 나서…… 나한텐 집이라고 부를 만한 곳이 없어. 앞으로도 없을 거고."

유리는 마음 속으로부터 터져나오는 말들을 차마 잇지 못하고 삼켰다. 떠돌이로 살아오며 서글펐던 날이 하루 이틀이 아니었다. 미르 때문에 악화되기만 하는 상황에 마음 같아서는 누구라도 붙잡고 하소연이라도 하며 울고 싶을 지경이었다. 하지만 말한다고 한들 이 심정을 누가 알아줄까? 결국 세상엔 나 혼자뿐인데. 사람들은 늘 그렇게 말했다. 당신만 힘든 것이 아니고, 모두가 똑같이 살아가니 당신이 대단한 마음고생을 하는 것처럼 여기지 말라고. 위로는커녕 오히려 화가 치밀어 오르게 하는 말이었다. 유리는 찻잔으로부터 느껴지는 따스한 온기에 차가워진 손끝을 데웠다.

"하지만 넌 주술사잖아. 굳이 네 친구들과 함께가 아니더라도 다른 사당에서 살면 되지 않나?"

"그렇게 간단한 문제가 아니야. 넌 이해 못할 거야, 테네브리스."

유리는 좌절감에 주먹을 꽉 쥐었다. 그녀는 대마법사에 타고난 천재라고 불릴 만큼 뛰어나며 현명한 카이가 왜 대체 이 문제를 이해하지 못하는지 의문이 들었다. 하지만 유리는 곧 답을 찾았다. 그는 그냥 대마법사가 아니었다. 아주 악한 사람은 아닐지 몰라도, 그가 다른 이들과 같은 밤의 인간일지는 몰라도, 결국 그는 냉혈한 카이 테네브리스였다. 감정에 있어서는 그 누구보다도 차가워지는 사람이었다. 그런 이가 설령 남을 도울 수는 있어도 사랑이나 온정과 같은 감정을 이해할 수는 없을 것 같았다. 감정이나 마음은 마법처럼 이론적으로 접근할 수 있는 것이 아니니까. 그래도 그는 이론적으로 접근하려고 할 것이다. 하지만 결국 그는 감정이라는 것을 절대 이해하지 못하고, 남들과 이질감만 더욱 느끼게 될지도 모른다. 유리는 그렇게 생각했다.

"어차피 사당은 모두 똑같을 텐데 뭐가 문제인 거지? 주술사들이 하는 일도 똑같잖아. 그냥 다른 사당으로 가서 살면,"

"그냥 사당이 아니었단 말이야!"

유리가 갑자기 버럭 소리쳤다. 카이는 처음으로 유리가 자신의 말을 끊자 놀란 눈으로 쳐다보았다.

"그냥 사당이 아니었단 말이야. 나한테는 유일하게 고향 같은 곳이었어. 나도 다른 사당으로 가는 걸 생각 안 해본 건 아니라고! 그때 우릴 딱하게 여긴 다른 주술사들이 도와주러 왔었어. 하지만 새로운 곳에서 새로운 사람들과 살면서 적응하는 건 다른 문제야. 그래서 선우랑 동생들도 굳이 다른 곳으로 가고 싶어하지 않아 했어. 그리고, 또…… 스승님도 있고."

하얀 손등 위로 눈물 방울이 뚝뚝 떨어졌다. 정말 울고 싶지 않았는데. 특히 테네브리스 앞에서는……. 유리는 소리 내어 울지 않으려 끅끅거리며 굵은 눈물을 쏟아냈다. 괜히 자신이 스승을 욕먹게 한 것 같아 죄책감이 들었다. 하지만 무엇보다도 4년 전 일에 대한 죄책감은 어떤 기억이나 감정보다도 유리의 어깨를 무겁게 짓눌렀다.

"너 때문에 스승이 죽었다고 생각하나?"

서럽게 눈물을 쏟아내는 유리를 말없이 지켜보던 카이가 입을 열었다. 유리는 고개를 숙인 채 옷소매로 눈물을 닦아냈다.

"내가 따라가지 않았다면…… 내가 미르를 따라가지 않았다면 돌아가실 일도 없었을 거야. 동생들도 죽지 않았을 거고. 후회돼. 미치도록 후회가 돼. 그러지 말았어야 하는데."

"그건 네 잘못이 아니야."

유리는 자신의 귀를 의심했다. 그녀는 고개를 들어 카이와 시선을 마주했다. 지금 저 냉혈한 같은 인간이 날 위로하려고 하는 건가? 설마. 말도 안 돼. 유리는 마음 속으로 자신의 물음을 부정했다. 하지만 뜻밖의 말에 얼굴 위로 기대감이 떠오르는 것은 어쩔 수 없었다.

"그건 네 잘못이 아냐."

카이가 다시 말했다.

"네 스승의 잘못이었지."

"뭐라고?"

"블러드시커를 따라갔든 안 따라갔든 내가 보기엔 어차피 일어날 일이었어. 그놈과 네가 연인이 되지 않았더라도 언젠가는 일어날 일이었겠지. 살인마인 이상 그 어떤 이유를 대서라도 죽였을 테니. 진짜 문제는, 네 스승이 나약했다는 거다."

"어떻게 그런 말을 할 수가 있어? 스승님이 나약했다니 그게 무슨 소리야?"

"스스로 제자들을 지킬 힘도 없었으면서 열 명씩이나 고아들을 데려온 것부터가 실책이야. 데려오지 않았다면 모두 죽을 일도 없었어. 네 동생들도, 네 스승도. 하지만 괜히 불쌍하답시고 데려와서 우물 안 개구리처럼 기른 탓에 제자들도 죽고 자신도 죽었지."

"너 지금 말 다 했어?"

유리는 붉어진 눈시울로 카이를 노려보았다. 울먹이는 목소리가 분노와 긴장감으로 떨렸다. 그러나 카이는 태연하게 팔짱을 끼고 의자 등받이에 머리를 기댔다.

"왜, 내가 틀린 말이라도 했나?"

"스승님께서 우릴 데려와 돌보셨던 건 단순히 동정심 때문이 아니었어. 우릴 얼마나 진심으로 아끼셨는데……."

"제자들을 아낀다는 사람이 정작 위험할 때는 제자들을 죽게 내버려 뒀나? 스승이 그렇게 무능했으니 네가 지금 블러드시커에게 쫓기고 있는 거야."

"함부로 말하지 마! 네가 스승님에 대해서 뭘 안다고 지껄이는 거야?"

"나약한 인간들은 굳이 재어 보지 않아도 알 수 있어. 넌 부정하고 싶겠지. 하지만 내가 보기엔 너나 네 스승이라는 작자나 다를 게 없어. 똑같이 무능하고 무책임해. 자신의 제자를 어떻게 다뤄야 하는지도 모르면서 불쌍하다는 이유로 거둬들였고, 결국 네가 블러드시커와 떠나겠다고 하는 것도 붙잡지 못했으니까."

"입 닥쳐!"

유리가 격앙된 목소리로 외치며 검을 빼어 들었다. 별자리가 새겨진 푸른빛 칼날이 또다시 카이의 목에 닿을락 말락 했다. 하지만 이번에도 카이는 눈 하나 꿈쩍하지 않았다.

"또 시작이군. 그래, 네가 날 언제 또 죽이려고 들지 궁금했었지."

“네가 뭘 안다고 함부로 지껄여? 네가 스승님에 대해서 뭘 알아? 네가 뭔데 스승님을 멋대로 판단해? 네까짓 게 뭔데!”

“질문은 한 번에 하나씩만 해. 그리고 네 스승이 나약했던 건 사실이야. 그러니 제자들도, 자기 자신조차도 구하지 못한 거지.”

카이가 특유의 냉랭한 말투로 비아냥거렸다. 유리는 진율을 모욕하던 미르의 말이 생각났다. 미르는 유리를 고문할 때마다 진율을 ‘그 노인네’라고 부르면서, 고지식하고 고집만 세며 나약한 인간이라고 욕했다. 그런데 지금 카이는 미르와 똑같은 말을 하고 있었다. 설령 진율이 정말 우물 안 개구리였더라도, 설령 그가 정말로 나약해서 제자들을 감싸안기에만 급급해 스스로 지킬 힘을 제대로 길러주지 못했더라도, 그가 제자들을 진심으로 아끼고 헌신했다는 것은 누구도 부정할 수 없는 사실이었다.

유리는 여전히 진율에게서 처음으로 자신의 이름을 쓰는 법을 배웠던 날을 잊지 못했다. 그나마 믿었던 사람에게서 스승님을 모욕하는 말을 듣게 되다니! 배신감을 느낀 유리는 카이를 향해 검을 휘두르려 손을 움직였다. 그러나 이상하게도 검은 공중에서 얼어붙은 것처럼 꿈쩍 하지 않았다.

“또 마음대로 뭔가 안 되시나?”

카이가 비웃듯 입꼬리를 올리며 손을 앞으로 뻗었다. 검이 바닥을 향해 기울며 무거워지기 시작했다. 유리는 카이가 또다시 중력 마법으로 자신의 검을 제어하고 있다는 것을 눈치챘다. 그녀는 안간힘을 쓰고 비틀거리며 검을 잡아보려고 했다. 그러나 검은 아래로 기울어지기만 했다.

“능력도 없고, 나약한 것도 모자라서 멍청하기까지 하다니. 그런 자가 너의 스승이라고? 한심하기 짝이 없군.”

“테네브리스!”

기울어지던 천체검은 그녀의 손에서 미끄러지며 바닥에 떨어졌다.

유리는 앞으로 손을 뻗었다. 작고 희미한 보잘것없는 안개가 아닌, 짙은 보랏빛의 커다란 안개가 손안에서 피어났다. 그 보랏빛 마력 안개는 허공에서 천천히 별자리와 주문 글귀가 새겨진 천체검 모양으로 변했다. 유리는 자신의 검과 똑같은 형상을 한 보랏빛 안개를 쥐고 카이의 심장을 향해 쏘았다.

"드디어."

하지만 대마법사는 전혀 당황하지 않았다. 그는 오히려 여유롭게 자신을 향해 날아오는 마력 안개에 손을 뻗었다. 그의 손짓에 마력 안개는 더 이상 날아가지 못하고 코앞에서 멈췄다.

"이제서야 제대로 집중을 하는군."

카이가 만족스럽다는 듯 입꼬리를 올려 씩 웃었다. 그러더니 느리게 박수를 쳤다.

"의외인데. 아주 잘했어, 유리."

"뭐야…… 어떻게 된 거야? 방금 그건……."

눈앞이 점점 흐려졌다. 유리는 말을 잇지 못하고 옆으로 쓰러졌다.

15장.

마법사의 길

The Path of the Mage

얇은 빗줄기가 주룩주룩 내렸다. 먹구름이 잔뜩 낀 터라 달빛은 하나도 보이지가 않았고, 자욱한 안개까지 하늘을 가린 탓에 별자리도 보이지 않았다. 유리가 마루 아래 켜둔 촛불 몇 개만이 바람에 위태롭게 휘날리며 온기를 잃지 않으려고 애를 쓰고 있었다.

이런 궂은 날씨에도 동생들은 밖에 나와 있었다. 정확히는 혜성과 세인 둘뿐이었다. 그들은 사랑채 앞마당에서 검술 내기를 하는 중이었다. 날카로운 칼날이 서로 부딪히는 소리가 귓가에 연이어 울리며 단잠을 깨웠다. 탁상을 펴놓고 책을 읽다 잠든 유리는 천천히 일어나 눈을 떴다. 빗물에 옷이 흠뻑 젖고도 뭐가 그리 즐거운지, 동생들의 얼굴에는 웃음꽃이 피어 있었다.

"그러다 감기 들겠어. 다들 이제 그만하고 옷 갈아입어."

유리가 졸린 눈을 비비며 말했다.

"안 돼. 내가 지면 일주일 동안 빨래해야 된단 말이야!"

세인이 숨을 헐떡이며 겨우 말했다. 두 자루의 천체검이 빗줄기 속에서 끊임없이 맞부딪혔다. 세인은 혜성의 공격을 여유롭게 막아내며 그를 압도하고 있었다. 소녀는 상대가 어떻게 공격을 해 올지 움직임을 모두 간파했고, 그렇게 쉴 새 없이 휘몰아치는 세인의 공격에 혜성은 버거운 듯 뒤로 밀려나기만 했다. 이 작은 내기의 승자는 세인인 듯 보였다.

그런데 세인이 갑자기 '으악' 하고 작은 외마디 비명을 질렀다. 그녀가 여유를 부리며 방심한 틈을 타 혜성이 세인의 검을 멀리 쳐낸 것이었다. 천체검은 진율이 세워둔 장독대를 향해 날아가 그 옆에 떨어졌다. 작은 대결의 승자가 된 혜성은 두 손을 위로 번쩍 올리고 웃었다.

"이겼다! 이제 네가 일주일 동안 빨래 담당이야."

혜성이 놀리듯 세인의 어깨를 툭툭 쳤다. 세인은 짜증이 가득한 얼굴로 돌멩이를 발로 걷어찼다.

"언니가 말만 안 걸었어도 이기는 건데!"

"그러게 누가 방심하래? 스승님 말씀 허투루 들었지?"

세인이 구시렁대자 혜성이 장난기 가득한 얼굴로 자신만만하게 말했다. 세인은 억울한 눈빛을 하고 혜성과 유리를 째려보았다.

"몰라, 다 유리 언니 때문이야."

"너희들! 비 맞으면서 밖에 나와 있지 말라고 했지!"

낮고 굵은 목소리가 앞마당에 쩌렁쩌렁 울렸다. 동생들은 화들짝 놀라 얼른 뒤를 돌아보았다. 선우가 밥상을 양손에 들고 험악한 표정으로 걸어오고 있었다. 혜성은 선우를 보자마자 다급하게 처마 밑 마루에 앉았고, 세인도 떨어진 검을 헐레벌떡 뛰어가 주워 왔다. 선우는 비에 흠뻑 젖은 생쥐 꼴이 된 동생들을 보고 인상을 찌푸렸다.

"내가 감기 든다고 분명히 말했지. 저번처럼 또 앓아서 눕고 싶어? 그렇게 쓰다고 싫어하는 탕약 한 사발씩 마셔야 하는데."

"미안해, 오빠. 난 그냥 혜성이랑 내기하고 싶어서……."

"내기는 비 그친 다음에 해도 되잖아. 굳이 지금 해야 될 이유가 뭐야? 말해봐."

선우의 단호한 태도에 세인과 혜성은 우물쭈물했다. 그들은 감히 변명을 할 생각도, 대꾸할 생각도 하지 못했다. 결국 동생들은 잘못했다, 다음부터는 그러지 않겠다라는 말을 기어들어가는 목소리로 힘겹게 내뱉었다. 선우는 동생들을 한심하게 쳐다보며 혀를 끌끌 차더니 유리에게로 시선을 돌렸다.

"얘네 이렇게 될 때까지 넌 뭐 한 거야?"

"청소하고 책 읽고 있었어. 깜빡 잠들었나 봐."

아직 잠에서 덜 깬 듯 유리의 목소리는 약간 잠겨 있었다. 선우는 못마땅한 얼굴로 밥상을 유리에게 내밀었다.

"이거 스승님께 가져다 드리고 부엌으로 와. 이제 밥 먹을 시간이니까 준비해야 해."

"알았어. 금방 갈게."

"빨리 와서 요리하는 것 좀 도와줘. 그리고 너희 둘은 이리 오고."

선우는 혜성과 세인에게 검지를 까딱거렸다. 동생들은 서로를 노려보며 불만 섞인 목소리로 억울하다는 듯 중얼댔다. 유리는 그런 세 사람의 뒷모습을 보며 웃었다. 선우한테 잘못 걸렸으니 저 둘은 한동안 고생 좀 하겠구나. 하여간 정말 못 말린다니까. 유리는 정신을 차리려 얼굴을 두어 번 두드리고선 자리에서 일어났다. 쌀쌀한 날씨에 음식이 식어버릴까 그녀는 밥상을 가지고 진율이 있는 별채로 얼른 뛰어갔다.

"스승님, 식사 가져왔어요."

유리는 조심스럽게 진율의 안방 문을 열었다. 고요한 방 안의 탁상 위에 켜진 촛불 뒤로 조용히 독서에 몰두하고 있는 진율의 모습이 보였다. 그의 등 뒤로는 검은 안개 산맥 위를 날아가는 흑두루미가 그려진 병풍이 있었는데, 다른 주술사들로부터 오래 전에 선물 받은 것이었다. 모서리가 뜯어지고 색이 바래는 등 낡긴 했지만 이 방 안에서 그나마 값이 나가는 물건이라고 할 수 있었다.

사실 진율은 한번 손에 들어온 물건은 웬만하면 그냥 버리는 법이 없었다. 그는 옷이나 이불도 헤지고 닳을 때까지 몇 번이고 기워 입었고, 탁상 다리가 부러져도 큰 문제가 없으면 고쳐서 몇 년씩 사용하곤 했다. 신발이나 여러 다른 물건들도 마찬가지였다. 그런 검소한 성품을 가진 진율답게 이 방 안의 물건들은 모두 나이가 굉장히 많았고, 각자 몸뚱어리에 실로 여러 번 꿰맨 흔적, 무언가에 긁힌 흔적 등을 지니고 있었다. 유리는 바닥에 밥상을 내려놓고 앉았다.

"이제 식사하실 시간이에요. 좀 드세요."

"됐다, 입맛이 없구나. 가져가서 너희들 먹도록 하거라."

"그러지 말고 드세요. 오늘 아무것도 안 드셨잖아요."

유리는 숟가락과 젓가락을 진율 쪽으로 가지런히 놓았다. 갓 지은 뜨끈뜨끈한 보리밥에서 모락모락 김이 올라왔다. 반찬이라고는 거의 나물밖에 없었고, 딱 하나 있는 고기 반찬이라곤 뒷산에서 잡아온 토끼 고기가 전부였다. 하지만 선우의 뛰어난 요리 실력 덕에 밥상은 초라하지 않고 모두 꽤 먹음직스럽게 보였다. 진율은 숟가락을 들고 밥을 한 술 뜨려다 다시 내려놓았다. 그는 밥상을 유리 쪽으로 밀었다. 스승의 얼굴에 왠지 모를 근심이 떠올랐다.

"왜 그러세요? 무슨 걱정이라도 있으세요?"

"아무것도 아니다. 난 그저……."

진율은 말을 잇지 못하고 유리를 빤히 쳐다보았다. 유리는 그런 스승의 모습에 눈만 깜빡였다.

"네가 처음 여기에 왔을 때만 해도 아직 어린 아이 같았는데, 어느새 이렇게 다 큰 숙녀가 되었구나."

진율은 기특하다는 듯 유리의 머리를 쓰다듬었다.

"다 스승님 덕분이죠. 스승님께서 구해주시지 않았다면 전 살아있지도 못했을 거예요."

"잊지 말거라. 내가 언제까지나 여기에 있을 수는 없단다. 네 앞길은 네가 스스로 만들어가야 해."

"오늘따라 이상한 말씀을 하시네요. 평소 같지 않으세요."

"어쩌면 내가 너무 늙어서 그런지도 모르지. 이제 슬슬 떠날 때가 되었나 보다."

그는 의미심장한 표정으로 읽던 책을 덮었다. 동시에 방 안을 밝히고 있던 유일한 촛불이 꺼졌다. 빛이 사라지자 주변에는 온통 어둠이 내렸다. 유리는 밤의 인간 특유의 야간 투시 능력으로 어둠 속을 살피며 스승을 찾았다. 진율은 여전히 같은 자리에서 정좌한 채 눈을 감고 있었다.

"스승님?"

유리는 다시 한 번 스승을 불러보았다. 그러나 진율은 아무 말이 없었다. 유리는 촛불을 켜기 위해 성냥을 찾아 서랍으로 손을 뻗었다. 하지만 아무것도 잡히지 않았다. 대신 뭔가가 유리의 손을 잡았다. 무심한 세월 속에서 온갖 험하고 고된 일로 투박해진 진율의 손이었다.

"유리, 마음을 굳게 먹거라."

"네? 무슨 말씀이세요?"

"우리는 태초의 어둠에서 태어난 자들의 후손이란다. 하지만 때로는 어둠이 빛보다도 무서울 때가 있지. 명심하거라. 어둠은 죽음과 함께 태어났으니, 우리는 죽는 것이 아니란다. 죽음은 어둠의 신께 돌아가는 길일뿐이지. 어둠의 신께서는 늘 우리를 지켜보고 계신단다. 그러니 무서워하지도 말고, 포기하지도 말거라."

진율은 알 수 없는 말을 늘어놓았다. 유리는 이해할 수 없는 스승의 말에 눈썹을 찌푸렸다.

"스승님, 대체 무슨 말씀을……."

그 순간, 갑자기 주변이 환해지기 시작했다. 하얗고 차가운 빛이 순식간에 어둠을 집어삼키더니 두 사람을 감쌌다. 너무 눈부셔서 눈을 뜰 수조차 없었다. 유리는 반사적으로 빛을 피해 고개를 숙였다.

얼마나 지났을까, 이내 점점 환한 빛이 사라졌다. 유리는 천천히 눈을 떴다. 뭔가 이상했다. 이곳은 진율의 별채가 아니었다. 온통 붉은 흙으로 뒤덮인, 처음 보는 아주 이상하고도 고요한 언덕 밑이었다. 하늘은 온통 회색 먹구름으로 가득했고, 저 멀리 금빛 섬광이 번뜩이며 '쾅' 소리와 함께 대지에 내리쳤다.

"스승님!"

유리는 애타게 스승을 찾아 주변을 두리번거리며 외쳤다. 다행히도 진율은 유리의 옆에 서 있었다. 헌데 이런 갑작스러운 상황에서도 진율의 얼굴은 태연했다. 그는 놀라지도, 당황하지도 않았다. 그는 모든 것을 내려놓은 듯한 체념한 표정으로 먹구름만 바라보고 있었다.

"유리."

진율이 조용히 자신의 제자를 불렀다.

"나 없이도 잘할 수 있겠지?"

"네? 무슨 말씀이세요?"

"어둠의 신께서 나를 죽음의 세계로 부르고 계신다. 이제 떠나야 해."

"죽음의 세계라니요? 스승님, 아까부터 대체 무슨 말씀을 하시는 거예요?"

진율은 말없이 유리의 두 손에 검 한 자루를 쥐어 주었다. 유리는 그 검을 바로 알아보았다. 그것은 진율이 유리가 주술사 시험에 통과했을 때에 선물했던, 그녀가 늘 지니고 다니는 천체검이었다. 강철 위로 정교하게 새겨진 별자리들이 은빛으로 빛났고, 손잡이에 달린 초승달 장식이 바람에 흔들렸다. 궂은 날씨에도 검에 새겨진 별자리와 글귀는 특유의 푸른빛을 잃지 않고 빛나고 있었다.

"네게는 아직 살아가야 할 날이 많단다. 내가 없다고 포기해선 안 돼. 그러니 두려움에 맞서 싸우거라."

진율은 유리를 뒤로하고 붉은 언덕을 오르기 시작했다.

"스승님!"

유리의 부름에도 진율은 뒤돌아보지 않고 언덕을 올랐다. 환갑의 나이에 꽤 지칠 법도 하건만, 그는 이제껏 인생을 열심히 달려왔던 것처럼 절대로 걸음을 멈추는 법이 없었다. 유리는 멀어져 가는 스승을 붙잡으려 손을 뻗으며 앞으로 발을 내디뎠다. 그러나 단 한 걸음도 나아갈 수가 없었다. 두 발은 빗물이 고인 웅덩이 진흙탕 안에 묶여 꿈쩍 않았다. 유리는 붉은 진흙 수렁에 빠진 발을 애써 움직여보려 했다.

"스승님, 가지 마세요!"

유리가 다시 진율을 불렀다. 그녀는 이 모든 상황이 전혀 이해가 되지 않았다. 계속 언덕을 올라가던 진율은 정상에 다다르기 전에서야 뒤를 돌아보았다.

"죽음으로 네 문제를 피하려고 하지 마. 자꾸만 피하려고 하다 보면 두려움이 너를 좀먹게 되고, 결국 아무것도 하지 못하고 영원히 두려움에 쫓기게 될 것이야. 그렇게 되고 싶은 것은 아니겠지?"

"스승님……."

"내면의 두려움에 맞서 싸우거라. 그것이 네가 앞으로 해야 할 일이야.

나 없이도 잘해낼 수 있으리라 믿는다."

말을 마친 진율은 다시 뒤를 돌아 멀어졌다. 유리는 울먹이며 그를 잡아보려 두 손을 뻗었다. 하지만 잡아보려 하면 할수록, 붉은 언덕은 세차게 요동치며 무너져 내리기만 할 뿐이었다. 번개가 내리치며 굵은 빗줄기가 머리 위에 폭포처럼 쏟아졌다. 동시에 매서운 비바람이 몰아쳐 시야를 가렸다. 다급하게 그를 붙잡으려 뛰어가던 유리는 그만 앞으로 고꾸라져 넘어지고 말았다. 옷자락과 머리카락이 비에 흠뻑 젖어 뒤엉켰다. 하지만 진율은 멀쩡해 보였다. 언덕이 무너져 내리고 폭풍우가 쏟아지는데도 그는 전혀 비틀거리거나 넘어지는 법이 없었다.

"제발 가지 마세요, 부탁이에요…… 제가 잘못했어요! 스승님!"

유리는 희미해져 가는 스승의 뒷모습을 향해 손을 뻗었다. 얼굴 위로 눈물과 빗방울이 섞여 이젠 무엇이 눈물이고 빗방울인지 알아볼 수가 없었다. 유리는 애타게 스승을 불렀다. 하지만 이제 진율은 더 이상 뒤를 돌아보지 않았다.

"스승님, 잘못했어요…… 스승님!"

유리는 빗물에 젖은 진흙을 움켜쥐고 서럽게 울었다.

두통이 밀려왔다. 열에 시달린 것처럼 온몸이 뜨거웠다. 유리는 등에 느껴지는 불쾌한 축축함에 눈을 떴다. 낯익은 방의 광경이 시야에 들어왔고, 피부 위로 부드러운 감촉이 느껴졌다. 화려한 장미 자수가 놓인 이불이 몸을 덮었고 검은 망토와 가죽 장화는 누군가 가지런히 개어 놓은 듯 협탁 위에 놓여 있었다. 시선을 옆으로 돌리자 바닥의 융단, 고급스러운 가구와 커다란 병풍이 눈에 띄었다. 전에 라일이 안내해주었던 침실의 풍경이었다.

유리는 방금 전 상황이 꿈이라는 사실에 안도하며 두 손으로 얼굴을 감쌌다. 너무 생생해서 스승님께서 살아 돌아오신 것만 같았는데…….

유리는 싱숭생숭하고 복잡한 마음을 추스르려 애썼다. 그냥 꿈일 뿐이야. 잊어버리자. 그녀는 자신을 다독이며 침대에서 일어났다. 하지만 유리가 모르는 것이 하나 있었다. 유리는 융단 위로 맨발을 살며시 내딛다가 화들짝 놀라 움찔했다. 카이가 협탁 옆에 앉아 책을 읽고 있었다.

"아, 깜짝이야!"

"잠이 덜 깼나 보군. 오늘도 늦게까지 잘 생각은 아니겠지?"

"뭐야, 테네브리스? 네가 왜 여기 있어?"

"이제 잠꼬대 그만 하고 일어나. 달이 중천에 떴으니까."

"언제부터 들어와 있었던 거야?"

"1층에 라일이 식사를 준비해 뒀어. 먹고 나면 서재로 올라와."

카이는 자리에서 일어나 나가버렸다. 유리는 침대에 멍하니 앉아있다 일어났다.

식당에서 라일이 차려준 식사를 마친 유리는 2층 서재로 올라갔다. 문을 열고 들어서자 늘 그렇듯 카이가 책을 읽고 있었다. 평소와 다를 바 없는 서재 풍경이었다. 하지만 뭔가 이상했다. 유리는 곧 자신의 시선을 이끄는 이질적인 무언가를 발견했다.

카이의 책상 위로 보랏빛 마력 안개가 떠 있었다. 그냥 보랏빛 안개가 아니었다. 유리는 천천히 책상으로 다가갔다. 그 처음 보는 마력 안개는 자신의 검과 똑같은 형상을 하고 있었다. 날카로운 칼날과 검 위로 새겨진 별자리들, 손잡이에 달린 초승달 장식까지 완벽하게 똑같았다. 다만 그 칼끝은 정확히 카이를 향하고 있었다.

"이게 뭐야?"

"뭐긴, 네가 만들어낸 거잖아."

"내가?"

유리가 의아하다는 표정으로 물었다.

"기억 안 나나? 어제 날 죽일 듯이 노려보면서 마력 안개를 쏘았던 거."

유리는 조용히 어제 일을 곱씹었다. 진율을 모욕하던 카이의 가시 돋친 말들, 울먹이며 힘껏 검을 휘두르려던 자신의 모습, 손안에서 피어난 마력 안개, 카이를 향해 날아가던 보랏빛 천체검의 형상. 유리는 어제의 기억이 떠오르자 눈을 크게 떴다. 지금 서 있는 바로 이 자리에서 카이에게 마력 안개를 쏘았던 것이 기억났다. 그리고…… 그리고 앞이 흐려졌었는데. 다음 기억이 없는 것으로 보아 아마 정신을 잃고 쓰러진 듯했다. 자신이 이런 또렷한 형상의 마력 안개를 만들어 냈다니, 유리는 얼떨떨했다.

"솔직히 말하자면 널 가르치는 일에 회의감이 들었는데, 이제 보니 가르칠 만한 구석이 있겠군."

카이는 손짓으로 공중에 떠 있던 천체검 마력 안개를 거두었다. 그리고 옆으로 손을 뻗어 마력으로 책장에서 두꺼운 서적 몇 권을 꺼냈다.

"앉아. 제대로 가르쳐 줄 테니까."

카이가 책을 펼치며 말했다. 유리는 긴장되는 마음으로 의자를 끌어당겨 앉았다.

"자, 그럼 기초 이론부터 시작할까? 마법의 종류에는 여러 가지가 있어. 기본 마법, 변환 마법, 치유 마법, 중력 마법, 혈마법, 강령술, 정신 마법, 그리고 빛 마법이 있지. 빛을 이용한 마법은 빛의 존재인 엘프들만 쓸 수 있으니 이건 알 필요가 없고, 흠…… 어디서부터 시작하는 게 좋으려나."

"자, 잠깐만. 마법의 종류에 관해선 네가 알려준 역사 서적에서 조금 봤어."

"좋아, 그럼 가르치는 게 조금이나마 수월해지겠군."

"그런데…… 설마 이걸 종류별로 다 배워야 하는 거야?"

"걱정 마. 어차피 이걸 다 네가 이해할 거라고 생각조차 안 하니까."

카이가 일말의 기대조차 안된다는 투로 말했다. 그는 유리 앞으로 책을 내밀었다.

"숙련자만 쓸 수 있는 마법은 모두 잊도록 해. 네가 지금 가장 집중해야 할 건 기본 마법이야. 자, 네가 어제 날 죽이려고 사용했던 보랏빛 안개를 우린 기본 마법이라고 불러. 모든 마법의 기초이자 바탕이지. 어디까지나 기초라서 상대적으로 위력은 약하지만, 기본인 만큼 가장 중요하기도 해. 또 본인의 마력이 충분히 강하다면 보랏빛 안개만으로도 강력한 힘을 발휘할 수 있지. 다음으로 변환 마법은 기본 마법, 그러니까 보랏빛 안개를 네가 원하는 대로 바꾸는 거야. 불꽃이든, 얼음이든, 뭐든 간에 네가 원하는 대로 말이지. 하지만 원소에만 적용되는 건 아니야. 모습을 바꾸거나 날씨를 바꾸는 것도 해당이 되지. 물론 날씨 변화 같은 건 상급자들도 어려워하는 기술이니까 깊게 알아둘 필요는 없어. 간단히 어떤 마법인지만 기억하도록 해."

카이는 계속 설명을 이어나갔다.

"그리고 치유 마법은 말 그대로 상처를 치료하거나 병을 낫게 하는 데 쓰이고, 중력 마법은 이미 봐서 뭔지 알겠지? 강령술도 이미 봤고…… 다음으로 혈마법은 우리 고대 선조들이 피를 다루기 위해서 만들어낸 마법이야. 그리고 마지막으로 정신 마법. 이건 상대방의 정신을 읽거나 조종하는 거야. 정신 마법은 본인의 정신력이 얼마나 강한지에 따라서 갈려. 초월적인 정신력을 가졌다면 남들을 충분히 조종하고도 남아. 하지만 정신력이 약해 빠졌다면 남의 마음을 들여다보는 것은 꿈도 꿀 수 없지."

"그게…… 정신력에 따라서 달린 거였어?"

유리가 눈을 깜빡이며 의아한 목소리로 물었다.

"당연하지. 넌 정신이 나약해 빠진 사람이 다른 사람을 조종할 수 있을 거라 생각하나?"

카이가 신랄하게 비꼬듯 말했다. 남의 마음을 읽고 조종한다……. 문득 미르가 수도 없이 자신의 정신을 읽으려 했던 기억이 떠올랐다. 여태껏 단지 마법 실력이 부족해서였다고 생각했었는데…… 정신력과 관련된 것이었다니. 유리는 이제서야 왜 미르가 마음을 읽는 데 실패했는지 깨달았다. 강한 마법사라고 해도 그는 확실히 어딘가 불안정하고 위태로워 보였으니까. 유리는 호기심에 피어나는 이런저런 질문들 중 하나를 골라 입을 열었다.

"넌 혹시…… 다른 사람 정신을 조종해본 적 있어? 아니면 마음을 읽어봤다거나."

"아니, 쓸데없는 짓이야."

"쓸데없다니? 넌 다른 사람들이 무슨 생각을 하고 다니는지 궁금하지 않아?"

"전혀."

"왜?"

"사람들은 지식이나 진리에는 관심이 없어. 그저 흥미를 끄는 자극적인 이야기나 쾌락만을 알고 싶어하지. 그런 하찮은 생각들을 넌 굳이 알고 싶나?"

카이가 책을 살펴보며 말했다. 앞에선 살갑게 대하면서 뒤에선 살인자라고 욕하던 사람들의 모습. 어쩌면 카이의 말이 옳을지도 몰랐다. 그 누구도 진실에는 관심이 없었으니까. 몇몇 사람들은 소문을 그저 한낱 재미거리로 여기기도 했다. 그러니, 어쩌면 남들의 생각을 영원히 모르는 것이 차라리 나을 수도 있었다. 사람들의 진심은 때로는 잔인하기도 한 법이니까.

“딴 생각 그만하고 집중해. 내 시간 낭비하지 말고.”

카이는 깃펜으로 책상을 가볍게 톡톡 두드렸다.

“자, 그럼 다시. 기본 이론부터 들어가지. 집중.”

차근차근 하나씩, 카이는 유리에게 다양한 마법의 이론을 가르쳐주었다. 유리는 침착하게 카이의 설명을 들었다. 늘 마법 도서관에서 책을 읽으며 혼자서 이론, 역사 등을 이해해 보려 머리를 쥐어짜며 애썼으나, 얕은 지식으로는 한계가 있는 탓에 이해하기가 너무나도 벅차고 어려워 포기하곤 했었다. 그런 사정을 알고 있던 카이는 마법의 역사부터 시작해 마법과 관련된 온갖 복잡한 이론들을 쉽게 풀어서 설명했다. 유리는 열심히 이론들을 받아 적고 달달 외우며 복습했다.

이론뿐만 아니라 카이는 실제 전투에서 마력을 어떻게 다뤄야 하는지에 대해서도 자세히 가르쳐주었다. 그는 효율적으로 마력을 사용하는 법, 보호막을 만들어내는 법, 마력을 불과 얼음, 바람 등으로 만들어내는 법 등을 알려주었다.

유리가 이해를 하지 못하자 카이가 시범을 보였다. 그는 일단 손안에 마력 안개를 피워냈다. 이윽고 보랏빛이던 마력 안개가 순식간에 주황빛 불꽃으로 변했다. 어떤 명령도, 움직임도 없이 변한 것이었다. 카이가 앞으로 손을 뻗자 빠른 속도로 주황색 불꽃이 허공을 날아갔다. 쏜살같이 공중을 날아가던 불꽃은 푸른빛을 띠는 얼음 조각으로 변했다. 얼음 조각들은 공중을 몇 번 돌더니 카이의 손짓에 하늘을 향해 올라갔다.

사방이 어두워졌다. 창창하던 밤하늘에 먹구름이 잔뜩 끼어 있었다. 환한 달과 별빛들은 하나도 보이지 않을 정도였고, 먹구름은 빗방울을 잔뜩 들이마신 듯 무거워 보였다. 금방이라도 비가 내릴 것 같았다. 그 생각을 마치자마자 구름 속에서 보랏빛 번개가 번뜩였다. 유리는 깜짝 놀라 뒷걸음질을 쳤다. 곧 귓가에 도자기가 와장창 깨지는 듯한 높은 소리가 울려퍼졌다. 번쩍이는 섬광과 함께 번개가 내리쳤다. 생기를 머금은 어두운 초록빛 잔디는 금세 새까맣게 타버리고 없었다. 카이가 다시 가볍게 하늘을 향해 손짓하자 아무 일도 없었다는 듯 먹구름은 연기가 되어 사라졌다. 밤하늘은 다시 맑게 갠 모습이었다. 유리는 자연의 힘을 마음껏 만들어 내고 자유자재로 사용하는 그 광경을 다시 마주하게 되니 무척 놀라웠다.

"해봐."

카이가 고개를 까딱이며 말했다. 유리는 긴장되는 마음으로 눈을 감고 앞으로 손을 뻗었다. 그리고 머릿속으로 카이가 만들어낸 불꽃을 떠올렸다. 조금씩 손바닥 안에서 보랏빛 마력 안개가 흘러나왔다.

"마음 속으로 불꽃의 느낌을 떠올려. 조그만 모닥불이든 거대한 산불이든 상관없어. 가장 중요한 건 네가 원하는 대상이 뭔지 정확히 알고 그 성질과 형태로 변화시키는 거야."

유리는 설명을 따라 불꽃의 자세한 모습을 떠올려 보려고 했다. 주황빛과 노란빛이 섞여 일렁이는 모양, 살갗을 그을리게 만드는 뜨거운 온도, 뭐든지 집어삼킬 듯 순식간에 번져 나가는 불길과 코끝을 찌르는 매캐한 연기……. 곧 손안에 미세한 진동이 느껴졌다. 유리는 눈을 떠 마력 안개를 확인했다. 보랏빛 안개가 주황빛 불꽃으로 잠시 번뜩였다. 그러나 몇 초도 안 가 불꽃은 다시 보랏빛으로 돌아왔다. 조금만 눈을 늦게 떴더라면 보지도 못했을 아주 짧은 순간이었다. 유리는 그 짧은 순간이라도 자신이 불꽃을 만들어냈다는 사실이 기뻤다. 그 모습을 본 카이가 한심하다는 듯 고개를 저었다.

"그렇게 좋아하고 있을 때가 아닐 텐데."

"무슨 소리야?"

"불꽃의 형태를 끝까지 유지하지 못했잖아. 완전히 실패야."

"그래도 마력을 타고 나지 않은 사람치고 이 정도면 괜찮은 것 아냐?"

유리의 자신만만한 말에 카이는 코웃음을 쳤다.

"착각하지 마. 지금 네 실력은 수습생만도 못해. 이건 내가 아주 어릴 때 터득한 거야. 그런데 넌 원소 변환은 둘째치고 마력 제어도 잘못하고 있어. 마력 안개를 네 검과 똑같이 변형시키는 모습을 보고 괜찮을까 싶었는데, 역시 안되겠군. 따라와. 다시 기본기부터 시작이야."

카이는 가르쳐야 할 것이 너무나도 많다고 투덜거리며 저택 문을 향해 뒤돌아섰다. 냉정한 평가를 내리는 차가운 말투에 누군가 옆구리를 바늘로 콕콕 쑤시는 기분이 들었다. 그래, 누굴 탓하겠어. 결국 이 정도로 칭찬을 받을 거라고 생각한 내 잘못이지. 그래도 조금 잘했다고 해주면 어디 덧나나. 유리는 구시렁대며 카이를 따라 저택 안으로 들어갔다.

그 후 몇 날 며칠 동안 유리는 테네브리스 저택에 머물면서 수련에 정진했다. 끊임없이 대마법사의 가르침을 따라 연습한 결과, 효율적으로 마력을 사용하는 법에 대해서는 나름대로 익숙해졌다. 그러나 불, 얼음 등을 만들어내는 것은 잘하지 못했다. 어떻게 이 보랏빛 안개가 새빨간 불꽃과 차가운 얼음으로 변할 수 있는지 아직도 잘 이해가 되지 않았다.

까다로운 변환 마법이나 다른 것은 제쳐 두고, 유리는 일단 마력을 자신의 한계 내에서 효율적으로 쓸 수 있는 수련을 하는 것에 집중했다. 사람마다 각자 타고난 마력은 달랐다. 본인의 한계를 무리해서 넘어서도 안 되었고, 너무 아껴서 사용해도 안 되었다. 한계를 넘게 되면 온 마력과 체력을 한꺼번에 소진하여 쓰러질 위험이 있었지만, 그렇다고 너무 아껴서 사용하면 그 잠재성이 제대로 발휘되지 않기 때문이었다. 때문에 적절히 자신의 한계 내에서 잠재성을 높이 끌어올려 섬세하게 사용할 줄 아는 것이 중요했다.

카이는 자신의 마력을 한계치에 도달할 때까지 힘껏 끌어올리면서도 지나친 마력 소모를 하지 않도록 효율적으로 관리하는 데에 아주 능숙했다. 하지만 유리는 이제 막 마법에 발을 들인 풋내기였다. 잘못하면 스스로 마력을 제어하는 것이 아니라, 자신의 마력에 집어삼켜질 수도 있었다. 때문에 그녀는 라일의 도움을 받아 마력에 몸이 더욱 익숙해질 수 있도록 마력 흡수를 끊임없이 이어갔고, 이론 공부가 끝나면 늘 뒷마당에서 카이와 실전 연습에 집중했다.

같은 페이지를 몇 번이나 들여다보고 이론을 달달 외웠지만 머리로만 아는 것과 몸으로 이론을 이해하는 것은 아주 달랐다. 유리는 사당에서 동생들을 상대로 하던 검술 수련과 직접 요괴와 맞서 싸우는 것의 차이를 잘 알고 있었다. 그 점에서는 마법도 다를 게 없었다. 이론과 실전은 생각보다 훨씬 더 까마득하게 차이가 났다. 카이는 적당히 유리의 수준에 맞춰 그녀를 상대해주었다. 유리가 보랏빛 마력을 쏘면 카이는 가볍게 공격을 받아쳤다. 그리고 크게 다치지 않을 만큼의 약한 마력을 유리 쪽으로 쏘아 보냈다.

유리는 카이가 날려 보내는 마력들을 피하면서 자신도 마력을 쏘았다. 그러나 이론을 배우며 상상한 것과는 매번 다른 양상이 펼쳐졌다. 옆으로 피하다가 카이의 마력에 둘러싸여 갇힐 뻔하기도 했고, 공격할 기회를 잡지 못해 도망다니기만 하기도 했다. 운 좋게 카이를 몰아붙이는 것 같다가도 그의 예상치 못한 반격에 오히려 압도당할 때도 여러 번 있었다. 한참 동안 카이에게 마력을 쏘아 대던 유리는 숨을 가쁘게 쉬며 땅에 주저앉았다.

"너무 어지러워……. 힘들어. 못하겠어."

"일어나."

"잠깐만 쉬고 싶어. 아주 잠깐만."

"네가 힘들다고 요괴들이 네 사정을 봐주던가?"

"뭐?"

"네가 힘들어한다고 블러드시커가 널 봐줄 것 같나? 요괴든, 블러드시커든 아무도 네 사정을 봐주는 사람은 없어. 그저 끈질기게 널 쫓아올 뿐이지. 그렇게 나약해서는 이 모든 수련도, 공부도 무용지물이 될 거야. 겨우 이까짓 걸 가지고 힘들다면 그냥 그만둬. 나도 쓸데없는 시간 낭비하고 싶지는 않으니까."

카이가 손안의 보랏빛 안개를 거두며 말했다. 땅을 짚고 숨을 고르던 유리는 카이의 말을 곱씹어보았다. 그의 말은 틀린 것이 하나 없었다. 요괴들은 절대로 봐주는 법이 없었다. 사람들의 세계도 비슷했다. 사람들은 살아남으려 바쁘게 하루하루를 살아갔다. 실수를 하면 호되게 혼나고 맞아가며 먹고 살기 위해 일을 배웠다.

어떤 면에서 요괴들의 세계는 그보다도 더 혹독했다. 그리고 유리는 평범한 사람이 아니었다. 다른 사람들처럼 마을에서 일을 배우며 살아갈 수는 없었다. 사당에서 더 이상 신을 모시지 않는다고 한들, 그녀는 여전히 영혼을 인도하고 요괴를 사냥하는 주술사였다. 할 줄 아는 일이 아무것도 없는 자신에게 검과 주술은 단순히 강한 힘과 기술이 아니라 생존을 위한 무기였다. 약육강식의 싸움에선 늘 그렇듯 더 강한 자들만이 살아남기 마련이었다.

미르라고 다를 것 없었다. 그는 비록 요괴가 아닌 사람이었지만, 살인마 또한 사람들의 사정 따위 절대로 봐주는 법이 없었다. 미르에게 붙잡혀 고문당하며 죽어간 사람들은 그저 비뚤어진 쾌락을 채워줄 도구에 불과했다. 유리는 그렇게 허무하게 죽고 싶지 않았다. 어떻게 해서든 살고 싶었다. 검이나 주술보다 훨씬 강력한 이 마법이라는 무기를 이용해 어떻게든 살아남고 싶었다. 언제 어디서 다시 나타날지 모를 미르에게 붙잡혀 또 4년 전의 일을 반복하고 싶진 않았다. 유리는 다시 몸을 일으켰다. 사냥감이 되지 않기 위해서는 악착같이 살아남아 더 강해져야 했다.

"아냐, 난 포기하지 않을 거야. 절대로."

"그럼 계속하지."

말을 마친 카이가 마력 안개를 쏘았다. 유리는 그의 갑작스러운 공격에 놀라 주춤하며 마력 안개를 피워냈다. 보랏빛 원형의 작은 보호막이 유리의 주위를 감쌌다. 그러나 안타깝게도 보호막은 그리 튼튼하지 못했다. 카이의 공격에 보호막은 파편처럼 처참하게 부서졌고, 주변으로 흩어진 보호막 파편은 연기가 되어 사라졌다. 카이는 유리가 처음으로 짙은 마력 안개를 피워냈을 때처럼 만족스러운 미소를 지었다. 어떻게 된 일인지 이해가 되지 않았다. 그녀는 자신의 두 손과 카이만 번갈아

보았다.

“나쁘지 않군.”

“모르겠어, 테네브리스. 내가 원할 땐 아무리 해도 되지 않았는데 이렇게 갑자기…….”

“널 강하게 만드는 건 생존에 대한 본능이야. 두려움. 네 과거에 대한 기억. 죽음에 대한 공포.”

카이는 다시 마력 안개를 피워냈다.

“자, 다시 해봐.”

그는 가볍게 마력 안개를 쏘았다. 짙은 보랏빛 안개 여러 개가 당장이라도 자신을 집어삼킬 듯 빠르게 날아왔다. 유리는 방금과 같은 보랏빛 보호막을 만들어내려 마력 안개를 피워냈다. 하지만 뜻대로 되지 않았다. 어쩐 일인지 보호막은 만들어지다 만 것처럼 불안정한 반달의 형태로 나타났다. 카이의 마력 안개가 스치자 보호막은 또다시 와장창 부서져버렸다.

유리는 포기하지 않았다. 그녀의 손안에서 끊임없이 마력 안개가 피어나 주위를 둘러쌌다. 몇 번이고 보호막이 부서져버려도 유리는 멈추지 않았다. 멈출 수가 없었다. 그녀는 충격에 쉽게 부서지는 연약한 유리 파편이 아니라, 그 어떤 충격도 버텨낼 수 있는 견고한 유리구슬이 되고자 했다.

아, 정말 웃긴다니까. 그런다고 나를 이길 수 있다고 생각해? 네가 아무리 애를 써도 내게서 벗어날 수는 없어. 귓가에 환청이 들려왔다. 마음 속에 증오와 복수심이 차올랐다. 이렇게는 안되겠어. 더 간절함이 필요해. 유리는 검을 빼어 들었다. 왼손에는 마력 안개, 오른손에는 천체검을 들고 요괴들과 사투를 벌일 때처럼 처절하게 땅바닥을 구르며 자신을 사냥하려 날아드는 마력 안개를 피했다. 민첩한 움직임과 동시에 유리는 카이를 향해 마력 안개를 쏘기도 하고, 보호막으로 공격을

막아내려 안간힘을 쓰기도 했다.

하지만 보호막은 여전히 쓸모가 없었다. 위험한 상황에서 방패 역할을 해야 할 보호막은 힘없이 부서지기만 했다. 그 형태도 주위를 온전히 감싸는 원형이 아니라 찌그러진 듯한 반달의 불안정한 모습이었다. 유리는 자신을 향해 정통으로 날아오는 카이의 공격을 피하려 하다 그만 마력 안개에 팔이 닿고 말았다. 그녀는 작은 비명을 지르며 검을 떨어뜨렸다.

"팔에 스친 것 같아."

유리는 오른팔을 부여잡고 얼굴을 찡그렸다. 카이는 마력을 거두고 가까이 다가와 옷소매를 걷어 그녀의 팔을 자세히 살폈다. 옷자락이 뚫려 있고 달빛 아래 드러난 피부 위로 상처가 있었다. 마력이 스치며 옷을 뚫고 상처를 낸 듯했다.

"심각한 부상은 아니군."

카이는 별것 아니라는 듯 마력 안개를 피워내 상처에 가져다 댔다. 유리는 본능적으로 뒷걸음질을 쳤다. 카이는 움직이지 말고 가만히 있으라며 그녀를 마력으로 붙잡았다. 그의 손짓에 천천히 마력 안개가 상처 안으로 스며들었다. 곧 상처에 새살이 돋아나며 아물기 시작했다. 유리는 입을 벌린 채 상처가 아무는 것을 지켜보았다.

"그럼 오늘 이만 하도록 하지."

수련을 끝낸 후, 두 사람은 저택 뒷마당의 정자에서 휴식을 취했다. 그들은 서로 마주보고 앉아 다과상을 즐겼다. 머리 위의 밤하늘에는 달빛보다 더 밝은 수백, 수천 개의 별빛들이 빛났으며 귓가에는 마법 폭포의 거대한 물줄기가 쏟아지는 소리와 새들이 이따금씩 지저귀는 소리가 들려왔다. 탁자 위의 촛불들은 바람에 춤을 추듯 천천히 일렁였다. 유리는 카이가 왜 이곳을 거처로 정했는지 알 것 같았다. 빛나는 밤하늘 아래 고요함을 파고 드는 물줄기 소리가 고즈넉한 분위기와 함께 마음에 평온을 더해주었다.

"어지러운 건 좀 괜찮아졌나?"

카이가 찻잔을 내려놓고 물었다.

"응. 덕분에."

"다행이군."

"궁금한 게 있는데, 저 폭포도 네가 마법으로 만든 거야?"

"당연한 거 아닌가?"

"왜 만들었는데?"

유리가 고개를 갸우뚱하며 물었다.

"저택을 짓고 나서 뒷마당이 너무 허전해 보이길래, 뭔가로 빈 공간을 좀 채워야겠다 싶었지."

"그렇구나. 알면 알수록 마법이라는 건 참 신기하게 느껴지네."

"뭐가."

"솔직히 전에는 마법사들이 그냥 나쁜 사람들인 줄 알았거든. 미르…… 때문에도 특히 더 그랬고. 자연을 자기 마음대로 다룬다는 게 이해가 되지 않았어. 하지만 지금 이렇게 보니까 꼭 나쁜 것만도 아닌 것 같아서."

"모든 건 다 어떻게 다루냐에 따라서 달렸어."

카이가 팔짱을 끼고 말했다.

"사람을 죽일 목적으로 마법을 쓴다고 해서 마법이 악한 수단이 되는 것도 아니고, 선행을 목적으로 쓴다고 해서 무조건 좋은 게 되는 것도 아니야. 마법은 그저 존재할 뿐이지. 너희 주술사들이 한 가지 착각하는 게 있는데, 마법 또한 자연의 일부야. 고대의 엘프와 인간들이 자연에서 우연히 찾아낸 마력석에서 시작된 게 마법이니까. 그런데 주술사들은 왜 우리가 자연의 섭리를 거스른다는 거지? 도저히 이해가 안되는군."

"그거야 어쨌든 근본적인 순수한 형태는 마력석이니까 그렇지. 지금의 마법은 그걸 수천 년 동안 연구하면서 변형되어 온 거잖아."

"자연도 아주 오래 전부터 변화해왔어. 그 변화에 따라서 엘프들도, 인간들도 적응하면서 살아남았지. 마법이 변하는 것도 당연한 이치야. 너희 주술사들이 하는 말, 앞뒤가 안 맞는 것 같지 않나?"

"그건……."

반박할 좋은 말이 떠오르지 않았다. 마법도 그저 존재할 뿐인, 자연의 일부라니……. 어쩌면 자신이 너무 편견을 담아 바라본 것일지도 몰랐다.

하지만 사람은 원래 자신과 다른 것을 이해하지 못하기 마련이다. 고대에 있었던 흡혈귀들과 엘프들의 전쟁 또한 그랬다. 다른 성질을 가지고 태어나 섞일 수 없는 어둠과 빛은 서로를 이해하지 못했고, 이해할 생각조차도 없었다. 서쪽의 기사도 왕국이나 남쪽의 일곱 인간 부족 또한 마찬가지였다. 종족을 떠나 피 섞인 가족조차도 서로를 이해하지 못하고 뒤돌면 바로 목에 칼을 꽂을 생각을 하는 것이 사람이었다.

유리는 부모님이 생각났다. 신율은 제자들에게 늘 서로를 가족처럼 아껴주라고 말했으나, 동시에 남을 너무 쉽게 믿지 말라고 가르치곤 했다. 낯선 이들은 한번에 파악하기가 어렵기 때문에 그들의 생각이나 성격을 제대로 알 수 없다는 이유에서였다.

한때 그녀는 아무리 자신을 피 터지도록 쥐어 패도 부모님은 그래도 소중한 가족이라고 생각한 적이 있었다. 그래도 가족이니까, 내 핏줄이니까. 잘 챙겨드려야지. 그렇게 생각하며 유리는 집안일을 더 열심히 돕고 아버지, 어머니에게 살갑게 대하려 했다. 하지만 어머니가 돈 때문에 자신을 팔아넘기듯 한 이후에는 그 생각이 완전히 박살나버렸다.

어머니 때문에 그 끔찍한 일을 당한 이후에야 유리는 깨달았다. 이들은 자신을 전혀 같은 사람으로 보고 있지 않다는 것을. 그들에게 유리는 자식이 아니라 이용가치도 거의 없는 한낱 짐짝에 불과했다. 피 섞인 가족은 그녀를 내팽겨치는데, 정작 피 한 방울 섞이지 않은 진율은 성심성의껏 다친 소녀를 치료하고 헌신하며 아껴주었다. 세상은 가족의 도리를 끝까지 안아야 한다고 말하는데, 정작 가장 경계해야 한다고 하는 낯선 이가 자신을 구원하다니. 그 사실이 유리에게는 참으로 묘하게 느껴졌다.

이런 상황은 지금도 별반 다르지 않았다. 선의든 아니든, 선우와 동생들이 살인자라고 믿고 있는 카이는 정작 절벽에서 뛰어내리려던 자신을 구해주었다. 그리고 오랜 시간이 걸리기는 했으나 마침내 마음을 열고 마법 수련을 도와주고 있었다. 주술사 공동묘지에서 일이 있은 후, 평생 다시는 길거리에서 마주칠 일조차 없을 거라 생각했던 사람이었다. 자신을 마법사의 길에 들어설 수 있도록 도와준 카이에게 유리는 고마운 마음이 들었다.

"뭐 다른 거 물어봐도 될까?"

"또 뭐가 궁금한데."

"이런 질문은 네가 싫어할 수도 있지만…… 넌 아버지 돌아가셨을 때 기분이 어땠어?"

"기분이 어땠냐니?"

"네가 가장 증오하는 사람이 죽었잖아. 뭐, 홀가분하다거나 아니면 허무하다거나…… 그런 기분 말이야. 어땠는지 궁금해서."

"아무렇지도 않았는데."

카이가 무덤덤하게 말했다.

"정말? 아무런 느낌 안 들었어?"

유리가 놀란 목소리로 묻자 카이는 태연하게 어깨를 으쓱했다.

"그 인간이 죽든 말든 나랑은 아무런 상관없잖아."

"복수하고 싶지는 않았어?"

"물론 복수하고 싶었지. 모든 증오를 털어내고도 끝이 보이지 않을 만큼. 하지만 굳이 내 손에 그 더러운 피를 묻히느라 소중한 시간을 낭비하긴 아깝더군."

마음 속으로 끊임없이 언젠가 복수하리라 다짐해왔던 자신과 달리 카이는 복수에 전혀 관심이 없었다. 이해할 수 없었다. 어째서일까? 어째서 그는 가족들이 살아있도록 내버려둔 걸까? 평범한 마법사도 아닌, 모두의 존경을 받으며 누구든지 단번에 해치워버릴 수 있을 정도로 강력한 마력을 가진 대마법사인 그가, 어째서 복수하지 않았던 걸까? 유리는 속으로 끝없는 질문을 던졌다.

문득 구미호에게 갈기갈기 찢겨 처참하게 죽은 어머니의 모습과 과거보다는 미래가 더 중요하다던 카이의 말이 생각났다. 유리는 얼마 전 고향에 다시 가게 된 것과 고대의 구미호를 만난 것, 부모님의 죽음에 대해 털어놓았다.

"난 여태껏 복수가 전부라고 생각했어. 하지만 어머니가 죽는 걸 직접 봤는데도 홀가분하지가 않더라. 너무 허무했어. 부모님 모두 다 내가 원하던 대로 잔인하게 죽었는데…… 이상하게 마음이 너무 공허했어. 왜인지는 모르겠지만."

"난 알 것 같은데."

"무슨 말이야?"

"넌 복수로 네 공허한 마음을 채우려고 한 거야. 그러니 과거에 얽매여서 사는 거고. 하지만 이 세상엔 그냥 잊고 살아가야 하는 것들이 있지. 내 아버지란 인간이 죽은 것도 그런 일들 중 하나야. 적어도 난 그렇게 생각해. 그래서 장례식에도 가지 않은 거고."

"그렇구나. 나는…… 계속 그날 일들이 꿈에 나와서 괴로워. 술로 잊어버리려고 해도 기억이 나. 어떻게 하면 잊어버릴 수 있어? 어떻게 하면 너처럼 모두 다 털어버리고 앞으로 나아갈 수 있어?"

"딱히 방법이 있는 건 아니라서 말해주긴 어렵겠군. 이건 내가 가르쳐줄 수 있는 게 아니야. 네가 어떻게 하는지에 따라서 달렸지."

"그래도 뭔가 도움이 되었던 건 없어? 기억을 잊게 해 주는 뭔가가 있다든지……."

"도움이라. 뭐, 나도 악몽을 꾼 적이 없지는 않았어. 아주 많았지. 꿈속에서도 그 인간 얼굴을 보게 되니 짜증이 나더군. 그래서 내 마음대로 꿈을 조종해서 죽여버렸어. 다시는 나한테 얼씬도 못하도록 만신창이로 만들어놨지. 그랬더니 조금은 홀가분해지더군. 어쨌든 과거는 그냥 내려놓고 사는 게 가장 좋아. 복수에 연연하면 너만 힘들어질 뿐이야."

카이가 과자를 베어 물며 말했다. 내가 정말 과거를 내려놓고 살아갈 수 있을까? 내가 정말 살아가며 이 상처들을 온전히 치유하고 공포를 이겨낼 수 있을까. 유리는 의문이 들었다. 자신은 카이처럼 강인한 사람이 아니었으니까. 그냥 상처를 가슴에 묻은 채 괴로움을 버티며 살아갈 뿐이었다. 그리고 상처를 극복한다고 해도, 혼자 살아가며 다가올 외로움과 공허함이 그녀를 더욱 두렵게 만들었다. 유리는 그제서야 깨달았다. 사람을 멀리하고 두려워하면서도, 자신은 사람의 따뜻한 온정과 사랑을 깊이 갈구하고 있다는 것을. 그러나 자신에게 그런 날은 절대로 오지 않을 것이란 사실을. 모든 의문을 제쳐두고 그저 묵묵히 수련을 하며 살아가는 것만이 최선이었다. 삶의 의문에 대한 답은 그 누구도 답해줄 수도, 해결해줄 수도 없는 문제였으니까.

"모르겠다. 참 어려운 일인 것 같네. 그래도 열심히 해볼게. 얘기해줘서 고마워, 테네브리스."

"고마우면 나한테 진 빚 좀 갚지 그래, 아가씨."

카이가 약간 장난기가 묻어나는 목소리로 말했다. 유리는 그에게 신세를 졌다는 부끄러움에 고개를 숙였다.

“그런데 우리가 처음에 묘지에서 만났을 때 있잖아. 네가 기도하고 있던 그 사람, 누구였어?”

유리는 머리를 식히려 화제를 돌렸다.

“친구였어.”

“친구? 주술사가 네 친구였다고?”

유리가 놀라서 두 눈을 휘둥그레 뜨고 물었다. 카이는 또 어깨만 으쓱해 보였다.

”하지만 마법사들은…… 아니, 마법사들이 다 그렇긴 하지만 너도 주술사들을 싫어하잖아?”

“싫어하는 건 맞지. 하지만 그렇다고 개인적으로 친해지지 못할 이유는 없어.”

“싫어하는데 친구가 될 수 있다고? 어떻게 그럴 수가 있어? 난 내가 싫은 사람은 쳐다보고 싶지도 않던데.”

“머리가 단순해서 이해를 못하는군. 이건 내가 주술사를 싫어하는 감정이랑은 별개야.”

“그게 무슨……. 아무튼 그 친구, 어디 사당에 있던 사람이야? 어떻게 만났어?”

유리가 의문과 호기심에 눈을 반짝이며 물었다. 자신이 아는 사람일까 궁금해서였다. 카이는 그의 이름과 남쪽 베스페리에 있는 사당 중 하나인 것만 안다고 말했다. 낯설게 들리는 이름으로 보아, 진율의 주변 사람은 아닌 듯했다.

"몇 년 전이던가. 언제였는지 잘 기억은 안 나는군. 잠깐 어떤 일로 베스페리에 있는 어머니를 뵈러 갔었어. 일이 끝나고 어쩌다가 웬 주술사 하나와 같이 어울리게 됐는데, 생각보다 나와 말이 좀 통하는 놈이더군. 그 뒤로도 몇 번 만나서 함께 술을 마셨지. 가끔은 편지로 연락을 주고받기도 하고. 그런데 어느 날 그 녀석이 수도를 떠나서 반월성으로 가겠다고 했어."

"정말? 만월성으로 갔다고?"

"난 잘 모르지만, 듣기로는 거기에 제일 큰 사당이 있다고 하던데."

"맞아, 만월당이라고 있어. 네 친구, 그런 결심을 하다니 좀 대단하네. 다른 곳에서 적응하는 게 쉽지는 않을 텐데."

수도인 반월성과 비슷한 이름으로 가끔 외지인들이 헷갈려 하곤 하는 동쪽의 항구 도시 만월성은 주술사들이 많이 사는 터라 주술사의 도시로도 불리곤 했다. 수도 반월성의 주술사들은 마법사들과의 마찰을 피하고자 최대한 멀리 떨어진, 살기 괜찮은 터전을 찾아 먼 길을 떠났는데 그들이 모인 도시가 바로 만월성이었다.

유리도 진율을 따라 몇 번 만월성에 간 적이 있었다. 진율은 본래 만월성 출신인 터라 가끔 고향을 그리워했다. 때문에 그는 아주 가끔씩 제자들을 데리고 수도 바깥으로 외출을 했다. 만월성은 제국의 동부 지방 끝에 위치해 있어 말을 타고 쉬지 않고 가도 두 세달이 걸릴 만큼 멀기 때문이었다. 그만큼 고되고 힘든 여행길이긴 하나 유리와 선우, 동생들에게는 좋은 기억으로 남아있었다. 제국에서 가장 거대한 만월당의 주술사들과 아름다운 블러드크라운 해안의 풍경, 동부 특유의 정겨운 사투리와 친근하게 대해주던 진율의 아우 진서 삼촌까지. 어느 것 하나 빼놓을 수 없이 좋은 추억이었다. 하지만 유리는 마음이 아려왔다. 슬픔과 비참함으로 얼룩진 그녀의 인생에서 얼마 되지 않는 분명히 아름다운 기억이건만, 안타깝게도 진율의 죽음 이후로는 씁쓸한 과거가 되어버렸다.

"이후로도 녀석과 가끔 편지를 주고받았어. 뭐, 난 네가 한 선택이니 알아서 잘 살라고 했지. 하지만 얼마 가지 않아서 요괴와 싸우다가 죽었다는 소식이 들려오더군. 설마 그렇게 어린 나이에 죽어버릴 줄이야."

카이는 만월성의 주술사들이 친구가 수도 출신인 것을 배려하여 광장 남쪽의 공동묘지에 묻어준 것이라는 말을 덧붙였다. 그는 오래 전 친구의 죽음에 대한 이야기에 마음이 착잡해진 듯 담뱃대를 입에 물었다.

대마법사와 친하게 지냈다는 주술사라. 그 사실이 매우 이질적으로 다가오면서도 어떤 면에서는 자신의 이야기처럼 느껴졌다. 선우와 동생들도 지금 카이와 어울리는 자신을 이질적으로 느끼고 어색해하고 있으리라는 것은 분명했다. 어쩌면 그녀를 또다시 교리와 가르침을 저버린 배신자라고 여길 수도 있었다. 선우의 오해를 풀 방법은 정말 없는 걸까? 유리는 그들이 자신의 진심을 알아주었으면 하고 간절히 바랐다. 그 생각에 목이 타는 것 같았다. 그녀는 차를 물 마시듯 벌컥벌컥 들이켰다.

"무슨 걱정이라도 있나?"

유리의 걱정 섞인 한숨에 카이가 찻잔을 내려놓고 물었다.

"또 블러드시커 때문에 그러는 건가?"

"아니, 선우 때문에."

"그놈이 왜?"

"오해를 풀 방법이 없나 해서. 답답해. 이렇게 되고 싶진 않았는데……."

"어차피 다 위선자들일 뿐이야. 잊어버려."

잊어버리라니? 유리는 믿을 수 없다는 얼굴로 미간을 찌푸렸다.

"위선자들이라고?"

"그놈들은 진실인지 거짓인지 확실하지도 않은 소문에 휘둘려서 널 바로 버렸어. 네 입장은 어떤지 들어보려고도 하지 않았지. 넌 그만 놈들을 가족이라고 부르고 싶나?"

유리는 카이가 미르와 똑같은 말을 하자 반쯤 입을 벌리고 그를 쳐다보았다. 그의 진중한 태도와 목소리로 판단하건대 선우와 동생들을 조롱하려는 뜻은 없는 듯했다. 유리는 이렇게 가끔씩 카이가 미르와 비슷한 말을 할 때면 혼란스러웠다. 어떤 면에서 두 사람의 성격은 닮은 듯하면서도 굉장히 달랐다. 그러나 카이에게선 미르의 모습이 전혀 보이지 않았다. 적어도 그는 누군가를 죽이고 괴롭히면서 희열을 느끼는 부류는 아니었다.

선우와 동생들이 위선자라는 말에 유리는 동의하지 않았다. 정말 위선자라면 자신을 데려와 치료해주지도 않았을 테니까. 선우가 자신에게 가지고 있는 원망스러운 마음을 생각하면 오히려 그녀를 죽게 내버려 두었어야 했다. 하지만 그들은 유리가 카이와 어울리는 것을 알게 된 이후에도, 정신을 잃은 그녀의 상처를 살피고 약초까지 발라주며 챙겨주었다.

곱씹어보니 유리는 아무래도 그들의 마음이 자신과 비슷하다는 생각이 들었다. 어쩌면 선우와 동생들에게도 그녀와 다시 잘 지내보고 싶은 미련이 남아있을지도 몰랐다. 그러나 여전히 과거에 대한 상처와 공포가, 여러 소문들로 생겨난 오해가 그들 사이를 가로막고 있었다.

"그래도 날 신경 써주는 유일한 사람들인데 그렇게 말하지 마. 꼭 직설적으로 말해야겠어?"

"널 신경 써주는 '유일한' 사람들? 아, 내가 지금 너에게 베푸는 은혜는 아무것도 아니라는 말이군."

"뭐? 그게 무슨 말…… 아니, 내 말은 그게 아니라……!"

뒤늦게 카이의 말뜻을 깨달은 유리의 얼굴에 당황한 기색이 비추었다. 카이는 어두운 낯빛을 하고 턱을 괸 채 한숨을 쉬었다.

"실망스럽군. 정작 난 성심성의껏 너를 도와주고 있는데 말이지."

"그, 그런 게 아니야, 테네브리스. 네 도움은 당연히 고맙게 생각하고 있어. 지금 당장 이 은혜를 갚을 수는 없겠지만 그래도 나중엔 꼭 갚을 거야. 그러니까, 내 말은…… 날 신경 써줘서 고맙고, 또……."

카이의 상심한 듯한 얼굴에 유리는 안절부절못하고 말을 더듬었다. 그 쩔쩔매는 모습을 보고 있던 카이는 웃음을 터뜨렸다. 어떻게든 오해를 풀어주려고 이런저런 말을 늘어놓던 유리는 당혹스러웠다.

"뭐야? 왜 웃어?"

"또 얼마나 횡설수설하면서 바보 같은 모습을 보일지 궁금했거든. 역시나 기대를 저버리지 않는군, 아가씨."

어두웠던 카이의 낯빛이 다시 평소처럼 돌아왔다. 그는 멍한 유리의 얼굴을 보더니 이제 대놓고 마음껏 웃기 시작했다. 장난에 또 당했구나. 부끄러움에 얼굴이 벌겋게 달아올랐다. 유리는 말없이 고개 숙인 채 차만 몇 모금 홀짝거렸다. 뒤뜰을 쓸고 있던 하녀들은 카이의 웃음소리에 그가 무엇 때문에 저렇게 즐거워하는지 궁금해하며 정자 쪽을 힐끔 보았다.

"그만 좀 웃어. 다 쳐다보잖아."

유리는 토라진 얼굴로 카이를 노려보았다. 그러나 카이는 아랑곳 않고 웃다가 한참이 지나서야 멈추었다.

"광대를 보러 갈 필요가 전혀 없겠는데. 그보다 더 재미있는 게 바로 여기에 있으니."

"놀리는 데 아주 맛들이셨네. 좋으시겠어요, 나리?"

유리의 비아냥조 섞인 불평에 카이는 씩 웃어 보이며 찻잔을 들었다. 유리는 그가 얄미웠지만 딱히 대꾸할 좋은 말이 생각나지 않아 흘겨보기만 했다. 평소처럼 고요한 분위기로 돌아오자 그녀는 한숨을 푹 내쉬었다.

"어쨌든 저번엔 나 때문에 다치게 해서 미안해. 하지만 또 내 동생들을 살려내겠다느니 하면 그땐 그냥 넘어가지 않을 거야."

"괜히 끼어들어서 방해하지나 마."

카이는 장난스레 핀잔을 건넸다. 유리는 뭐라고 말하려다 입을 다물었다. 아무렇지 않게 이야기하고 있었지만, 그 일은 분명 모두가 위험한 상황이었으니까. 자신 때문에 다친 사람에게 따지고 들고 싶지는 않았다.

한참 동안 두 사람은 계속 잡담을 나누며 다과상을 즐겼다. 정자에 앉아서 맑게 갠 밤하늘의 별자리를 감상하고 있자니 그동안 자신을 괴롭혔던 문제들은 그저 꿈인 것만 같았다. 불안과 공포 따위는 전혀 존재하지 않는 것 같은 기분이었다. 둘은 그렇게 해가 밝아올 때까지 휴식을 취하다 저택 안으로 들어갔다.

16장.

악연

Nemesis

테네브리스 저택에 머무른 지 며칠이 더 지났다. 유리는 마력 흡수를 위한 재료들을 구하기 위해 저택 뒤에 있는 검은 안개 산에 다시 올랐다. 마력 가루를 제외하면 모두 구하기 아주 어렵지 않은 재료들이었기에 라일이 대신 가져다주겠다고 했지만 유리는 그의 도움을 거절했다. 한동안 마법을 배우며 신세를 지고 있는 마당에 집사인 라일에게까지 귀찮은 일을 맡길 수는 없었다. 적어도 자신이 할 수 있는 일은 직접 해야 했다.

그리고 하나 더 중요한 것은, 이제 카이는 유리의 새로운 스승이라는 사실이었다. 그것은 자신이 그의 제자라는 뜻도 되었다. 제자로서 스승에게 완벽히 인정받으려면 최소한 열심히 하는 모습은 보여야 했다. 물론 유리는 열심히 하는 척만 할 생각은 없었다. 그녀는 시간이 오래 걸린다 하여도 카이에게 온전히 자신의 실력으로 인정받고 싶었다.

산속을 한참 뒤져 검은늑대꽃 뿌리를 찾아낸 유리는 서둘러 산을 내려왔다. 어서 마력을 충분히 더 흡수하고 다시 수련을 시작해야 했다. 마력 흡수는 여전히 가끔씩 어지럽고 속이 메스꺼웠지만, 그럴 때마다 카이가 마력 기운을 안정시켜주는 덕에 버틸 만했다. 오늘도 열심히 수련에 정진해야겠다는 생각을 하며 유리는 발걸음을 재촉했다.

저택의 회색 담 모퉁이를 돌아 정문으로 향하면서 유리는 하녀들이 일찍부터 깨끗하게 쓸어놓은 길목 옆의 무수히 많은 밤나무들을 보았다. 빛 바랜 낙엽들과 밤나무 열매가 떨어져 있었다. 매년 가을마다 동생들과 밤을 주우러 가곤 했던 기억이 떠올랐다. 밤송이에 손가락이 찔려 울고불고 하면서도 뭐가 그리 즐거운지 숲을 뛰놀던 동생들의 모습이 눈에 아른거렸다. 선우랑 동생들은 지금 뭘 하고 있으려나. 문득 유리는 옛 동료 주술사들이 그리워졌다. 하지만 일이 이렇게 된 이상 얼굴을 마주할 엄두가 나질 않았다. 어쩌면 그들이 자신을 좋게 봐주길 바라는 것은 욕심일지도 몰랐다.

참, 그러고 보니 미르가 자화당을 알고 있는데…… 정말 괜찮을까. 한동안 자신도 모르게 잊고 있었던 기억이 떠오르자 마음이 불안해졌다. 그가 노리고 있는 사람은 오직 자신뿐이었다. 그러니 선우와 동생들은 무사할지도 몰랐다. 하지만 미르가 굳이 자화당을 찾아가서 몰래 지켜볼 이유도 없었다. 그들을 협박해 꾀어내거나 이용할 것이 아니라면 말이다. 미르라면 충분히 어떤 짓이든 저지를 수 있는 사람이었다. 그래, 사람 일은 어떻게 될지 모르잖아. 짐을 챙겨서 자화당에 잠깐 갔다 오자. 유리는 오늘 수련은 잠시 미루어야겠다고 생각하며 저택 대문으로 빠르게 발걸음을 옮겼다.

대문에 거의 다다랐을 때였다. 저 멀리 누군가의 모습이 보였다. 어떤 여자가 대문을 두드리며 제발 도와달라고 외치고 있었다. 유리는 그녀의 흑적색 주술복과 손목의 염주를 보고 여자가 소유라는 것을 깨달았다. 정신없이 문을 두드리던 소유는 인기척에 옆을 돌아보았다. 그녀는 유리를 보자마자 다급하게 달려왔다. 얼굴이 온통 피와 눈물로 얼룩져 있었다.

“언니! 언니, 제발 도와줘!”

“소유? 네가 여길 어떻게…… 얼굴이 왜 그래? 무슨 일 있어?”

“언니, 큰일났어! 도와줘. 지금 다 붙잡혀 있어!”

“그게 무슨 소리야? 붙잡혀 있다니, 누가?”

“그 마법사…… 스승님을 죽인 마법사가 우릴 찾아왔어, 언니…….”

소유는 불안 가득한 얼굴로 몸을 덜덜 떨며 말끝을 흐렸다. 스승님을 죽인 마법사. 심장을 무거운 바위로 짓누르듯 고통스러운 느낌이 도지기 시작했다. 결국 우려하던 일이 일어난 건가. 소유는 울먹이며 말을 이었다.

“갑자기 그 사람이 나타나서 우릴 공격했어. 당장 언니를 데려오지 않으면 선우 오빠부터 죽여버린다고 협박했어. 혜성 오빠랑 준 오빠도 전부 옛날 사당으로 끌려갔어. 언니, 그동안 언니 말 안 믿어줘서 미안해. 이런 부탁 염치없는 거 알지만…… 제발 한 번만 도와줘. 선우 오빠 죽을지도 몰라, 제발!”

“잠깐만 기다려. 집사님! 문 좀 열어주세요!”

유리는 문을 두드리며 저택 안쪽을 향해 외쳤다. 그녀의 목소리가 담 너머로 울리자 굳게 닫혀 있던 쪽문이 열렸다. 라일은 유리인 것을 확인하고 문을 열어주었다.

“돌아오셨군요, 유리 님. 들어오십시오.”

“집사님, 부탁인데 소유도 같이 들어갈 수 있을까요?”

유리가 조심스럽게 물었다. 라일은 머뭇거렸다. 그는 평소와 다르게 선뜻 그러라고 하지 않았다.

“죄송하지만 다른 분과 함께 들어오시는 건 곤란합니다.”

“부탁이에요, 집사님. 어렸을 때부터 가족처럼 지낸 친동생이나 다름없는 아이예요. 급한 일이 생겨서 그러니 잠시만 어떻게 안 될까요?”

“죄송합니다. 카이 님께서 유리 님 이외에는 아무도 들이지 말라고 하셨습니다.”

“테네브리스가 뭐라고 하면 제가 모두 책임질게요. 제발 부탁드려요, 집사님. 지금 제 동생들이 위험해요. 이번 한 번만, 딱 한 번만 부탁드릴게요.”

유리는 라일에게 두 손을 모아 간절히 애원하며 고개를 숙였다. 라일은 난처한 얼굴로 유리와 그녀가 아낀다는 동생을 번갈아 보았다. 소유의 얼굴은 피와 눈물로 얼룩져 있었다. 짐승에게 습격이라도 당한 것 마냥 주술복이 여기저기 찢어져 있었고 살갗에는 군데군데 상처가 있었다. 라일은 그 상처들이 마법으로 인한 것임을 한눈에 알아보았다. 그는 무언가 결심한 듯 입을 열었다.

“들어오세요.”

라일은 소유도 들어올 수 있도록 문을 활짝 열어주었다. 처음 보는 거대한 귀족의 저택에 소유는 휘둥그레진 얼굴로 앞뜰을 둘러보았다. 카이가 뒷마당에 있다는 라일의 말에 유리는 동생을 데리고 뒷마당으로 향했다. 소유는 얼떨떨한 표정으로 저택의 풍경을 살펴보면서 유리를 뒤따라갔다. 집사의 말대로 카이가 정자에 앉아 담배를 피우며 바람을 쐬고 있었다.

“테네브리스!”

유리는 헐레벌떡 그에게 달려갔다. 담배 연기를 내뿜으며 밤하늘만 쳐다보고 있던 카이는 곁눈질로 자신에게 다가오는 유리와 불안한 얼굴로 뒤따라오는 소유를 쳐다보았다. 대놓고 내색하진 않았으나 언짢은 눈빛이었다.

“내가 라일한테 분명히 아무도 들이지 말라고 했을 텐데.”

“집사님이 그냥 열어 주신 거 아냐, 내가 부탁드렸어.”

라일이 오해를 받을까 유리는 자신이 부탁했다는 말을 얼른 덧붙였다. 하지만 카이의 차가운 표정은 변하지 않았다.

“지금 여기가 네 안방이라도 되는 줄 아나? 내 저택은 네가 친구들이랑 놀고 싶다고 함부로 드나들 수 있는 곳이 아니야.”

“그런 게 아냐, 테네브리스. 지금 큰일 났어. 네 도움이 필요해.”

"또 무슨 일인데?"

"미르가 선우랑 동생들을 죽이려고 하는 것 같아. 지금 모두 붙잡혀 있대."

"그런데?"

다급한 유리의 목소리에도, 그녀의 옛 동료들이 살인마 때문에 위험에 처했다는 이야기에도 카이는 무덤덤하기만 했다. 그는 태연한 표정으로 밤하늘을 올려다보며 담뱃대를 입에 가져다댔다. 유리는 그가 눈 하나 꿈쩍 않는 모습에 기가 막혔다.

"지금 미르한테 붙잡혀 있다니까! 전부 죽을지도 모른다고!"

"그래서 나더러 어쩌라는 거지?"

"네 도움이 필요해. 제발 도와줘."

"넌 지금 날 죽이려고 화살을 쏜 놈을 도우라는 건가?"

밤하늘을 향하던 카이의 차가운 시선이 유리와 맞닿았다. 카이는 시큰둥하게 유리와 소유를 쳐다보았다. 유리는 짜증이 치밀어 올랐지만 뭐라고 말할 수가 없어 아랫입술만 깨물었다. 분명히 선우는 카이를 죽이려는 의도를 갖고서 화살을 쏘았으니까. 하지만 지금 미르의 손아귀에 그들이 붙잡힌 이상 무슨 일을 당할지 몰랐다.

유리는 자신이 한심하고 멍청하게 느껴졌다. 저택에서 수련이나 하고 있는 것이 아니라, 그 어떤 일이 있어도 자화당으로 가서 그들을 피신시켰어야만 했다. 허나 그녀는 미르가 자신을 뒤쫓는다는 불안감에 다른 것은 전혀 생각하지 못하고 있었고, 일은 이미 벌어졌다. 되돌릴 수 없는 일이 되어버린 이상 어떻게든 그들을 구해야만 했다. 지금 당장 유리는 대마법사의 도움이 절실하게 필요했다.

"동생들도 붙잡혀 있다니까! 난 미르한테 상대조차 되지 못해. 하지만 넌 대마법사잖아. 제발 도와줘."

"그놈들은 네 친구지, 내 친구가 아냐."

"테네브리스, 너 정말……!"

"상대가 안된다면 수도 경비대를 부르면 되잖아, 안 그래? 그럼 어련히 황궁에서 알아서 해결하겠지."

"미르를 봤다고 하면 황궁에서 믿어줄 것 같아? 분명히 날 미친 사람 취급하고 내쫓을 거야. 너도 미르가 정말 네가 아는 블러드시커가 맞는지 의심이 간다고 했잖아. 그리고 지금은 그때랑 상황이 달라. 4년 전엔 아무도 날 도와줄 수 없었으니까. 하지만 지금은…… 지금은 네가 있잖아. 네가 날 도와줄 수 있잖아."

"웃기는군. 난 네가 평생을 뼈 빠지게 일해도 구경도 못해 볼 순간이동석에, 마법 도서관까지 드나들 수 있게 출입패까지 빌려줬어. 요즘은 저택에서 지낼 수 있게 해주면서 마법까지 가르쳐주고 있고. 그런데 내가 대체 뭘 더 해 줘야 된다는 거지? 날 이젠 네가 필요할 때마다 쓸 물건으로 보는 건가?"

"그런 말이 아니잖아! 사람 목숨이 달린 일인데 그냥 조금 도와주면 어디가 덧나?"

"내가 말했을 텐데. 나약한 자들은 어차피 죽기 마련이라고."

"제발 한 번만 도와주세요!"

둘의 작은 말싸움을 지켜보던 소유가 무릎을 꿇고 외쳤다.

"이런 부탁 염치없는 거 알지만 제발 한 번만 부탁드릴게요. 제발 도와주세요. 언니랑 오빠들이 또 죽게 내버려둘 순 없어요. 제발 부탁드려요. 한 번만 도와주세요, 나리."

소유는 울먹이며 두 손을 모아 빌었다. 하지만 카이의 얼굴에는 어떤 연민이나 동정심 따위 보이지 않았다. 그는 담뱃대를 문 채 말없이 소유를 내려다보기만 했다. 그 모습에 유리는 애써 억누르고 있던 화가 터져 나올 것 같았다.

“왜 가만히 있어? 얘 부탁하는 거 안 보여?”

그때였다. 카이가 갑자기 앞으로 손을 뻗어 마력 안개를 피워냈다. 순간 그가 자신을 공격하려 한다고 생각해 당황한 유리는 겁에 질려 뒷걸음질을 쳤다. 하지만 주위로 퍼져 나간 마력 안개는 천천히 유리의 몸속으로 스며들었다. 예상과 달리 전혀 고통스럽지도, 괴롭지도 않았다. 대신 뜨겁게 끓어오르는 물처럼 온몸을 타고 어떤 강렬한 기운이 느껴졌다. 여태껏 수련을 하면서 한 번도 느껴보지 못한 이상한 기운이었다.

“내가 줄 수 있는 도움은 이것뿐이야. 내 마력의 일부를 나눠줬으니 신중하게 사용하도록.”

“뭐라고? 네 마력의 일부?”

“하지만 네 스스로 잘 제어해서 사용해야 해. 안 그러면 너뿐만 아니라 네 친구들도 다쳐.”

믿을 수가 없었다. 마력 일부를 나눠줬다고? 그게 가능한 거였나? 지금껏 읽은 그 어떤 마법 서적에서도 자신의 마력을 다른 사람에게 줄 수 있다는 내용은 없었다. 내가 바란 도움은 이런 게 아니었는데……. 그녀는 얼떨떨한 얼굴로 자신의 손바닥만 내려다보았다.

“뭐 하고 있어? 도와줬으니 이제 네 친구들을 구하러 갈 시간 아닌가?”

멍하니 서 있는 유리에게 카이가 대문 쪽으로 고갯짓하며 말했다. 문득 그와 수련을 하다 부상을 입었던 기억이 났다. 그래, 이 수련은 모두 내가 강해지기 위해서 한 것이었으니까. 지금껏 도움받기만 했잖아. 이건 어차피 내 싸움이야. 이 이상으로 테네브리스를 끌어들일 수는 없어. 유리는 엎드려 울고 있는 소유를 일으켜 세웠다.

“소유야, 넌 여기에 있어. 내가 다시 데리러 올게.”

“안 돼! 언니까지 죽으면 어떡해?”

소유는 다급하게 유리의 옷소매를 붙잡았다. 동생은 아끼는 언니마저 잃게 될까 두려워하고 있었다. 유리는 옷소매 끝자락으로 소유의 뺨에 흘러내리는 눈물을 닦아주었다.

“꼭 돌아올 거야. 약속해.”

“언니…….”

“미안한데 동생 좀 잠깐 부탁할게.”

카이는 말없이 알았다는 듯 눈만 깜빡였다.

“도와줘서 고마워. 이 은혜는 꼭 갚을 거야, 테네브리스. 금방 돌아올게.”

유리는 말을 타고 저택을 빠져나가 반월당 폐허로 향했다.

넓은 반월문 광장을 거쳐 동쪽 반월길을 지나 구불구불한 수풀 길을 한참 따라서 유리는 최대한 빠르게 말을 달렸다. 세 시간 가까이 달린 후에야 그녀는 반월당 폐허 앞에 도착할 수 있었다. 주변은 고요했고, 반쯤 열린 대문이 밤바람에 흔들리며 기분 나쁜 소리를 내고 있었다. 유리는 불안한 마음을 진정시키며 말에서 내렸다. 사람의 온기가 완전히 식어버린 폐허에 싸늘한 인기척과 함께 심상치 않은 기운이 감돌고 있었다.

유리는 검을 빼어 들고 폐허 안으로 들어섰다. 들어서자마자 보이는 끔찍한 광경에 숨이 멎는 것 같았다. 마른 땅을 적신 핏자국을 따라 시선을 옮기자 동생들이 손발이 묶인 채 마당에 무릎을 꿇고 앉아 있었다. 혜성과 준은 부상을 입고 피를 흘리며 울먹이고 있었고, 선우는 정신을 잃은 듯 그 옆에 쓰러져 있었다.

"누나!"

혜성이 다 쉬어버린 목소리로 그녀를 불렀다. 유리는 동생들에게 다가가 상태를 살폈다. 다행히도 손가락이 잘리거나 죽음에 이를만한 치명적인 부상은 없었으나 찢어지고 구멍이 난 옷 사이로 수많은 상처가 있었다. 죄책감이 들었다. 나 때문에…… 나 때문에 또 이렇게 된 건가. 악몽을 꾸고 깨어나면 늘 다행이라고 생각하곤 했었다. 적어도 그 끔찍한 것들은 눈을 뜨면 사라지는 꿈에 불과했으니까. 그러나 지금은 아무리 발버둥쳐도 절대 깨어날 수 없는 꿈을 꾸는 것만 같았다.

선우의 얼굴도 동생들처럼 피범벅이 되어 있었다. 유리는 다급하게 맥을 짚어보고 심장에 귀를 가져다댔다. 그의 심장은 아직 뛰고 있었고 숨도 쉬고 있었다. 그러나 어떻게 된 건지 선우는 전혀 미동조차 없었다. 몸이 갈기갈기 찢겨 얼굴만 간신히 알아볼 수 있었던 진율의 시체처럼, 그가 아끼던 대궁도 뼈대가 되는 형상만 겨우 남아있을 뿐 이미 쓸 수 없는 무기가 되어 있었다. 진율의 장례식 이후 처음으로 유리는 가슴이 찢어지는 듯한 비참한 기분을 또다시 느꼈다. 아버지라 여기며 존경했던 스승이 남겨준 소중한 추억을 무참히 짓밟힌 느낌이었다.

"왔네?"

등 뒤로 익숙한 목소리가 들렸다. 무너진 사랑채 마루에 미르가 다리를 꼬고 앉아 혈석검을 만지작거리고 있었다. 그는 유리를 보자 특유의 황금빛 눈동자를 번뜩이며 웃었다.

"왜 이제 왔어? 얼마나 오래 기다렸는데."

"너…… 이게 대체 무슨 짓이야."

"뭐 어때, 처음 보는 것도 아니고. 그런데 그 여자애는 어디에다 두고 온 거야? 안 보이네?"

미르가 입구 쪽을 흘깃 보며 말했다. 유리는 그가 소유를 말하고 있다는 것을 알았다.

"내가 말해줄 것 같아?"

"그 노인네랑 똑같은 말을 하네. 피도 한 방울 안 섞였는데 어떻게 그리 똑같지? 신기할 정도라니까."

"대체 왜 이래? 왜 이러는 거냐고! 한 번이면 족하잖아. 그렇게나 사람들을 죽이고도 아직도 부족해?"

"네가 내 말을 전혀 안 들었으니 그렇지. 내 말만 잘 들었으면 이렇게까지 할 일도 없었어."

"뭐?"

"난 분명히 경고했어. 근데 넌 이번에도 내 말을 무시했지. 테네브리스 그 새끼랑 아주 여기저기 같이 찰싹 붙어다니던데. 왜, 도망가서 그놈 저택에 콕 처박혀 있으면 뭐라도 될 줄 알았어? 도망 안 가고 똑바로 이실직고했으면 이런 일도 없었을 것 아냐? 내 말이 틀려?"

그 말에 유리는 미르가 지금껏 자신을 몰래 미행하고 있었다는 사실을 명확하게 알 수 있었다. 적어도 광장의 요괴, 짐승들에 관한 일은 모두 미르가 꾸민 일임이 분명했다. 미르는 죄책감 하나 없는 얼굴로 옛 연인을 보며 씩 웃었다. 정말 블러드시커인지 의심이 간다는 카이의 말이 떠올랐다. 광기와 살기가 뒤섞인 눈빛. 자신을 향한 집착. 스승을 조롱하는 말들과 영안실에서 보았던 시체에 남겨진 흔적들. 그는 분명히 자신이 알던 그 미르 블러드시커가 맞았다.

이제 살인 사건의 확실한 증거가 그녀의 눈앞에 있었다. 죽었다는 미르가 어떻게 살아있는 건지, 4년 동안 대체 무슨 일이 있었던 건지, 지금 그런 건 중요한 문제가 아니었다. 진짜 중요한 문제는 미르가 살아있다는 것, 그리고 4년 전과 똑같은 일이 벌어지려 한다는 것이었다.

유리는 흐느껴 우는 동생들과 옛 연인을 번갈아 보았다. 동생들이 무릎을 꿇고 앉아있는 자리에 진율이 쓰러져 있던 것이 기억났다. 진율은 4년 전 똑같은 그 자리에서 사지가 갈기갈기 찢긴 채 죽었다. 유리는 그 처참한 광경을 똑똑히 기억하고 있었다.

“조용히 안 해?”

미르가 흐느끼는 혜성과 준을 향해 날카롭게 소리쳤다. 방금 전까지만 해도 다정하던 목소리와 눈빛이 싸늘하게 변했다. 동생들을 대하는 미르의 태도는 사람을 하대하는 것이 아니라, 마치 별 볼 일 없는 발밑의 개미 새끼 한 마리로 여기는 듯했다. 동생들은 애써 울음을 멈추려 끅끅거렸다.

“둘 다 죽기 싫으면 입 닥치고 얌전히 있어. 또 시끄럽게 하면 죽은 네 친구들처럼 만들어버릴 거니까.”

“걔들은 상관없잖아. 보내줘.”

“싫은데?”

미르는 그녀를 쳐다보며 씩 웃었다.

“네가 원하는 건 나 아니었어? 이건 너와 내 문제야. 그러니까 걔들은 아무런 상관없어. 보내줘.”

“그럼 또 나더러 네가 도망가는 꼴을 지켜보고 있으라고? 싫어. 절대로 안 돼.”

“대체 왜 이러는 거야? 우린 오래 전에 끝났어!”

“누구 마음대로 끝을 내?”

미르는 혈석검을 어깨에 기댄 채 자리에서 일어났다. 그는 유리에게 한 걸음씩 저벅저벅 다가왔다. 유리는 떨리는 손으로 옛 연인을 향해 검을 겨누며 뒷걸음질쳤다.

“가까이 오지 마.”

“싫어.”

“선우랑 동생들은 보내줘.”

“싫다니까. 아무리 애원해도 안 보내줄 거야.”

“제발 그만해! 대체 왜 이렇게까지 나한테 집착해? 대체 왜 그러는 거야, 왜! 난 가진 게 아무것도 없어. 명예도, 부도 아무것도 없는 빈털터리라고!”

“유리, 너 정말 이해를 못하는구나?”

미르는 입꼬리를 올려 또 씩 웃었다.

“난 아무것도 원하지 않아. 너만 있으면 돼.”

“……뭐?”

“내가 간절히 원하는 건 딱 하나뿐이야. 너만 내 곁에 있으면 돼. 난 너만 있으면 아무것도 필요 없어.”

그의 목소리는 어딘가 애처롭게 들렸다. 미르는 특유의 황금빛 눈동자를 빛내면서, 눈물로 약간 촉촉해진 붉은 눈시울을 드러낸 채 유리를 그윽하게 쳐다보았다. 순간 그의 아름다움에 현혹되어 깊이 빠져들 듯 몽롱한 느낌에 잠시 연민이 들 뻔했으나 유리는 정신을 차렸다. 그의 입술은 달콤한 사랑을 속삭이며 진심을 말하는 듯 연기하고 있었지만 유리는 거짓된 모습에 두 번 다시 속아넘어가지 않으리라 다짐했다.

“웃기지 마. 넌 무슨 일이 있어도 살인을 멈추지 않을 사람이야. 내 스승님을 죽인 원수에게 돌아갈 생각은 없어!”

유리는 보랏빛 마력 안개를 피워내 쏘았다. 미르는 예상하고 있었다는 듯 왼손으로 가볍게 그녀의 공격을 받아쳤다. 마력 안개가 미르의 손짓에 힘없이 픽 사라졌다. 카이와 했던 수련이 떠올랐다. 조각처럼 와장창 부서지던 보호막, 희미하던 보랏빛 마력 안개. 하지만 유리는 포기하지 않았다. 4년 전의 악몽을 되풀이하고 싶지는 않았다.

그녀는 다시 한 손에 보랏빛 마력을 피워내 쏘았다. 그러나 이번에도 미르는 가볍게 공격을 쳐냈다. 그는 같잖다는 얼굴로 유리를 보았다. 자신의 사랑에 대한 진심을 설파하며 불쌍한 척 눈물을 드러내던 모습은 온데간데없이, 비열한 살인마의 모습만이 어느 새 눈앞에 있었다.

"어쩐지 저번이랑 다른 마력이 느껴진다 했더니, 역시 뭔가 있었나 보네. 그 새끼가 가르쳐 준 거야?"

"너만 아니었어도 내가 마법을 배울 일은 없었어."

그 말에 미르의 눈빛이 차갑게 변했다. 그는 빈정 상한 듯 눈알을 굴렸다.

"나 때문이라고?"

"네가 4년 전에 스승님과 동생들을 죽이지만 않았어도, 네가 다시 나타나지만 않았어도! 내가 굳이 마법을 배울 일은 없었어. 모두 너 때문에 이렇게 된 거야."

"아, 그래서 테네브리스를 스승으로 삼으셨다? 저번엔 멍청하고 나약해빠진 노인네에, 이번엔 고귀한 척 가면을 쓴 살인마 새끼라니. 스승을 고르는 안목이 정말 형편없네. 왜 이렇게 보는 눈이 없어? 살인마한테서 배울 게 뭐가 있다고 그래?"

"진짜 살인마는 너야. 테네브리스가 아니라."

"그 나쁜 버릇 아직도 못 버렸구나? 범인이 나라는 증거라도 있어?"

미르는 안타까운 표정으로 혀를 끌끌 차며 더 가까이 다가왔다. 유리는 두 손으로 칼자루를 꽉 쥐고 미르의 머리를 향해 검을 휘둘렀다. 그러나 칼날이 맞부딪히는 소리와 함께 천체검은 허공에서 멈추었다. 미르는 혈석검으로 유리의 칼날을 막으며 씩 웃어 보였다. 유리는 그가 여유를 부리는 틈을 타 재빠르게 옆으로 검을 휘둘렀다. 목을 칠 생각이었다. 그러나 미르는 아주 가볍게 또 유리의 공격을 쳐냈다.

유리는 이를 악물었다. 별자리가 새겨진 천체검과 검붉은 보석이 박힌 두 칼날이 허공에서 부딪히며 날카로운 소리가 이어졌다. 유리는 있는 힘껏 미르의 혈석검을 쳐냈다. 그리고 앞으로 검을 휘둘러 심장을 찌르려 했다. 그러나 그 순간, 앞에 서 있던 미르는 온데간데없이 사라졌다. 어디로 간 거지? 당황한 유리는 주변을 두리번거렸다. 미르는 그 어디에도 보이지 않았다. 긴장한 탓인지 검을 쥔 두 손이 또 미친 듯이 떨려 오기 시작했다.

"너만 있으면 된다니까. 제발 내 말 좀 들어."

커다랗고 창백한 손이 등 뒤에서 그녀의 목을 감쌌다. 유리는 소스라치게 놀라 그의 손을 강하게 뿌리쳤다. 바로 뒤에서 미르가 자신을 보고 씩 웃으며 혈석검을 위로 높이 쳐들고 있었다.

유리는 재빨리 자신을 향해 다가오는 붉은 칼날을 막았다. 계속해서 두 칼날이 날카롭게 맞부딪히는 소리가 폐허에 울려 퍼졌다. 미르는 한 손으로만 혈석검을 쥔 채 검을 마구 휘둘렀다. 정교하고 뛰어난 검술은 아니나 여유로운 움직임이었다. 유리는 칼끝으로 반월을 그리며 춤을 추듯 한 바퀴 돌았다. 한 발자국 더 가까이 다가가 미르의 심장을 찌르려 하는 순간, 붉은 칼날이 유리의 목을 살짝 스치고 지나갔다. 유리는 가까스로 공격을 막아냈지만 칼끝이 불안정하게 흔들리고 있었다.

"감히 귀족한테 검을 휘둘러? 그렇게 예절 교육을 시켜줬는데 아직도 정신을 못 차린 거야?"

"네가 또 동생들을 죽이게 놔두진 않겠어."

유리가 결심에 찬 목소리로 말했다. 미르는 옛 동료들을 지키려 필사적인 그녀를 조롱하듯 피식 웃었다.

"난 다른 사람들은 죽여도 넌 죽일 생각 없어. 그러니까 좋은 말로 할 때 들어, 응?"

"닥쳐! 내가 미치도록 죽고 싶었던 게 누구 때문인데!"

유리는 악에 받친 목소리로 외치며 혈석검을 밀어냈다. 그녀는 다시 한 번 있는 힘껏 검을 내리치듯 휘둘렀다. 그러나 미르는 또다시 시야에서 온데간데없이 사라졌다. 유리는 숨을 죽이며 주변을 살폈다. 등 뒤에서 웃음소리가 들렸다. 바람을 타고 서늘한 숨결이 느껴졌다. 유리는 미르가 자신을 뒤에서 덮치려는 것을 눈치채고 재빨리 뒤를 돌아 마력 안개를 피워냈다.

순식간에 진보랏빛 안개가 원형을 그리며 주위를 감쌌다. 카이의 마력에 몇 번이나 처참하게 부서졌던 마법 보호막이었다. 그러나 오늘은 달랐다. 유리가 자신을 공격하리라 생각했던 것인지 미르는 민첩한 손짓으로 마력 안개를 쏘아 보냈다. 그러나 그의 마력은 보호막을 뚫지 못하고 튕겨 나갔다. 모두 카이의 강력한 마력 덕분이었다. 그의 마력이 지금껏 유리를 버틸 수 있도록 도와주고 있던 것이었다.

여유롭던 미르의 얼굴에 처음으로 당황한 기색이 떠올랐다. 어두운 분노가 그의 얼굴에 드리우기 시작했다. 미르는 유리를 노려보며 날카로운 송곳니를 드러냈다. 유리는 손안에서 보랏빛 안개를 피워냈다. 평소와 달리 아주 짙고 훨씬 거대한 안개였다. 하지만 놀랄 만한 일은 아니었다. 이것 또한 카이의 도움 덕분이었으니까. 유리는 망설임 없이 미르를 향해 그 짙고 거대한 마력 안개를 쏘았다. 그러나 미르는 또다시 사라졌다. 그가 서 있던 자리엔 유리의 마력 안개만이 남아 희미한 연기가 되어 사라지고 있었다.

그때, 뒤에서 무언가 날아와 '쾅' 하고 부딪히는 소리가 들렸다. 돌아보니 미르가 푸른 불꽃의 마력을 쏘아대고 있었다. 그러나 마법 보호막은 꿋꿋하게 살인마의 공격을 버텨냈다. 푸른 불꽃들은 별똥별이 우수수 떨어지듯 추락하며 땅에 그을린 자국을 남겼다. 미르는 지친 기색에도 불구하고 보호막을 뚫어내려 안간힘을 쓰며 집념을 굽히지 않았다.

유리는 그의 불꽃들을 향해 손을 뻗었다. 주술사였던 그녀의 손짓에 불꽃들이 반응하며 일렁이기 시작했다. 유리는 자신의 뒤에서 불어오는 바람을 이용해 불꽃의 방향을 미르 쪽으로 바꾸었다. 그러나 마법사인 미르가 그런 공격에 쉽게 당할 리 없었다. 허탈하게도 미르의 여유로운 손짓 한 번에 불꽃들은 순식간에 연기가 되어 사라졌다. 곧 하얀 연기가 얼음 파편으로 변하더니 유리 쪽으로 날아왔다. 유리는 마력으로 그 얼음 파편들을 붙잡아 땅에 내리꽂았다. 얼음 파편들이 녹아내리더니 빗방울이 되어 땅을 적셨다.

유리는 마력 안개를 다시 미르에게 쏘았다. 미르는 옆쪽으로 한 걸음 물러나 가볍게 공격을 되받아쳤다. 마력 안개는 다시 쏜살같이 유리에게 날아왔다. 다행히도 보호막은 깨지지 않았다. 하지만 마력 안개가 스쳐 지나가며 작은 균열이 생겨났다. 유리는 마력으로 보호막을 유지하고 있느라 점점 진이 빠져나가는 것 같았다. 유리는 손짓으로 보호막을 거두었다. 이 이상으로 보호막을 유지하려고 하다간 정신을 잃고 쓰러질 게 분명했다. 풋내기 수습생 실력도 되지 않는 유리가 대마법사의 마력을 능숙하게 쓸 수 있을 리 만무했다.

미르는 마법 보호막이 사라지기 무섭게 다시 공격해왔다. 여러 마력 안개들이 그녀의 뺨과 어깨를 아슬아슬하게 빗겨갔다. 이제 그는 이성을 잃고 미쳐서 마구 날뛰는 괴물처럼 보였다. 무자비하게 마력 안개를 쉴 새 없이 쏘아대는 모습은 연인을 죽이고 싶어하는 것인지, 연인을 곁에 두고 싶어하는 것인지 알 수가 없었다. 유리는 지친 몸을 이끌고 움직이면서 미르의 공격을 피하려 애를 썼다.

그녀의 필사적인 움직임에 공격이 모두 빗나가자 미르는 불꽃 고리를 만들어내 쏘았다. 불꽃 고리는 집념과 광기에 불타올라 유리를 집어삼킬 듯 날아왔고, 뒤이어 마력 안개 또한 날아왔다. 그 어디에도 공격을 피할 곳은 없어 보였다. 유리는 더욱 필사적으로 마력 안개를 피해 구르고, 뛰고, 움직였다. 그러나 무수히 쏟아지는 마력 안개를 모두 당해낼 수는 없었다.

쉴 틈 없는 공격에 잠깐 지친 사이 마력 안개 여러 갈래가 유리의 팔과 뺨을 스치며 상처를 냈다. 하지만 고통에도 불구하고 유리는 멈출 수가 없었다. 여기서 지쳐 쓰러진다면 무엇이 자신을 기다리고 있는지 그녀는 잘 알고 있었다.

처절하게 몸부림치며 공격을 피해 다니는 모습에 미르가 재미있다는 듯 웃었다. 그에게 유리가 악착같이 살아남으려 버티는 모습은 날개를 붙잡힌 벌레 한 마리가 발버둥치는 것처럼 하찮게 보였다. 미르는 더 강한 마력으로 그녀를 압박해왔다. 유리는 카이를 떠올리며 이를 악물었다. 그녀가 버틸 수 있던 이유는 카이 때문이었다. 그가 준 마력이 아니었다면 보호막은 처참하게 부서져버렸을 것이고, 이미 싸움은 시작도 하기 전에 모든 것이 끝나 있을 터였다.

포기할 수 없었다. 카이에게 돌아와 은혜를 갚겠다고 한 약속을 저버리고 싶지는 않았다. 비록 자신은 나약한 사람일지라도, 포기하지 않고 끈기 있게 나아가고 싶었다. 이것이 카이에게 자신의 강인함을 증명할 수 있는 전부라고, 유리는 그렇게 생각했다.

"잘 피하네? 언제까지 나한테서 도망 다닐 수 있을 것 같아?"

미르가 조롱하듯 고개를 까딱거리며 유리를 비웃었다. 유리는 아랫입술을 꽉 깨물었다. 그녀는 미르에게 손을 뻗어 보랏빛 안개를 피워냈다. 미르는 본능적으로 공격을 받아치려 손을 위로 들었다. 그러나 미르의 예상과 달리 마력 안개는 그를 향하지 않았다. 마력 안개가 날아간 곳은 동생들이 있는 쪽이었다. 보랏빛 마력은 그들의 손과 발을 묶고 있는 밧줄을 끊어냈다.

불안한 표정으로 싸움을 지켜보던 혜성과 준은 손이 자유로워지자 땅에 떨어져 있던 천체검을 집어들었다. 예상 밖의 행동에 미르가 당황하는 사이, 유리는 그에게 재빨리 마력 안개를 쏘았다. 빗나가기만 하던 마력 안개가 마침내 망토를 뚫고 어깨를 관통했다. 미르는 고통에 인상을 찡그리며 자리에 주저앉았다.

동생들은 검을 들고 미르에게 달려갔다. 유리 또한 기회를 놓칠 생각은 없었다. 그녀는 미르에게 칼끝을 겨누고 심장을 찌르려 달려들었다. 그러나 미르는 순순히 당할 사람이 아니었다. 그가 카이 테네브리스보다 뛰어나지 못할지라도 그는 여전히 강력한 '마법사'였다. 미르는 자신에게 달려오는 혜성과 준의 두 칼날을 혈석검으로 여유롭게 막아냈다. 그리고 다른 한 손의 마력으로 유리를 붙잡았다.

"세 명이서 달려든다고 뭐가 달라질 것 같아? 너희 같은 하찮은 것들은 내 상대가 안 돼. 절대로."

분노와 광기 섞인 황금빛 눈동자가 세 사람을 노려보았다. 그는 혈석검으로 동생들의 두 칼날을 힘껏 쳐냈다. 하지만 미르는 시금 선우와 동생들을 고문하고 유리를 상대하느라 꽤 지쳐 있었다. 준은 미르의 혈석검을 맞받아치며 그의 시선을 붙잡아두기 위해 애썼다. 혜성은 검을 들고 미르의 정면에서 달려들었다.

안타깝게도 칼끝은 미르의 목에 닿지 못했다. 그들의 계획을 어렴풋이 알아챈 미르는 옆으로 살짝 움직여 혜성의 공격을 피했다. 그러나 지친 탓에 움직임이 눈에 띄게 느려져 있었다. 혜성의 칼끝은 미르의 목을 찌르지는 못했으나 그의 어깨를 스치는 데에는 성공했다. 하필 유리에게 맞은 곳을 스친 터라 미르는 서늘한 칼날이 상처를 스치는 고통에 움찔했다.

그가 주춤하자 유리를 압박하던 마력의 기운이 느슨해졌다. 살인마의 손아귀에서 벗어난 유리는 망설임 없이 그의 목을 베기 위해 달려들었다. 미르를 죽일 수 있는 기회는 오로지 지금뿐이었다. 지금이 아니면 영원히 기회가 없을지도 몰랐다.

그러나 그 순간, 미르가 마력으로 세 사람을 다시 붙잡았다. 천체검 세 자루가 땅에 떨어졌고, 세 사람의 몸이 공중으로 나란히 떠올랐다. 미르가 강하게 뿌리치듯 옆으로 손짓하자 동생들은 부서진 돌담 쪽으로 날아가 머리를 찧었다.

유리는 당황할 새도 없이 마력에 붙들려 끌려갔다. 미르는 마력으로 유리의 목을 조르며 그녀를 빤히 쳐다보았다. 흉측한 눈의 상처에도 불구하고 그는 여전히 유리가 사랑했던 아름다운 청년의 모습을 하고 있었다.

자신을 사랑스럽다는 듯 쳐다보는 이 눈빛에 몇 번이고 매료되곤 했었다. 그러나 그는 더 이상 아름다운 연인이 아니었다. 미르 블러드시커라는 사람은 추억도 무엇도 아닌 악연에 불과했다. 지금 눈앞에는 오로지 광기와 희열, 살의에 뒤틀린 추악한 괴물만이 있을 뿐이었다. 유리는 자신의 목을 조르는 커다란 손을 붙잡고 떼어내려 마구 발버둥치며 악을 썼다.

"이거 놔! 네가 날 아무리 붙잡아도 소용없어. 죽는 한이 있어도 너한테는 안 가. 죽어서도 절대로 너한테는 안 갈 거라고!"

"나 지금 많이 참고 있어. 자꾸 짜증나게 하지 마, 응? 안 죽인다니까 왜 그러는지 모르겠네. 내가 꼭 이렇게까지 해야겠어? 대체 왜 내 말을 안 듣는 건데?"

목을 조르는 마력의 압박이 점점 심해졌다. 숨이 막혔다. 온 세상이 안개처럼 흐릿해지며 핑 도는 것만 같았다. 유리는 목을 짓누르는 힘에 저항하려 악을 쓰며 발버둥쳤다. 정신을 잃고 쓰러져 있는 세 명의 사내가 눈에 들어왔다. 돌담에 머리를 찧고 쓰러진 혜성과 준은 미동도 없었다. 폐허에 도착한 처음부터 정신을 잃고 쓰러져 있던 선우도 마찬가지였다.

설마 전부 죽은 건 아니겠지. 아니라고 부정하면서도 유리는 자꾸만 불길한 예감이 들었다. 모두를 잃었을지도 모른다는 생각에 손이 떨려왔다. 결국 자신은 또다시 사랑하는 사람들을 구하지 못하고 실패한 걸까? 또다시 사랑하는 사람들을 죽게 만들다니. 그렇게 살아남기 위해 노력했던 그 모든 날들이 이제는 의미조차 없었다.

서러운 감정이 북받쳐 올라왔다. 유리는 비명을 지르며 더 강하게 저항했다. 살아남든 그에게 붙잡혀 죽든 더 이상 상관없었다. 어떻게든 복수해야겠다는 생각만이 마음 속 깊은 곳에서 끓어올랐다. 유리가 기를 쓰고 발버둥치자 미르는 마력의 손짓으로 유리를 몸을 꽉 붙잡았다.

"입 닥치고 가만히 있으라고 했지! 그러게 내 말만 잘 들었으면 이런 일도 없잖아. 난 네 생각밖에 안 하는데 넌 왜 이렇게 날 몰라? 네가 어딜 가서 귀족과 어울릴 수나 있을 것 같아? 나 같은 사람이 널 좋아해주면 감사해야 되는 것 아냐? 이 분수도 모르는 천박한……!"

화가 나서 쏘아붙이던 미르가 말을 끊고 비명을 질렀다. 어디선가 화살

하나가 재빠르게 날아와 미르의 손바닥을 관통했다. 순간 유리를 붙잡고 있던 마력이 약해졌고, 유리는 공중에서 떨어져 주저앉았다. 미르는 손목을 붙잡고 자리에 쓰러져 욕설과 함께 신음을 내뱉었다.

문득 그의 손바닥에 박힌 화살촉이 어딘가 익숙해 보였다. 선우가 평소에 사냥을 하러 다닐 때 쓰는 독화살이었다. 고개를 돌려보니 선우가 지친 얼굴로 담에 등을 기대어 손에 활을 꼭 쥔 채 이쪽을 보고 있었다. 옆에는 화살통에서 쏟아진 화살들이 어지럽게 널브러져 있었다.

선우가 살아있었다니, 유리는 그 사실에 반색하며 몸을 일으켰다. 아직 희망이 남아있었다. 유리는 천체검을 다시 손에 쥐고 일어났다. 그리고 고통에 얼굴을 찡그리고 있는 미르에게 다가갔다. 그녀는 망설임 없이 옛 연인의 심장에 검을 꽂아 넣었다. 미르는 화살에 뚫린 손으로 유리를 막아보려 칼날을 붙잡았다. 하지만 칼끝은 이미 그의 몸속 깊숙이 들어왔고, 차갑고 서늘한 고통이 온몸으로 퍼져나갔다. 유리는 심장에 꽂힌 검을 잡고 양쪽으로 마구 비틀었다.

심장을 짓이기는 고통에 미르가 숨이 넘어가는 소리를 냈다. 유리는 그가 고통스러워하는 모습을 지켜보며 숨을 가쁘게 쉬었다. 드디어 끝이었다. 자신을 끈질기게 괴롭히던 살인마 연인과의 악연이 이제서야 끝난 것이었다. 드디어 모든 게 끝났다고 생각하니 다리에 힘이 풀렸다. 유리는 안도의 한숨을 쉬며 주저앉았다.

하지만 그것도 잠시, 금방이라도 숨이 넘어갈 듯 고통스러워하던 미르가 천천히 일어났다. 미르는 감정 없는 얼굴로 유리를 내려다보았다. 믿을 수 없는 광경에 유리는 그를 올려다보았다. 분명히 심장에 칼을 찔렀음에도 불구하고 미르는 문제없이 멀쩡해 보였다.

온화한 인상의 얼굴에 분노가 깊게 드리웠다. 이윽고 부정적인 감정에 삼켜진 그의 모습이 천천히 변하기 시작했다. 동그랗던 눈동자는 마치 뱀의 눈처럼 날카롭게 변하며 빛이 나듯 번뜩였고, 창백한 피부 위로 굵은 보라색 핏줄이 선명하게 드러났다. 입술은 생기라고는 전혀 없는 짙은 회색빛으로 변했으며 손톱은 요괴의 것처럼 길고 까맣게 자라났다. 미르는 유리를 향해 날카로운 송곳니를 드러내 보였다.

지금 그의 모습은 밤의 인간들의 선조인 흡혈귀의 모습을 닮아 있었다. 사람과 괴물을 합친 듯한 그 이질적인 모습에 새삼 유리는 미르가 흡혈귀라는 것이 실감이 났다. 미르는 자신의 심장에 꽂힌 천체검과 손의 화살을 쑥 빼냈다. 찔린 심장과 손바닥에서 피가 흘러나왔다. 하지만 동시에 빠른 속도로 상처가 아물고 있었다. 미르는 마력으로 유리를 붙잡아 내팽개쳤다. 유리는 저항할 틈도 없이 저 멀리 날아가버렸다. 미르는 선우 쪽으로 성큼성큼 걸어갔다.

"죽은 줄 알았는데 아직도 살아있었어? 미개한 주술사 놈들이 벌레처럼 생명력만 끈질기지, 아주."

미르는 숨을 헐떡이는 선우의 멱살을 잡고 들어올렸다. 그는 마력으로 선우의 목을 조르기 시작했다. 선우는 이제 저항할 힘도 별로 남아있지 않은 것 같았다. 그저 끙끙 앓는 신음 소리만 낼 뿐이었다.

갑자기 보랏빛 안개가 옆을 스쳤다. 미르가 뒤를 돌아보니 유리가 처절하게 땅바닥을 기면서 이쪽으로 다가오고 있었다. 마력 안개는 그녀가 선우를 구하기 위해 쓴 것이었다. 미르는 헛웃음을 터뜨리며 잡고 있던 멱살을 놓았다. 지칠 대로 지쳐 별다른 반응을 보이지 않는 선우는 그에게 아무런 즐거움도 주지 못했다.

그러나 유리는 아직 살아있었다. 그녀는 아득바득 살아남으려 하고 있었다. 미르는 그 점이 마음에 들었다. 유리는 미르의 비참한 어린 시절을 유일하게 털어놓을 수 있던 사람이었다. 그녀는 미르가 느꼈던 우울함을 이해했고, 동시에 그의 공허한 마음 한 구석을 채워줄 수 있었다. 이 잔인한 세상에서 유리는 자신의 상처를 이해할 수 있는 단 한 사람이었다.

동병상련을 느끼며 늘 자신을 잘 따랐던 유리가 왜 그깟 노인네 좀 죽었다고 이리도 자신을 미워하는지, 미르는 이해할 수 없었다. 어떻게 해서라도 유리가 다시 자신을 사랑하게 만들어야 했다. 미르에게 그녀는 반드시 필요한 사람이었다. 정 말을 듣지 않으면 반쯤 죽여서라도 곁에 두어야만 했다. 모든 면에 있어 유리는 미르에게 있어서 좋은 사람이었다. 하지만 단 한 가지, 귀족인 자신에게 버릇없게 구는 것만큼은 반드시

고쳐야 했다. 그 점만 고친다면 유리는 완벽한 연인이었다.

그러나 유리에게는 미르가 모르는 것이 있었다. 지금 그녀를 움직이는 것은 살인마를 만난 뒤 다시 깨어난 생존 본능뿐만이 아니었다. 희망이었다. 유리는 더 이상 절망에 굴복할 수 없었다. 이미 4년을 떠돌이로 산 것으로 충분했다. 혼자가 좋다고, 더 편하다고 애써 스스로를 속이려 했지만 진심은 숨길 수 없었다. 유리는 옛 동료들과 화해를 할 수만 있다면 그들과 함께 있고 싶었다. 그녀의 편이 되어줄 사람이 아무도 없는 이 세상에서 선우와 동생들은 유일한 그녀의 안식처나 다름없었다.

공포의 화신은 그런 유리의 희망을 이해하지 못했다. 절망 속에 살아온 그에게 희망이란 한 손에 바스라지는 낙엽과도 같았다. 희망 따위에 기대느니, 정말 존재하는지도 알 수 없는 어둠의 신 따위에게 기대느니 차라리 선조들이 가진 무한한 죽음의 힘에 기대는 것이 나았다. 어둠의 신과 달리 흡혈귀들은 정말로 존재했고, 그들이 가졌던 힘을 자신도 지금 가지고 있었으니까. 게다가 죽음을 이겨내고 부활하다니, 이것이야말로 '용의 눈'을 가진 자신답지 않은가. 진정한 어둠의 힘은 바로 여기에 있거늘, 미르는 유리가 왜 어둠의 신과 같은 허상일 뿐인 존재에게 의지하려 하는지 이해할 수 없었다.

미르는 일어나 다시 유리에게 성큼성큼 다가갔다. 그는 거칠게 유리의 머리채를 붙잡아 일으켜 세워놓고 다른 손으로는 목을 꽉 움켜쥐었다.

"감히 나를 또 죽이려고 해? 좋게 말로 해서는 들을 생각이 없지?"

"나, 나는……."

"너같이 갈 곳 없는 천한 게 귀족 자제를 만나볼 기회나 있을 것 같아? 나 말고 누가 널 받아줄 것 같아? 널 두들겨 패던 네 부모? 내가 죽여버린 그 노인네? 아니면 여기 드러누워 있는 네 친구 놈들? 누가 널 받아줄 것 같은데? 나 말고 너를 이렇게 신경 써주는 사람이 또 있을까? 없겠지. 아니, 죽었다 깨어나도 절대로 없어!"

미르는 연인의 목을 조르며 날카롭게 소리쳤다. 유리는 미르의 손을 떨쳐내기 위해 발버둥쳤다. 그러나 이미 마력도, 기력도 모두 소진한 상태에서 그녀가 할 수 있는 것은 없었다. 미르는 유리의 머리채를 붙잡고 흔들었다.

"아직도 뭘 모르나 본데, 넌 혼자야. 사람들한테 넌 완전히 배신당하고 버림받았다고! 그런 가엾은 너를 거두어 준 게 누군데, 응? 누가 널 거두어 주고 사랑해줬는데 감히 이 따위로 나와? 사람들한테 더 당해봐야 정신 차리겠어?"

"아니야…… 난 혼자가 아냐."

"착각하지 마. 그깟 칼 좀 휘두를 줄 안다고 누가 알아줄 것 같아? 넌 내가 없으면 아무것도 아니야!"

"아니야. 아직 선우가……."

"유리, 넌 왜 이렇게 위선자 새끼들을 챙기려고 들어? 저 새끼들이 너한테 어떻게 했는지 잊었어? 소문에 휘둘려서 널 내치는 놈들을 아직도 가족이라고 생각해?"

"아직 선우가…… 있단 말이야."

유리가 선우의 이름을 웅얼거리자 미르는 헛웃음을 터뜨렸다. 그녀를 향한 뒤틀린 애정이 담긴 눈빛은 사라지고 일그러진 분노만이 그 자리를 대신했다.

"내가 없으면 넌 이 세상에서 완전히 혼자야! 내가 네 진짜 가족이야. 널 진심으로 위하는 진짜 가족. 알겠어? 넌 아무것도 아니야. 내가 없으면 넌 그저 천한 칼잡이에 불과하다고!"

"그만해! 이제 언니 좀 그만 괴롭혀!"

미르가 연신 유리의 머리채를 잡고 흔들며 소리치고 있는데, 누군가의 목소리가 들렸다. 미르는 소리가 난 쪽으로 고개를 돌렸다. 폐허 입구에 소유가 울먹이며 서 있었다.

"스승님한테 한 짓도 모자라서 오빠들까지 괴롭히고…… 이제 언니 그만 괴롭혀. 그냥 좀 놔두란 말이야, 이 나쁜 놈아!"

소유가 앙칼진 목소리로 외쳤다. 유리는 막냇동생의 목소리를 알아듣고 불안해졌다. 여기에 오면 안 되는데. 나 때문에 모두를 죽게 할 수는 없어. 그러니까 내 희망 따윈 접어두자. 선우랑 동생들을 구하는 게 우선이니까. 테네브리스에게 한 약속은 지키지 못하겠지만…… 그래도 이게 최선이야. 유리는 겨우 손을 들어 미르의 옷깃을 붙잡았다.

"네가 원하는 건 나잖아. 그러니까 이제 그만해. 네가 원하는 대로 해줄게. 그러니까 그만해…… 제발."

유리가 다 죽어가는 목소리로 중얼거렸다. 하지만 미르에겐 유리의 말들이 전혀 귀에 들어오질 않았다. 미르는 소유를 가소롭다는 듯 쳐다보았다. 그는 유리의 머리채를 붙들고 있던 손을 놓고 소유에게 마력을 쏘았다. 헌데 이상하게도 소녀는 멀쩡했다. 미르의 마력 안개는 소유에게 닿지도 못한 채 희미한 연기가 되어 사라져버렸다.

이런 적은 한 번도 없었는데! 미르는 당황한 기색이 역력한 얼굴로 두 눈을 크게 떴다. 마력을 전부 소모해서 바닥이 나는 일이 있더라도 자신은 뼛속까지 마법사였다. 언제였는지 기억도 제대로 나지 않는 아주 어렸을 적을 빼고는 이런 적은 결코 단 한 번도 없었다. 이런 건 마법을 다루는 데 미숙한 어린 수습생들에게나 일어나는 일이었다.

하지만 소유는 마법사가 아니었다. 그녀는 방금 주술의 힘을 사용하지도 않았고 미르의 공격을 피하려 움직이지도 않았으며 그녀에게서는 유리와 달리 아무런 마력 기운도 느껴지지 않았다. 어떻게 된 일인지 미르는 혼란스러웠다.

곧 그 의문이 풀렸다. 소유 뒤로 나타난 남자 때문이었다. 날카롭고 차가운 인상에 번뜩이는 붉은 눈, 검정색의 긴 망토 차림을 한 남자. 미르는 그 낯익은 얼굴을 알아보았다. 그는 미르가 자신의 아버지와 함께 가장 증오해 마지 않는 남자, 카이 테네브리스였다.

17장.

위대한 음모

Magna Coniuratio

카이는 소유와 함께 반월당 폐허 안으로 들어섰다. 세차게 불어오는 밤바람에 휘날리는 검은 머리카락 사이로 날카로운 눈빛이 번뜩이고 있었다. 바람에 흔들리며 옆으로 몸이 꺾인 나뭇가지와 수풀의 모습은 마치 그가 나타나자 겁에 질려 머리를 조아리는 것 같았다.

"테네브리스……?"

유리가 나직한 목소리로 카이의 이름을 중얼거렸다. 뜻하지 않게 증오하는 이를 마주친 살인마의 손이 분노로 떨리기 시작했다. 그는 두 손으로 유리의 목을 더 강하게 졸랐다. 유리는 숨이 막혀 답답해지자 몸부림치며 빠져나가려 했다. 그 모습을 본 카이가 마력으로 미르의 손을 쳐냈다. 목을 조이던 고통에서 벗어나자 유리는 비틀거리며 뒤로 쓰러졌다.

"언니!"

소유는 헐레벌떡 유리에게 달려와 그녀를 부축했다. 진율, 선우와 함께 늘 가족처럼 자신을 챙겨주었던 언니의 비참한 몰골에 소유는 참았던 울음을 터뜨렸다. 막냇동생은 당장 벌어진 끔찍한 일에 경황없을 법한데도 침착하게 유리의 상태를 살폈다. 소유는 괜찮냐고 물으며 정신을 잃으면 안 된다고 유리에게 말을 걸었다. 유리는 불안해하는 동생의 얼굴을 어루만졌다. 손끝에 차갑고 축축한 눈물방울이 느껴졌다. 유리는 지금 소유가 얼마나 애타게 자신을 걱정하고 있는지 알았다. 그러나 자신은 해줄 수 있는 것이 아무것도 없었다. 온 힘을 다해 싸웠지만 여기까지가 한계라는 것을 유리도 스스로 잘 알고 있었다.

카이는 천천히 주위를 돌면서 주변을 훑끔 살폈다. 그의 시야에 지쳐서 담에 몸을 기댄 채 꿈쩍도 않는, 죽었는지 살았는지 모를 선우가 보였다. 그 근처의 무너진 돌담 앞에는 혜성과 준이 정신을 잃고 쓰러져 있었다. 땅바닥에는 방금 전 있었던 상황을 모두 말해주듯 까맣게 불에 그을린 자국과 핏자국으로 난무했고, 그 위에 유리의 천체검이 누워 있었다.

시선을 다시 정면으로 옮기자 피로 흥건한 미르의 옷깃이 보였다. 칼에 찔렸는지 저고리 가슴 부분이 너덜너덜해져 있었다. 주위로 핏자국이 있는 것을 보아 유리의 검에 심장을 찔린 듯했다.

상황 파악을 끝낸 카이는 미르를 노려보았다. 날카로운 시선에서 경멸과 혐오가 느껴지자 살인마는 헛웃음을 터뜨렸다.

“웬일로 고귀하신 대마법사 나리께서 직접 이런 곳까지 행차하시고. 또 날 방해하러 오셨나?”

미르는 비아냥대며 자리에서 일어났다. 이제 그의 눈빛엔 끊임없는 증오심만이 끓어오르고 있었다.

“네가 날 방해했지. 내가 아니라.”

"아, 그러니까 내가 위대하고 고귀하신 데네브리스 도련님의 길을 막았다 이거야? 참 미안하게 됐네.”

카이는 일부러 자신을 조롱하며 도발하려는 말에 굳이 답하지 않았다. 두 사람은 서로를 노려보며 멀찍이 서서 대치했다.

“대단한 가문의 핏줄이 아니었다면 아무것도 아니었을 주제에. 몇 년이 지나도 그 재수 없는 꼬라지는 여전하다니까? 넌 네 능력으로 그 자리에 오른 줄 아는가 본데, 네가 대마법사가 된 건 순전히 혈통 때문이야. 너 같은 놈한텐 과분한 지위라고.”

"아직도 내게 자격지심을 느끼는 건가, 블러드시커?"

"아니, 설마 그럴 리가. 가족한테 절연당하고 버림받은 놈한테 내가 왜 자격지심을 느껴? 용의 눈을 가진 나한테 네가 자격지심을 느끼는 건 아니고?"

"절연은 내 선택이었지. 난 버림받은 적이 없어. 오히려 그들이 먼저 날 찾느라고 안달났으니까. 그리고 엄밀히 말해서 네가 절연 운운할 입장은 아니지 않나?"

"뭐?"

"내가 듣기로 블러드시커 가문은 명예를 중요하게 생각한다더군. 하지만 명예를 지켜야 할 가문의 일원이 비겁하게 밖에서 살인이나 저지르고 있지. 그리고 넌 4년 전 일로 아예 가문에서 존재하지 않는 사람이 되지 않았었나? 쯧쯧, 가문의 수치가 따로 없군."

"닥쳐, 테네브리스! 오늘 네놈을 반드시 죽여버리겠어!"

미르가 악에 받친 목소리로 외쳤다. 그가 위협하듯 날카로운 송곳니를 드러내 보이자 얼굴에 비친 보라색 핏줄이 더 선명해졌다. 미르는 보랏빛 마력 안개를 피워내 카이에게 쏘았다. 그러나 대마법사는 당황하지 않았다. 카이는 예상하고 있었다는 듯 가볍게 마력 안개를 한 손으로 쳐내더니, 형편없는 실력을 조롱하듯 눈썹을 치켜올렸다.

기세등등한 태도로 자신을 도발하는 모습에 미르는 카이를 무섭도록 노려보았다. 고귀한 용의 눈에 강력한 선조의 힘까지 가진 자신을 앞에 두고도 여유로운 모습이라니, 미르는 대마법사의 자신감이 어디까지 이어질지 궁금했다.

미르는 다시 작은 마력 불꽃을 피워내 쏘았다. 보랏빛이 아니라 활활 타오르는 새빨간 불꽃이었다. 이번에도 카이는 당황하는 기색 하나 없었다. 대마법사는 가벼운 손짓으로 자신에게 날아오는 불꽃을 멈추었다. 이글거리며 타오르던 불꽃은 공중에서 하얀 연기가 되어 사라졌다.

자신의 공격이 통하지 않자 미르가 짜증난 듯 으르렁거렸다. 그는 다시 손안에서 새빨간 불꽃을 피워냈다. 불꽃이 위로 솟아올라 거대해지더니 여러 갈래로 갈라져 카이 쪽으로 날아갔다. 카이는 공격을 피하지 않았다. 그는 오히려 날아오는 불꽃들을 향해 가만히 서서 침착하게 두 손을 앞으로 뻗었다. 그러자 불꽃이 공중에서 발이 묶인 듯 멈추었다. 불꽃은 또다시 하얀 연기가 되어 사라졌다.

카이는 양손을 아래로 힘껏 내려쳤다. 그의 손짓에 어두운 밤하늘의 달빛 아래 붉은 유성우가 나타났다. 이윽고 주황빛의 불꽃 비가 미르를 향해 우수수 쏟아지기 시작했다. 미르는 간신히 주위를 보호막으로 둘러싸 유성우를 막아냈다. 보호막을 스친 불꽃 비는 땅을 새까맣게 적셨다.

미르의 주위에 고리처럼 원을 그리며 커다랗게 그을린 자국들이 생겨났다. 보호막은 유성우를 버텨내는 듯싶더니 결국 강렬한 마력의 압박을 이기지 못하고 서서히 균열이 생기기 시작했다. 사방에서 보랏빛 균열이 피어나는 도중에도 카이의 불꽃 비는 멈추지 않고 쏟아졌다.

마침내 보호막은 균열을 짓누르는 압도적인 마력에 거울이 쨍그랑 깨지는 듯한 소리와 함께 와장창 부서져버렸다. 보호막이 깨지는 충격에 미르는 주춤하며 주저앉았다. 그가 쓰러지자 무수히 쏟아지던 유성우도 멈추었다. 미르는 분하다는 듯 주먹으로 연신 땅을 내리쳤다. 카이는 그런 미르를 보고 혀를 끌끌 찼다.

“마력을 타고 난 마법사가 일개 주술사보다도 못하다니, 쯧쯧. 애송이도 너보단 낫겠군.”

카이가 혀를 끌끌 차며 미르를 조롱했다. 미르는 그를 노려보며 혈석검에 몸을 기대어 일어났다. 살인마는 선우 일행을 고문하고 유리와 싸우느라 마력을 꽤 많이 소모한 탓에 지쳐 있었다. 그러나 미르는 죽어도 포기할 생각 따윈 없었다. 생존 본능과 두려움, 희망이 유리를 움직인다면 미르를 움직이는 원동력은 따로 있었다. 분노. 증오. 복수심. 어두운 감정들은 그의 마음을 좀먹다 못해 집어삼킨 지 오래였다.

“테네브리스, 넌 결국 마법이 없으면 아무것도 아니야.”

미르는 카이를 향해 혈석검을 겨누었다.

"정정당당하게 검으로 겨루시지."

의외의 제안이었다. 그러나 카이는 당황하지도, 놀라지도 않았다. 그는 대답 없이 앞으로 한 손을 뻗었다. 곧 마력에 이끌린 천체검이 손안으로 들어왔다. 카이는 아직 칼자루에 남아있는 유리의 온기를 느낄 수 있었다.

그가 검을 손에 쥐기 무섭게 미르는 혈석검을 들고 앞으로 성큼성큼 걸어와 칼날을 휘둘렀다. 붉은 검이 밤바람을 가르며 카이의 목을 노렸다. 유리의 생각과 달리 의외로 검술에 익숙한 듯, 카이는 미르의 공격을 가볍게 막아냈다. 그 모습에 미르가 가소롭다는 듯 입꼬리를 올려 비웃었다.

달빛 아래에서 또다시 두 개의 칼날이 허공에서 날카롭게 부딪히는 소리가 한참 동안 이어졌다. 그러나 지금 천체검을 휘두르는 자는 유리가 아니었다. 광기와 살의로 물든 붉은 칼끝이 은빛 별자리와 푸른빛 주문 글귀가 새겨진 강철의 검과 맞닿았다.

마법사지만 검을 다루는 데 꽤 익숙한 미르는 여유로웠다. 그는 쉴 새 없이 이리저리 검을 빠르게 휘두르며 공격해왔다. 하지만 그리 호락호락하게 당할 카이가 아니었다. 미르가 어디에서 공격해오든 카이는 재빠르게 자신을 노리는 혈석검을 막아냈다. 최고의 검술은 아니었지만 과연 대마법사답게 그는 전혀 빈틈이 없었다. 어떤 무기를 쓰든 그에게 약점이란 존재하지 않는 것 같았다.

마법에 이어 검술에서도 카이를 압도할 수 없게 되자, 미르가 짜증난 듯 거칠게 검을 휘두르기 시작했다. 유리가 그랬듯 그는 양손으로 혈석검을 쥐고 카이의 머리를 내려치려 했다. 하지만 이번에도 공격은 통하지 않았다.

잠시 천체검의 주인이 된 대마법사는 쉽사리 승기를 내주지 않았다. 칼날이 갈 곳을 잃자 미르는 재빨리 한 바퀴 돌아 검을 휘두르며 카이의 옆을 노렸다. 천체검은 또다시 붉은 칼날을 막아냈다. 비록 공격은 통하지 않았으나 미르는 한 가지 약점을 알아낼 수 있었다. 카이는 마법을 사용할 때와 달리 방어에만 집중하기 바쁜 모습이었다. 살인마는 고개를 절레절레 흔들며 씩 웃었다.

"그렇게 자신만만하더니, 역시 마법을 빼면 시체나 다름없잖아? 넌 결국 그 잘난 혈통이 없으면 아무것도 아니야."

미르는 비아냥대며 카이를 가소롭다는 듯 내려다보았다. 하지만 미르가 어떻게 조롱하며 비웃든 카이는 눈 하나 꿈쩍하지 않았다. 그는 특유의 타오르는 불꽃 같은 날카로운 눈을 부릅뜨고 살인마를 노려보았다. 카이는 있는 힘껏 미르를 밀어냈고, 미르는 살짝 비틀거리며 뒤로 밀려났다.

주변에 강렬한 힘이 느껴지기 시작했다. 주위의 돌덩어리와 작은 잔해, 흙먼지가 공중으로 떠올랐다. 곧 여섯 개의 일렁이는 투명한 소용돌이가 미르를 에워싸더니, 소용돌이의 중심부가 두 갈래로 찢어지며 검은색 구멍이 나타났다. 암흑으로 뒤덮인 여섯 개의 중력문들이 주위를 둘러쌌다.

난데없는 상황에 미르는 당황했다. 바로 그 순간 왼쪽의 중력문에서 카이가 나타났다. 그는 천체검으로 미르의 팔을 찌르고 암흑 너머로 사라졌다. 미르는 고통에 신음을 내뱉으며 주저앉았다.

"능구렁이 같은 놈. 비겁하게 또 마법을 써? 앞으로 나오시지, 테네브리스! 정정당당하게 싸우라고, 이 졸렬한 새끼야!"

미르가 독기 서린 목소리로 외쳤다. 그는 흥분을 억누르지 못하고 정면에 있는 중력문에 혈석검을 마구 휘둘렀다. 그러나 예상과 달리 카이는 다른 곳에서 나타났다. 오른쪽의 중력문에서 모습을 드러낸 카이는 미르를 찌르고 암흑 너머로 사라졌다. 그리고 다시 정면에서 나타나 칼을 휘둘렀다.

이번에는 칼끝이 옷을 뚫고 다리를 스쳤다. 그 다음 카이는 뒤편에서 나타났고, 그 다음은 또다시 오른쪽, 왼쪽과 측면, 정면에서 나타났다. 그는 쉴 새 없이 중력문 너머로 나타나고 사라지기를 반복하며 미르를 공격했다. 끊임없이 휘몰아치는 공격에 상처가 회복될 틈조차도 없었다.

계속되는 칼질에 저고리와 망토가 눈 깜짝할 새에 너덜너덜해졌다. 미르는 욕을 읊조리며 혈석검을 떨구고 주저앉았다. 그가 쓰러지자 주위를 감싸고 있던 여섯 개의 중력문들이 작은 구멍이 되어 사라졌다. 공격이 멈추자 상처 위로 새살이 조금씩 돋아나기 시작했다.

그러나 곧 카이의 마력이 다시 미르의 몸을 조여왔다. 미르를 에워싼 진보랏빛 안개가 천천히 숨통을 조였다. 카이는 피 묻은 천체검을 들고 여유로운 발걸음으로 미르에게 다가왔다.

"마법을 빼면 시체라고? 뭘 모르는군. 난 마법에 있어서는 신이나 다름없지."

카이는 혀를 끌끌 차며 한심하다는 듯 말했다.

"난 너 같은 나약한 애송이 따위와는 달라."

"웃기시네. 그 고귀한 혈통이 아니면 아무것도 아닌 주제에……!"

이제 분노에 완전히 집어삼켜진 미르는 이성을 잃고 카이를 공격하려 발버둥쳤다. 그러나 압도적인 마력이 온몸을 꽉 붙들어 매고 있어 그의 몸부림은 아무런 의미가 없었다.

"보아하니 저 여자를 괴롭히는 게 진짜 목적은 아닌 것 같은데. 왜 내가 사람들을 죽이고 다닌다는 소문을 퍼뜨린 거지? 말해."

"너처럼 하찮은 놈한테 그런 높은 지위가 어울린다고 생각해? 넌 아무것도 아닌 무능한 놈이야. 너 같은 새끼가 어떻게 대마법사가 됐는지 난 다 알고 있어. 고귀한 척하면서 음침하게 저택에 은둔하는 놈의 생각이란 안 봐도 뻔하지. 테네브리스 가문의 힘으로 마법학회를 찍어 눌러서 협박했잖아, 안 그래? 넌 그러고도 남는 놈이야. 말해봐, 네 집안 사람들 전부 실력이 아닌 권력과 가문의 명성을 이용해서 지위를 얻은 것 아냐? 네 할애비가 법무관이 된 것도 다 그런 비열한 술수를 쓴 거겠지?"

“질문에 대답해, 블러드시커.”

카이는 점점 더 강렬한 마력으로 미르의 숨통을 조였다. 미르는 카이를 노려보며 그의 신발 위로 피 섞인 침을 뱉었다.

“비겁한 새끼. 내가 가문의 수치라고? 천만에. 혈통 빼고는 아무것도 없는 너 같은 놈이 대마법사가 된 것 자체가 모든 마법사들의 수치야. 처음부터 대마법사는 내가 되었어야 한다고!”

미르는 그대로 분노와 증오가 자신을 더 깊이 집어삼키도록 내버려두었다. 그리고 자신의 몸을 강하게 압박하고 있던 카이의 마력에서 벗어나 공중으로 떠올랐다.

서서히 그의 모습이 또다시 변하기 시작했다. 옷을 찢고 나온 그의 몸뚱어리가 괴물처럼 거대하게 자라났고, 하얀 살갗 위로 검은 털이 돋아났다. 등에는 두 쌍의 커다란 박쥐 날개가 자라났으며 그중 한 쌍의 날개에는 갈고리가 달려 있었다. 길고 까맣던 손톱도 더욱 길고 뾰족하게 자라났고 눈과 꼬리 또한 치명적인 독사처럼 변했다. 목은 뱀 마냥 길어졌으며 몸 뒤쪽에서는 뱀의 갈라진 혀 같은 긴 꼬리가 자라났다. 완전히 박쥐나 다름없는 형상이었다.

그 모습은 평범한 박쥐가 아니었다. 지금 미르의 모습은 밤의 인간들이 존재하기 전, 한때 창백한 땅 전체를 피로 물들이며 지배했던 종족이자 그들의 선조, 흡혈귀의 모습이었다.

유리와 소유, 카이는 말로만 들어왔던 난생처음 보는 흡혈귀의 모습에 놀라움을 감추지 못했다. 역사 서적에서 수도 없이 보아왔던 흡혈귀는 상상보다 훨씬 더 끔찍하고 흉측한 모습을 하고 있었다. 그걸 보자 유리의 마음 속에 새로운 두려움이 일었다. 전혀 느껴본 적 없었던 공포감에 정신이 번쩍 드는 것만 같았다. 그러나 카이에겐 전혀 두려운 기색이 없었다. 그는 전설로만 내려져오던 존재를 직접 마주했다는 사실에 오히려 흥미를 느끼는 듯 보였다. 미르는 카이를 향해 날카로운 송곳니를 드러내며 으르렁거렸다.

"그 자리는 처음부터 내 것이었어야 해. 오늘 내가 진정한 대마법사의 힘을 보여주지, 테네브리스. 진정한 흡혈귀의 힘을!"

미르가 더 위로 높이 날아오르며 괴물 같은 울음소리를 냈다. 평범한 짐승이나 요괴와 달리 매우 이질적인 높고 날카로운 울음소리였는데, 온 무덤의 망자들이 소리를 듣고 벌떡 일어날 것만 같았다. 유리와 소유는 마음에 공포를 일으키는 소리를 견디지 못하고 귀를 틀어막았다. 하지만 아무리 귀를 막아도 울음소리는 계속 들려왔다.

카이는 미르가 그저 울부짖는 게 아니라는 것을 깨달았다. 그는 울음소리와 동시에 무언가 보이지 않는, 어떤 떨리는 진동 같은 힘이 자신에게로 다가오는 것을 느끼고 진보랏빛 장막을 쳤다. 그는 다시 밤하늘에서 유성우를 내려 미르를 떨어뜨리려 했다. 그러나 이번엔 달랐다. 두 쌍의 거대한 날개를 가진 흡혈귀가 된 미르는 공중에서 날아다니며 자신을 향해 떨어지는 유성우를 민첩한 몸짓으로 피했다. 불꽃이 미르의 날개 끝을 살짝 스치고 지나갔지만 끄떡없었다.

이윽고 미르는 작은 박쥐 떼를 불러왔다. 그와 비슷한 형상을 한 수많은 박쥐 떼가 어디선가 나타나 모여들더니 카이에게 날아왔다. 카이는 마력을 피워내 보호막 대신 얼음 조각을 만들어냈다. 밤하늘을 뒤덮을 듯 시커멓던 박쥐 떼는 수백 개의 얼음 조각에 찔려 부상을 입고 끽끽대며 땅으로 추락했다. 나머지 얼음 조각들은 거대한 얼음 벽이 되어 미르를 안에 가두어버렸다.

하지만 미르는 죽지 않았다. 그는 정신 나간 듯 웃어대며 붉은 안개를 손에서 피워냈다. 카이가 선우를 공격할 때 썼던 바로 그 붉은 안개였다. 마법사들 중에서도 가장 강력한 이들만 쓸 수 있는, 정확히는 고대의 마법까지 모두 터득한 이들이 쓸 수 있는 힘이었다. 화염 마법에 능통했지만 그저 강한 마법사 수준에 불과했던 예전의 미르라면 절대로 불가능한 일이었다. 그러나 죽음을 극복하고 흡혈귀로 다시 태어난 지금은 얘기가 달랐다.

그는 얼음 벽을 부수고 나와 카이에게 달려들었다. 동시에 붉은 안개가 빠른 속도로 카이를 향해 날아갔다. 카이는 여유로운 태도로 앞을 향해 손을 뻗었다. 그러자 붉은 안개가 카이의 손짓대로 움직이기 시작했다. 자신의 힘에 배신당한 미르는 스스로 피워낸 붉은 안개에 붙잡혀 바닥으로 떨어졌다.

미르는 다시 일어나기 위해 날개를 펼쳤다. 두 발이 땅 위로 살짝 떠올랐다. 그러나 그의 처절한 날갯짓은 오래 가지 못했다. 카이는 날아오르기 위해 애쓰는 미르의 날개를 마력으로 거칠게 붙잡아 뜯어버렸다. 쉴 새 없이 펄럭이던 두 쌍의 거대한 날개가 그의 등에서 떨어졌고, 날개를 잃어버린 미르도 다시 땅으로 추락했다. 그러나 그 정도로 미르를 죽일 수는 없었다. 그는 흡혈귀였다.

미르가 두 눈을 번뜩이자 그가 떨어뜨린 혈석검이 조금씩 움직이기 시작했다. 검붉은 보석이 촘촘히 박힌 손잡이가 귀신에 씌인 듯 흔들렸다. 검붉은색의 보석에서 같은 빛깔의 마력 안개가 새어 나와 미르에게 스며들었다. 카이는 검에 박힌 혈석들이 미르에게 반응하는 것이라고 생각했다.

추측은 정확했다. 미르는 혈석검에서 새어 나온 검붉은 마력을 모두 흡수했다. 그리고 카이의 마력을 떨쳐내고 일어났다. 미르는 다시 거대한 박쥐 떼를 불러냈다. 붉은 눈빛에 어딘가 뒤틀린 외모의 박쥐들이 다시 나타났고, 미르의 손안에서 여러 갈래의 핏줄기가 흘러나왔다. 핏줄기들은 사방으로 뻗어 나가 쓰러져 있던 선우와 동생들, 그리고 유리를 순식간에 감쌌다. 이윽고 그들의 상처에서 피가 흘러나왔다.

미르는 그들의 피를 빨아들이기 시작했다. 피가 빨려 나가며 살갗이 조금씩 쪼그라들었다. 유리가 영안실에서 보았던 청년의 모습과 똑같았다. 상처와 연결되어 피를 흡수하는 핏줄기의 괴이한 광경과 서서히 피를 잃는 고통에 유리는 신음을 내뱉었다. 소유는 고통을 차마 견디지 못하고 그만 정신을 잃었다.

그런데 갑자기 미르에게 스며들던 핏줄기들이 일제히 멈추었다. 타오르는 갈증이 채워지는 만족감을 느끼고 있던 미르는 흡혈이 중단되자 당황했다. 그의 흡혈을 멈춘 것은 카이였다. 대마법사의 손짓에 핏줄기들은 주인을 찾아 제자리로 되돌아갔다. 유리 일행의 상처 위로 새살이 돋아나며 쪼그라들었던 살갗은 언제 그랬냐는 듯 원래의 생기를 되찾았다.

또다시 주변을 압도하는 강렬한 마력이 느껴졌다. 미르가 당황한 틈을 타 카이는 마력으로 그를 다시 붙잡았다. 압도적인 마력에 손발이 묶여버린데다 마력 소모가 심해 지친 탓에 미르는 발버둥만 쳤다. 카이는 그에게 천천히 다가갔다. 미르는 위협하듯 날카로운 송곳니를 드러냈다. 그러나 대마법사에게 블러드시커라는 흡혈귀는 하찮은 존재에 불과했다.

카이는 마력으로 미르를 붙잡은 채 처음 두 눈으로 마주한 흡혈귀의 형상을 천천히 관찰했다. 문득 이상한 광경이 눈에 들어왔다. 조금씩 무언가가 미르의 등에서 자라나고 있었는데, 자세히 보니 두 쌍의 새로운 날개였다. 미르는 애처로운 날갯짓을 하며 다시 날아오르려고 발악했다. 하지만 소용없는 짓이었다. 카이는 미르의 새 날개를 천체검으로 베어버리고 그의 숨통을 마력으로 더 세게 옥죄었다. 그 고통에 미르가 악에 받친 비명을 질렀다. 카이는 발밑의 혈석검을 흘깃 보더니 입을 열었다.

“혈석검은 어디서 구했지?”

“개처럼 기어 봐. 그럼 알려줄 테니까.”

“말해.”

“손이 닳도록 빌면서 내 앞에서 기어다녀 보라니까. 그럼 말해줄게.”

“어차피 말하게 될 텐데 왜 굳이 고통을 감수하려고 하는 거지?”

“닥쳐.”

“아직도 네가 날 이길 수 있다고 착각하는 건가?”

“착각은 나리께서 하고 계시는 것 같은데. 언제까지 네가 그 주둥아리를 나불거릴 수 있다고 생각하지 마. 지금 내가 하는 걸 잘 봐두라고. 그

잘난 대마법사도 두려움 앞에선 아무것도 아닐 테니까!"

모든 빛이 꺼진 것처럼 사방이 어두워졌다. 밤의 인간의 야간 투시 능력으로도 꿰뚫어볼 수 없는 칠흑 같은 어둠이 주위를 감쌌다. 희미한 달빛조차도 보이지 않았다. 유리는 상황을 눈치채고 재빨리 고개를 돌렸다. 짙은 어둠 속에서 피어난 잿빛 안개. 그것은 사람의 공포를 먹고 사는 요괴인 어둑시니였다.

여태껏 그래왔듯 미르는 요괴를 조종했다. 자욱하고 어두운 안개가 카이의 주위를 둘러쌌고, 살인마는 대마법사의 두려움을 들여다볼 생각에 한껏 들떴다. 공포만큼 사람을 이용하기 좋은 것은 없었다. 모든 생명은 두려움을 느끼기 마련이었고, 제아무리 뛰어난 대마법사라도 예외가 될 리 없었다.

그러나 미르의 예상과 달리 허무하게도 카이의 마음 속은 텅 비어 있었다. 미르는 당황했다. 이럴 리 없었다. 사람이라면 누구나 가지고 있는 것이 공포였다. 천하의 대마법사 카이 테네브리스라도 두려움 하나쯤은 있어야 했다. 그러나 카이의 마음 속에는 공포는커녕 그 비슷한 것조차 존재하지 않았다. 필멸의 존재라면 당연할 죽음에 대한 공포조차 존재하지 않았다.

어둑시니를 이용해서 미르는 다시 카이의 마음을 들여다보았다. 그는 가장 가까이에 있는 기억 하나를 끄집어내어 볼 수 있도록 요괴를 조종했다.

기억 안에는 날카로운 눈매가 인상적인 소년이 하나 있었다. 열 다섯, 열 여섯쯤 되어 보이는 얼굴이었다. 몸에 멍이 잔뜩 든 그 소년은 아버지로 보이는 한 중년 남자와 싸우고 있었다. 아버지는 하나밖에 없는 아들놈이 패륜을 저지른다고 거친 욕설을 쏟아냈다. 아들은 누구 때문에 이렇게 됐는지 생각도 못하는 머저리라며 더 이상 말을 잇지 않고 방에서 나가버렸다. 방 안에 혼자 남은 아버지는 때려죽여도 모자랄 놈이라고 혼자 욕을 읊조리며 울분을 토해냈다.

미르는 그 아들이 어떤 감정을 갖고 있는지 알아내기 위해 더 자세히 마음 속을 들여다보았다. 아들의 마음 속에서 깊은 증오심과 분노, 슬픔이 느껴졌다. 그러나 이상하게도 미르가 찾고 있는 '공포'는 없었다. 아무리 기억 속을 샅샅이 뒤져보아도 공포는커녕 자신을 이렇게 만든 아버지에 대한 복수심조차 보이지 않았다. 미르는 허탈감에 헛웃음을 지었다.

"끝까지 고상한 척하네."

"글쎄, 난 사람을 죽이면서 희열을 느끼는 애송이와는 다르거든."

"웃기지 마. 난 네놈이 평생은커녕 죽어서도 구경 못해볼 선조들의 힘을 가졌어! 난 내가 왜 용의 눈을 타고 난 사람인지 직접 증명해 보였다고. 하지만 너처럼 무능한 놈이 과연 혈석의 힘을 감당이나 할 수 있을까? 넌 아마 뼈도 못 추리고 뒈질 거야."

미르는 자신이 죽음에서 깨어난 것으로 대마법사가 될 만한 자격을 충분히 증명했다며 소리쳤다. 다시 분노에 휩싸여 이성을 잃은 미르는 검은 털로 수북한 긴 팔을 뻗어 카이의 목을 조르려고 했다. 마치 자신의 힘을 어떻게 제어해야 할지 몰라 정신을 놓아버린 것처럼 보였다. 그러나 카이는 아무것도 보이지 않는 어둠 속에서도 매우 침착했다. 그는 미르를 마력으로 붙잡아 공중에서 꼼짝 못하도록 묶어두었다. 그리고 여전히 자신의 기억을 들여다보고 있는 어둑시니를 조종했다.

미르는 카이가 무슨 짓을 하려는지 눈치채고 악을 쓰며 몸부림쳤다. 그러나 대마법사의 손아귀에서 벗어날 수는 없었다. 카이가 손짓하자 어둑시니는 마치 홀린 듯 그의 명령을 따라 미르의 마음을 비추었다.

카이는 셀 수 없는 분노와 증오심이 서린 무수히 많은 기억들을 지나쳤다. 그리고 미르가 숨기고 싶어하는 깊은 마음 속의 기억들 중 하나를 비춰 들여다보았다.

한 중년 남자가 있었다. 그는 자신 앞에 무릎을 꿇고 잘못했다며 훌쩍이는 딸과 못마땅한 표정으로 고개를 숙이고 있는 아들을 내려다보았다. 남매는 갈색 머리카락을 지니고 있었는데, 누나의 눈동자는 평범한 밤의 인간의 붉은색이었으나 남동생의 것은 선명한 황금색이었다.

둘의 인상은 남매답게 서로 흡사 많이 닮은 듯하면서도 달라 보였다. 둘 다 아버지보다는 어머니를 더 많이 닮은 얼굴이었다. 아버지는 부부가 아니라 원수가 되어버린 아내를 떠올리게 하는 자식들의 얼굴에 손찌검을 했다. 언성을 높이며 욕을 하던 그는 남매에게 가문의 수치도 이런 수치가 없다며 길길이 날뛰었다.

"우리 블러드시커 집안에서 어디다 내놓기도 부끄러운 자식들이 태어난 건 너희가 처음이다. 너희 둘이 언제 무엇 하나 제대로 해낸 적이라도 있더냐? 없었지. 허구한 날 그놈의 테네브리스 가문의 아들에게 밀려서 똑바로 한 게 아무것도 없었지! 그런데 가문의 명예조차 눈곱만큼도 드높인 적 없는 놈들이, 명예를 실추시키는 짓거리를 하고 다녀? 대체 생각이 있는 거야, 없는 거야? 하여간 멍청한 게 제 어미를 닮아서 어떻게 제대로 하는 일이 아무것도 없을 수가 있어!"

아버지는 분노를 주체하지 못하고 자식들의 잘못을 연신 꾸짖었다. 딸은 굵은 눈물방울을 뚝뚝 흘리면서 두 손을 모아 잘못을 빌었다.

"아버지, 용서해 주세요. 다 제가 부족해서 동생을 잘 이끌어주지 못한 탓이에요. 제발 한 번만 용서해 주세요."

딸은 자신이 모자란 탓이라며 아버지에게 용서를 빌었다. 반면 아들은 반항심 가득한 얼굴로 듣는 척도 하지 않았다. 버릇없는 그 모습을 본 아버지는 아들의 뺨을 몇 대 쳤다. 손바닥 자국이 양쪽 뺨에 새빨갛게 물들었다. 딸은 모두 자신의 잘못이라고, 동생에게는 아무런 잘못이 없다고 아버지를 말렸다.

그런다고 멈출 아버지가 아니었다. 그는 자신의 팔을 붙들고 매달리는 딸의 뺨을 때리며 어디서 아버지에게 대드냐고 소리쳤다. 아버지는 딸을 붙잡아 아무렇게나 바닥에 내팽개쳤다. 딸은 고통에 신음을 내뱉으며 나뒹굴었다.

가만히 있던 아들이 벌떡 자리에서 일어났다. 그는 증오하는 아버지를 향해 마력 안개를 쏘았다. 허나 마력을 수십 년간 다뤄온 아버지는 아들에게 그리 쉽게 지지 않았다. 아버지는 마력 안개를 피워내 아들의 멱살을 붙잡았다. 그러나 아들 또한 질 생각이 없었다. 아들은 주먹으로 아버지의 얼굴을 마구 때렸다. 그리고 주머니에 숨겨두었던 단도로 아버지의 목을 찔렀다. 갑작스러운 칼부림에 아버지는 반격조차 하지 못하고 뒤로 넘어졌다.

아들은 거기서 멈추지 않았다. 그는 가증스러운 아버지의 얼굴을 계속 칼로 찢고 베었다. 멀쩡했던 얼굴은 피로 물든 누더기처럼 변해 피떡이 되었다. 누나가 울며불며 그만하라고 말려도 소용이 없었다. 아버지의 얼굴에 난도질을 하는 남동생의 올라간 입꼬리에서 희열이 느껴졌다. 거기까지 들여다보자 카이는 더 볼 필요도 없다는 듯 기억을 닫고선 혀를 끌끌 찼다.

"설마 직접 아버지를 죽였을 줄이야. 멀쩡하시던 블러드시커 경께서 갑자기 돌아가셔서 다들 의아해했는데, 가문에서 너를 없는 사람 취급하는 이유가 있었군."

"그 더러운 주둥아리 좀 닥쳐. 깨끗한 척하지 마. 네놈이라고 안 그럴 것 같아? 사람들은 다 똑같아. 내가 이상한 게 아니야. 그 어떤 누구라도 나랑 똑같이 했을 거라고!"

미르는 억울한 목소리로 악에 받쳐 소리쳤다. 카이는 코웃음을 쳤다.

"정신 나간 놈들은 늘 똑같이 얘기하지. 자신은 미치지 않았다고, 다른 사람들이 이상한 거라고."

순간 카이의 손에서 뜨거운 불꽃이 피어났다.

"네가 그렇게 사람을 죽이고 고문하는 걸 좋아한다고 들었는데, 어디 너도 한번 당해 보시지."

카이의 손안에 있던 작은 불꽃이 여러 갈래로 퍼져 나갔다. 그 불꽃들은 곧 미르의 몸에 돋아난 검은 털과 살갗을 태우기 시작했다. 흡혈귀 특유의 빠른 회복 속도로 그을린 자리에 새살이 돋아나면 불길은 새 피부를 다시 태웠다. 두 번이나 뜯어버린 날개가 그새 다시 돋아나고 있었다. 카이는 불길이 더 넓게 퍼지도록 손짓했다. 이윽고 불꽃들은 그의 날개를 태웠고, 공중에 하얀 연기와 매캐한 냄새가 감돌았다.

허나 칼에 찔려도, 불에 살갗이 타들어가도 금세 다시 회복하는 능력을 가진 흡혈귀는 그리 쉽사리 죽을 수 없었다. 엘프들이 빛의 축복을 받은 영생의 존재, 평범한 주행성 인간과 밤의 인간들이 언젠가 죽음을 맞이해야 하는 필멸의 존재라면 흡혈귀들은 불사의 존재라고 할 수 있었다. 미르는 살갗이 타들어가는 고통을 오히려 즐기는 정신 나간 사람처럼 웃음을 터뜨렸다.

"마음껏 해보시라고, 나리. 어차피 날 절대로 죽일 수 없을 테니까!"

카이의 지친 기색을 눈치챈 미르가 목소리를 높여 조롱했다. 일반적인 마법이나 칼, 불 따위로는 절대로 흡혈귀를 죽일 수 없었다. 카이도 그 사실을 잘 알고 있었다. 지금껏 온갖 역사 서적을 통해 선조들에 대해 배웠음에도 흡혈귀와 직접 싸우는 것은 예상보다 만만치가 않았다. 이대로 계속 마력을 소모하게 된다면 무한에 가까운 흡혈귀의 재생 능력 때문에 자신이 패배하게 될 것이 분명했다. 미르가 아무리 마력 소모 때문에 지쳤다고 한들, 흡혈귀의 마력은 재생 능력과 같이 무한에 가까웠다. 그렇기에 지금 미르는 불에 타 죽어가고 있는 것이 아니라 오히려 힘을 회복하고 있는 중이었다. 때문에 흡혈귀에게 치명타를 입힐 수 있는 확실한 방법이 필요했다.

카이는 고민에 빠졌다. 흡혈귀를 죽일 수 있는 단 하나의 방법을 카이는 잘 알고 있었다. 그러나 그 방법은 어둠의 존재인 자신에게도 치명적이었다.

"이제 알겠어? 내가 진정한 대마법사라는 사실을. 내가 바로 어둠의 군주이자 공포의 화신이지. 네놈에게 테네브리스라는 이름은 어울리지 않아!"

"뭔가 단단히 착각하고 있군, 블러드시커. 내가 곧 어둠 그 자체다."

카이는 새로운 마력 안개를 피워냈다. 진보랏빛 안개는 카이를 감싼 뒤

주변으로 퍼져 나가 쓰러져 있는 선우, 동생들과 유리를 보호했다. 곧이어 마력에 이끌린 주변의 잔해들이 떠올라 그들을 뒤덮었다.

그것이 마법 보호막이라는 것을 눈치챈 순간, 정신을 차린 유리는 잔해의 틈을 통해 이상한 광경을 목격했다. 천 개의 유성우와도 같은 푸른빛이 카이의 손안에서 섬광처럼 번뜩이며 칠흑 같은 어둠을 걷어냈다. 유리는 눈부시게 밝은 빛에 움찔하며 본능적으로 빛을 피해 고개를 숙였다.

그의 손안에서 피어난 하얀 빛줄기가 미르의 살갗을 태우기 시작했다. 그러나 이번에는 상처가 아물지 못했다. 살갗이 녹아내리며 재로 변하기 시작하자, 미르는 진정으로 죽음이 다가오는 것을 느끼고 몸부림쳤다. 그 빛은 동시에 카이의 살갗 또한 태우고 있었다. 빛에 닿은 손과 팔의 피부가 녹아내려 뼈가 드러나며 하얀 연기가 피어났고, 공기 중에 끔찍한 냄새가 감돌았다.

카이는 이를 악물고 버텼다. 믿을 수 없는 광경에 유리의 두 눈이 휘둥그레졌다. 저것은 분명히 빛이었다. 어둠에서 태어난 밤의 인간들에게 유일한 약점인 빛을, 지금 카이가 사용하고 있었다.

하얀 빛의 뜨거운 열기에 타들어간 미르의 몸뚱어리는 완전한 잿더미로 변해 바람에 휘날렸다. 그러나 재로 변하고 있는 것은 카이의 손도 마찬가지였다. 유리는 카이가 죽을까 두려웠다. 그가 대체 무슨 생각으로 저러고 있는 것인지 이해가 되지 않았다.

설마 스스로 목숨을 버리는 것까지 각오하며 이곳에 온 걸까? 설령 자신이 미르에게 다시 붙잡히게 되더라도 그녀는 카이가 죽는 것은 절대 원치 않았다. 유리는 잔해와 마법 보호막을 걷어내고 카이에게 다가가려 했다. 그러나 자신과 소유를 뒤덮은 잔해는 꿈쩍도 하지 않았다. 지친 탓에 마력도 쓸 수가 없었다.

미르의 몸에 달라붙은 강렬한 불길은 마치 게걸스럽게 먹잇감을 해치우듯 빠르게 살갗을 불태웠다. 이윽고 미르의 몸은 모두 새까만 재가 되어 흔적도 없이 사라졌다. 피로 붉게 물든 땅 위로 뼈와 잿가루가 흩날렸고, 카이의 살갗을 태우던 하얀 빛줄기도 희미해지며 모습을 감췄다. 유리는 잔해와 보호막을 제어하는 마력이 사라지자 자리에서 벌떡 일어났다.

"테네브리스!"

유리는 지친 몸을 이끌고 카이에게 달려갔다. 카이의 상태를 살피던 그녀는 놀라서 말을 잇지 못했다. 어깨에 두르고 있던 망토와 저고리 깃은 새까맣게 그을렸고, 발밑에 반쯤 타버린 천 조각들이 나뒹굴었다. 그의 손안에서 번쩍 나타났던 하얀 빛줄기에 오른손과 팔의 피부는 완전히 녹아내려 끔찍한 몰골이었다. 모두 타버린 살갗 아래에 남은 것은 뼈밖에 없었다. 그나마 멀쩡한 어깨는 새빨간 화상 자국으로 가득해 보기가 흉하다 못해 역겨울 정도였다.

카이는 말없이 입술만 꽉 깨문 채 마력 안개를 피워냈다. 마력 안개가 화상 자국 안으로 스며들기 시작했다. 곧 끔찍할 정도로 흉측하던 화상 자국이 사라지며 새살이 돋아났다. 그러나 빛과 직접 맞닿았던 손은 원래 모습을 되찾지 못했다. 일부만 회복되었을 뿐 흉한 모습은 그대로여서, 손가락 마디뼈가 군데군데 적나라하게 보였다.

유리는 아무 말도 하지 못했다. 무슨 생각으로 그랬느냐고, 설마 네 목숨을 버릴 생각이었느냐고 따져 묻고 싶었지만 왜인지 입이 떨어지질 않았다. 카이는 짜증 섞인 한숨을 쉬며 땅을 내려다보았다. 유리는 그를 따라 시선을 옮겼다. 카이는 뼈와 재만 남아버린 미르의 흔적을 보고 있었다.

뜨거운 눈물이 뺨을 타고 흘렀다. 유리는 드디어 자신을 괴롭히던 악몽이 끝났다는 사실에 다리에 힘이 풀려 주저앉았다. 그녀는 미르의 흔적 옆에 나뒹구는 자신의 천체검을 꼭 쥔 채 흐느껴 울기 시작했다. 이런 날이 오길 얼마나 오랫동안 기다렸는지, 자신을 옥죄는 악몽 같은 살인마의 손아귀에서 벗어나 자유로워지기를 얼마나 기도했는지 기억도 나지 않았다.

좀먹던 공포에 익숙해져 어느덧 하나가 되어버린 것 같았는데…….

유리는 미르가 드디어 죽었다는 사실이 믿기지가 않아 멍하니 바람에 흩날리는 잿가루를 쳐다보았다. 유리는 죄책감에 고개를 숙였다. 하얀 손등과 땅 위로 눈물방울이 뚝뚝 떨어졌다. 그의 도움이 없었다면 모두 이곳에 살아있지 못했으리라. 서럽게 울고 있는 유리에게 어느 새 정신을 차리고 깨어난 소유가 다가와 그녀를 안아주었다.

4년 전의 일들이 기억을 스쳐 지나갔다. 갈기갈기 찢어져 있던 스승님과 동생들의 시체, 피범벅이 되어있던 선우와 동생들, 방금처럼 미르에게 머리채를 잡힌 채 아무것도 할 수 없었던 자신의 무력한 모습. 미르가 죽기만 한다면 악몽에서 완전히 벗어날 수 있으리라고 생각했건만, 어깨를 감싸는 무거운 죄책감 위로 후회가 몰려왔다.

미르의 죽음으로 유리는 한 가지를 느낄 수 있었다. 이 상처는 그가 죽는다고 완벽히 아무는 것이 아니었다. 평생 동안 자신은 그날 일에 대한 상처를 안고 살아가야 했다.

“그만 울고 일어나. 슬슬 새벽이 다가오고 있으니 돌아가야 해.”

카이는 어서 일어나라며 유리를 재촉했다. 그는 난장판이 된 주변을 한번 쓱 둘러보았다.

“일단 상황부터 좀 정리하도록 하지.”

카이는 마력으로 선우와 동생들을 뒤덮고 있던 잔해들을 들어올려 날려보냈다. 잔해가 걷어지자 소유는 선우 쪽으로 달려갔고, 유리는 눈물을 닦아내며 자리에서 일어났다. 마음을 가다듬으며 울음을 멈추려고 애쓰고 있는데 문득 카이가 미르의 유골을 집어 드는 것이 보였다. 그는 마력으로 흩어진 나머지 뼈와 재를 모으고, 떨어져 있는 혈석검을 주웠다. 카이는 그것들을 들고 앞으로 손을 뻗어 중력문을 열었다.

“잠깐만!”

인사도 없이 암흑 너머로 발을 내디디려는 카이에게 유리가 다급하게 소리쳤다.

"그건 왜 가져가는 거야? 혈석검으로 뭘 하려고?"

"증거."

"뭐?"

"블러드시커가 범인이라는 증거. 범인을 잡았으면 당연히 증거가 있어야지. 이제부턴 내가 알아서 할 테니 넌 신경 꺼."

카이는 뒤를 돌아 중력문 너머로 사라졌다. 유리는 그가 사라진 자리를 멍하니 바라보았다. 증거라. 카이의 말이 틀린 것은 아니었다. 미르 때문에 소문은 계속 퍼지고 있었고, 이제는 유리까지도 곤란하게 만들고 있었다. 이대로 계속된다면 선우도, 동생들도 안전할 수 없을지 몰랐다. 그렇기에 황궁에 가서 미친 사람이라는 소리를 듣지 않으려면 미르가 범인이라는 증거가 필요했다.

아마 카이는 증거를 가지고 황궁에 보고하거나 다른 마법사들에게 알리려는 듯했다. 생각만 해도 소름이 끼치는 혈석검과 미르의 유골을 카이가 들고 갔단 사실에 기분이 찜찜했지만 별 수 없었다. 이제부터는 그에게 맡기는 수밖에 없었다. 평범한 주술사인 자신보다는 대마법사가 더 쉽게 일을 해결할 수 있을지도 몰랐다.

어두웠던 밤하늘이 떠오르는 태양빛을 받아 환하게 물들었다. 달과 별들은 이미 낮의 주인에게 자리를 넘겨주려 모습을 감춘 지 오래였다. 유리는 자화당의 안방에 앉아 동생들에게 약초를 발라주고 있었다. 그녀는 혜성의 팔에 생긴 상처 위로 약초를 넓게 펴 발랐다.

따끔거리는 느낌에 혜성은 얼굴을 살짝 찡그렸다. 준은 아직도 정신을 잃은 채 누워있었고, 소유는 그런 준의 상태를 살피고 있었다. 반면 선우는 구석에 앉아 말없이 그 모습을 지켜보았다. 유리는 혜성의 팔에 붕대를 감고 매듭을 꼭 묶었다.

“이제 됐다. 며칠 동안은 함부로 움직이고 그러지 마. 알았지?”

“미안해, 누나.”

혜성이 죄인처럼 고개를 푹 숙인 채 말했다.

“뭐가 미안해?”

“오해해서. 우린 진짜 그 테네브리스라는 사람이 누나를 어떻게 한 줄 알았어.”

“아냐, 오히려 내가 미안하지. 결국 나 때문에 너희가 이렇게 다친 건데…….”

“그렇게 생각하지 마. 언니 때문에 우리가 살았어. 언니가 없었으면 우린 다 죽었을 거야.”

가만히 둘의 대화를 듣고 있던 소유가 말했다. 유리는 고개를 저었다. 자신 때문에 살았다는 것은 사실이 아니었다. 모두를 구한 것은 자신이 아니라 카이였으니까. 유리는 오히려 나약하고 무능한 자신 때문에 동생들에게 4년 전의 일을 또다시 겪게 만든 것 같아 죄책감을 느꼈다. 유리는 미르를 탓하고 싶었다. 사실 모든 것은 미르의 탓이었다. 그가 애초부터 유리에게 관심을 가지지 않았더라면 이 모든 비극은 일어나지 않았을 테니까. 그러나 유리는 미르를 원망하고 증오하면서도 나약한 자신 또한 증오했다.

‘제자들을 아낀다는 사람이 정작 위험할 때는 제자들을 죽게 내버려 뒀나? 네 스승이 그렇게나 무능했으니 네가 지금 블러드시커에게 쫓기고 있는 거야.’

마음 속에 잊고 있었던 카이의 말이 떠올랐다. 유리는 카이가 진율을 향해서 했던 말이 어쩐지 지금의 자신을 말하는 것 같았다. 그날 일어난 비극 때문에 과거에 미련을 갖고 죄책감을 느끼면서도, 강해지려고 열심히 수련에 정진했으면서도 정작 동생들이 위험할 때 자신은 그들을 구하지 못했다. 마력 안개를 조금 피워낼 줄 안다고 마법에 재능이 있을지도 모른다 착각했던 자신의 모습이 떠오르자 스스로가 우습게 느껴졌다. 어쩌면…… 마법에 있어서 자신이 가진 실력의 한계는 여기까지인지도 몰랐다.

유리는 말없이 구석에 앉아있는 선우에게 고개를 돌렸다. 선우는 유리와 눈이 마주치자 시선을 피했다. 그의 이마에는 아직도 마른 핏자국이 머리카락과 엉켜 붙어있었다. 옷도 여기저기 찢어진 데다 피투성이였다. 유리는 약초와 붕대를 들고 선우에게 조심스레 다가갔다.

"저기, 선우야."

유리는 약간 긴장한 목소리로 말을 걸었다. 선우는 대답이 없었다. 그는 한쪽 팔을 무릎에 걸친 채 삐딱하게 벽에 몸을 기대고 있을 뿐이었다. 유리는 약초를 조금 손에 덜어서 선우의 이마에 난 상처에 가져갔다.

"됐어."

선우는 유리의 손길을 거칠게 쳐냈다.

"상처 곪기라도 하면 어떡하려고 그래? 이거라도 바르자, 응?"

"됐다니까. 필요 없어."

선우가 짜증 섞인 목소리로 말했다. 그는 벌떡 일어나 형체만 간신히 남은 부서진 대궁을 들곤 방을 나가버렸다.

"형, 어디 가? 선우 형!"

"그냥 둬."

혜성이 선우를 뒤따라 가려 일어났다. 유리는 혜성의 손을 붙잡고 말렸다.

"생각이 많을 거야. 혼자 있게 내버려 둬."

선우를 따라가려던 혜성은 착잡한 얼굴로 다시 자리에 앉았다. 동생들의 치료가 끝나자 유리는 망토를 벗었다. 이제 자신을 치료할 차례였다. 옷을 벗자 생각보다 상태가 심한 상처가 드러났다. 그 모습을 본 혜성과 소유가 도와주겠다며 다가왔다. 유리는 괜찮다며 거절했지만 동생들은 고집을 부렸다. 하는 수 없이 그녀는 동생들에게 치료를 맡겼다.

그렇게 동생들이 상처에 약초를 바르는 모습을 지켜보고 있는데 문득 소유의 어깨 너머로 곤히 잠들어 있는 준이 눈에 들어왔다. 그는 소유가 잘 살펴준 덕에 별 문제는 없어 보였다.

선우도 상처를 치료해야 할 텐데…… 정말 괜찮으려나. 유리는 선우가 왜 아무 말없이 나가버렸는지 잘 알고 있었다. 그는 4년 전 비극이 일어났을 때도 침묵을 지킨 채 자신과 아무런 대화도 하지 않으려 했다. 어쩌다 말을 걸면 모두 말다툼으로 이어졌고, 친한 친구였던 둘은 매번 서로 얼굴을 붉히며 싸우기만 했다. 그러다 결국 유리는 그의 원망스러운 눈빛과 냉랭한 분위기를 참지 못하고 수도를 떠나버린 것이었다.

하지만 또 친구를 내버려두고 도망칠 생각은 없었다. 유리는 나중에 적당한 때를 잡아 선우와 대화를 해야겠다고 생각했다.

"근데 있잖아, 언니."

약초를 발라주던 소유가 머뭇거리며 말했다.

"아까 말인데. 그 붉은 검을 대마법사 나리께서 왜 가져가신 거야?"

"무슨 소리야?"

혜성이 눈이 휘둥그레져서 물었다. 소유는 혜성에게 미르가 죽은 후 카이가 미르의 유골과 재, 혈석검을 가져갔다는 이야기를 해주었다. 유리는 그의 손에 들려 있던 흉측한 뼛조각을 떠올리곤 자기도 모르게 어깨를 움츠렸다.

"증거로 가져간다고 했어. 테네브리스가 황궁에 보고하면 곧 범인을 잡았다고 포고문이 내려올 거야. 너희는 신경 안 써도 돼."

"누나를 의심하는 건 아니지만, 그 테네브리스라는 사람 정말 믿을 수 있는 거 맞아? 그 사람은 마법사잖아."

"괜찮아, 무슨 일이 생기면 내가 알아서 할 거야. 너희는 신경 쓰지 마. 괜히 끼어들었다가 너희만 다쳐. 이번에 테네브리스가 아니었으면 어떻게 됐을지 몰라."

"그래도 언니 혼자서는 힘들잖아. 우리가 도와줄 수 있는 게 있다면 말해줘, 응?"

"마음은 고맙지만 더 이상 내 일에 너희를 끌어들이기 싫어. 나 때문에 너희들이 또 위험해지는 건 안 돼. 내 말, 무슨 말인지 알겠어?"

유리의 단호한 말투에 두 동생은 조용히 고개만 끄덕였다.

그녀는 소유가 묶어준 매듭을 보며 카이를 떠올렸다. 하얀 빛에 녹아내려 뼈만 남은 흉측한 손이 머릿속을 스치고 지나갔다. 그건 분명히 빛이었는데……. 대체 어떻게 된 거지? 빛에 취약한 터라 낮에는 철저하게 빛을 피해 생활하는 밤의 인간들이 빛을 이용한다는 건 상상도 할 수 없는 일이었다. 카이가 전에도 이야기했듯, 빛을 자유자재로 다룰 수 있는 건 오로지 빛으로부터 태어난 엘프들뿐이었으니까. 유리는 당장 묻고 싶은 질문이 너무나도 많았다. 그녀는 몸이 회복되는 대로 카이를 찾아가 얘기를 해야겠다고 생각했다.

"이제 자자."

유리는 생각을 가다듬으며 촛불을 불었다. 동생들과 자리에 누워 이불을 덮자 익숙한 감촉이 손끝을 타고 느껴졌다. 그녀는 동생들에게 양팔을 벌려 팔베개를 해주었다. 이 그리운 느낌……. 참 오랜만이구나. 꼬박 4년만이었다. 유리는 동생들과 어릴 적 이야기를 나누다가 쏟아지는 졸음에 천천히 눈을 감았다. 그렇게 4년만에 유리는 처음으로, 동생들과 함께 같은 천장을 바라보며 잠이 들었다.

검은 양초를 태우는 촛불이 일렁거리며 넓은 침실 안을 밝혔다. 거대한 날개를 펄럭이는 모습의 박쥐 자수가 놓인 고급스러운 보랏빛 비단 이불이 침대를 감쌌고, 협탁 위에는 반쯤 채워진 술잔과 술병이 널브러져 있었다. 이 호화스러운 침실에 앉아 술을 마시고 있는 남자는 이불이나 가구에 새겨진 자수와 장식만큼이나 화려한 비단옷을 걸치고 있었다. 자줏빛 저고리 위에 걸친 검은 두루마기에는 황금빛 박쥐 자수가 위용을 뽐내며 번쩍였다.

그러나 정작 눈길을 끄는 것은 화려한 옷차림이나 고풍스러운 가구가 아닌, 그의 외모였다. 오랜 세월을 살아온 나이가 무색하게 남자의 얼굴에 깊게 패인 주름은 전혀 찾아볼 수 없었다. 겉으로만 보아서는 많아야 이제 갓 중년이 된 것처럼 보였다. 하지만 젊은 청년 같은 외모에도 불구하고 그 눈빛은 오랜 시간을 살아온 노인의 근심을 담고 있었다.

어두운 낯빛을 하고 상념에 잠긴 그는 다시 목구멍 안으로 술을 밀어 넣었다. 누군가 문을 두드리는 소리가 들렸다. 그가 들어오라고 밖을 향해 외치자 한 청년이 문을 열고 모습을 드러냈다. 그는 남자와 달리 정말로 나이 젊은 청년이었다. 청년은 푸른빛과 은빛이 섞인 철릭을 입고, 그 위에 용 비늘 무늬의 강철 갑옷을 두르고 있었다. 청년은 남자에게 공손한 태도로 고개를 조아렸다.

"방금 들어온 소식입니다. 미르 블러드시커가 실패했다고 합니다."

청년의 말에 남자가 못마땅한 표정으로 혀를 끌끌 찼다.

"어차피 쉬울 거라고는 생각하지 않았지만, 내 그놈이 그럴 줄 알았지."

남자는 예상하고 있었다는 듯, 실패라는 소식에도 대수롭지 않아 하며 다시 잔에 술을 따랐다. 그런데 소식을 가져온 청년의 얼굴이 어쩐지 곤란해 보였다. 그는 머뭇거리다 입을 열었다.

"저…… 그런데 문제가 하나 생겼습니다."

"무슨 일인가?"

"블러드시커가 죽었는데, 그 시체와 혈석검이 발견되지 않았다고 합니다. 감시자의 말에 따르면 아마도 '그놈'이 가져간 것 같다고 합니다."

남자가 그 말을 듣고선 두 눈을 날카롭게 부릅떴다. 그는 말없이 술잔을 비우고 내려놓았다.

"그놈이 시체를 가져갔다라……. 다른 계획이 필요하겠어."

남자는 머리를 조아리고 있는 청년을 향해 뒤를 돌아보았다.

"그 여자를 데려와라."

부록

이나실에 대하여

이 책의 주 무대인 "이나실"은 주인공 유리가 사는 세계를 뜻하는 말로, 태초의 엘프들이 자신들의 언어로 세상을 이나실이라고 부른 데에서 왔다.

이나실은 영겁의 세월 동안 깜빡이며 서로 뒤엉켜 있던 빛과 어둠의 끈에서 탄생했다. 이 끈이 서서히 풀려나면서 빛과 어둠이 분리되었고, 여기서 각각 빛의 신과 어둠의 신이 탄생하였다. 가장 먼저 세상에 내려온 것은 빛의 신이었다. 빛의 신은 대지에 빛과 태양을 내리쬐게 하고, 그 다음 자신을 본따서 '엘프'라는 창조물을 탄생시키고 그들에게 영생의 축복을 주었다. 엘프들은 빛과 생명의 존재로서 자신들만의 문화를 만들어내며 살아갔다.

뒤이어 어둠의 신이 이나실에 어둠과 밤을 내리게 하였다. 어둠의 신 또한 자신을 본따서 '인간'이라는 종족을 창조했는데, 이때부터 이나실에 죽음이 생겨났으며 노화 없이 영생을 사는 엘프들과 달리 인간들은 세월이 흐르면 반드시 노화를 거쳐 서서히 죽음에 이르는 필멸의 존재로 태어났다.

인간들은 태초의 전쟁 등을 거쳐 후대에 뿔뿔이 흩어져 총 아홉 개의 세력으로 갈라졌다. 반면 엘프들은 두 개의 세력으로 갈라졌다. 현재 유리가 사는 시대의 이나실에는 열한 개의 세력이 존재하고 크게 네 개의 국가가 존재한다.

밤의 인간과 블러드크라운 제국에 대하여

밤의 인간은 이나실의 유일한 야행성 종족으로, 그 원형은 어둠의 신이 빚은 태초의 인간이다. 인간들은 엘프들과 오랜 분쟁 끝에 전쟁에서 승리하기 위하여 스스로 '혈석'이라는 것을 만들어냈다. 혈석의 힘을 취한 인간들은 무한한 재생력과 마력, 파괴력을 지니며 노화 없는 영생을 누리지만 빛에 취약한 존재인 '흡혈귀'로 변모했다.

허나 시간이 지나며 알 수 없는 이유로 혈석의 힘은 점차 사라지기 시작했다. 혈석의 힘이 사라진 이들에게는 상대적으로 민첩한 신체적 능력과 빛에 대한 약점만이 남았고, 이것이 바로 주인공 유리가 속한 종족인 '밤의 인간'이 되었다. 따라서 이들은 태초의 인간과 흡혈귀를 조상으로 두고 있다고 할 수 있다. 하지만 태초의 인간들은 까마득하게 먼 시대의 사람들이기에 이들은 태초의 인간들보다는 흡혈귀를 더욱 가깝고 친근한 조상으로 여긴다.

밤의 인간들의 가장 큰 특징 중 하나는 외모다. 이들은 죽음에서 다시 태어난 흡혈귀의 후손인 만큼 죽은 사람처럼 창백한 피부와 어둠을 닮아 검은 머리카락, 그리고 혈석의 영향을 받아 변한 붉은 눈동자를 지니고 있다. 눈동자와 머리카락의 밝기, 어두움 정도는 각 사람마다 차이가 있다.

드물게 갈색 머리카락이나 황금색 눈동자를 지닌 자들이 있는데, 갈색 머리카락은 종종 다른 주행성 인간들에게서도 나타나기에 특별한 취급을 받지 않지만 황금색 눈동자는 오로지 밤의 인간에게서만 나타나는 희귀한 성질이다(원인은 알려지지 않았다). 황금색 눈을 타고난 밤의 인간은 '용의 눈'을 가졌다고 해서 고귀하고 범상치 않은 인물이 될 것이라 여겨진다.

또 다른 특징은 말그대로 '야행성' 인간이라는 것이다. 이들은 저녁에 어스름이 질 때 기상하여 활동을 시작하고, 태양이 서서히 떠오르기 시작하는 새벽 무렵에 잠이 든다. 때문에 다른 종족들과 다르게 해가 길어지는 여름에 가장 활동량이 적고, 밤이 길어지는 겨울에 활동량이 상대적으로 조금 더 많아진다.

밤의 인간들이 살고 있는 '블러드크라운 제국'은 3차 전쟁 때 흡혈귀들이 전쟁으로 파괴된 나라를 재건하면서 시작되었다. 이나실 전체를 통틀어서 유일한 황제국으로, 본래는 태초의 전쟁에서 패배하여 창백한 대륙 이곳저곳으로 뿔뿔이 흩어진 작은 나라들로 구성되어 있었다. 이 나라들을 흡혈귀들이 하나로 통합시켜 '반월국'이라는 왕국을 세웠고, 3차 전쟁 때에 가장 강력한 권세를 자랑했던 레나투스 가문이 국명과 가문명을 '블러드크라운'으로 변경하면서 칭제를 하여 지금의 모습이 되었다.

제국의 영토는 창백한 대륙 전체를 아우른다. 또한 이들은 단일민족인데, 인간에서 흡혈귀로, 흡혈귀에서 밤의 인간으로 차차 변화를 거친 세상의 유일한 야행성 종족이기 때문에 그렇다. 문자는 태초의 인간들로부터 시작되어 변형된 제국 고유의 문자와 언어를 사용한다. 각 지역마다 사용하는 말은 대체로 비슷하나 억양에서 약간 차이가 있고 고유의 사투리가 존재한다.

제국 언어의 일부 단어는 태초의 인간들이 엘프들과 교류했던 것에서 영향을 받았다. 예를 들어 테네브리스, 베스페리 같은 귀족 가문명이나 모르귀스, 생귀스 같은 지역명이 그러하다. 또한 상업이 잘 발달되어 있어 물물교환보다는 주로 은화와 철전을 사용한다.

엘프와 솔렌드리엘에 대하여

엘프들은 이나실에 가장 먼저 존재하기 시작한 종족이다. 밤의 인간들이 인간에서 흡혈귀, 흡혈귀에서 밤의 인간으로 변화를 거쳤으나 엘프들에게는 이러한 변화가 거의 일어나지 않았다.

이들은 본래 하나의 세력이었으나, 여러 전쟁으로 인한 갈등으로 솔렌드리엘과 실리엔이라는 두 개의 분파로 나뉘게 되었다. 실리엔 엘프들은 태초의 모습 그대로를 간직하고 있는 반면, 솔렌드리엘 엘프들은 흡혈귀들이 알 수 없는 이유로 혈석의 힘을 잃어버린 것처럼 역시 원인 불명의 이유로 태초의 모습을 잃어버리고 절대다수가 금발에 푸른 눈동자를 가진 모습으로 변하였다.

엘프들은 밤의 인간들보다 키와 체격이 대체로 훨씬 큰 편이다(하지만 아주 드물게 일부 밤의 인간, 주행성 인간들은 엘프와 맞먹는 체격을 지니기도 한다). 주로 자연에서 거니는 것을 좋아하고 생명과 빛에 대해 깊이 고찰하며 평화로운 시간을 보내길 좋아한다.

어둠의 신을 섬기기 위해 주술사라는 집단을 만들고 사당까지 세우는 밤의 인간들과 달리, 엘프들은 빛에 대한 의미를 자연 속에서 찾으려고 하는 경향이 있어 따로 빛의 신을 모시는 집단이 존재하지 않는다. 따라서 사당, 신전과 같이 신을 모시는 행위 그 자체를 위한 장소가 없고, 신을 위한 특별한 의식이나 제사도 행하지 않는다. 하지만 빛의 신에게 기도를 드리는 행위는 존재하기에 이들은 스스로가 빛의 구원을 원할 때에 각자 따로 기도를 드린다.

솔렌드리엘은 창백한 대륙과 거의 맞먹거나 혹은 그 이상으로 거대한 나라이기에 사투리가 존재한다. 이 차이는 지역에 따라서 비교적 큰 편으로, 블러드크라운 제국과 가까운 지역일수록 심해진다. 또한 밤의 인간들처럼 이들 또한 일부만이 타고난 마력을 지니고 있어, 마력을 가진 엘프들이 그렇지 않은 엘프들보다 높은 신분을 가지고 있다. 하지만 밤의 인간들처럼 신분을 황족, 상급 귀족, 하급 귀족, 상인, 평민, 천민 등으로 세세하게 구분하지는 않는다.

제국과 가까운 솔렌드리엘 동부는 상업이 비교적 잘 발달되어 있는 편이나, 중심부의 수도나 남부는 주로 물물교환, 농사와 사냥 등을 통해 자급자족을 하며 생활을 이어간다.

지도

영원의 빙하
실리엔 군도
고대 칼데라
대백산
백운해
설룡의 안식처
백사
니힐리안 평야
재벽골
북해
블러드크라운 제국
크리스탈리스
테네투리스 탑
루네스 주
유령 산맥
닉스 주
북부 평야
제국해
카다베리스
모르티스
카엘레스티
반월성
보레아스
이그니투스
프리고리스
스텔라투스 평야
모리엔티아 숲
붉은 평야
만월성
베스페리
생귀스 주
꺾을 수 없는 봉우리
진키바르 왕국
기사도
그위네스 숲
옛 수도 폐허
코르부스
모르귀스
황혼의 강
솔렌드리엘
디나실렌